해결의 법칙

중학

수학 2-2

개념 해결의 법칙

이 책을 기획·검토해 주신 245명의
선생님들께 감사드립니다.

개념 해결의
법칙

머리말

이 책은 수학을 어려워하는 학생의 눈높이에 맞춰 꼭 알아야 하는 개념을 쉽고 자세하게 설명한 책입니다. 수학을 처음 시작하는 학생이나 수학의 기초가 닦여 있지 않은 학생은 나도 할 수 있다!는 자신감을 가지고 학습하시기 바랍니다.

o 개념을 쉽고 정확하게 이해할 수 있도록 정리

o 개념을 확실하게 이해할 수 있도록 개념 이해 문제와 적용 문제 제시

o 교과서 수준의 대표 유형 문제와 대표 유형을 반복 연습할 수 있는 쌍둥이 문제 제시

o 빈칸 채우기를 통한 개념 정리와 대표 유형에서 학습한 문제와 유사한 문제들로 단원 마무리 구성

수학은 단계적인 학문이기 때문에 빠른 시간 안에 성적을 끌어올리기는 쉽지 않습니다.
비록 거북이 걸음이라 할지라도 꾸준하게 노력하는 사람만이 수학에서 승리할 수 있습니다.
개념 해결의 법칙은 쉽고 빠르게 기본 실력을 다지는 데 그 목표를 두었습니다.
이 책을 사용하는 학생 모두가 수학에 자신감을 갖게 되기를 바랍니다.

Structure
구성과 특징

개념 정리

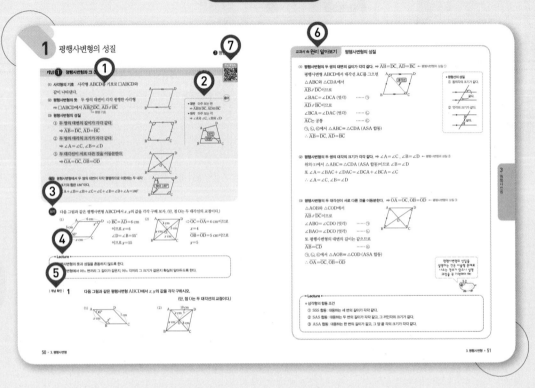

❶ **개념 설명** : 개념을 쉽고 정확하게 이해할 수 있도록 정리

❷ **용어** : 이전 학년 또는 앞 단원에서 배웠던 용어가 다시 나오는 경우에 대한 설명

❸ **보기** : 개념을 어떻게 적용시키는지 예를 보여줌

❹ **Lecture** : 중요한 내용 또는 반드시 짚고 가야할 내용을 정리

❺ **개념 확인** : 개념만으로 풀 수 있는 문제로 개념을 바르게 이해했는지 확인

❻ **교과서 속 원리 알아보기** : 교과서에 나오는 개념 중에서 보충 설명이 필요한 개념을 알아보기 쉽게 별도로 구성

❼ **개념 동영상** : QR코드를 스마트폰으로 스캔하여 동영상 강의를 시청!

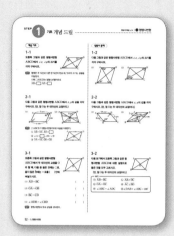

Step 1 기초 개념 드릴

● 개념 기초 : 쉬운 개념 이해 문제와 적용 문제를 제시

● 쌍둥이 문제 : 유사한 문제로 반복 연습

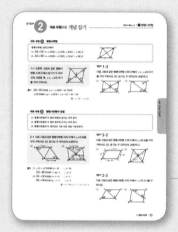

Step 2 대표 유형으로 개념 잡기

● 교과서 또는 학교 시험에 나오는 필수 유형들을 개념과 함께 제시

● 예제와 풀이, 쌍둥이 문제로 구성

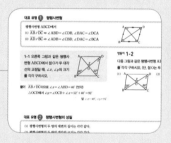

Step 3 개념 뛰어넘기

● 빈칸 채우기를 통해 개념 정리 부분을 다시 한번 짚고 넘어가기

● 대표 유형에서 학습한 문제와 유사한 문제들로 다시 한번 확인

● 창의, 융합 : 새로운 문제 및 개념을 응용한 문제에 대한 적응력 기르기

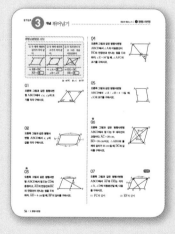

부록 단원 종합 문제

Contents
차 례

1 이등변삼각형

학습 목표

- 이등변삼각형의 성질을 이해한다.
- 이등변삼각형이 되는 조건을 안다.
- 직각삼각형의 합동 조건을 안다.

1 이등변삼각형의 성질

개념 1 이등변삼각형의 성질 (1)

개념 2 이등변삼각형의 성질 (2)

개념 3 이등변삼각형이 되는 조건

2 직각삼각형의 합동 조건

개념 1 직각삼각형의 합동 조건

개념 2 각의 이등분선의 성질

1 이등변삼각형의 성질

개념 1 이등변삼각형의 성질 (1)

(1) **이등변삼각형** 두 변의 길이가 같은 삼각형

➡ $\overline{AB}=\overline{AC}$

(2) **이등변삼각형에서 사용하는 용어**

① 꼭지각: 길이가 같은 두 변이 이루는 각 ➡ ∠A

② 밑변: 꼭지각의 대변 ➡ $\overline{BC}$

③ 밑각: 밑변의 양 끝 각 ➡ ∠B, ∠C

(3) **이등변삼각형의 성질 (1)**

이등변삼각형의 두 밑각의 크기는 같다.

➡ △ABC에서 $\overline{AB}=\overline{AC}$이면 ∠B=∠C

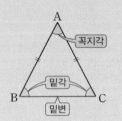

용어

• 꼭지각과 밑각 이등변삼각형이 어떻게 놓여 있더라도 길이가 같은 두 변 사이의 끼인각이 꼭지각이고 나머지 두 각이 밑각이다.

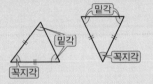

설명 이등변삼각형의 두 밑각의 크기가 같음을 확인해 보자.

오른쪽 그림과 같은 이등변삼각형 ABC에서 ∠A의 이등분선과 $\overline{BC}$의 교점을 D라 하자.

△ABD와 △ACD에서

$\overline{AB}=\overline{AC}$, $\overline{AD}$는 공통, ∠BAD=∠CAD

이므로 △ABD≡△ACD (SAS 합동)

∴ ∠B=∠C

└➤ 대응하는 두 변의 길이가 각각 같고 그 끼인각의 크기가 같다.

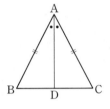

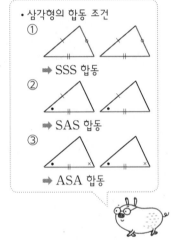

• 삼각형의 합동 조건

① ➡ SSS 합동

② ➡ SAS 합동

③ ➡ ASA 합동

• **Lecture** •

• 꼭 기억해야 할 삼각형의 성질

(1) 삼각형의 세 내각의 크기의 합은 180°이다.

(2) 삼각형의 한 외각의 크기는 그와 이웃하지 않은 두 내각의 크기의 합과 같다.

| 개념 확인 | **1** 다음 그림에서 △ABC가 $\overline{AB}=\overline{AC}$인 이등변삼각형일 때, ∠$x$의 크기를 구하시오.

(1)

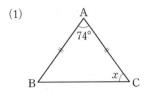

(2)

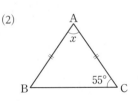

정답과 해설 p.14

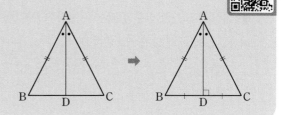

개념 ② 이등변삼각형의 성질 (2)

이등변삼각형의 꼭지각의 이등분선은 밑변을 수직이등분한다.

➡ △ABC에서 $\overline{AB}=\overline{AC}$, ∠BAD=∠CAD이면

$\overline{AD}\perp\overline{BC}$, $\overline{BD}=\overline{CD}$
　　└→ 수직　　└→ 이등분

설명 이등변삼각형의 성질 (1)의 설명에서

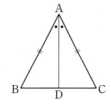

　△ABD≡△ACD (SAS 합동)이므로

　$\overline{BD}=\overline{CD}$　　　……　㉠

　∠ADB=∠ADC이고 ∠ADB+∠ADC=180°이므로

　∠ADB=∠ADC=90°

　∴ $\overline{AD}\perp\overline{BC}$　　　……　㉡

　㉠, ㉡에 의해 $\overline{AD}$는 $\overline{BC}$를 수직이등분한다.

• Lecture •

● 이등변삼각형에서 같은 뜻 다른 표현

(꼭지각의 이등분선)=(밑변의 수직이등분선)

　　　　　　　　=(꼭짓점에서 밑변에 내린 수선)

　　　　　　　　=(꼭짓점과 밑변의 중점을 이은 선분)

| 개념 확인 | **2**　다음 그림에서 △ABC가 $\overline{AB}=\overline{AC}$인 이등변삼각형이고, ∠A의 이등분선과 $\overline{BC}$의 교점을 D라 할 때, x의 값을 구하시오.

(1)
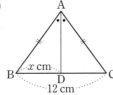

(2)
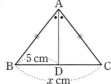

(3)
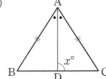

(4)
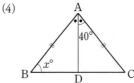

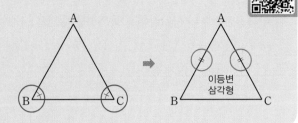

개념 ③ 이등변삼각형이 되는 조건

두 내각의 크기가 같은 삼각형은 이등변삼각형이다.

➡ △ABC에서 ∠B=∠C이면

△ABC는 $\overline{AB}=\overline{AC}$인 이등변삼각형이다.

 설명 오른쪽 그림과 같은 △ABC에서 ∠B=∠C일 때, ∠A의 이등분선과 $\overline{BC}$의 교점을

D라 하면 △ABD와 △ACD에서

∠B=∠C,

∠BAD=∠CAD   ······ ㉠

이때 삼각형의 세 내각의 크기의 합은 180°이므로

∠ADB=∠ADC   ······ ㉡ → ∠ADB=180°−(∠B+∠BAD)

$\overline{AD}$는 공통   ······ ㉢   =180°−(∠C+∠CAD)

㉠, ㉡, ㉢에 의하여 △ABD≡△ACD (ASA 합동)   =∠ADC

∴ $\overline{AB}=\overline{AC}$

따라서 △ABC는 $\overline{AB}=\overline{AC}$인 이등변삼각형이다.

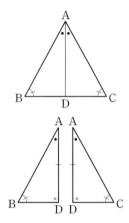

• Lecture •

● 이등변삼각형

(1) 뜻: 두 변의 길이가 같은 삼각형

(2) 성질: ① 두 밑각의 크기는 같다.   ② 꼭지각의 이등분선은 밑변을 수직이등분한다.

(3) 이등변삼각형이 되는 조건: 두 내각의 크기가 같은 삼각형은 이등변삼각형이다.

| 개념 확인 | **3** 다음 그림에서 △ABC가 이등변삼각형이면 ○표, 이등변삼각형이 아니면 ×표를 (   ) 안에 써

넣으시오.

(1)

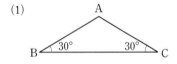

(   )

(2)

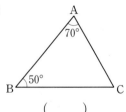

(   )

(3)

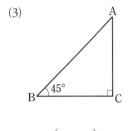

(   )

(4)

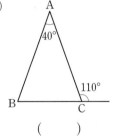

(   )

개념 기초

1-1

다음은 오른쪽 그림의 △ABC에서 $\overline{AB}=\overline{AC}$일 때, ∠$x$의 크기를 구하는 과정이다. ☐ 안에 알맞은 것을 써넣으시오.

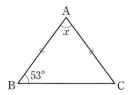

∠C=∠B= ☐ °이므로

∠x=180°−2× ☐ °= ☐ °

연구 $\overline{AB}=\overline{AC}$이므로 ∠B=∠☐이다.

2-1

오른쪽 그림과 같이 $\overline{AB}=\overline{AC}$인 이등변삼각형 ABC에서 ∠A의 이등분선과 $\overline{BC}$의 교점을 D라 할 때, 다음을 구하시오.

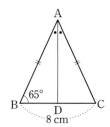

(1) $\overline{BD}$의 길이

(2) ∠BAD의 크기

연구 이등변삼각형의 꼭지각의 이등분선은 밑변을 ☐ 한다.

3-1

다음은 오른쪽 그림의 △ABC에서 $\overline{AC}$의 길이를 구하는 과정이다. ☐ 안에 알맞은 것을 써넣으시오.

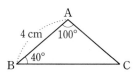

∠C=180°−(100°+ ☐ °)= ☐ °

즉 ∠B=∠C이므로 △ABC는 ☐ =$\overline{AC}$인 이등변삼각형이다.

∴ $\overline{AC}$= ☐ cm

연구 △ABC에서 ∠B=∠C이면 $\overline{AB}$= ☐ 이다.

쌍둥이 문제

1-2

다음 그림의 △ABC에서 $\overline{AB}=\overline{AC}$일 때, ∠$x$의 크기를 구하시오.

(1)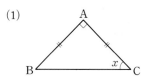

(2)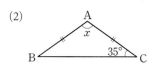

2-2

오른쪽 그림과 같이 $\overline{AB}=\overline{AC}$인 이등변삼각형 ABC에서 ∠A의 이등분선과 $\overline{BC}$의 교점을 D라 할 때, 다음을 구하시오.

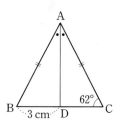

(1) $\overline{BC}$의 길이

(2) ∠DAC의 크기

3-2

다음 그림의 △ABC에서 x의 값을 구하시오.

(1)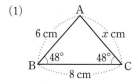

(2)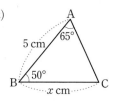

대표 유형 ❶ 이등변삼각형의 성질 (1)

> 이등변삼각형의 두 밑각의 크기는 같다.

1-1 다음 그림의 △ABC에서 $\overline{AB}=\overline{AC}$일 때, ∠$x$의 크기를 구하시오.

(1)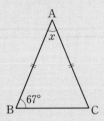

(2)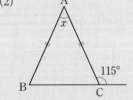

쌍둥이 1-2

다음 그림의 △ABC에서 $\overline{AB}=\overline{AC}$일 때, ∠$x$의 크기를 구하시오.

(1)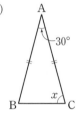

(2)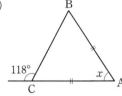

풀이 (1) $\overline{AB}=\overline{AC}$이므로 ∠C=∠B=67°

∴ ∠x=180°−(67°+67°)=46°

(2) $\overline{AB}=\overline{AC}$이므로 ∠B=∠ACB=180°−115°=65°

∴ ∠x=180°−(65°+65°)=50°

답 (1) 46° (2) 50°

대표 유형 ❷ 이등변삼각형의 성질 (2)

> 이등변삼각형의 꼭지각의 이등분선은 밑변을 수직이등분한다.

2-1 오른쪽 그림과 같이 $\overline{AB}=\overline{AC}$인 이등변삼각형 ABC에서 ∠A의 이등분선과 $\overline{BC}$의 교점을 D라 할 때, 다음 중 옳지 <u>않은</u> 것은?

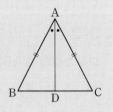

① ∠B=∠C   ② $\overline{AD}\perp\overline{BC}$

③ $\overline{BD}=\overline{CD}$ ④ $\overline{AB}=\overline{BC}$

⑤ △ABD≡△ACD

쌍둥이 2-2

오른쪽 그림의 △ABC에서 $\overline{AB}=\overline{AC}$이고 $\overline{AD}$는 ∠A의 이등분선이다. ∠BAC=70°, $\overline{BC}=10$ cm일 때, 다음 중 옳은 것은?

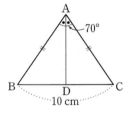

① $\overline{AB}=10$ cm   ② ∠B=40°

③ ∠ADC=90°   ④ $\overline{BD}=4$ cm

⑤ $\overline{AD}=5$ cm

풀이 ① △ABC는 $\overline{AB}=\overline{AC}$인 이등변삼각형이므로 ∠B=∠C

②, ③ 이등변삼각형의 꼭지각의 이등분선은 밑변을 수직이등분한다. $\overline{AD}\perp\overline{BC}$ $\overline{BD}=\overline{CD}$

④ $\overline{AB}=\overline{BC}$인지는 알 수 없다.

⑤ △ABD≡△ACD (SAS 합동)

답 ④

대표 유형 ③   이등변삼각형의 성질을 이용하여 각의 크기 구하기 (1)

- 이등변삼각형의 두 밑각의 크기는 같다.
- 삼각형의 세 내각의 크기의 합은 180°이다.

3-1 오른쪽 그림에서 △ABC가 $\overline{AB}=\overline{AC}$인 이등변삼각형이고 $\overline{BC}=\overline{BD}$일 때, ∠$x$의 크기를 구하시오.

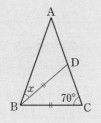

쌍둥이 3-2

다음 그림에서 △ABC가 $\overline{AB}=\overline{AC}$인 이등변삼각형일 때, ∠$x$의 크기를 구하시오.

(1) 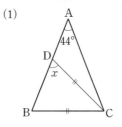   (2)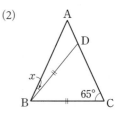

풀이 △ABC에서 $\overline{AB}=\overline{AC}$이므로

∠ABC=∠C=70°

△BCD에서 $\overline{BC}=\overline{BD}$이므로

∠BDC=∠C=70°

∴ ∠DBC=180°−(70°+70°)=40°

∴ ∠x=∠ABC−∠DBC=70°−40°=30°

답 30°

대표 유형 ④   이등변삼각형의 성질을 이용하여 각의 크기 구하기 (2) – 이웃한 이등변삼각형

- 이등변삼각형의 두 밑각의 크기는 같다.
- 삼각형의 세 내각의 크기의 합은 180°이다.
- 삼각형의 한 외각의 크기는 그와 이웃하지 않은 두 내각의 크기의 합과 같다.

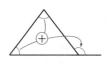

4-1 다음 그림에서 $\overline{AB}=\overline{AC}=\overline{DC}$이고 ∠B=40°일 때, ∠DCE의 크기를 구하시오.

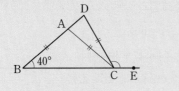

쌍둥이 4-2

다음 그림에서 $\overline{AB}=\overline{BC}=\overline{CD}=\overline{DE}$이고 ∠A=24°일 때, ∠CDE의 크기를 구하시오.

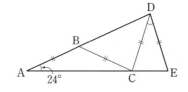

풀이 △ABC에서 $\overline{AB}=\overline{AC}$이므로

∠ACB=∠B=40°

∴ ∠CAD=∠B+∠ACB=40°+40°=80°

△ACD에서 $\overline{CA}=\overline{CD}$이므로

∠D=∠CAD=80°

따라서 △DBC에서

∠DCE=∠B+∠D=40°+80°=120°

답 120°

대표 유형 ⑤ 이등변삼각형의 성질을 이용하여 각의 크기 구하기 (3) – 각의 이등분선

$\overline{AB}=\overline{AC}$인 이등변삼각형 ABC에서 ∠B의 이등분선과 ∠C의 외각의 이등분선의 교점을 D라 할 때

(1) $\angle ABC=\angle ACB=\dfrac{1}{2}\times(180°-\angle A)$

(2) $\angle DBC=\dfrac{1}{2}\angle ABC$

(3) $\angle DCE=\dfrac{1}{2}\times(180°-\angle ACB)$

(4) $\angle BDC=\angle DCE-\angle DBC$

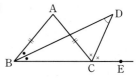

5-1 오른쪽 그림과 같이
$\overline{AB}=\overline{AC}$인 이등변삼각형
ABC에서 ∠B의 이등분선과
∠C의 외각의 이등분선의 교
점을 D라 할 때, $\angle x$의 크기를 구하시오.

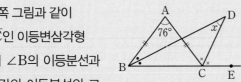

풀이 △ABC에서 $\overline{AB}=\overline{AC}$이므로

$\angle ABC=\angle ACB=\dfrac{1}{2}\times(180°-76°)=52°$

∴ $\angle DBC=\dfrac{1}{2}\angle ABC=\dfrac{1}{2}\times52°=26°$

$\angle ACE=180°-\angle ACB=180°-52°=128°$이므로

$\angle DCE=\dfrac{1}{2}\angle ACE=\dfrac{1}{2}\times128°=64°$

따라서 △BCD에서 $\angle x=\angle DCE-\angle DBC=64°-26°=38°$

답 38°

쌍둥이 5-2

오른쪽 그림과 같이
$\overline{AB}=\overline{AC}$인 이등변삼각형
ABC에서 ∠B의 이등분선
과 ∠C의 외각의 이등분선의
교점을 D라 할 때, $\angle x$의 크
기를 구하시오.

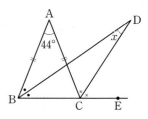

대표 유형 ⑥ 이등변삼각형이 되는 조건 (1)

두 내각의 크기가 같은 삼각형을 찾아 두 변의 길이가 같음을 이용한다.

6-1 오른쪽 그림과 같은
△ABC에서 ∠B=36°,
∠ADC=∠ACB=72°이
다. $\overline{BD}=4$ cm일 때, 다음을
구하시오.

(1) $\overline{DC}$의 길이   (2) $\overline{AC}$의 길이

쌍둥이 6-2

오른쪽 그림과 같은 △ABC
에서 ∠A=60°,
∠B=∠DCB=30°이다.
$\overline{BD}=7$ cm일 때, x의 값을
구하시오.

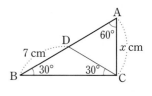

풀이 (1) △DBC에서 ∠DCB=∠ADC-∠B=72°-36°=36°

따라서 △DBC는 ∠B=∠DCB이므로 이등변삼각형이다.

∴ $\overline{DC}=\overline{DB}=4$ cm

(2) △ABC에서 ∠A=180°-(36°+72°)=72°

따라서 △ADC는 ∠A=∠ADC이므로 이등변삼각형이다.

∴ $\overline{AC}=\overline{DC}=4$ cm

답 (1) 4 cm (2) 4 cm

대표 유형 7 이등변삼각형이 되는 조건 (2)

$\overline{AB}=\overline{AC}$인 이등변삼각형 ABC에서 ∠A의 이등분선이 $\overline{BC}$와 만나는 점을 D라 하면

(1) ∠B=∠C
(2) $\overline{BD}=\overline{CD}$, $\overline{AD}\perp\overline{BC}$
(3) △ABD≡△ACD

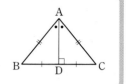

7-1 다음은 오른쪽 그림과 같이 $\overline{AB}=\overline{AC}$인 이등변삼각형 ABC에서 ∠A의 이등분선 위의 한 점 P에 대하여 △PBC는 이등변삼각형임을 설명하는 과정이다. (1)~(3)에 알맞은 것을 써넣으시오.

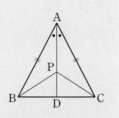

> △PBD와 △PCD에서
> $\overline{BD}=$ [(1)], ∠PDB= [(2)] =90°, $\overline{PD}$는 공통
> 이므로 △PBD≡△PCD ([(3)] 합동)
> 따라서 △PBC는 $\overline{PB}=\overline{PC}$인 이등변삼각형이다.

풀이 $\overline{AD}$는 꼭지각의 이등분선이므로 $\overline{AD}\perp\overline{BC}$, $\overline{BD}=\overline{CD}$

답 (1) $\overline{CD}$ (2) ∠PDC (3) SAS

쌍둥이 7-2

오른쪽 그림과 같이 $\overline{AB}=\overline{AC}$인 이등변삼각형 ABC에서 ∠A의 이등분선과 $\overline{BC}$의 교점을 D라 하자. $\overline{PB}=5$ cm일 때, $\overline{PC}$의 길이를 구하시오.

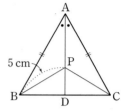

대표 유형 8 직사각형 모양의 종이접기

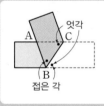 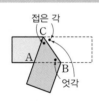

➡ ∠ABC=∠ACB이므로
△ABC는 $\overline{AB}=\overline{AC}$인 이등변삼각형이다.

8-1 직사각형 모양의 종이를 오른쪽 그림과 같이 접었다. $\overline{AC}=6$ cm, $\overline{BC}=5$ cm일 때, $\overline{AB}$의 길이를 구하시오.

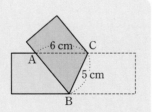

풀이 오른쪽 그림에서
∠ABC=∠CBD (접은 각),
∠ACB=∠CBD (엇각)
이므로 ∠ABC=∠ACB
따라서 △ABC는 $\overline{AB}=\overline{AC}$인
이등변삼각형이므로 $\overline{AB}=\overline{AC}=6$ cm

답 6 cm

쌍둥이 8-2

아래 그림과 같이 직사각형 모양의 종이를 접었을 때, 다음 중 옳은 것은?

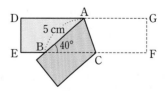

① $\overline{AC}=5$ cm
② $\overline{AC}=\overline{BC}$
③ ∠DAB=50°
④ ∠GAC=70°
⑤ ∠ACF=140°

이등변삼각형의 성질

(1) 이등변삼각형의 두 **❶** 의 크기는 같다.
(2) 이등변삼각형의 꼭지각의 이등분선은 밑변을 **❷** 이등분한다.
(3) 두 내각의 크기가 같은 삼각형은 **❸** 삼각형이다.

답 ❶밑각 ❷수직 ❸이등변

01

다음은 이등변삼각형의 두 밑각의 크기는 같음을 설명하는 과정이다. ①～⑤에 들어갈 것으로 옳지 <u>않은</u> 것은?

> 오른쪽 그림과 같이 ∠A의 이등분
> 선이 $\overline{BC}$와 만나는 점을 D라 하면
> △ABD와 △ACD에서
> $\overline{AB}=$ ① ,
> ② 는 공통,
> ∠BAD= ③
> 이므로 △ABD≡△ACD (④ 합동)
> ∴ ∠B= ⑤

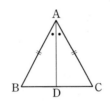

① $\overline{AC}$　　　② $\overline{AD}$　　　③ ∠CAD
④ ASA　　　⑤ ∠C

02

오른쪽 그림과 같이 $\overline{AB}=\overline{AC}$인 △ABC에서 ∠A=80°이고, ∠B의 이등분선과 $\overline{AC}$의 교점을 D라 할 때, ∠BDC의 크기를 구하시오.

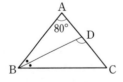

03

오른쪽 그림과 같이 $\overline{AB}=\overline{AC}$인 이등변삼각형 ABC에서 $\overline{AD}$가 ∠A의 이등분선일 때, 다음 중 옳지 <u>않은</u> 것은?

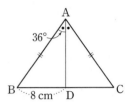

① ∠B=∠C
② $\overline{CD}=8$ cm
③ ∠B=72°
④ ∠ADC=90°
⑤ △ABD≡△ACD

★ 04

오른쪽 그림과 같이 $\overline{AB}=\overline{AC}$인 이등변삼각형 ABC에서 $\overline{AD}\perp\overline{BC}$이고 ∠ACE=132°이다. $\overline{BC}=20$ cm일 때, $x+y$의 값을 구하시오.

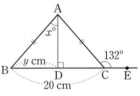

05

오른쪽 그림과 같은 △ABC에서 ∠B=∠C일 때, x의 값을 구하시오.

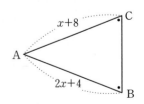

★
06

다음 중 △ABC가 이등변삼각형이 **아닌** 것은?

①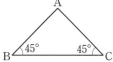

②

③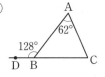

④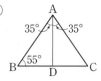

⑤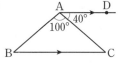

07

오른쪽 그림에서 △ABC는
$\overline{AB}=\overline{AC}$인 이등변삼각형이다.
$\overline{BC}=\overline{BD}$이고 ∠BDC=68°일 때,
∠x의 크기를 구하시오.

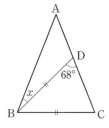

08

〔서술형〕

오른쪽 그림에서 △ABC와 △CDB
는 각각 $\overline{AB}=\overline{AC}$, $\overline{CB}=\overline{CD}$인 이등
변삼각형이다. ∠ACD=∠DCE일
때, ∠D의 크기를 구하시오.

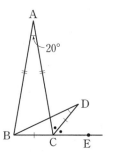

★
09

오른쪽 그림에서
$\overline{AB}=\overline{AC}=\overline{CD}$이고
∠B=35°일 때, ∠x의 크기
를 구하시오.

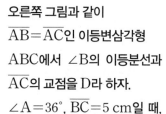

★
10

〔서술형〕

오른쪽 그림과 같이
$\overline{AB}=\overline{AC}$인 이등변삼각형
ABC에서 ∠B의 이등분선과
$\overline{AC}$의 교점을 D라 하자.
∠A=36°, $\overline{BC}=5$ cm일 때,
$\overline{AD}$의 길이를 구하시오.

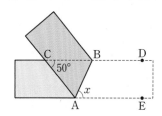

11

직사각형 모양의 종이를 다음 그림과 같이 접었다.
∠ACB=50°일 때, ∠x의 크기를 구하시오.

12

〔창의력〕

오른쪽 그림과 같이 $\overline{AB}=\overline{AC}$인 이등
변삼각형 모양의 종이를 꼭짓점 A와
B가 일치하도록 접었다.
∠EBC=15°일 때, ∠x의 크기를 구
하시오.

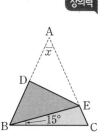

2 직각삼각형의 합동 조건

개념 1 직각삼각형의 합동 조건

(1) **RHA 합동** 빗변의 길이와 한 예각의 크기 가 각각 같은 두 직각삼각형은 합동이다.

➡ $\angle C = \angle F = 90°$, $\overline{AB} = \overline{DE}$,
$\angle B = \angle E$이면 $\triangle ABC \equiv \triangle DEF$

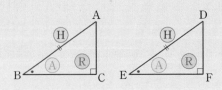

용어
- R(Right angle): 직각
- H(Hypotenuse): 빗변
- A(Angle): 각
- S(Side): 변

(2) **RHS 합동** 빗변의 길이와 다른 한 변의 길 이가 각각 같은 두 직각삼각형은 합동이다.

➡ $\angle C = \angle F = 90°$, $\overline{AB} = \overline{DE}$,
$\overline{AC} = \overline{DF}$이면 $\triangle ABC \equiv \triangle DEF$

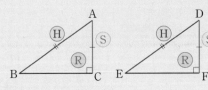

설명 (1) 오른쪽 그림의 △ABC와 △DEF에서
$\overline{AB} = \overline{DE}$, $\angle B = \angle E$ ······ ㉠
$\angle C = \angle F = 90°$이므로 ┌ 직각삼각형에서 한 예각의 크기가 정해지면
다른 예각의 크기도 정해진다.
$\angle A = 90° - \angle B = 90° - \angle E = \angle D$ ······ ㉡
㉠, ㉡에 의해 △ABC ≡ △DEF (ASA 합동)

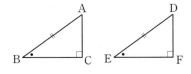

(2) 오른쪽 그림과 같이 △ABC와 △DEF에서 길이가 같은 두 변
AC와 DF를 맞붙여 놓으면 △ABE는 이등변삼각형이므로
$\angle B = \angle E$ ······ ㉢
또 $\overline{AB} = \overline{DE}$, $\angle C = \angle F = 90°$ ······ ㉣
㉢, ㉣에 의해 △ABC ≡ △DEF (RHA 합동)

$\angle BCE = 180°$이므로 세 점 B, C, E는 한 직선 위에 있다. ┐

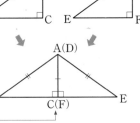

● Lecture ●

● 직각삼각형의 합동 조건은 두 직각삼각형에서 빗변의 길이가 같을 때 적용한다.
만약 직각삼각형이라도 '빗변의 길이가 같다.'는 조건이 없으면 삼각형의 세 가지 합동 조건(SSS 합동, SAS 합동, ASA 합동)을 이용해야 한다.

┃개념 확인┃ **1** 다음 그림과 같이 합동인 두 직각삼각형 ABC, DEF를 기호로 나타내고, 이때 사용된 직각삼각형 의 합동 조건을 말하시오.

(1)
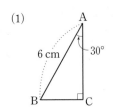
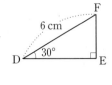

(2)
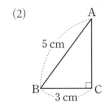
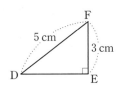

1 이등변삼각형

개념 **2** 각의 이등분선의 성질

(1) 각의 이등분선 위의 한 점에서 그 각을 이루는 두 변까지의 거리는 같다. → 한 각을 이등분하는 직선

➡ ∠XOP=∠YOP이면 $\overline{PA}=\overline{PB}$

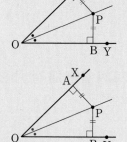

한 점이 두 변에서 같은 거리에 있다는 것은 그 점에서 두 변에 각각 그은 수선의 길이가 같다는 뜻이야.

(2) 각을 이루는 두 변에서 같은 거리에 있는 점은 그 각의 이등분선 위에 있다.

➡ $\overline{PA}=\overline{PB}$이면 ∠XOP=∠YOP

설명 (1) ∠XOY의 이등분선 위의 한 점 P에서 $\overrightarrow{OX}$, $\overrightarrow{OY}$에 내린 수선의 발을 각각 A, B라 하면 △AOP와 △BOP에서
∠PAO=∠PBO=90°, $\overline{OP}$는 공통, ∠AOP=∠BOP
따라서 △AOP≡△BOP (RHA 합동)이므로 $\overline{PA}=\overline{PB}$

(2) ∠XOY에서 점 P가 $\overrightarrow{OX}$, $\overrightarrow{OY}$로부터 같은 거리에 있다고 하면 △AOP와 △BOP에서
∠PAO=∠PBO=90°, $\overline{OP}$는 공통, $\overline{PA}=\overline{PB}$
따라서 △AOP≡△BOP (RHS 합동)이므로
∠AOP=∠BOP

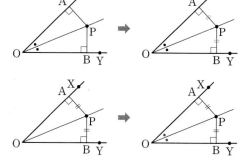

• Lecture •

● 각의 이등분선 위의 한 점에서 각을 이루는 두 변에 수선의 발을 내렸을 때 생기는 두 직각삼각형은 합동이다.

┃ 개념 확인 ┃ **2** 다음 그림에서 ∠AOP=∠BOP일 때, x의 값을 구하시오.

(1)
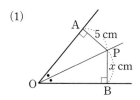

(2)
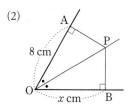

┃ 개념 확인 ┃ **3** 다음 그림에서 $\overline{PA}=\overline{PB}$일 때, x의 값을 구하시오.

(1)
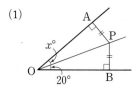

(2)
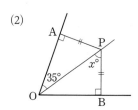

개념 기초

1-1

다음은 두 직각삼각형 ABC, FDE가 합동임을 설명한 것이다. □ 안에 알맞은 것을 써넣으시오.

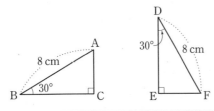

$\angle C = \angle E = 90°$, $\overline{AB} = \boxed{}$, $\angle B = \angle \boxed{}$

∴ $\triangle ABC \equiv \boxed{}$ ($\boxed{}$ 합동)

연구 두 직각삼각형에서 빗변의 길이가 같으면 RHS 합동 또는 RHA 합동임을 이용한다.

쌍둥이 문제

1-2

다음은 두 직각삼각형 ABC, EFD가 합동임을 설명한 것이다. □ 안에 알맞은 것을 써넣으시오.

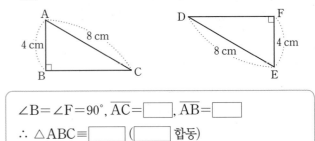

$\angle B = \angle F = 90°$, $\overline{AC} = \boxed{}$, $\overline{AB} = \boxed{}$

∴ $\triangle ABC \equiv \boxed{}$ ($\boxed{}$ 합동)

2-1

다음 보기의 삼각형 중에서 오른쪽 그림의 삼각형과 합동인 것을 고르고, 그때의 합동 조건을 말하시오.

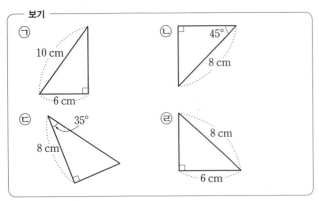

연구 두 직각삼각형이 합동인지 아닌지 판단할 때는 가장 먼저 빗변의 길이가 같은지 확인한다.

2-2

다음 보기의 삼각형 중에서 오른쪽 그림의 삼각형과 합동인 것을 모두 고르고, 그때의 합동 조건을 말하시오.

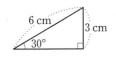

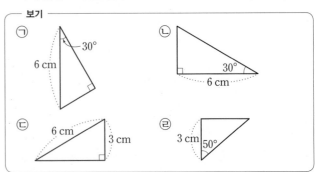

대표 유형 **1** 직각삼각형의 합동 조건

• 두 직각삼각형에서 빗변의 길이와 { 한 예각의 크기가 각각 같을 때 ➡ RHA 합동
다른 한 변의 길이가 각각 같을 때 ➡ RHS 합동

• 직각삼각형의 합동 조건 외에도 삼각형의 합동 조건(SSS 합동, SAS 합동, ASA 합동)도 빠뜨리지 않도록 주의한다.

1-1 다음 중 오른쪽 두 직각삼각형이 서로 합동이 될 수 있는 조건이 <u>아닌</u> 것은?

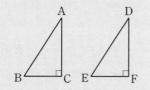

① $\overline{AB}=\overline{DE}$, $\angle B=\angle E$
② $\overline{AC}=\overline{DF}$, $\angle A=\angle D$
③ $\overline{AC}=\overline{DF}$, $\overline{AB}=\overline{DE}$
④ $\angle A=\angle D$, $\angle B=\angle E$
⑤ $\overline{AC}=\overline{DF}$, $\overline{BC}=\overline{EF}$

풀이 ① RHA 합동 ② ASA 합동
③ RHS 합동 ⑤ SAS 합동   **답** ④

쌍둥이 1-2

오른쪽 그림과 같은 두 직각삼각형에서 $\overline{AC}=\overline{DF}$일 때, 두 직각삼각형이 합동이 되기 위한 조건을 다음 보기에서 모두 고르시오.

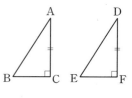

┌ 보기 ─────────────
ㄱ $\overline{AC}=\overline{DE}$ ㄴ $\angle B=\angle E$
ㄷ $\overline{AB}=\overline{DE}$ ㄹ $\overline{BC}=\overline{EF}$
└──────────────────

대표 유형 **2** 합동인 직각삼각형 찾기

두 직각삼각형이 합동인지 아닌지 판단할 때는 가장 먼저 빗변의 길이가 같은지 확인한다.

2-1 다음 보기의 직각삼각형 중에서 합동인 것끼리 짝을 짓고, 이때 사용된 직각삼각형의 합동 조건을 말하시오.

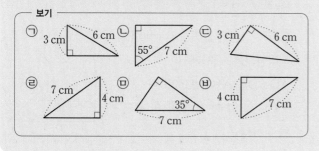

쌍둥이 2-2

다음 보기의 직각삼각형 중에서 합동인 것끼리 짝을 짓고, 이때 사용된 직각삼각형의 합동 조건을 말하시오.

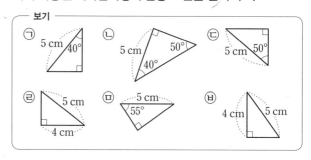

풀이 ㄴ과 ㅁ: ㅁ에서 나머지 한 내각의 크기는 $90°-35°=55°$
즉 빗변의 길이와 한 예각의 크기가 각각 같으므로 RHA 합동이다.
ㄹ과 ㅂ: 빗변의 길이와 다른 한 변의 길이가 각각 같으므로 RHS 합동이다.

답 ㄴ과 ㅁ: RHA 합동, ㄹ과 ㅂ: RHS 합동

대표 유형 **3** 직각삼각형의 합동 조건의 활용 (1) – **RHA** 합동

∠DBA+∠DAB=90°, ∠DAB+∠EAC=90°이므로

∠DBA=∠EAC

∴ △ABD≡△CAE (RHA 합동)

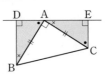

3-1 오른쪽 그림과 같이 ∠A=90°인 직각이등변삼 각형 ABC의 두 꼭짓점 B, C에서 꼭짓점 A를 지나는 직선 l에 내린 수선의 발을 각각 D, E라 할 때, $\overline{DE}$의 길이를 구하시오.

풀이 △ADB와 △CEA에서 ∠D=∠E=90°, $\overline{AB}=\overline{CA}$,

∠DBA=90°−∠DAB=∠EAC이므로

△ADB≡△CEA (RHA 합동)

따라서 $\overline{DA}=\overline{EC}$=3 cm, $\overline{AE}=\overline{BD}$=6 cm이므로

$\overline{DE}=\overline{DA}+\overline{AE}$=3+6=9 (cm)

답 9 cm

쌍둥이 3-2

오른쪽 그림과 같이 ∠A=90°인 직각이등변삼각 형 ABC의 두 꼭짓점 B, C에 서 꼭짓점 A를 지나는 직선 l 에 내린 수선의 발을 각각 D, E라 할 때, 다음을 구하시오.

(1) $\overline{CE}$의 길이

(2) 사각형 DBCE의 넓이

대표 유형 **4** 직각삼각형의 합동 조건의 활용 (2) – **RHS** 합동

∠C=90°인 직각삼각형 ABC에서 $\overline{AE}=\overline{AC}$, $\overline{AB}\perp\overline{DE}$이면

△AED≡△ACD (RHS 합동)

∴ ∠ADE=∠ADC, $\overline{DE}=\overline{DC}$

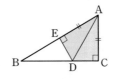

4-1 오른쪽 그림과 같이 ∠C=90° 인 직각이등변삼각형 ABC에서 $\overline{AC}=\overline{AE}$, $\overline{AB}\perp\overline{DE}$이다. $\overline{CD}$=5 cm일 때, $\overline{EB}$의 길이를 구 하시오.

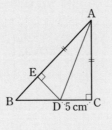

풀이 △AED와 △ACD에서

∠AED=∠ACD=90°, $\overline{AD}$는 공통, $\overline{AE}=\overline{AC}$

이므로 △AED≡△ACD (RHS 합동) ┌→ △ABC는 직각이등

∴ $\overline{ED}=\overline{CD}$=5 cm   변삼각형이므로

이때 △EBD에서 ∠EDB=180°−(90°+45°)=45°이므로   ∠B=∠BAC=45°

∠B=∠EDB   ∴ $\overline{EB}=\overline{ED}$=5 cm

답 5 cm

쌍둥이 4-2

오른쪽 그림과 같이 ∠B=90°인 직각삼각형 ABC에서 $\overline{AC}\perp\overline{DE}$, $\overline{AB}=\overline{AE}$이다. ∠C=42°일 때, ∠ADB의 크기 를 구하시오.

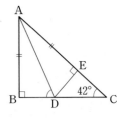

대표 유형 ⑤ 각의 이등분선의 성질 (1)

(1) ∠AOP=∠BOP이면 ➡ △AOP≡△BOP (RHA 합동)
　　　　　　　　　　➡ $\overline{PA}=\overline{PB}$
(2) $\overline{PA}=\overline{PB}$이면 ➡ △AOP≡△BOP (RHS 합동)
　　　　　　　　　➡ ∠AOP=∠BOP

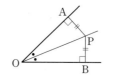

5-1 오른쪽 그림에서
∠PAO=∠PBO=90°,
$\overline{PA}=\overline{PB}$일 때, 다음 중 옳지 <u>않은</u>
것은?

① $\overline{OA}=\overline{OB}$　　　② ∠AOP=∠BOP

③ ∠APO=∠BPO　　④ ∠AOB=$\dfrac{1}{2}$∠APB

⑤ △AOP≡△BOP

쌍둥이 5-2

다음 중 오른쪽 그림에서 '각의 이
등분선 위의 한 점에서 그 각의 두
변에 이르는 거리는 같다.'를 설명
하는 데 이용되지 <u>않는</u> 것은?

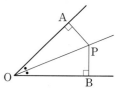

① $\overline{OA}=\overline{OB}$　　　② ∠AOP=∠BOP

③ △AOP≡△BOP　　④ $\overline{OP}$는 공통

⑤ ∠OAP=∠OBP=90°

풀이 △AOP와 △BOP에서
　　∠OAP=∠OBP=90°, $\overline{OP}$는 공통, $\overline{PA}=\overline{PB}$
　　따라서 △AOP≡△BOP (RHS 합동) (⑤)이므로
　　$\overline{OA}=\overline{OB}$ (①), ∠AOP=∠BOP (②), ∠APO=∠BPO (③)
　　　　　　　　　　　　　　　　　　　　답 ④

대표 유형 ⑥ 각의 이등분선의 성질 (2)

∠C=90°인 직각삼각형 ABC에서 ∠A의 이등분선이 $\overline{BC}$와 만나는 점을 D라 하고, 점 D에서 $\overline{AB}$에
내린 수선의 발을 E라 하면
△AED≡△ACD(RHA 합동)
∴ $\overline{AE}=\overline{AC}$, $\overline{ED}=\overline{CD}$

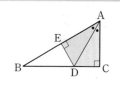

6-1 오른쪽 그림과 같이
∠B=90°인 직각삼각형
ABC에서 ∠A의 이등분선이
$\overline{BC}$와 만나는 점을 D라 하고,
점 D에서 $\overline{AC}$에 내린 수선의
발을 E라 하자. $\overline{AB}=6$ cm, $\overline{DE}=3$ cm, $\overline{BC}=8$ cm일 때,
$\overline{CD}$의 길이를 구하시오.

쌍둥이 6-2

오른쪽 그림과 같이 ∠C=90°
인 직각삼각형 ABC에서 ∠A
의 이등분선이 $\overline{BC}$와 만나는 점
을 D라 하고, 점 D에서 $\overline{AB}$에
내린 수선의 발을 E라 하자.
$\overline{AB}=13$ cm, $\overline{CD}=4$ cm일 때, △ABD의 넓이를 구하
시오.

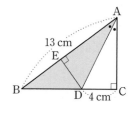

풀이 △ABD와 △AED에서
　　∠ABD=∠AED=90°, $\overline{AD}$는 공통, ∠BAD=∠EAD
　　따라서 △ABD≡△AED (RHA 합동)이므로
　　$\overline{BD}=\overline{ED}=3$ cm　　∴ $\overline{CD}=\overline{BC}-\overline{BD}=8-3=5$ (cm)

　　　　　　　　　　　　　답 5 cm

직각삼각형의 합동 조건

두 직각삼각형은 다음의 각 경우에 합동이다.
(1) 빗변의 길이와 한 ❶ 의 크기가 각각 같을 때
(2) 빗변의 길이와 다른 한 ❷ 의 길이가 각각 같을 때

답 ❶예각 ❷변

★ 01

다음은 빗변의 길이와 한 예각의 크기가 각각 같은 두 직각삼각형은 서로 합동임을 설명하는 과정이다. ①~⑤에 들어갈 것으로 옳지 <u>않은</u> 것은?

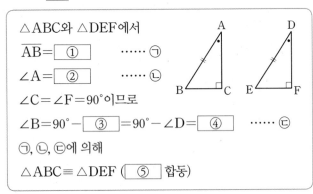

△ABC와 △DEF에서
$\overline{AB}=$ ① ······ ㉠
∠A = ② ······ ㉡
∠C = ∠F = 90°이므로
∠B = 90° - ③ = 90° - ∠D = ④ ······ ㉢
㉠, ㉡, ㉢에 의해
△ABC ≡ △DEF (⑤ 합동)

① $\overline{DE}$ 　② ∠D 　③ ∠A
④ ∠F 　⑤ ASA

02

다음 중 오른쪽 그림의 두 직각삼각형에 대하여 △ABC ≡ △DEF가 되는 경우가 <u>아닌</u> 것은?

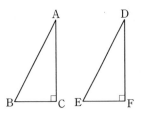

① $\overline{AB}=\overline{DE}$, $\overline{AC}=\overline{DF}$
② $\overline{AB}=\overline{DE}$, $\overline{BC}=\overline{EF}$
③ $\overline{BC}=\overline{EF}$, ∠A = ∠D
④ ∠B = ∠E, $\overline{AB}=\overline{DE}$
⑤ ∠A = ∠D, ∠B = ∠E

03

다음 중 오른쪽 그림의 직각삼각형과 합동인 것은?

① 57° 5 cm

② 4 cm 52°

③ 4 cm 5 cm

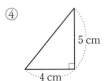
④ 5 cm 4 cm

⑤ 5 cm 52°

04

두 직각삼각형 ABC, DEF가 다음 그림과 같을 때, $\overline{EF}$의 길이를 구하시오.

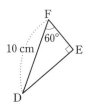

★ 05

서술형

오른쪽 그림과 같이 ∠B = 90°인 직각이등변삼각형 ABC의 두 꼭짓점 A, C에서 꼭짓점 B를 지나는 직선 l에 내린 수선의 발을 각각 D, E라 할 때, △ABC의 넓이를 구하시오.

06

오른쪽 그림과 같이 ∠A=90°인 직각이등변삼각형 ABC의 점 A에서 $\overline{BC}$와 만나도록 직선 l을 긋고 두 점 B, C에서 직선 l에 내린 수선의 발을 각각 D, E라 하자. $\overline{BD}$=12 cm, $\overline{CE}$=5 cm일 때, $\overline{DE}$의 길이는?

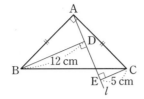

① 5 cm   ② 6 cm   ③ 7 cm
④ 8 cm   ⑤ 9 cm

★ 07

오른쪽 그림과 같이 ∠C=90°인 직각삼각형 ABC에서 $\overline{AD}=\overline{AC}$가 되도록 $\overline{AB}$ 위에 점 D를 잡고, 점 D를 지나고 $\overline{AB}$에 수직인 직선과 $\overline{BC}$의 교점을 E라 하자. 다음 중 옳지 <u>않은</u> 것은?

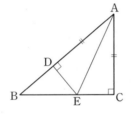

① ∠AED=∠AEC   ② ∠DAE=∠CAE
③ $\overline{BD}=\overline{DE}=\overline{CE}$ ④ ∠BAC=∠DEB
⑤ △ADE≡△ACE

08

오른쪽 그림과 같이 ∠AOB의 이등분선 위의 한 점 P에서 두 변 OA, OB에 내린 수선의 발을 각각 C, D라 할 때, 사각형 CODP의 둘레의 길이를 구하시오.

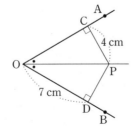

09

오른쪽 그림과 같이 ∠C=90°인 직각삼각형 ABC에서 ∠A의 이등분선이 $\overline{BC}$와 만나는 점을 D라 하자. △ABD의 넓이가 15 cm²일 때, $\overline{CD}$의 길이를 구하시오.

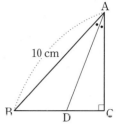

10

오른쪽 그림과 같이 △ABC의 변 BC의 중점 D에서 두 변 AB, AC에 내린 수선의 발을 각각 E, F라 하자. $\overline{DE}=\overline{DF}$이고 ∠A=56°일 때, ∠B의 크기를 구하시오.

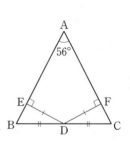

★ 11

서술형 + 창의력

오른쪽 그림과 같이 ∠C=90°인 직각삼각형 ABC에서 ∠B의 이등분선이 $\overline{AC}$와 만나는 점을 D라 하고, 점 D에서 $\overline{AB}$에 내린 수선의 발을 E라 하자. $\overline{AB}$=17 cm, $\overline{BC}$=8 cm, $\overline{AC}$=15 cm일 때, △AED의 둘레의 길이를 구하시오.

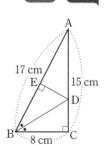

2 삼각형의 외심과 내심

중학교 1학년	중2	중학교 3학년
• 기본 도형	• 삼각형의 외심	• 삼각비
• 삼각형의 합동 조건	• 삼각형의 내심	• 원의 성질
• 다각형의 성질		

학습 목표

• 삼각형의 외심과 외접원의 뜻을 알고, 외심의 성질을 이해한다.
• 삼각형의 내심과 내접원의 뜻을 알고, 내심의 성질을 이해한다.

1 삼각형의 외심

개념 ① 삼각형의 외심과 그 성질

(1) **삼각형의 외접원과 외심**

① 외접: △ABC의 세 꼭짓점이 원 O 위에 있을 때, 원 O는 △ABC에 외접한다고 한다.

② 삼각형의 외접원: 삼각형의 세 꼭짓점을 지나는 원

③ 삼각형의 외심: 삼각형의 외접원의 중심

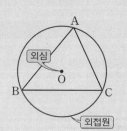

용어
- 외접원 (바깥 外, 접할 接, 원 圓)
  : 바깥에서 접하는 원
- 외심 (바깥 外, 중심 心)
  : 외접원의 중심

(2) **삼각형의 외심의 성질**

① 삼각형의 세 변의 수직이등분선은 한 점(외심)에서 만난다.

② 삼각형의 외심에서 세 꼭짓점에 이르는 거리는 같다.

➡ $\overline{OA}=\overline{OB}=\overline{OC}=$ (외접원의 반지름의 길이)

참고 △OAD≡△OBD, △OBE≡△OCE, △OAF≡△OCF

(3) **삼각형의 외심의 위치**

예각삼각형	직각삼각형	둔각삼각형
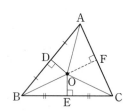		
삼각형의 내부	빗변의 중점	삼각형의 외부

 (2) 삼각형의 외심의 성질을 확인해 보자.

오른쪽 그림과 같은 △ABC에서 $\overline{AB}$와 $\overline{BC}$의 수직이등분선의 교점을 O라 하자.

점 O는 $\overline{AB}$의 수직이등분선 위의 점이므로

$\overline{OA}=\overline{OB}$ ······ ㉠

점 O는 $\overline{BC}$의 수직이등분선 위의 점이므로

$\overline{OB}=\overline{OC}$ ······ ㉡

㉠, ㉡에서 $\overline{OA}=\overline{OB}=\overline{OC}$

따라서 삼각형의 외심에서 세 꼭짓점에 이르는 거리는 같다.

한편, 점 O에서 $\overline{AC}$에 내린 수선의 발을 F라 하면

△OAF와 △OCF에서

$\angle OFA = \angle OFC = 90°$, $\overline{OA}=\overline{OC}$, $\overline{OF}$는 공통

이므로 △OAF ≡ △OCF (RHS 합동)

∴ $\overline{AF}=\overline{CF}$

즉 $\overline{OF}$는 $\overline{AC}$의 수직이등분선이므로 삼각형의 세 변의 수직이등분선은 한 점 O에서 만난다.

외심을 찾기 위해서는 두 변의 수직이등분선의 교점만 찾아도 돼.

참고 선분의 수직이등분선의 성질

선분의 수직이등분선 위의 한 점에서 그 선분의 양 끝 점에 이르는 거리는 같다.

설명 선분 AB의 수직이등분선 위에 한 점 P를 잡으면

△PAM과 △PBM에서

$\overline{AM}=\overline{BM}$, ∠AMP=∠BMP=90°, $\overline{PM}$은 공통

이므로 △PAM≡△PBM (SAS 합동)

∴ $\overline{PA}=\overline{PB}$

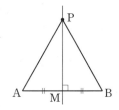

• Lecture •

● 모든 다각형에 외심이 항상 존재하는 것은 아니다.

단, 정다각형과 모든 삼각형에는 외심이 항상 존재한다.

접하지 않는다.　접한다.

└ 외접원을 그릴 수 없다.

2

삼각형의 외심과 내심

| 개념 확인 | 1 다음 보기에서 점 O가 △ABC의 외심인 것을 모두 고르시오.

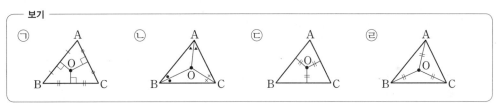

| 개념 확인 | 2 다음 그림에서 점 O가 △ABC의 외심일 때, x의 값을 구하시오.

(1)

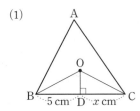

(2)

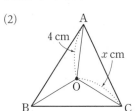

(3)

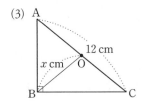

(4)

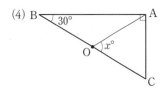

개념 ② 삼각형의 외심의 활용

점 O가 △ABC의 외심일 때 다음이 성립한다.

(1)
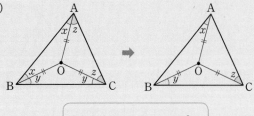

$$\angle x + \angle y + \angle z = 90°$$

(2)
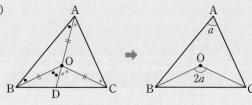

$$\angle BOC = 2\angle A$$

 설명

(1) $\angle A + \angle B + \angle C$
$= (\angle x + \angle z) + (\angle x + \angle y) + (\angle y + \angle z)$
$= 2(\angle x + \angle y + \angle z)$
$= 180°$
$\therefore \angle x + \angle y + \angle z = 90°$

(2) $\angle BOC = \angle BOD + \angle COD$
$= 2\angle BAO + 2\angle CAO$
$= 2(\angle BAO + \angle CAO)$
$= 2\angle A$

• **Lecture** •

● 다음 사실로부터 각의 크기를 구하는 위의 두 공식을 확인할 수 있다.

(1) 점 O가 △ABC의 외심일 때, $\overline{OA} = \overline{OB} = \overline{OC}$이므로 △OAB, △OBC, △OCA는 이등변삼각형이다.

(2) 삼각형의 한 외각의 크기는 그와 이웃하지 않은 두 내각의 크기의 합과 같다.

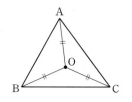

| 개념 확인 | **3**　다음 그림에서 점 O가 △ABC의 외심일 때, $\angle x$의 크기를 구하시오.

(1)
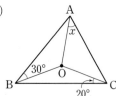

(2)
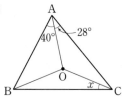

(3)
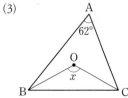

(4)
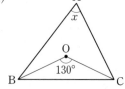

STEP 1 기초 개념 드릴

개념 기초

1-1

오른쪽 그림에서 점 O가 △ABC의 외심일 때, x, y의 값을 각각 구하시오.

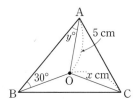

> **연구** 삼각형의 외심에서 세 꼭짓점에 이르는 거리는 같으므로
> $\overline{OC}=\overline{OA}=5\ cm$ ∴ $x=$ ☐
> $\overline{OA}=\overline{OB}$이므로 △OAB는 이등변삼각형이다.
> 따라서 이등변삼각형의 두 ☐ 의 크기는 같으므로
> ∠OAB=∠OBA=30° ∴ $y=$ ☐

2-1

오른쪽 그림에서 점 O가 직각삼각형 ABC의 외심일 때, x, y의 값을 각각 구하시오.

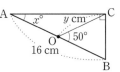

> **연구** △AOC에서 $\overline{OA}=\overline{OC}$이므로 ∠OAC=∠OCA
> ∠BOC=∠OAC+∠OCA이므로 50°=$x°+$ ☐°
> ∴ $x=$ ☐
> $\overline{OA}=\overline{OB}=\overline{OC}$이므로 $\overline{OC}=$ ☐ $\overline{AB}=$ ☐ (cm)
> ∴ $y=$ ☐

3-1

다음 그림에서 점 O가 △ABC의 외심일 때, ∠x의 크기를 구하시오.

(1)
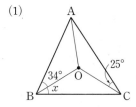

(2)
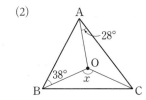

> **연구** (1) $\overline{OA}=\overline{OB}$이므로 ∠OAB=∠OBA= ☐°
> ∠OAB+∠OBC+∠OCA= ☐°이므로
> ☐°+∠x+25°= ☐° ∴ ∠$x=$ ☐°
> (2) $\overline{OA}=\overline{OB}$이므로 ∠OAB=∠OBA=38°
> ∴ ∠$x=$ ☐° ∠BAC= ☐°

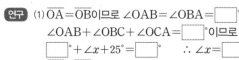

쌍둥이 문제

1-2

다음 그림에서 점 O가 △ABC의 외심일 때, x, y의 값을 각각 구하시오.

(1)
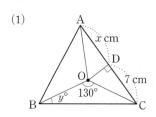

(2)
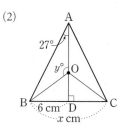

2-2

다음 그림에서 점 O가 직각삼각형 ABC의 외심일 때, x의 값을 구하시오.

(1)
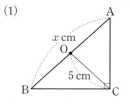

(2)
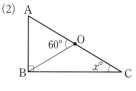

3-2

다음 그림에서 점 O가 △ABC의 외심일 때, ∠x의 크기를 구하시오.

(1)
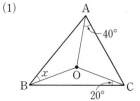

(2)
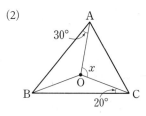

대표 유형 **1** 삼각형의 외심

점 O가 △ABC의 외심일 때
(1) 점 O는 세 변의 수직이등분선의 교점이다.
(2) $\overline{OA}=\overline{OB}=\overline{OC}=$(외접원의 반지름의 길이)
(3) △OAD≡△OBD, △OBE≡△OCE, △OCF≡△OAF

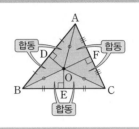

1-1 오른쪽 그림에서 점 O가 △ABC의 외심일 때, 다음 중 옳지 않은 것은?

① $\overline{AD}=\overline{BD}$
② $\overline{OA}=\overline{OB}=\overline{OC}$
③ $\overline{OD}=\overline{OE}=\overline{OF}$
④ △OAD≡△OBD
⑤ ∠OAD=∠OBD

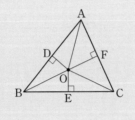

풀이 ③ $\overline{OD}=\overline{OE}=\overline{OF}$인지는 알 수 없다.

답 ③

쌍둥이 1-2
오른쪽 그림에서 원 O가 △ABC의 외접원일 때, 다음 보기에서 옳은 것을 모두 고르시오.

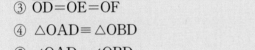

┌─ 보기 ──────────────────
$\bigcirc$ $\overline{OA}=\overline{OB}=\overline{OC}$ $\quad$ $\bigcirc$ △OAD≡△OAF
$\bigcirc$ $\overline{AF}=\overline{CF}$ $\quad\quad\quad$ $\bigcirc$ $\overline{OD}=\overline{OE}$
$\bigcirc$ ∠OBE=∠OCE
└────────────────────────

대표 유형 **2** 직각삼각형의 외심

직각삼각형 ABC의 외심 O는 빗변 AB의 중점이다.
➡ (외접원의 반지름의 길이)$=\dfrac{1}{2}\overline{AB}$
$\qquad\qquad\qquad\qquad\quad =\overline{OA}=\overline{OB}=\overline{OC}$

2-1 오른쪽 그림과 같은 직각삼각형 ABC의 외접원의 넓이를 구하시오.

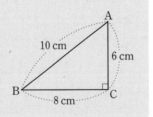

풀이 직각삼각형의 외심은 빗변의 중점이므로 △ABC의 외접원의 반지름의 길이는 $\dfrac{1}{2}\times10=5\,(\text{cm})$

따라서 △ABC의 외접원의 넓이는 $\pi\times5^2=25\pi\,(\text{cm}^2)$

답 $25\pi\ \text{cm}^2$

쌍둥이 2-2
오른쪽 그림과 같은 직각삼각형 ABC에서 점 M은 $\overline{BC}$의 중점이고 $\overline{BC}=14\ \text{cm}$, ∠B=50°일 때, 다음을 구하시오.

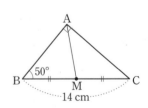

(1) $\overline{AM}$의 길이

(2) ∠AMC의 크기

대표 유형 ③ 삼각형의 외심의 활용 ⑴

점 O가 △ABC의 외심이면 $\overline{OA}=\overline{OB}=\overline{OC}$이므로 크기가 같은 각을
그림에 표시한 후 문제를 해결한다.
➡ $2\angle x+2\angle y+2\angle z=180°$이므로
　$\angle x+\angle y+\angle z=90°$

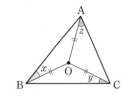

3-1 오른쪽 그림에서 점 O가 △ABC의 외심일 때, $\angle x$의 크기를 구하시오.

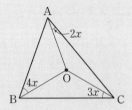

풀이 점 O가 △ABC의 외심이므로
$4\angle x+3\angle x+2\angle x=90°$
$9\angle x=90°$　∴ $\angle x=10°$

답 10°

쌍둥이 **3-2**
다음 그림에서 점 O가 △ABC의 외심일 때, $\angle x$의 크기를 구하시오.

⑴ 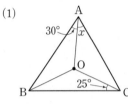　⑵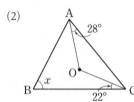

대표 유형 ④ 삼각형의 외심의 활용 ⑵

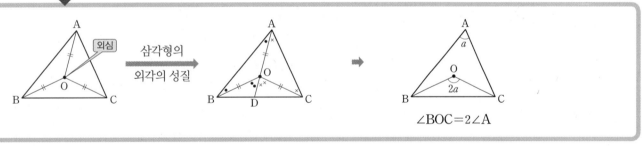

$\angle BOC=2\angle A$

4-1 오른쪽 그림에서 점 O가 △ABC의 외심이다. $\angle A=50°$일 때, $\angle x$의 크기를 구하시오.

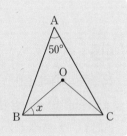

풀이 $\angle BOC=2\angle A=2\times50°=100°$
△OBC에서 $\overline{OB}=\overline{OC}$이므로 $\angle OBC=\angle OCB$
∴ $\angle x=\dfrac{1}{2}\times(180°-100°)=40°$

답 40°

쌍둥이 **4-2**
다음 그림에서 점 O가 △ABC의 외심일 때, $\angle x$의 크기를 구하시오.

⑴ 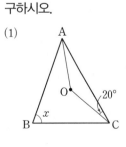　⑵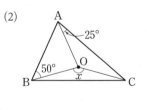

삼각형의 외심과 그 성질

(1) 삼각형의 외심

삼각형의 외접원의 중심 O

(2) 삼각형의 외심의 성질

① 삼각형의 세 변의 수직이등
분선은 한 점(❶)에서
만난다.

② 삼각형의 외심에서 세 꼭짓
점에 이르는 거리는 같다.
➡ $\overline{OA}=$❷$=\overline{OC}=$(외접원의 반지름의 길이)

(3) 삼각형에서 외심의 위치

① 예각삼각형: 삼각형의 내부

② 직각삼각형: 빗변의 ❸

③ 둔각삼각형: 삼각형의 외부

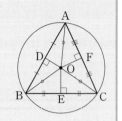

답 ❶ 외심 ❷ $\overline{OB}$ ❸ 중점

01

오른쪽 그림에서 점 O가 △ABC의
외심일 때, 다음 중 항상 옳은 것을 모
두 고르면? (정답 2개)

① ∠OBC=∠OCB

② $\overline{OA}$는 ∠A의 이등분선이다.

③ ∠OBA=∠OBC

④ $\overline{AB}$의 수직이등분선은 점 O를 지난다.

⑤ 점 O에서 세 변에 이르는 거리는 모두 같다.

02

오른쪽 그림에서 점 O가 △ABC
의 외심이다. $\overline{AD}=4$ cm이고 외
접원의 반지름의 길이가 5 cm일
때, △OAB의 둘레의 길이를 구하
시오.

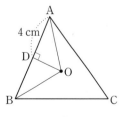

03

응합형

오른쪽 그림과 같이 일부분이 깨진
유물을 고분에서 발굴하였다. 유물
의 원래 모양이 원일 때, 다음 보기에
서 유물의 중심을 찾는 방법으로 옳
은 것을 고르시오.

보기

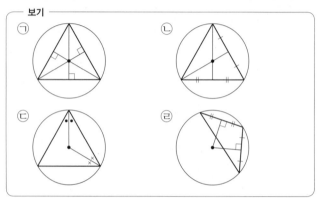

04

오른쪽 그림에서 점 O는
∠B=90°인 직각삼각형 ABC의
외심이다. ∠C=30°, $\overline{CO}=5$ cm
일 때, $\overline{AB}$의 길이를 구하시오.

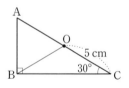

05

서술형

오른쪽 그림과 같이 $\overline{AC}=\overline{BC}$이고
∠C=90°인 직각삼각형 ABC에서
$\overline{AB}\perp\overline{CD}$, $\overline{AB}=6$ cm일 때, 다음
을 구하시오.

(1) $\overline{CD}$의 길이

(2) △ABC의 넓이

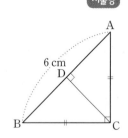

06

오른쪽 그림에서 점 O는
∠A＝90°인 직각삼각형 ABC의
외심이다.
∠OAB : ∠OAC＝5 : 4일 때,
∠BOA의 크기를 구하시오.

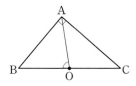

07

오른쪽 그림에서 점 O는
△ABC의 외심이다.
∠ACB＝32°, ∠OCB＝13°일
때, ∠x의 크기는?

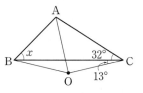

① 40° ② 42° ③ 45°

④ 48° ⑤ 50°

삼각형의 외심의 활용

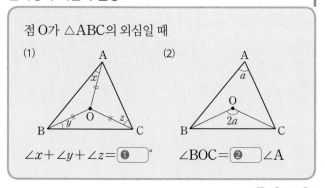

점 O가 △ABC의 외심일 때

(1)

(2)

∠x＋∠y＋∠z＝〔❶　〕°

∠BOC＝〔❷　〕∠A

답 ❶ 90 ❷ 2

08

오른쪽 그림에서 점 O가 △ABC
의 외심일 때, ∠x의 크기는?

① 20° ② 25°

③ 30° ④ 35°

⑤ 40°

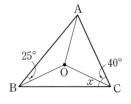

09

오른쪽 그림에서 점 O는 △ABC의
외심이다. ∠OBC＝30°일 때,
∠A의 크기를 구하시오.

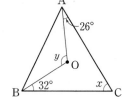

★
10

오른쪽 그림에서 점 O가 △ABC의
외심일 때, ∠x＋∠y의 크기는?

① 172° ② 174°

③ 176° ④ 178°

⑤ 180°

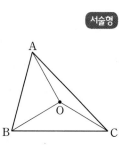

★
11

서술형

오른쪽 그림에서 점 O는 △ABC
의 외심이다.
∠OAB : ∠OBC : ∠OCA
＝3 : 2 : 1일 때, 다음을 구하시오.

(1) ∠OAB의 크기

(2) ∠AOB의 크기

(3) ∠ACB의 크기

2 삼각형의 내심

개념 1 삼각형의 내심과 그 성질

(1) **접선과 접점**

원 O와 직선이 한 점에서 만날 때, 이 직선은 원 O에 접한다고 한다.

① 접선: 원 O와 한 점에서 만나는 직선

② 접점: 원 O와 접선이 만나는 점

> **용어**
> • 내접원(안 內, 접할 接, 원 圓)
> : 안에서 접하는 원
> • 내심(안 內, 중심 心)
> : 내접원의 중심

(2) **삼각형의 내접원과 내심**

① 내접: 원 I가 △ABC의 세 변에 모두 접할 때, 원 I는 △ABC에 내접한다고 한다.

② 삼각형의 내접원: 삼각형의 세 변에 접하는 원

③ 삼각형의 내심: 삼각형의 내접원의 중심

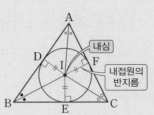

(3) **삼각형의 내심의 성질**

① 삼각형의 세 내각의 이등분선은 한 점(내심)에서 만난다.

② 삼각형의 내심에서 세 변에 이르는 거리는 같다.

➡ $\overline{ID}=\overline{IE}=\overline{IF}=$ (내접원의 반지름의 길이)

참고 △IAD≡△IAF, △IBD≡△IBE, △ICE≡△ICF

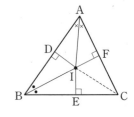

(4) **삼각형의 내심의 위치** 삼각형의 내심은 모두 삼각형의 내부에 있다.

설명 (3) 삼각형의 내심의 성질을 확인해 보자.

오른쪽 그림의 △ABC에서 ∠A와 ∠B의 이등분선의 교점을 I라 하고, 점 I에서 $\overline{AB}$, $\overline{BC}$, $\overline{CA}$에 내린 수선의 발을 각각 D, E, F라 하자.

△IAD와 △IAF에서

∠ADI=∠AFI=90°, $\overline{AI}$는 공통, ∠IAD=∠IAF

이므로 △IAD≡△IAF (RHA 합동)

∴ $\overline{ID}=\overline{IF}$ ‥‥‥ ㉠

같은 방법으로 하면 △IBD≡△IBE (RHA 합동)이므로

$\overline{ID}=\overline{IE}$ ‥‥‥ ㉡

㉠, ㉡에서 $\overline{ID}=\overline{IE}=\overline{IF}$

따라서 삼각형의 내심에서 세 변에 이르는 거리는 같다.

한편, △ICE와 △ICF에서

∠IEC=∠IFC=90°, $\overline{IC}$는 공통, $\overline{IE}=\overline{IF}$

이므로 △ICE≡△ICF (RHS 합동)

∴ ∠ICE=∠ICF

즉 점 I는 ∠C의 이등분선 위에 있으므로 삼각형의 세 내각의 이등분선은 한 점 I에서 만난다.

> 내심을 찾기 위해서는 두 내각의 이등분선의 교점만 찾아도 돼.

참고 이등변삼각형과 정삼각형의 외심과 내심의 위치

(1) 이등변삼각형
외심과 내심은 꼭지각의 이등
분선 위에 있다.

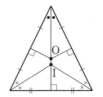

(2) 정삼각형
외심과 내심은 일치한다.

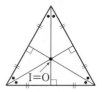

2

삼각형의 외심과 내심

• **Lecture** •

● (삼각형의 내심)=(삼각형의 내접원의 중심)

=(삼각형의 세 내각의 이등분선의 교점)

=(삼각형의 세 변에 이르는 거리가 같은 점)

‖ 개념 확인 ‖ **1** 오른쪽 그림에서 반직선 PT는 원 O의 접선이고, 점 T는 접점이다.
∠POT＝50°일 때, ∠OPT의 크기를 구하시오.

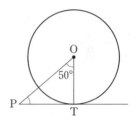

‖ 개념 확인 ‖ **2** 다음 보기에서 점 I가 △ABC의 내심인 것을 모두 고르시오.

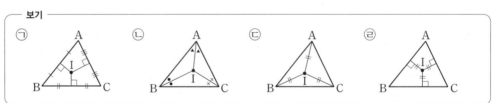

‖ 개념 확인 ‖ **3** 다음 그림에서 점 I가 △ABC의 내심일 때, x의 값을 구하시오.

(1)

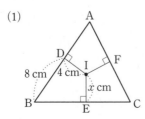

(2)

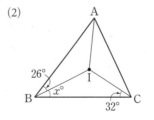

(3)

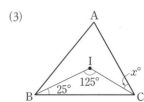

개념 ② 삼각형의 내심의 활용 (1)

점 I가 △ABC의 내심일 때 다음이 성립한다.

(1)
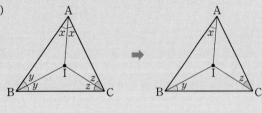

$$\angle x + \angle y + \angle z = 90°$$

(2)
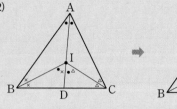

$$\angle BIC = 90° + \frac{1}{2}\angle A$$

 (1) $\angle A + \angle B + \angle C = 2(\angle x + \angle y + \angle z)$
$$= 180°$$
$$\therefore \angle x + \angle y + \angle z = 90°$$

(2) $\angle BIC = \angle BID + \angle CID$
$$= (\bullet + \times) + (\bullet + \triangle)$$
$$= (\bullet + \times + \triangle) + \bullet$$
$$= 90° + \frac{1}{2}\angle A$$

• Lecture •

●다음 사실로부터 각의 크기를 구하는 위의 두 공식을 확인할 수 있다.

(1) 삼각형의 내심은 세 내각의 이등분선의 교점이다.

(2) 삼각형의 한 외각의 크기는 그와 이웃하지 않은 두 내각의 크기의 합과 같다.

┃개념 확인┃ **4** 다음 그림에서 점 I가 △ABC의 내심일 때, $\angle x$의 크기를 구하시오.

(1)
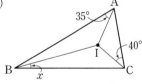

(2)
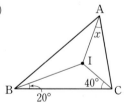

(3)
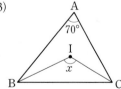

(4)
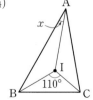

개념 ③ 삼각형의 내심의 활용 (2)

(1) **삼각형의 내접원과 접선의 길이**

△ABC의 내접원 I가 $\overline{AB}$, $\overline{BC}$, $\overline{CA}$와 만나는 점을 각각 D, E, F라 하면

➡ $\overline{AD}=\overline{AF}$, $\overline{BD}=\overline{BE}$, $\overline{CE}=\overline{CF}$

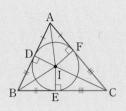

(2) **삼각형의 넓이와 내접원의 반지름의 길이**

△ABC의 세 변의 길이가 각각 a, b, c이고 내접원 I의 반지름의 길이가 r일 때

➡ $\triangle ABC=\dfrac{1}{2}r(a+b+c)$

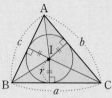

설명 (1) △IAD와 △IAF에서

∠IDA=∠IFA=90°, $\overline{AI}$는 공통, ∠IAD=∠IAF

이므로 △IAD≡△IAF (RHA 합동)

∴ $\overline{AD}=\overline{AF}$

같은 방법으로 하면

△IBD≡△IBE (RHA 합동) ∴ $\overline{BD}=\overline{BE}$

△ICE≡△ICF (RHA 합동) ∴ $\overline{CE}=\overline{CF}$

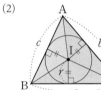 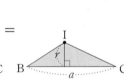

$\triangle ABC=\triangle IBC+\triangle ICA+\triangle IAB$
(높이가 모두 내접원의 반지름의 길이인 r로 같다.)

$=\dfrac{1}{2}ar+\dfrac{1}{2}br+\dfrac{1}{2}cr$

$=\dfrac{1}{2}r(a+b+c)$

개념 확인 5 오른쪽 그림에서 점 I는 △ABC의 내심이고 세 점 D, E, F는 접점일 때, $\overline{BC}$의 길이를 구하시오.

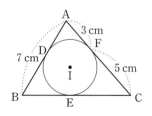

개념 확인 6 오른쪽 그림에서 점 I는 △ABC의 내심일 때, △ABC의 넓이를 구하시오.

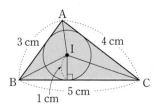

	외심(O) : 외접원의 중심	내심(I) : 내접원의 중심
뜻	세 변의 수직이등분선의 교점	세 내각의 이등분선의 교점
성질	외심에서 세 꼭짓점에 이르는 거리는 같다. ➡ $\overline{OA}=\overline{OB}=\overline{OC}$ ＝(외접원의 반지름의 길이)	내심에서 세 변에 이르는 거리는 같다. ➡ $\overline{ID}=\overline{IE}=\overline{IF}$ ＝(내접원의 반지름의 길이)
합동인 삼각형	$\triangle OAD\equiv\triangle OBD$ $\triangle OBE\equiv\triangle OCE$ $\triangle OAF\equiv\triangle OCF$	$\triangle IAD\equiv\triangle IAF$ $\triangle IBD\equiv\triangle IBE$ $\triangle ICE\equiv\triangle ICF$
위치	(1) 예각삼각형 : 내부 (2) 직각삼각형 : 빗변의 중점 (3) 둔각삼각형 : 외부	모든 삼각형의 내심은 삼각형의 내부에 위치한다. **참고** 이등변삼각형과 정삼각형의 외심과 내심의 위치 ① 이등변삼각형 : 꼭지각의 이등분선 위 ② 정삼각형 : 외심과 내심은 일치 I＝O
각의 크기	(1) $\angle x+\angle y+\angle z=90°$ (2) $\angle BOC=2\angle A$	(1) $\angle x+\angle y+\angle z=90°$ (2) $\angle BIC=90°+\dfrac{1}{2}\angle A$
넓이		$\triangle ABC$ $=\triangle IBC+\triangle ICA+\triangle IAB$ $=\dfrac{1}{2}ar+\dfrac{1}{2}br+\dfrac{1}{2}cr$ $=\dfrac{1}{2}r(a+b+c)$

개념 기초

1-1

오른쪽 그림에서 점 I가 △ABC의 내심일 때, x, y의 값을 각각 구하시오.

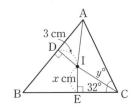

연구 삼각형의 내심에서 세 변에 이르는 거리는 같으므로

$\overline{IE}=\overline{ID}=\boxed{}$ cm   ∴ $x=\boxed{}$

또 삼각형의 내심은 세 내각의 이등분선의 교점이므로

$\angle ICA=\angle ICE=\boxed{}°$ ∴ $y=\boxed{}$

쌍둥이 문제

1-2

다음 그림에서 점 I가 △ABC의 내심일 때, x의 값을 구하시오.

(1)

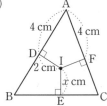

(2)

2-1

다음 그림에서 점 I가 △ABC의 내심일 때, $\angle x$의 크기를 구하시오.

(1)

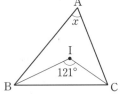

(2)

연구 (1) $\angle ICA=\angle ICB=\boxed{}°$이므로

$35°+\angle x+25°=\boxed{}°$ ∴ $\angle x=\boxed{}°$

(2) $\angle BIC=90°+\boxed{}\angle A$이므로 $121°=90°+\boxed{}\angle x$

$\angle x=\boxed{}×(121°-90°)=\boxed{}°$

2-2

다음 그림에서 점 I가 △ABC의 내심일 때, $\angle x$의 크기를 구하시오.

(1)

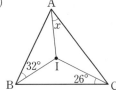

(2)

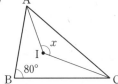

3-1

오른쪽 그림에서 점 I는 △ABC의 내심이고 세 점 D, E, F는 접점이다. ㉠~㉣에 알맞은 수를 구하시오.

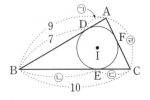

연구 점 I가 △ABC의 내심이므로 $\overline{AD}=\overline{AF}=9-7=2$,

$\overline{BE}=\overline{BD}=7$, $\overline{CF}=\overline{CE}=\overline{BC}-\overline{BE}=\boxed{}$

∴ $\overline{AC}=\overline{AF}+\overline{CF}=2+\boxed{}=\boxed{}$

3-2

다음 그림에서 점 I는 △ABC의 내심이고 세 점 D, E, F는 접점일 때, x의 값을 구하시오.

(1)

(2)

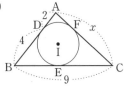

대표 유형 ❶ 삼각형의 내심

점 I가 △ABC의 내심일 때

(1) ∠IAD＝∠IAF, ∠IBD＝∠IBE, ∠ICE＝∠ICF

(2) $\overline{\text{ID}}=\overline{\text{IE}}=\overline{\text{IF}}$＝(내접원의 반지름의 길이)

(3) △IAD≡△IAF, △IBD≡△IBE, △ICE≡△ICF

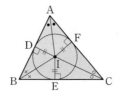

1-1 오른쪽 그림에서 점 I가 △ABC의 내심일 때, 다음 중 옳지 <u>않은</u> 것은?

① $\overline{\text{ID}}=\overline{\text{IE}}=\overline{\text{IF}}$

② $\overline{\text{BD}}=\overline{\text{BE}}$

③ ∠IAD＝∠IBD

④ ∠ICE＝∠ICF

⑤ △IBD≡△IBE

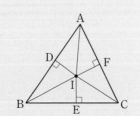

풀이 ③ ∠IAD＝∠IAF, ∠IBD＝∠IBE이지만 ∠IAD＝∠IBD인지는 알 수 없다. **답** ③

쌍둥이 1-2

오른쪽 그림에서 점 I가 △ABC의 내심일 때, 다음 보기에서 옳은 것을 모두 고르시오.

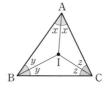

┌ 보기 ─────────────
㉠ $\overline{\text{AI}}=\overline{\text{BI}}$ ㉡ △IBE≡△ICE
㉢ $\overline{\text{ID}}=\overline{\text{IE}}=\overline{\text{IF}}$ ㉣ ∠IAD＝∠IAF
㉤ $\overline{\text{CE}}=\overline{\text{CF}}$
└──────────────────

대표 유형 ❷ 삼각형의 내심의 활용 (1)

점 I가 △ABC의 내심일 때,

$\overline{\text{IA}}, \overline{\text{IB}}, \overline{\text{IC}}$는 각각 ∠A, ∠B, ∠C의 이등분선이므로

∠BAC＋∠ABC＋∠BCA＝2(∠x＋∠y＋∠z)＝180°

∴ ∠x＋∠y＋∠z＝90°

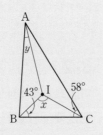

2-1 오른쪽 그림에서 점 I가 △ABC의 내심이다. ∠IBC＝43°, ∠ACB＝58°일 때, ∠x＋∠y의 크기를 구하시오.

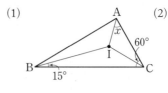

쌍둥이 2-2

다음 그림에서 점 I가 △ABC의 내심일 때, ∠x의 크기를 구하시오.

(1)   (2)

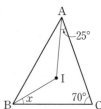

풀이 ∠ICB＝∠ICA＝$\frac{1}{2}$∠ACB＝$\frac{1}{2}$×58＝29°

따라서 △IBC에서 ∠x＝180°－(43°＋29°)＝108°

한편 ∠IAB＋∠IBC＋∠ICA＝90°이므로

∠y＋43°＋29°＝90°   ∴ ∠y＝18°

∴ ∠x＋∠y＝108°＋18°＝126°   **답** 126°

대표 유형 ③ 삼각형의 내심의 활용 (2)

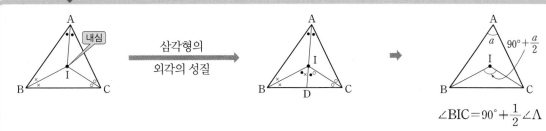

$$\angle BIC = 90° + \frac{1}{2} \angle A$$

3-1 오른쪽 그림에서 점 I가 △ABC의 내심이다. ∠BAI=35°일 때, ∠BIC의 크기를 구하시오.

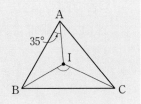

풀이 ∠IAB=∠IAC=35°이므로 ∠BAC=2×35°=70°

∴ ∠BIC=90°+$\frac{1}{2}$∠BAC=90°+$\frac{1}{2}$×70°=125°

답 125°

쌍둥이 3-2 다음 그림에서 점 I가 △ABC의 내심일 때, ∠x의 크기를 구하시오.

(1)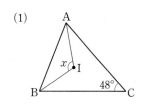

(2)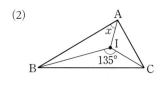

대표 유형 ④ 삼각형의 내접원과 접선의 길이

점 I가 △ABC의 내심일 때, $\overline{AD}=\overline{AF}$, $\overline{BD}=\overline{BE}$, $\overline{CE}=\overline{CF}$

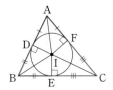

4-1 오른쪽 그림에서 점 I는 △ABC의 내심이고 세 점 D, E, F는 접점일 때, x의 값을 구하시오.

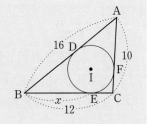

풀이 $\overline{BD}=\overline{BE}=x$이므로

$\overline{AF}=\overline{AD}=16-x$

$\overline{CF}=\overline{CE}=12-x$

이때 $\overline{AC}=\overline{AF}+\overline{CF}$이므로

$10=(16-x)+(12-x)$

$2x=18$ ∴ $x=9$

답 9

쌍둥이 4-2 다음 그림에서 점 I는 △ABC의 내심이고 세 점 D, E, F는 접점일 때, x의 값을 구하시오.

(1)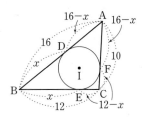

(2)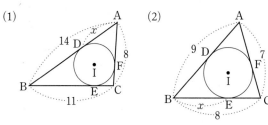

대표 유형 **5** 삼각형의 내접원의 반지름의 길이와 삼각형의 넓이

△ABC에서 세 변의 길이가 각각 a, b, c이고, 내접원의 반지름의 길이가 r일 때,

$$\triangle ABC = \frac{1}{2}r(a+b+c)$$

➡ 삼각형의 넓이, 내접원의 반지름의 길이, 삼각형의 둘레의 길이 중 두 가지의 값을 알면
나머지 한 가지의 값을 구할 수 있다.

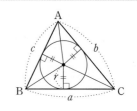

5-1 오른쪽 그림에서 점 I가
직각삼각형 ABC의 내심일
때, △ABC의 내접원의 반지
름의 길이를 구하시오.

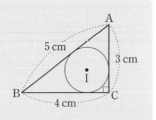

풀이 △ABC의 내접원의 반지름의 길이
를 r cm라 하면

$$\frac{1}{2} \times 4 \times 3 = \frac{1}{2} \times r \times (5+4+3)$$

$6 = 6r$ ∴ $r = 1$

따라서 △ABC의 내접원의 반지름
의 길이는 1 cm이다.

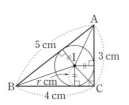

답 1 cm

쌍둥이 5-2

다음 그림에서 점 I는 △ABC의 내심이다. △ABC의 넓이
가 54 cm²일 때, △ABC의 내접원의 둘레의 길이를 구하
시오.

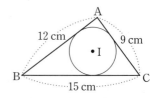

대표 유형 **6** 삼각형의 내심과 평행선

점 I가 △ABC의 내심이고 $\overline{DE} /\!/ \overline{BC}$일 때

(1) △DBI는 $\overline{DB} = \overline{DI}$인 이등변삼각형이다.

△EIC는 $\overline{EI} = \overline{EC}$인 이등변삼각형이다.

(2) (△ADE의 둘레의 길이) $= \overline{AB} + \overline{AC}$

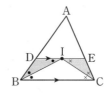

6-1 오른쪽 그림에서 점 I가
△ABC의 내심이고 $\overline{DE} /\!/ \overline{BC}$
일 때, $\overline{DE}$의 길이를 구하시오.

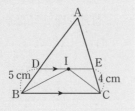

풀이 점 I는 내심이므로 ∠DBI = ∠IBC

$\overline{DE} /\!/ \overline{BC}$이므로 ∠IBC = ∠DIB (엇각)

즉 ∠DBI = ∠DIB이므로

$\overline{DI} = \overline{DB} = 5$ cm

같은 방법으로 하면 $\overline{EI} = \overline{EC} = 4$ cm

∴ $\overline{DE} = \overline{DI} + \overline{EI} = 5+4 = 9$ (cm)

답 9 cm

쌍둥이 6-2

오른쪽 그림에서 점 I가
△ABC의 내심이고 $\overline{DE} /\!/ \overline{BC}$
일 때, △ADE의 둘레의 길이
를 구하시오.

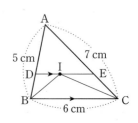

대표 유형 **7** 삼각형의 외심과 내심

△ABC에서 점 O는 외심이고 점 I는 내심일 때

(1) $\angle BOC = 2\angle A$, $\angle BIC = 90° + \frac{1}{2}\angle A$

(2) $\angle OBC = \angle OCB$, $\angle IBA = \angle IBC$

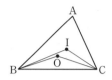

7-1 다음 그림과 같이 $\overline{AB} = \overline{AC}$인 이등변삼각형 ABC에서 점 O는 외심이고, 점 I는 내심이다. $\angle A = 68°$일 때, $\angle IBO$의 크기를 구하시오.

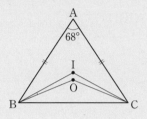

풀이

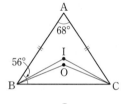

$\overline{AB} = \overline{AC}$이므로

$\angle ABC = \frac{1}{2} \times (180° - 68°) = 56°$

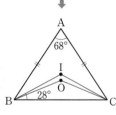

점 I가 △ABC의 내심이므로

$\angle IBC = \frac{1}{2} \times 56° = 28°$

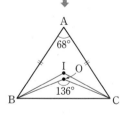

점 O가 △ABC의 외심이므로

$\angle BOC = 2\angle A$

$= 2 \times 68° = 136°$

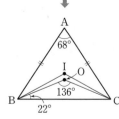

$\overline{OB} = \overline{OC}$이므로

$\angle OBC = \frac{1}{2} \times (180° - 136°) = 22°$

∴ $\angle IBO = \angle IBC - \angle OBC = 28° - 22° = 6°$

답 6°

쌍둥이 7-2

오른쪽 그림에서 두 점 O, I는 각각 △ABC의 외심과 내심이다. $\angle BOC = 144°$일 때, 다음을 구하시오.

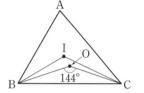

(1) $\angle A$의 크기

(2) $\angle BIC$의 크기

쌍둥이 7-3

오른쪽 그림과 같이 $\overline{AB} = \overline{AC}$인 이등변삼각형 ABC에서 점 O는 외심이고, 점 I는 내심이다. $\angle A = 44°$일 때, 다음을 구하시오.

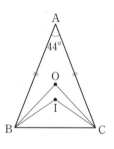

(1) $\angle OBC$의 크기

(2) $\angle IBC$의 크기

(3) $\angle OBI$의 크기

삼각형의 내심과 그 성질

(1) 삼각형의 내심
   삼각형의 내접원의 중심 I
(2) 삼각형의 내심의 성질
   ① 삼각형의 세 내각의 이등분선은 한 점(❶)에서 만난다.
   ② 삼각형의 내심에서 세 변에 이르는 거리는 같다.
   ➡ $\overline{ID}=$ ❷ $=\overline{IF}=$(내접원의 반지름의 길이)

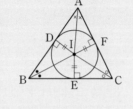

답 ❶ 내심 ❷ $\overline{IE}$

★ 01

다음 중 삼각형의 내심에 대한 설명으로 옳은 것을 모두 고르면? (정답 2개)

① 세 내각의 이등분선의 교점이다.
② 세 꼭짓점으로부터의 거리가 같은 점이다.
③ 세 변의 수직이등분선의 교점이다.
④ 세 변까지의 거리가 같은 점이다.
⑤ 직각삼각형의 내심은 빗변의 중점에 있다.

02

오른쪽 그림에서 점 I가 △ABC의 내심일 때, $x+y$의 값을 구하시오.

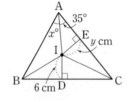

03

오른쪽 그림에서 △ABC의 세 내각의 이등분선의 교점을 I라 할 때, 다음 중 옳은 것은?

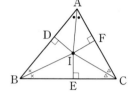

① $\overline{BE}=\overline{CE}$
② $\angle IAF=\angle ICF$
③ △IBD≡△IBE
④ $\overline{IA}=\overline{IB}=\overline{IC}$
⑤ △IAD≡△IBD

★ 04

융합형

오른쪽 그림에서 점 I는 △ABC의 내심이고 $\overline{DE}\,/\!/\,\overline{BC}$이다. △ADE의 둘레의 길이가 22 cm일 때, $\overline{AC}$의 길이를 구하시오.

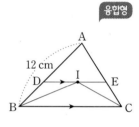

삼각형의 내심의 활용 (1)

점 I가 △ABC의 내심일 때

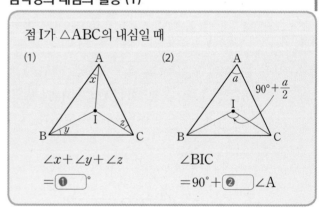

(1) $\angle x+\angle y+\angle z$
   $=$ ❶ $^{\circ}$

(2) $\angle BIC$
   $=90^{\circ}+$ ❷ $\angle A$

답 ❶ 90 ❷ $\frac{1}{2}$

05

오른쪽 그림에서 점 I는 △ABC의 내심이다. $\angle IAB=40^{\circ}$, $\angle IBC=25^{\circ}$일 때, $\angle y-\angle x$의 크기를 구하시오.

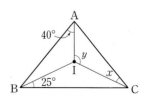

06

오른쪽 그림에서 점 I는 △ABC
의 내심이다.

∠AIB : ∠BIC : ∠CIA
=7 : 8 : 9일 때, ∠ACB의 크기
를 구하시오.

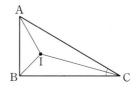

★ 07

오른쪽 그림과 같이 $\overline{AB}=\overline{AC}$
인 이등변삼각형 ABC에서 두
점 O, I는 각각 △ABC의 외심
과 내심이다. ∠A=80°일 때,
∠IBO의 크기를 구하시오.

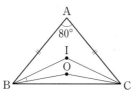

08

서술형 + 창의력

오른쪽 그림에서 점 I는 △ABC의 내
심이고 $\overline{BI}$, $\overline{CI}$의 연장선이 $\overline{AC}$, $\overline{AB}$
와 만나는 점을 각각 D, E라 하자.
∠A=50°일 때, 다음 물음에 답하시
오.

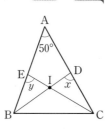

(1) ∠IBC=∠a, ∠ICB=∠b라 할 때, ∠a+ ∠b의 크기
를 구하시오.

(2) ∠x+ ∠y의 크기를 구하시오.

삼각형의 내심의 활용 (2)

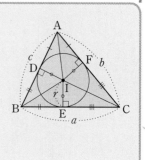

△ABC의 내접원 I의 반지
름의 길이를 r라 하면

(1) $\overline{AD}=\overline{AF}$, $\overline{BD}=\overline{BE}$,
$\overline{CE}=\overline{CF}$

(2) △ABC

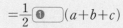

$=\dfrac{1}{2}$ $(a+b+c)$

답 ❶ r

★ 09

오른쪽 그림에서 점 I는 △ABC
의 내심이고 세 점 D, E, F는 접
점일 때, $\overline{AF}$의 길이를 구하시오.

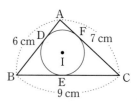

10

오른쪽 그림에서 점 I는
△ABC의 내심이고 △ABC
의 넓이가 210 cm²일 때,
△IBC의 넓이를 구하시오.

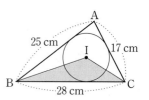

11

서술형

오른쪽 그림과 같이 ∠C=90°인
직각삼각형 ABC에 원 I가 내접
할 때, 다음을 구하시오.

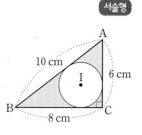

(1) △ABC의 내접원의 반지름
의 길이

(2) 색칠한 부분의 넓이

3 평행사변형

학습 목표

• 평행사변형의 성질을 이해한다.
• 사각형이 평행사변형이 되는 조건을 안다.
• 평행사변형의 성질과 평행사변형이 되는 조건을 이용하여 여러 가지 문제를 해결할 수 있다.

1 평행사변형의 성질

개념 1 평행사변형과 그 성질

2 평행사변형이 되는 조건

개념 1 평행사변형이 되는 조건

개념 2 평행사변형이 되는 조건의 활용

개념 3 평행사변형과 넓이

1 평행사변형의 성질

평행사변형

개념 1 평행사변형과 그 성질

(1) **사각형의 기호** 사각형 ABCD를 기호로 □ABCD와 같이 나타낸다.

(2) **평행사변형의 뜻** 두 쌍의 대변이 각각 평행한 사각형
➡ □ABCD에서 $\overline{AB}/\!/\overline{DC}$, $\overline{AD}/\!/\overline{BC}$
└→ 평행 기호

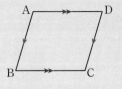

용어
• **대변** 마주 보는 변
  ➡ $\overline{AB}$와 $\overline{DC}$, $\overline{AD}$와 $\overline{BC}$
• **대각** 마주 보는 각
  ➡ ∠A와 ∠C, ∠B와 ∠D

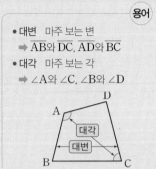

(3) **평행사변형의 성질**

① 두 쌍의 대변의 길이가 각각 같다.
➡ $\overline{AB}=\overline{DC}$, $\overline{AD}=\overline{BC}$

② 두 쌍의 대각의 크기가 각각 같다.
➡ ∠A=∠C, ∠B=∠D

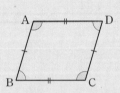

③ 두 대각선이 서로 다른 것을 이등분한다.
➡ $\overline{OA}=\overline{OC}$, $\overline{OB}=\overline{OD}$

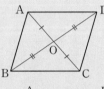

참고 평행사변형에서 두 쌍의 대변이 각각 평행하므로 이웃하는 두 내각의 크기의 합은 180°이다.
➡ ∠A+∠B=∠B+∠C=∠C+∠D=∠D+∠A=180°

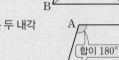

보기 다음 그림과 같은 평행사변형 ABCD에서 x, y의 값을 각각 구해 보자. (단, 점 O는 두 대각선의 교점이다.)

(1)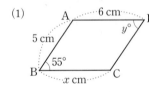
⇨ $\overline{BC}=\overline{AD}=6$ cm
이므로 $x=6$
∠D=∠B=55°
이므로 $y=55$

(2)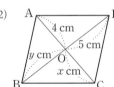
⇨ $\overline{OC}=\overline{OA}=4$ cm이므로
$x=4$
$\overline{OB}=\overline{OD}=5$ cm이므로
$y=5$

• **Lecture** •
● 평행사변형의 뜻과 성질을 혼동하지 않도록 한다.
● 평행사변형에서 어느 변끼리 그 길이가 같은지, 어느 각끼리 그 크기가 같은지 확실히 알아두도록 한다.

|개념 확인| **1** 다음 그림과 같은 평행사변형 ABCD에서 x, y의 값을 각각 구하시오.

(단, 점 O는 두 대각선의 교점이다.)

(1)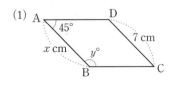

(2)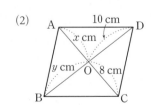

(1) **평행사변형의 두 쌍의 대변의 길이가 각각 같다.** ➡ $\overline{AB}=\overline{DC}$, $\overline{AD}=\overline{BC}$ ← 평행사변형의 성질 ①

평행사변형 ABCD에서 대각선 AC를 그으면

△ABC와 △CDA에서

$\overline{AB} /\!/ \overline{DC}$이므로

∠BAC=∠DCA (엇각) ······ ㉠

$\overline{AD} /\!/ \overline{BC}$이므로

∠BCA=∠DAC (엇각) ······ ㉡

$\overline{AC}$는 공통 ······ ㉢

㉠, ㉡, ㉢에서 △ABC≡△CDA (ASA 합동)

∴ $\overline{AB}=\overline{DC}$, $\overline{AD}=\overline{BC}$

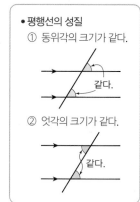

• 평행선의 성질

① 동위각의 크기가 같다.

같다.

② 엇각의 크기가 같다.

같다.

(2) **평행사변형의 두 쌍의 대각의 크기가 각각 같다.** ➡ ∠A=∠C , ∠B=∠D ← 평행사변형의 성질 ②

위의 (1)에서 △ABC≡△CDA (ASA 합동)이므로 ∠B=∠D

또 ∠A=∠BAC+∠DAC=∠DCA+∠BCA=∠C

∴ ∠A=∠C, ∠B=∠D

(3) **평행사변형의 두 대각선이 서로 다른 것을 이등분한다.** ➡ $\overline{OA}=\overline{OC}$, $\overline{OB}=\overline{OD}$ ← 평행사변형의 성질 ③

△AOB와 △COD에서

$\overline{AB} /\!/ \overline{DC}$이므로

∠ABO=∠CDO (엇각) ······ ㉠

∠BAO=∠DCO (엇각) ······ ㉡

또 평행사변형의 대변의 길이는 같으므로

$\overline{AB}=\overline{CD}$ ······ ㉢

㉠, ㉡, ㉢에서 △AOB≡△COD (ASA 합동)

∴ $\overline{OA}=\overline{OC}$, $\overline{OB}=\overline{OD}$

평행사변형의 성질을 설명하는 것은 서술형 문제로 나오는 경우가 있으니 설명 과정을 꼭 기억해야 해!

─ • **Lecture** • ─

●삼각형의 합동 조건

① SSS 합동: 대응하는 세 변의 길이가 각각 같다.

② SAS 합동: 대응하는 두 변의 길이가 각각 같고, 그 끼인각의 크기가 같다.

③ ASA 합동: 대응하는 한 변의 길이가 같고, 그 양 끝 각의 크기가 각각 같다.

개념 기초

1-1

오른쪽 그림과 같은 평행사변형 ABCD에서 ∠x, ∠y의 크기를 각각 구하시오.

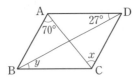

연구 평행한 두 직선과 다른 한 직선이 만날 때, 엇각의 크기는 같음을 이용한다.

이때 □ABCD는 평행사변형이므로

$\overline{AB}$∥□, $\overline{AD}$∥□

쌍둥이 문제

1-2

다음 그림과 같은 평행사변형 ABCD에서 ∠x, ∠y의 크기를 각각 구하시오.

(1) 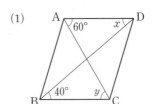   (2)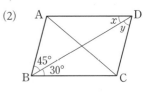

2-1

다음 그림과 같은 평행사변형 ABCD에서 x, y의 값을 각각 구하시오. (단, 점 O는 두 대각선의 교점이다.)

(1) 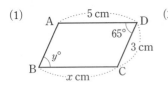   (2)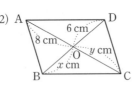

연구 □ABCD가 평행사변형이므로 다음을 이용한다.

① $\overline{AB}=\overline{DC}$, $\overline{AD}=$□

② ∠A=□, ∠B=∠D

③ $\overline{OA}=\overline{OC}$, $\overline{OB}=\overline{OD}$

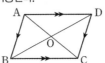

2-2

다음 그림과 같은 평행사변형 ABCD에서 x, y의 값을 각각 구하시오. (단, 점 O는 두 대각선의 교점이다.)

(1) 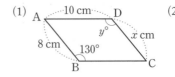   (2)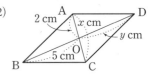

3-1

오른쪽 그림과 같은 평행사변형 ABCD에서 두 대각선의 교점을 O라 할 때, 다음 중 옳은 것에는 ○표, 옳지 않은 것에는 ×표를 ( ) 안에 써넣으시오.

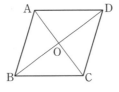

(1) $\overline{AD}=\overline{BC}$ ( )

(2) $\overline{OA}=\overline{OB}$ ( )

(3) $\overline{BC}=\overline{CD}$ ( )

(4) ∠ADB=∠CBD   ( )

연구 평행사변형의 뜻과 성질을 생각한다.

3-2

다음 보기에서 오른쪽 그림과 같은 평행사변형 ABCD에 대한 설명으로 옳은 것을 모두 고르시오.

(단, 점 O는 두 대각선의 교점이다.)

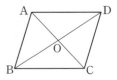

─ 보기 ─

㉠ $\overline{AB}=\overline{BC}$ ㉡ $\overline{AB}$∥$\overline{DC}$

㉢ $\overline{OA}=\overline{OC}$ ㉣ $\overline{AC}⊥\overline{BD}$

㉤ ∠ABC=∠ADC   ㉥ ∠DAB+∠ABC=180°

대표 유형 ❶ 평행사변형

평행사변형 ABCD에서
(1) $\overline{AB} /\!/ \overline{DC}$ ➡ $\angle ABD = \angle CDB$, $\angle BAC = \angle DCA$
(2) $\overline{AD} /\!/ \overline{BC}$ ➡ $\angle ADB = \angle CBD$, $\angle DAC = \angle BCA$

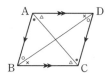

1-1 오른쪽 그림과 같은 평행사변형 ABCD에서 점 O가 두 대각선의 교점일 때, $\angle x$, $\angle y$의 크기를 각각 구하시오.

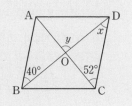

풀이 $\overline{AB} /\!/ \overline{DC}$이므로 $\angle x = \angle ABD = 40°$ (엇각)
△OCD에서 $\angle y = \angle OCD + \angle x = 52° + 40° = 92°$

답 $\angle x = 40°$, $\angle y = 92°$

쌍둥이 1-2

다음 그림과 같은 평행사변형 ABCD에서 $\angle x$, $\angle y$의 크기를 각각 구하시오. (단, 점 O는 두 대각선의 교점이다.)

(1) 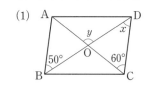   (2)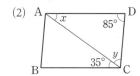

대표 유형 ❷ 평행사변형의 성질

(1) 평행사변형의 두 쌍의 대변의 길이는 각각 같다.
(2) 평행사변형의 두 쌍의 대각의 크기는 각각 같다.
(3) 평행사변형의 두 대각선은 서로 다른 것을 이등분한다.

2-1 다음 그림과 같은 평행사변형 ABCD에서 x, y의 값을 각각 구하시오. (단, 점 O는 두 대각선의 교점이다.)

(1) 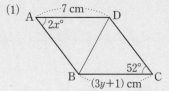   (2)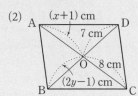

풀이 (1) $\angle A = \angle C$이므로 $2x = 52$ ∴ $x = 26$
　　$\overline{AD} = \overline{BC}$이므로 $7 = 3y + 1$ ∴ $y = 2$
(2) $\overline{OA} = \overline{OC}$이므로 $x + 1 = 8$ ∴ $x = 7$
　　$\overline{OB} = \overline{OD}$이므로 $2y - 1 = 7$ ∴ $y = 4$

답 (1) $x = 26$, $y = 2$ (2) $x = 7$, $y = 4$

쌍둥이 2-2

다음 그림과 같은 평행사변형 ABCD에서 x, y의 값을 각각 구하시오. (단, 점 O는 두 대각선의 교점이다.)

(1) 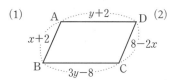   (2)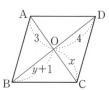

쌍둥이 2-3

다음 그림과 같은 평행사변형 ABCD에서 $\angle x$의 크기를 구하시오.

(1) 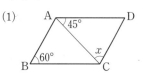   (2)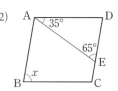

대표 유형 ③ 평행사변형의 성질의 활용 (1) – 변의 길이

평행사변형 ABCD에서 ∠B의 이등분선이 $\overline{AD}$와 만나는 점을 E, $\overline{CD}$의 연장선과 만나는 점을 F라 하면

(1) △ABE, △DFE, △CFB는 모두 이등변삼각형이다.

(2) $\overline{AB}=\overline{AE}$, $\overline{DE}=\overline{DF}$, $\overline{CB}=\overline{CF}$

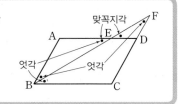

3-1 오른쪽 그림과 같은 평행사변형 ABCD에서 ∠A의 이등분선이 $\overline{DC}$의 연장선과 만나는 점을 E라 하자. $\overline{AB}=4$ cm, $\overline{AD}=7$ cm일 때, $\overline{CE}$의 길이를 구하시오.

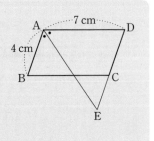

풀이 $\overline{AB} /\!/ \overline{DE}$이므로

∠E=∠BAE (엇각)

따라서 △DAE는 $\overline{DA}=\overline{DE}$인 이등변삼각형이므로 $\overline{DE}=\overline{DA}=7$ cm

또 $\overline{DC}=\overline{AB}=4$ cm이므로

$\overline{CE}=\overline{DE}-\overline{DC}=7-4=3$ (cm)

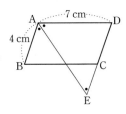

답 3 cm

쌍둥이 3-2

오른쪽 그림과 같은 평행사변형 ABCD에서 ∠A의 이등분선이 $\overline{BC}$와 만나는 점을 E라 하자. $\overline{AB}=8$ cm, $\overline{AD}=12$ cm일 때, $\overline{EC}$의 길이를 구하시오.

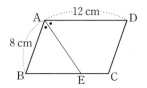

대표 유형 ④ 평행사변형의 성질의 활용 (2) – 각의 크기

• 평행사변형에서 두 쌍의 대각의 크기는 각각 같다.

• 평행한 두 직선이 다른 한 직선과 만나서 생기는 엇각의 크기는 같다.

• 평행사변형에서 이웃하는 두 내각의 크기의 합은 180°이다.

4-1 오른쪽 그림과 같은 평행사변형 ABCD에서 ∠A의 이등분선이 $\overline{BC}$와 만나는 점을 E라 하자. ∠AEB=54°일 때, ∠D의 크기를 구하시오.

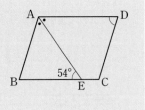

풀이 $\overline{AD} /\!/ \overline{BC}$이므로

∠DAE=∠BEA=54° (엇각)

∴ ∠BAE=∠DAE=54°

∠BAD+∠D=180°이므로

(54°+54°)+∠D=180° ∴ ∠D=72°

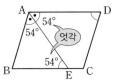

답 72°

쌍둥이 4-2

오른쪽 그림과 같은 평행사변형 ABCD에서 $\overline{BE}$는 ∠B의 이등분선이고 $\overline{BE}\perp\overline{CF}$이다. ∠D=80°일 때, ∠DCF의 크기를 구하시오.

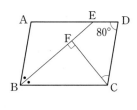

대표 유형 **5** 평행사변형의 성질의 활용 (3) – 각의 크기

□ABCD가 평행사변형이면

(1) ∠A=∠C, ∠B=∠D

(2) ∠A+∠B=180°, ∠D+∠C=180°

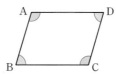

5-1 오른쪽 그림과 같은 평행사변형 ABCD에서 ∠A : ∠B=2 : 1일 때, ∠C의 크기를 구하시오.

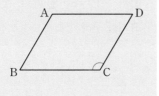

풀이 $\overline{\text{AD}} /\!/ \overline{\text{BC}}$이므로 ∠A+∠B=180°이다.

이때 ∠A : ∠B=2 : 1이므로

$$∠A=180° \times \frac{2}{2+1}=180° \times \frac{2}{3}=120°$$

∴ ∠C=∠A=120°

답 120°

쌍둥이 **5-2**

오른쪽 그림과 같은 평행사변형 ABCD에서 ∠B : ∠C=2 : 3 일 때, ∠A의 크기를 구하시오.

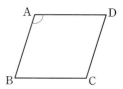

대표 유형 **6** 평행사변형의 성질의 활용 (4) – 대각선

점 O가 평행사변형 ABCD의 두 대각선의 교점이면

(1) $\overline{\text{OA}}=\overline{\text{OC}}=\frac{1}{2}\overline{\text{AC}}$

(2) $\overline{\text{OB}}=\overline{\text{OD}}=\frac{1}{2}\overline{\text{BD}}$

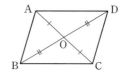

6-1 오른쪽 그림과 같은 평행사변형 ABCD에서 두 대각선의 교점을 O라 하자. $\overline{\text{AC}}=8\,\text{cm}$, $\overline{\text{OD}}=6\,\text{cm}$, $\overline{\text{DC}}=7\,\text{cm}$일 때, △ABO의 둘레의 길이를 구하시오.

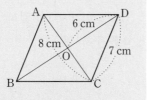

풀이 평행사변형의 두 쌍의 대변의 길이는 각각 같으므로

$\overline{\text{AB}}=\overline{\text{DC}}=7\,\text{cm}$

평행사변형의 두 대각선은 서로 다른 것을 이등분하므로

$\overline{\text{OA}}=\frac{1}{2}\overline{\text{AC}}=\frac{1}{2} \times 8=4\,(\text{cm})$, $\overline{\text{OB}}=\overline{\text{OD}}=6\,\text{cm}$

∴ (△ABO의 둘레의 길이)$=\overline{\text{AB}}+\overline{\text{OA}}+\overline{\text{OB}}$

$=7+4+6=17\,(\text{cm})$

답 17 cm

쌍둥이 **6-2**

오른쪽 그림과 같은 평행사변형 ABCD에서 두 대각선의 교점을 O라 하자. $\overline{\text{AB}}=12\,\text{cm}$, $\overline{\text{AC}}=16\,\text{cm}$, $\overline{\text{BD}}=20\,\text{cm}$일 때, △ABO의 둘레의 길이를 구하시오.

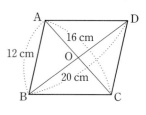

평행사변형의 성질

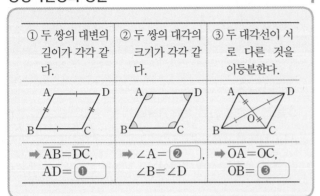

① 두 쌍의 대변의 길이가 각각 같 다.	② 두 쌍의 대각의 크기가 각각 같 다.	③ 두 대각선이 서 로 다른 것을 이등분한다.
➡ $\overline{AB}=\overline{DC}$, $\overline{AD}=$ ❶	➡ $\angle A=$ ❷ , $\angle B=\angle D$	➡ $\overline{OA}=\overline{OC}$, $\overline{OB}=$ ❸

답 ❶$\overline{BC}$ ❷∠C ❸$\overline{OD}$

01

오른쪽 그림과 같은 평행사변 형 ABCD에서 $\angle x$, $\angle y$의 크 기를 각각 구하시오.

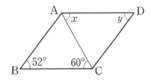

02

오른쪽 그림과 같은 평행사 변형 ABCD에서 x, y의 값을 각각 구하시오.

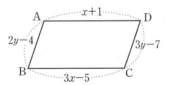

★ 03

오른쪽 그림과 같은 평행사변 형 ABCD에서 점 E는 $\overline{CD}$의 중점이고, $\overline{AE}$의 연장선과 $\overline{BC}$ 의 연장선이 만나는 점을 F라 하자. $\overline{AD}=4$ cm일 때, $\overline{BF}$의 길이를 구하시오.

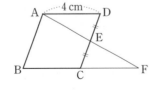

04

오른쪽 그림과 같은 평행사변형 ABCD에서 ∠A의 이등분선이 $\overline{DC}$의 연장선과 만나는 점을 E라 하자. ∠E=50°일 때, ∠AFC의 크기를 구하시오.

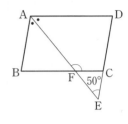

05

오른쪽 그림과 같은 평행사변형 ABCD에서 ∠A : ∠B=4 : 5일 때, ∠C의 크기를 구하시오.

★ 06

오른쪽 그림과 같은 평행사변형 ABCD에서 점 O는 두 대각선의 교점이다. $\overline{AC}=20$ cm, $\overline{BD}=26$ cm이고, △ABO의 둘 레의 길이가 35 cm일 때, $\overline{DC}$의 길 이를 구하시오.

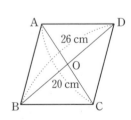

07

서술형

오른쪽 그림과 같은 평행사변형 ABCD에서 $\overline{AF}$와 $\overline{DE}$는 각각 ∠A, ∠D의 이등분선일 때, 다음 을 구하시오.

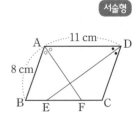

(1) $\overline{FC}$의 길이

(2) $\overline{EF}$의 길이

2 평행사변형이 되는 조건

개념 **1** 평행사변형이 되는 조건

□ABCD가 다음 중 어느 한 조건을 만족하면 평행사변형이 된다.

(1) 두 쌍의 대변이 각각 평행하다.	(2) 두 쌍의 대변의 길이가 각각 같다.	(3) 두 쌍의 대각의 크기가 각각 같다.
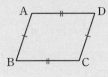 (1)은 평행사변형의 뜻이므로 설명이 필요 없다. !!		
➡ $\overline{AB} /\!/ \overline{DC}$, $\overline{AD} /\!/ \overline{BC}$	➡ $\overline{AB} = \overline{DC}$, $\overline{AD} = \overline{BC}$	➡ $\angle A = \angle C$, $\angle B = \angle D$

(4) 두 대각선이 서로 다른 것을 이등분한다.	(5) 한 쌍의 대변이 평행하고 그 길이가 같다.
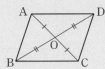 ➡ $\overline{OA} = \overline{OC}$, $\overline{OB} = \overline{OD}$	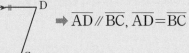 ➡ $\overline{AD} /\!/ \overline{BC}$, $\overline{AD} = \overline{BC}$

보기 다음 그림과 같은 □ABCD에서 $\angle A = \angle C$, $\angle B = \angle D$일 때, x, y의 값을 각각 구해 보자.

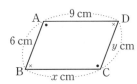

⇨ 두 쌍의 대각의 크기가 각각 같으므로 □ABCD는 평행사변형이다.

따라서 $\overline{BC} = \overline{AD} = 9$ cm이므로 $x = 9$

$\overline{DC} = \overline{AB} = 6$ cm이므로 $y = 6$

• **Lecture** •

● 평행사변형이 되는 조건 (5)에서 평행한 대변의 길이가 같아야 평행사변형이 된다.

오른쪽 그림과 같은 경우는 평행사변형이 아니다.

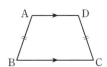

‖ 개념 확인 ‖ **1** 다음 그림의 □ABCD가 평행사변형이 되게 하는 x, y의 값을 각각 구하시오.

(단, 점 O는 두 대각선의 교점이다.)

(1)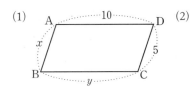

(2)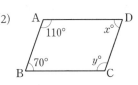

(3)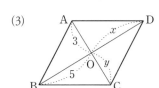

(1) 두 쌍의 대변의 길이가 각각 같은 사각형은 평행사변형이다. ← 평행사변형이 되는 조건 (2)

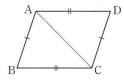

□ABCD에서 대각선 AC를 그으면

△ABC와 △CDA에서

$\overline{AB}=\overline{CD}$, $\overline{BC}=\overline{DA}$, $\overline{AC}$는 공통

∴ △ABC≡△CDA (SSS 합동)

따라서 ∠BAC=∠DCA, 즉 엇각의 크기가 같으므로 $\overline{AB}/\!/\overline{DC}$

∠ACB=∠CAD, 즉 엇각의 크기가 같으므로 $\overline{AD}/\!/\overline{BC}$

즉 두 쌍의 대변이 각각 평행하므로 □ABCD는 평행사변형이다.

(2) 두 쌍의 대각의 크기가 각각 같은 사각형은 평행사변형이다. ← 평행사변형이 되는 조건 (3)

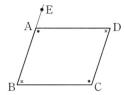

□ABCD에서 ∠A+∠B+∠C+∠D=360°

이때 ∠A=∠C, ∠B=∠D이므로

∠BAD+∠B=180°   …… ㉠

$\overline{AB}$의 연장선 위에 한 점 E를 잡으면

∠EAD+∠BAD=180°   …… ㉡

㉠, ㉡에서 ∠EAD=∠B, 즉 동위각의 크기가 같으므로 $\overline{AD}/\!/\overline{BC}$

또 ∠EAD=∠D, 즉 엇각의 크기가 같으므로 $\overline{AB}/\!/\overline{DC}$

즉 두 쌍의 대변이 각각 평행하므로 □ABCD는 평행사변형이다.

(3) 두 대각선이 서로 다른 것을 이등분하는 사각형은 평행사변형이다. ← 평행사변형이 되는 조건 (4)

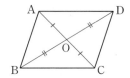

△AOD와 △COB에서

$\overline{OA}=\overline{OC}$, $\overline{OD}=\overline{OB}$, ∠AOD=∠COB (맞꼭지각)

∴ △AOD≡△COB (SAS 합동)

따라서 ∠OAD=∠OCB, 즉 엇각의 크기가 같으므로 $\overline{AD}/\!/\overline{BC}$

같은 방법으로 하면 △AOB≡△COD (SAS 합동)이므로

∠OAB=∠OCD, 즉 엇각의 크기가 같으므로 $\overline{AB}/\!/\overline{DC}$

즉 두 쌍의 대변이 각각 평행하므로 □ABCD는 평행사변형이다.

(4) 한 쌍의 대변이 평행하고 그 길이가 같은 사각형은 평행사변형이다. ← 평행사변형이 되는 조건 (5)

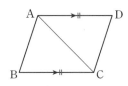

□ABCD에서 대각선 AC를 그으면

△ABC와 △CDA에서

$\overline{BC}=\overline{DA}$, $\overline{AC}$는 공통, ∠BCA=∠DAC (엇각)

∴ △ABC≡△CDA (SAS 합동)

따라서 ∠BAC=∠DCA, 즉 엇각의 크기가 같으므로 $\overline{AB}/\!/\overline{DC}$

즉 두 쌍의 대변이 각각 평행하므로 □ABCD는 평행사변형이다.

개념 ② 평행사변형이 되는 조건의 활용

다음 그림에서 □ABCD가 평행사변형일 때, □EBFD는 평행사변형이다.

(1)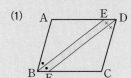

$\angle ABE = \angle EBF$, $\angle EDF = \angle FDC$

➡ 두 쌍의 대각의 크기가 각각 같다.

(2)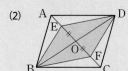

$\overline{OE} = \overline{OF}$ (또는 $\overline{AE} = \overline{CF}$)

➡ 두 대각선이 서로 다른 것을 이등분한다.

(3)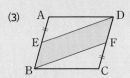

$\overline{AE} = \overline{FC}$ (또는 $\overline{EB} = \overline{DF}$)

➡ 한 쌍의 대변이 평행하고 그 길이가 같다.

(4)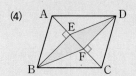

$\angle AEB = \angle CFD = 90°$

➡ 한 쌍의 대변이 평행하고 그 길이가 같다.

 (1) $\angle B = \angle D$이므로 $\angle EBF = \dfrac{1}{2}\angle B = \dfrac{1}{2}\angle D = \angle EDF$

    $\angle AEB = \angle EBF$ (엇각), $\angle DFC = \angle EDF$ (엇각)이므로 $\angle AEB = \angle DFC$

    $\therefore \angle DEB = 180° - \angle AEB = 180° - \angle DFC = \angle BFD$

    따라서 두 쌍의 대각의 크기가 각각 같으므로 □EBFD는 평행사변형이다.

(2) □ABCD가 평행사변형이므로 $\overline{OB} = \overline{OD}$이고, 조건에 의하여 $\overline{OE} = \overline{OF}$

    따라서 두 대각선이 서로 다른 것을 이등분하므로 □EBFD는 평행사변형이다.

(3) $\overline{AB} /\!/ \overline{DC}$이므로 $\overline{EB} /\!/ \overline{DF}$이고, $\overline{EB} = \overline{AB} - \overline{AE} = \overline{DC} - \overline{FC} = \overline{DF}$

    따라서 한 쌍의 대변이 평행하고 그 길이가 같으므로 □EBFD는 평행사변형이다.

(4) $\angle BEF = \angle DFE = 90°$이므로 $\overline{EB} /\!/ \overline{DF}$

    직각삼각형 ABE와 CDF에서 $\overline{AB} = \overline{CD}$, $\angle AEB = \angle CFD = 90°$, $\angle BAE = \angle DCF$ (엇각)

    이므로 $\triangle ABE \equiv \triangle CDF$ (RHA 합동) $\therefore \overline{BE} = \overline{DF}$

    따라서 한 쌍의 대변이 평행하고 그 길이가 같으므로 □EBFD는 평행사변형이다.

| 개념 확인 | **2** 다음은 평행사변형 ABCD에서 두 대각선의 교점을 O라 하고, $\overline{BD}$ 위에 $\overline{BE} = \overline{DF}$가 되도록 두 점 E, F를 잡을 때, □AECF가 평행사변형임을 설명하는 과정이다. ㈎, ㈏에 알맞은 것을 써넣으시오.

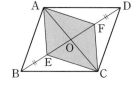

> □ABCD가 평행사변형이므로 $\overline{OA} = \boxed{\text{㈎}}$ ⋯⋯ ㉠
>
> $\overline{OB} = \overline{OD}$이고 $\overline{BE} = \overline{DF}$이므로
>
> $\overline{OE} = \overline{OB} - \overline{BE} = \overline{OD} - \overline{DF} = \boxed{\text{㈏}}$ ⋯⋯ ㉡
>
> ㉠, ㉡에서 두 대각선이 서로 다른 것을 이등분하므로 □AECF는 평행사변형이다.

개념 **3** 평행사변형과 넓이

(1) 평행사변형의 넓이는 한 대각선에 의해 이등분된다.

$$\triangle ABC = \triangle CDA = \frac{1}{2} \square ABCD$$

(2) 평행사변형의 내부의 한 점 P에 대하여

$$\triangle PAB + \triangle PCD = \triangle PDA + \triangle PBC$$

$$= \frac{1}{2} \square ABCD$$

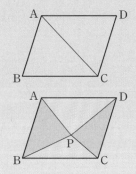

두 도형이 합동이면 넓이가 같아.

설명 (1) △ABC와 △CDA에서 $\overline{AB} = \overline{CD}$, $\overline{BC} = \overline{DA}$, AC는 공통이므로

$\triangle ABC \equiv \triangle CDA$ (SSS 합동) ∴ $\triangle ABC = \triangle CDA = \frac{1}{2} \square ABCD$

(2) 평행사변형 ABCD에서 점 P를 지나고 $\overline{AB}$, $\overline{BC}$에 각각 평행한 선분을 그으면

$\triangle PAB + \triangle PCD = ㉠ + ㉡ + ㉢ + ㉣$

$= \triangle PDA + \triangle PBC$

$= \frac{1}{2} \square ABCD$

• Lecture •

● 평행사변형 ABCD에서 내부의 한 점 P에 대하여 $\triangle PAB + \triangle PCD = \triangle PDA + \triangle PBC$
이때 두 삼각형의 넓이의 합이 같은 것이지 각각의 삼각형의 넓이가 같은 것은 아니므로 주의
한다.

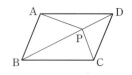

| 개념 확인 | **3** 　오른쪽 그림과 같은 평행사변형 ABCD의 넓이가 24 cm²일 때,
△BCD의 넓이를 구하시오.

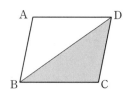

| 개념 확인 | **4** 　오른쪽 그림과 같이 평행사변형 ABCD에서 내부의 한 점
P를 지나고 $\overline{AB}$, $\overline{BC}$에 각각 평행한 선분을 그었다.
□ABCD의 넓이가 72 cm²일 때, ①~④에 알맞은 수를
써넣고, 다음을 구하시오.

(1) △PAB와 △PCD의 넓이의 합

(2) △PDA와 △PBC의 넓이의 합

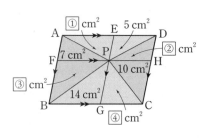

개념 기초

1-1

다음은 오른쪽 그림과 같은 □ABCD가 평행사변형이 되는 조건이다. □ 안에 알맞은 것을 써넣으시오. (단, 점 O는 두 대각선의 교점이다.)

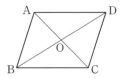

(1) $\overline{AB} /\!/$ ☐, $\overline{AD} /\!/$ ☐

(2) $\overline{AB} =$ ☐, $\overline{AD} =$ ☐

(3) $\angle BAD =$ ☐, $\angle ABC =$ ☐

(4) $\overline{OA} =$ ☐, $\overline{OB} =$ ☐

(5) $\overline{AB} /\!/$ ☐, $\overline{AB} =$ ☐

연구 평행사변형의 뜻과 성질을 생각한다.

쌍둥이 문제

1-2

오른쪽 그림과 같은 □ABCD가 다음 조건을 만족할 때, 평행사변형인 것에는 ○표, 평행사변형이 아닌 것에는 ×표를 ( ) 안에 써넣으시오. (단, 점 O는 두 대각선의 교점이다.)

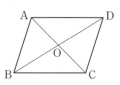

(1) $\overline{AB} = \overline{DC} = 5\ cm$, $\overline{AD} = \overline{BC} = 10\ cm$ ( )

(2) $\overline{OA} = \overline{OB} = 4\ cm$, $\overline{OC} = \overline{OD} = 6\ cm$ ( )

(3) $\overline{AD} /\!/ \overline{BC}$, $\overline{AB} = \overline{DC} = 7\ cm$ ( )

(4) $\overline{AD} /\!/ \overline{BC}$, $\angle BAC = \angle DCA = 60°$ ( )

(5) $\angle BAD = 120°$, $\angle ABC = 60°$, $\angle BCD = 120°$ ( )

2-1

오른쪽 그림과 같은 평행사변형 ABCD의 내부의 한 점 P에 대하여 △PAB의 넓이는 $12\ cm^2$이다. □ABCD의 넓이가 $44\ cm^2$일 때, 다음을 구하시오.

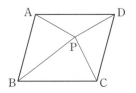

(1) △PAB와 △PCD의 넓이의 합

(2) △PCD의 넓이

연구 $\triangle PAB + \triangle PCD = \triangle PDA + \triangle PBC = $ ☐ □ABCD

2-2

오른쪽 그림과 같은 평행사변형 ABCD에서 점 O는 두 대각선의 교점이고 △AOD의 넓이가 $9\ cm^2$일 때, 다음을 구하시오.

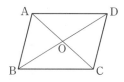

(1) □ABCD의 넓이

(2) △BCD의 넓이

대표 유형 ❶ 평행사변형이 되는 조건

- 그림을 그려서 평행사변형이 되는 5가지 조건에 해당하는지 조사한다.
- 평행사변형이 되는 조건 ➡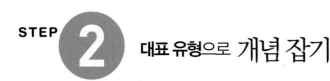

1-1 다음 보기에서 □ABCD가 평행사변형인 것을 모두 고르시오. (단, 점 O는 두 대각선 AC와 BD의 교점이다.)

보기
㉠ $\overline{AB}=\overline{DC}=10$ cm, $\overline{AD}=\overline{BC}=8$ cm
㉡ $\overline{OA}=\overline{OB}=6$ cm, $\overline{OC}=\overline{OD}=7$ cm
㉢ $\angle A=\angle C=100°$, $\angle B=\angle D=80°$
㉣ $\overline{AB}=\overline{DC}=8$ cm, $\overline{AD}/\!/\overline{BC}$

풀이 ㉠ 두 쌍의 대변의 길이가 각각 같으므로 평행사변형이다.
㉡ $\overline{OA}\neq\overline{OC}$, $\overline{OB}\neq\overline{OD}$이므로 평행사변형이 아니다.
㉢ 두 쌍의 대각의 크기가 각각 같으므로 평행사변형이다.
㉣ 오른쪽 그림과 같은 □ABCD는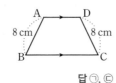
$\overline{AD}/\!/\overline{BC}$, $\overline{AB}=\overline{DC}=8$ cm
이지만 평행사변형은 아니다.

답 ㉠, ㉢

쌍둥이 1-2

다음 사각형 중 평행사변형이 <u>아닌</u> 것은?

(단, 점 O는 두 대각선의 교점이다.)

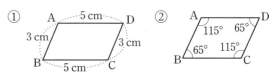
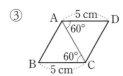
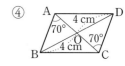
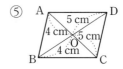

대표 유형 ❷ 평행사변형이 되도록 하는 미지수의 값 구하기

사각형이 평행사변형이 되려면 다음 ①~⑤ 중 어느 하나를 만족시켜야 한다.
① 두 쌍의 대변이 각각 평행하다.
② 두 쌍의 대변의 길이가 각각 같다.
③ 두 쌍의 대각의 크기가 각각 같다.
④ 두 대각선이 서로 다른 것을 이등분한다.
⑤ 한 쌍의 대변이 평행하고 그 길이가 같다.

2-1 오른쪽 그림과 같은 □ABCD가 평행사변형이 되도록 하는 x, y의 값을 각각 구하시오.

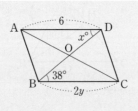

풀이 $\overline{AD}/\!/\overline{BC}$이어야 하므로 ∠ADB=∠DBC=38° (엇각)
∴ $x=38$
$\overline{AD}=\overline{BC}$이어야 하므로 $6=2y$ ∴ $y=3$

답 $x=38$, $y=3$

쌍둥이 2-2

다음 그림과 같은 □ABCD가 평행사변형이 되도록 하는 x, y의 값을 각각 구하시오.

(1)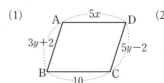

(2)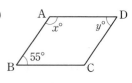

대표 유형 **3** 평행사변형이 되는 조건의 활용 (1)

주어진 평행사변형의 성질과 평행사변형이 되는 조건을 이용하여 새로운 사각형이 평행사변형임을 설명한다.

3-1 다음은 평행사변형 ABCD에서 각 변 위에 $\overline{AE}=\overline{BF}=\overline{CG}=\overline{DH}$가 되도록 네 점 E, F, G, H를 잡았을 때, □EFGH가 평행사변형임을 설명하는 과정이다. 물음에 답하시오.

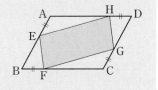

> △AEH와 △CGF에서
> $\overline{AE}=\overline{CG}$, ∠A=∠C,
> $\overline{AH}=\overline{AD}-\overline{HD}=\overline{BC}-\overline{BF}=$ (가)
> 이므로 △AEH≡△CGF (SAS 합동)
> ∴ $\overline{EH}=$ (나) ...... ㉠
> △EBF와 △GDH에서
> $\overline{BF}=\overline{DH}$, ∠B= (다) ,
> $\overline{EB}=\overline{AB}-\overline{AE}=\overline{DC}-\overline{GC}=$ (라)
> 이므로 △EBF≡△GDH (SAS 합동)
> ∴ $\overline{EF}=$ (마) ...... ㉡
> ㉠, ㉡에서 □EFGH는 평행사변형이다.

(1) (가)~(마)에 알맞은 것을 써넣으시오.

(2) 위의 과정에서 □EFGH가 평행사변형이 되는 조건을 말하시오.

풀이 (1) (가) $\overline{CF}$ (나) $\overline{GF}$ (다) ∠D (라) $\overline{GD}$ (마) $\overline{GH}$

(2) □EFGH에서 $\overline{EH}=\overline{FG}$, $\overline{EF}=\overline{HG}$이므로 두 쌍의 대변의 길이가 각각 같다.

따라서 □EFGH는 평행사변형이다.

답(1) (가) $\overline{CF}$ (나) $\overline{GF}$ (다) ∠D (라) $\overline{GD}$ (마) $\overline{GH}$

(2) 두 쌍의 대변의 길이가 각각 같다.

쌍둥이 3-2

다음은 평행사변형 ABCD에서 $\overline{AD}$, $\overline{BC}$의 중점을 각각 E, F라 할 때, □AFCE가 평행사변형임을 설명하는 과정이다. (가)~(다)에 알맞은 것을 써넣으시오.

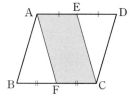

> □ABCD는 평행사변형이므로
> $\overline{AD}/\!/\overline{BC}$ ∴ $\overline{AE}/\!/$ (가) ...... ㉠
> 또 $\overline{AD}=\overline{BC}$이므로
> $\overline{AE}=\dfrac{1}{2}\overline{AD}=\dfrac{1}{2}\overline{BC}=$ (나) ...... ㉡
> ㉠, ㉡에서 □AFCE는 한 쌍의 대변이 (다) 하고 그 길이가 같으므로 평행사변형이다.

쌍둥이 3-3

다음은 평행사변형 ABCD의 두 꼭짓점 B, D에서 대각선 AC에 내린 수선의 발을 각각 E, F라 할 때, □BFDE가 평행사변형임을 설명하는 과정이다. (가)~(마)에 알맞은 것을 써넣으시오.

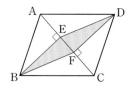

> △ABE와 △CDF에서
> $\overline{AB}=$ (가) , ∠AEB=∠CFD=90°
> (나) 이므로 ∠BAE=∠DCF (엇각)
> 따라서 △ABE≡△CDF ((다) 합동)이므로
> $\overline{BE}=\overline{DF}$ ...... ㉠
> 또 ∠BEF=∠DFE=90°, 즉 엇각의 크기가 같으므로
> (라) ...... ㉡
> ㉠, ㉡에서 평행사변형이 되는 조건 ' (마) '
> 를 만족하므로 □BFDE는 평행사변형이다.

대표 유형 **4** 평행사변형이 되는 조건의 활용 (2)

□ABCD가 평행사변형이면 □EBFD도 평행사변형이므로

(1) $\overline{EB}=\overline{DF}$, $\overline{ED}=\overline{BF}$

(2) ∠EBF=∠EDF, ∠BED=∠BFD

4-1 오른쪽 그림과 같은 평행사변형 ABCD에서 ∠B, ∠D의 이등분선이 $\overline{AD}$, $\overline{BC}$와 만나는 점을 각각 E, F라 하자. ∠C=110°일 때, 다음 물음에 답하시오.

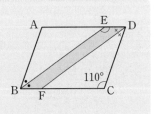

(1) □EBFD가 평행사변형임을 설명하시오.

(2) ∠DEB의 크기를 구하시오.

풀이 (1) ∠B=∠D이므로

$$\angle EBF=\frac{1}{2}\angle B=\frac{1}{2}\angle D=\angle EDF \qquad \cdots\cdots \text{㉠}$$

∠AEB=∠EBF (엇각), ∠DFC=∠EDF (엇각)이므로

∠AEB=∠DFC

∴ ∠DEB=180°−∠AEB

$$=180°−∠DFC=∠BFD \qquad \cdots\cdots \text{㉡}$$

㉠, ㉡에서 두 쌍의 대각의 크기가 각각 같으므로 □EBFD는 평행사변형이다.

(2) $\overline{AD} /\!/ \overline{BC}$이므로 ∠EDF=∠DFC (엇각)

∴ ∠DFC=∠FDC

즉 △CDF는 $\overline{CD}=\overline{CF}$인 이등변삼각형이므로

$$\angle DFC=\frac{1}{2}\times(180°−110°)=35°$$

∴ ∠BFD=180°−∠DFC=180°−35°=145°

□EBFD가 평행사변형이므로

∠DEB=∠BFD=145°

답 (1) 풀이 참조 (2) 145°

쌍둥이 4-2

오른쪽 그림과 같은 평행사변형 ABCD에서 두 대각선의 교점을 O라 하고, $\overline{OB}$, $\overline{OD}$의 중점을 각각 E, F라 하자. 다음 중 옳지 않은 것은?

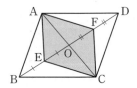

① $\overline{OE}=\overline{OF}$ ② $\overline{OA}=\overline{OC}$

③ $\overline{AE}=\overline{AF}$ ④ $\overline{AE}=\overline{FC}$

⑤ ∠OAE=∠OCF

쌍둥이 4-3

오른쪽 그림과 같은 평행사변형 ABCD의 꼭짓점 B, D에서 대각선 AC에 내린 수선의 발을 각각 P, Q라 하자. ∠DPQ=50°일 때, ∠PBQ의 크기를 구하시오.

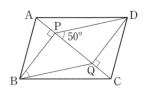

대표 유형 **5** 평행사변형과 넓이 (1)

평행사변형 ABCD의 두 대각선의 교점을 O라 하면

(1) $\triangle ABC = \triangle BCD = \triangle CDA = \triangle DAB = \frac{1}{2}\square ABCD$

(2) $\triangle OAB = \triangle OBC = \triangle OCD = \triangle ODA = \frac{1}{4}\square ABCD$

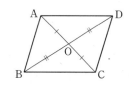

5-1 오른쪽 그림과 같은 평행사변형 ABCD에서 두 점 M, N은 각각 $\overline{AD}$, $\overline{BC}$의 중점이다. $\square MPNQ$의 넓이가 80 cm²일 때, $\square ABCD$의 넓이를 구하시오.

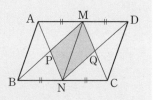

풀이 $\square ABNM$, $\square MNCD$는 평행사변형이므로

$$\triangle MPN = \frac{1}{4}\square ABNM, \quad \triangle MNQ = \frac{1}{4}\square MNCD$$

이때 $\square MPNQ = \triangle MPN + \triangle MNQ$

$$= \frac{1}{4}(\square ABNM + \square MNCD)$$

$$= \frac{1}{4}\square ABCD$$

이므로 $\square ABCD = 4\square MPNQ = 4 \times 80 = 320$ (cm²)

답 320 cm²

쌍둥이 5-2

오른쪽 그림과 같은 평행사변형 ABCD에서 $\overline{BC}$와 $\overline{DC}$의 연장선 위에 $\overline{BC} = \overline{CF}$, $\overline{DC} = \overline{CE}$가 되도록 두 점 F, E를 각각 잡았다.

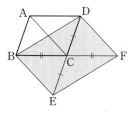

$\triangle ABC = 25$ cm²일 때, $\square BEFD$의 넓이를 구하시오.

대표 유형 **6** 평행사변형과 넓이 (2)

평행사변형 ABCD의 내부의 한 점 P에 대하여

$$\triangle PAB + \triangle PCD = \triangle PDA + \triangle PBC = \frac{1}{2}\square ABCD$$

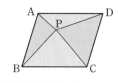

6-1 오른쪽 그림과 같이 평행사변형 ABCD의 내부에 한 점 P가 있다. $\triangle PAB = 10$ cm², $\triangle PCD = 22$ cm², $\triangle PDA = 13$ cm²일 때, $\triangle PBC$의 넓이를 구하시오.

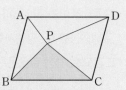

풀이 $\triangle PAB + \triangle PCD = \triangle PDA + \triangle PBC$이므로

$$10 + 22 = 13 + \triangle PBC \quad \therefore \triangle PBC = 19 \text{ (cm}^2)$$

답 19 cm²

쌍둥이 6-2

오른쪽 그림과 같이 평행사변형 ABCD의 내부에 한 점 P가 있다. $\square ABCD = 40$ cm², $\triangle PCD = 12$ cm²일 때, $\triangle PAB$의 넓이를 구하시오.

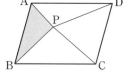

평행사변형이 되는 조건

□ABCD가 다음 중 어느 한 조건을 만족하면 평행사변형이 된다.

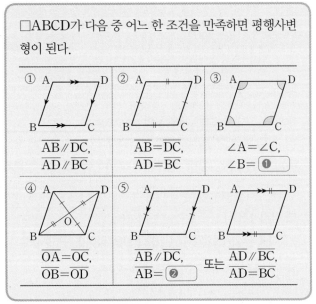

① $\overline{AB}\,/\!/\,\overline{DC}$, $\overline{AD}\,/\!/\,\overline{BC}$

② $\overline{AB}=\overline{DC}$, $\overline{AD}=\overline{BC}$

③ $\angle A=\angle C$, $\angle B=$ ❶

④ $\overline{OA}=\overline{OC}$, $\overline{OB}=\overline{OD}$

⑤ $\overline{AB}\,/\!/\,\overline{DC}$, $\overline{AB}=$ ❷ 또는 $\overline{AD}\,/\!/\,\overline{BC}$, $\overline{AD}=\overline{BC}$

답 ❶∠D ❷$\overline{DC}$

01

다음은 한 쌍의 대변이 평행하고 그 길이가 같은 사각형은 평행사변형임을 설명하는 과정이다. ①~⑤에 들어갈 것으로 옳지 <u>않은</u> 것은?

> 대각선 AC를 그으면
> △ABC와 △CDA에서
> 　① 　는 공통　　　……㉠
> $\overline{AD}\,/\!/\,\overline{BC}$이므로
> $\angle ACB=$　②　(엇각)　　……㉡
> $\overline{BC}=\overline{DA}$　　　　　……㉢
> ㉠, ㉡, ㉢에 의하여 △ABC≡△CDA (　③　합동)
> 이므로 $\angle BAC=$　④　, 즉 엇각의 크기가 같으므로
> 　⑤
> 따라서 □ABCD는 두 쌍의 대변이 각각 평행하므로 평행사변형이다.

① $\overline{AC}$　　② $\angle CAD$　　③ SAS

④ $\angle DCA$　　⑤ $\overline{AB}=\overline{DC}$

02

오른쪽 그림과 같은 □ABCD가 평행사변형이 되도록 하는 x, y의 값을 각각 구하시오.

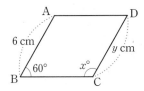

★ 03

다음 중 □ABCD가 평행사변형인 것은?

(단, 점 O는 두 대각선 AC와 BD의 교점이다.)

① $\angle A=40°$, $\angle B=140°$, $\angle C=40°$

② $\overline{AB}\,/\!/\,\overline{DC}$, $\overline{AB}=5$ cm, $\overline{AD}=5$ cm

③ $\overline{OA}=5$ cm, $\overline{OB}=5$ cm, $\overline{OC}=7$ cm, $\overline{OD}=7$ cm

④ $\overline{AB}=3$ cm, $\overline{DC}=3$ cm, $\overline{AD}\,/\!/\,\overline{BC}$

⑤ $\angle B=\angle C$, $\overline{AB}=6$ cm, $\overline{BC}=6$ cm

04

오른쪽 그림과 같은 평행사변형 ABCD에서 $\overline{AD}$, $\overline{BC}$의 중점을 각각 M, N이라 할 때, 다음 중 □MBND가 평행사변형이 되는 조건으로 가장 알맞은 것은?

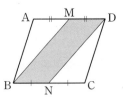

① $\overline{MD}\,/\!/\,\overline{BN}$, $\overline{MB}\,/\!/\,\overline{DN}$

② $\overline{MD}=\overline{BN}$, $\overline{MB}\,/\!/\,\overline{DN}$

③ $\overline{MD}=\overline{BN}$, $\overline{MD}\,/\!/\,\overline{BN}$

④ $\angle MBN=\angle DNB$, $\angle DMB=\angle MDN$

⑤ $\angle ABM=\angle MBN$, $\angle MDN=\angle CDN$

★ 05

오른쪽 그림과 같은 평행사변형 ABCD에서 ∠B, ∠D의 이등분선이 $\overline{AD}$, $\overline{BC}$와 만나는 점을 각각 E, F라 하자.
$\overline{BC}=20$ cm, $\overline{CD}=12$ cm일 때, $\overline{DE}$의 길이를 구하시오.

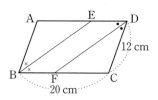

06

오른쪽 그림과 같이 평행사변형 ABCD의 꼭짓점 A, C에서 대각선 BD에 내린 수선의 발을 각각 E, F라 할 때, 다음 보기에서 옳은 것을 모두 고르시오. (단, 점 O는 두 대각선의 교점이다.)

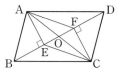

┌─ 보기 ─────────────────────────┐
　ㄱ. △ABE≡△CDF　　ㄴ. ∠ABE=∠DCF
　ㄷ. $\overline{AE}=\overline{CF}$　　　　ㄹ. $\overline{AE}=\overline{AF}$
　ㅁ. $\overline{OE}=\overline{OF}$　　　　ㅂ. ∠EAF=∠ECF
└────────────────────────────┘

07

오른쪽 그림과 같은 평행사변형 ABCD에서 점 O는 두 대각선의 교점이다. △AOD의 넓이가 7 cm²일 때, □ABCD의 넓이를 구하시오.

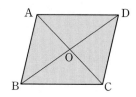

★ 08

오른쪽 그림과 같이 평행사변형 ABCD의 내부에 한 점 P가 있다. △PAB=20 cm², △PCD=32 cm², △PDA=18 cm²일 때, △PBC의 넓이를 구하시오.

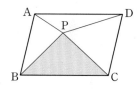

평행사변형과 넓이

(1) 평행사변형 ABCD의 두 대각선의 교점을 O라 하면
　① △ABC=△BCD
　　　=△CDA
　　　=△DAB
　　　=$\frac{1}{2}$□ABCD
　② △OAB=△OBC=△OCD=△ODA
　　　=[①]□ABCD

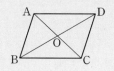

(2) 평행사변형 ABCD의 내부의 한 점 P에 대하여
　△PAB+△PCD
　=△PDA+△PBC
　=[②]□ABCD

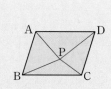

09

오른쪽 그림과 같이 평행사변형 ABCD의 두 대각선의 교점을 O라 하고, 점 O를 지나는 직선이 $\overline{AD}$, $\overline{BC}$와 만나는 점을 각각 P, Q라 하자. □ABCD의 넓이가 24 cm²일 때, 다음 물음에 답하시오.

(1) △AOP와 합동인 삼각형을 찾고, 그때의 합동 조건을 말하시오.

(2) 색칠한 부분의 넓이를 구하시오.

답 ① $\frac{1}{4}$　② $\frac{1}{2}$

4 여러 가지 사각형

학습 목표

• 직사각형, 마름모, 정사각형, 등변사다리꼴의 뜻을 알고, 그 성질을 이해한다.
• 사다리꼴, 평행사변형, 직사각형, 마름모, 정사각형 사이의 관계를 안다.

1 여러 가지 사각형

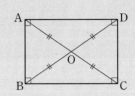

개념 1 직사각형

(1) **직사각형의 뜻** 네 내각의 크기가 모두 같은 사각형

➡ $\angle A = \angle B = \angle C = \angle D$

(2) **직사각형의 성질** 두 대각선은 길이가 같고, 서로 다른 것을 이등분한다.

➡ $\overline{AC} = \overline{BD}$, $\overline{AO} = \overline{BO} = \overline{CO} = \overline{DO}$

(3) **평행사변형이 직사각형이 되는 조건**

> 평행사변형에서 한 내각이 직각이면 네 내각의 크기가 모두 90°가 되어 직사각형이 된다.

① 한 내각이 직각이다. ($\angle A = 90°$)

또는

② 두 대각선의 길이가 같다. ($\overline{AC} = \overline{BD}$)

> 평행사변형의 두 대각선의 길이가 같으면 두 대각선은 길이가 같고, 서로 다른 것을 이등분하게 되어 직사각형이 된다.

> 직사각형은 두 쌍의 대각의 크기가 각각 90°로 같아. 즉 평행사변형의 특수한 경우로 평행사변형의 성질을 모두 만족해.

설명 직사각형의 두 대각선의 길이가 같음을 확인해 보자.

오른쪽 그림의 $\triangle ABC$와 $\triangle DCB$에서

$\overline{AB} = \overline{DC}$, $\angle ABC = \angle DCB = 90°$, $\overline{BC}$는 공통

이므로 $\triangle ABC \equiv \triangle DCB$ (SAS 합동)

$\therefore \overline{AC} = \overline{BD}$

보기 오른쪽 그림과 같은 직사각형 ABCD에서 x, y의 값을 각각 구해 보자.

① $\overline{AC} = \overline{BD} = 8$ cm이므로 $x = 8$

② $\overline{OC} = \overline{OD}$이므로 $\triangle OCD$는 이등변삼각형이다.

따라서 $\angle ODC = \angle OCD = 50°$이므로 $y = 50$

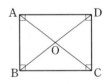

> **• Lecture •**
> ● 주어진 사각형이 '평행사변형'이라는 조건 없이 '한 내각이 직각이다.' 또는 '두 대각선의 길이가 같다.'는 조건만 있을 때, 직사각형이 된다고 착각하기 쉽다. 반드시 주어진 사각형이 평행사변형일 때 직사각형이 되는 조건임에 주의한다.

| 개념 확인 | 1 다음 그림에서 □ABCD가 직사각형일 때, x, y의 값을 각각 구하시오.

(단, 점 O는 두 대각선의 교점이다.)

(1)
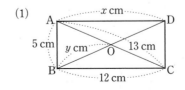

(2)
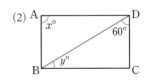

개념 ② 마름모

(1) 마름모의 뜻 네 변의 길이가 모두 같은 사각형

➡ $\overline{AB}=\overline{BC}=\overline{CD}=\overline{DA}$

(2) 마름모의 성질 두 대각선은 서로 다른 것을 수직이등분한다.

➡ $\overline{AO}=\overline{CO}$, $\overline{BO}=\overline{DO}$, $\overline{AC}\perp\overline{BD}$

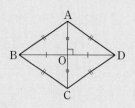

(3) 평행사변형이 마름모가 되는 조건

┌─ 평행사변형에서 이웃하는 두 변의 길이가 같으면
│   네 변의 길이가 모두 같아지게 되어 마름모가 된다.

① 이웃하는 두 변의 길이가 같다. ($\overline{AB}=\overline{BC}$)

또는

② 두 대각선이 수직으로 만난다. ($\overline{AC}\perp\overline{BD}$)

└─ 평행사변형의 두 대각선이 수직으로 만나면
    두 대각선은 서로 다른 것을 수직이등분하게 되어 마름모가 된다.

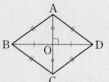

> 마름모는 두 쌍의 대변의 길이가 각각 같아. 즉 평행사변형의 특수한 경우로 평행사변형의 성질을 모두 만족해.

설명 마름모의 두 대각선은 서로 수직임을 확인해 보자.

오른쪽 그림의 △ABO와 △ADO에서

$\overline{AB}=\overline{AD}$, $\overline{OA}$는 공통, $\overline{BO}=\overline{DO}$이므로

△ABO≡△ADO (SSS 합동)   ∴ ∠AOB=∠AOD

이때 ∠AOB+∠AOD=180°이므로

∠AOB=∠AOD=90°   ∴ $\overline{AC}\perp\overline{BD}$

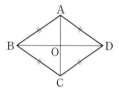

보기 오른쪽 그림과 같은 마름모 ABCD에서 x, y의 값을 각각 구해 보자.

① $\overline{AC}\perp\overline{BD}$이므로 ∠AOB=90°   ∴ $x=90$

② $\overline{DO}=\overline{BO}=4$ cm이므로 $y=4$

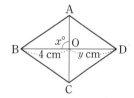

• **Lecture** •

● 마름모의 두 대각선에 의하여 생기는 4개의 삼각형은 모두 합동이다.

△ABO≡△CBO≡△CDO≡△ADO

따라서 마름모의 두 대각선은 내각을 이등분한다.

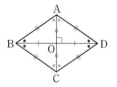

│ 개념 확인 │ 2 다음 그림에서 □ABCD가 마름모일 때, x, y의 값을 각각 구하시오.

(단, 점 O는 두 대각선의 교점이다.)

(1)
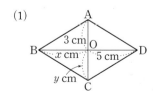

(2)
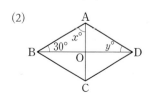

4
여
러
가
지
사
각
형

(1) 정사각형의 뜻 네 내각의 크기가 모두 같고, 네 변의 길이가 모두 같은 사각형

➡ $\angle A = \angle B = \angle C = \angle D,\ \overline{AB} = \overline{BC} = \overline{CD} = \overline{DA}$

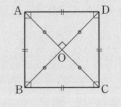

(2) 정사각형의 성질 두 대각선은 길이가 같고, 서로 다른 것을 수직이등분한다.

➡ $\overline{AC} = \overline{BD},\ \overline{AO} = \overline{BO} = \overline{CO} = \overline{DO},\ \overline{AC} \perp \overline{BD}$

(3) 직사각형이 정사각형이 되는 조건

> ① 이웃하는 두 변의 길이가 같다. ($\overline{AB} = \overline{BC}$)

또는

> ② 두 대각선이 수직으로 만난다. ($\overline{AC} \perp \overline{BD}$)

(4) 마름모가 정사각형이 되는 조건

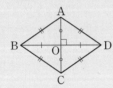

> ① 한 내각이 직각이다. ($\angle A = 90°$)

또는

> ② 두 대각선의 길이가 같다. ($\overline{AC} = \overline{BD}$)

정사각형은 네 내각의 크기가 모두 같고, 네 변의 길이가 모두 같아. 즉 직사각형과 마름모의 성질을 모두 만족해.

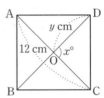

보기 오른쪽 그림과 같은 정사각형 ABCD에서 x, y의 값을 각각 구해 보자.

① $\overline{AC} \perp \overline{BD}$이므로 $\angle DOC = 90°$ ∴ $x = 90$

② $\overline{BD} = \overline{AC} = 12$ cm이므로

$\overline{DO} = \dfrac{1}{2}\overline{BD} = \dfrac{1}{2} \times 12 = 6$ (cm) ∴ $y = 6$

• **Lecture** •

• 정사각형

네 내각의 크기가 모두 같다. ➡ 직사각형 ➡ 두 쌍의 대각의 크기가 각각 같다. ➡ 평행사변형

네 변의 길이가 모두 같다. ➡ 마름모 ➡ 두 쌍의 대변의 길이가 각각 같다. ➡

| 개념 확인 | **3** 다음 그림에서 □ABCD가 정사각형일 때, x, y의 값을 각각 구하시오.

(단, 점 O는 두 대각선의 교점이다.)

(1)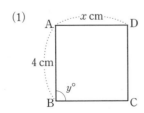

(2)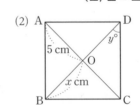

개념 4 등변사다리꼴

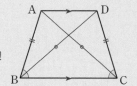

(1) **사다리꼴의 뜻** 한 쌍의 대변이 평행한 사각형 ➡ $\overline{AD} /\!/ \overline{BC}$

(2) **등변사다리꼴의 뜻** 밑변의 양 끝 각의 크기가 같은 사다리꼴
➡ $\overline{AD} /\!/ \overline{BC}$, ∠B=∠C
   └▸ '변'이 아니라 '각'의 크기가 같음에 주의!

(3) **등변사다리꼴의 성질**

① 평행하지 않은 한 쌍의 대변의 길이가 같다. ➡ $\overline{AB}=\overline{DC}$

② 두 대각선의 길이가 같다. ➡ $\overline{AC}=\overline{DB}$

참고 $\overline{AD} /\!/ \overline{BC}$인 등변사다리꼴 ABCD에서

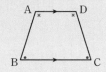

① ∠A+∠B=180°, ∠C+∠D=180°
② ∠B=∠C이므로 ∠A=∠D

 등변사다리꼴의 성질을 확인해 보자.

① $\overline{AB}$에 평행한 $\overline{DE}$를 그으면 ∠B=∠DEC (동위각)

이때 ∠B=∠C이므로 ∠DEC=∠C

즉 △DEC는 이등변삼각형이므로 $\overline{DE}=\overline{DC}$ …… ㉠

또 □ABED는 평행사변형이므로 $\overline{AB}=\overline{DE}$ …… ㉡

㉠, ㉡에서 $\overline{AB}=\overline{DC}$ ▸ 평행하지 않은 한 쌍의 대변의 길이가 같다.

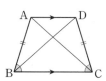

② △ABC와 △DCB에서

$\overline{AB}=\overline{DC}$, ∠B=∠C, $\overline{BC}$는 공통

이므로 △ABC≡△DCB (SAS 합동)

∴ $\overline{AC}=\overline{DB}$ ▸ 두 대각선의 길이가 같다.

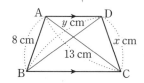

 오른쪽 그림과 같은 등변사다리꼴 ABCD에서 x, y의 값을 각각 구해 보자.

① $\overline{DC}=\overline{AB}=8$ cm ∴ $x=8$

② 두 대각선의 길이가 같으므로

$\overline{DB}=\overline{AC}=13$ cm ∴ $y=13$

| 개념 확인 | **4** 다음 그림에서 □ABCD가 $\overline{AD} /\!/ \overline{BC}$인 등변사다리꼴일 때, x, y의 값을 각각 구하시오.

(단, 점 O는 두 대각선의 교점이다.)

(1)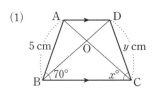

(2)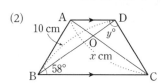

STEP 1 기초 개념 드릴

1-1

오른쪽 그림과 같은 직사각형 ABCD에서 점 O가 두 대각선의 교점일 때, 다음을 구하시오.

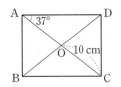

(1) $\overline{BD}$의 길이

(2) ∠BAO의 크기

연구 (1) $\overline{BD}=\overline{AC}=2\overline{CO}=$ □ (cm)

(2) ∠DAB= □°이므로 ∠BAO= □°−37°= □

2-1

오른쪽 그림과 같은 마름모 ABCD에서 점 O가 두 대각선의 교점일 때, 다음을 구하시오.

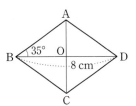

(1) $\overline{BO}$의 길이

(2) ∠OAB의 크기

연구 (1) $\overline{BO}=\dfrac{1}{2}\overline{BD}=$ □ (cm)

(2) $\overline{AC}\perp\overline{BD}$이므로 ∠AOB= □°

△ABO에서 ∠OAB=180°−(□°+35°)= □°

3-1

오른쪽 그림과 같은 정사각형 ABCD에서 점 O가 두 대각선의 교점일 때, 다음을 구하시오.

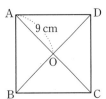

(1) $\overline{BD}$의 길이

(2) ∠OBA의 크기

연구 (1) $\overline{BD}=\overline{AC}=2\overline{AO}=$ □ (cm)

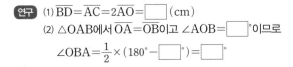

(2) △OAB에서 $\overline{OA}=\overline{OB}$이고 ∠AOB= □°이므로

∠OBA=$\dfrac{1}{2}$×(180°− □°)= □°

4-1

오른쪽 그림의 □ABCD는 $\overline{AD}\,/\!/\,\overline{BC}$인 등변사다리꼴이다. 점 O가 두 대각선의 교점일 때, 다음을 구하시오.

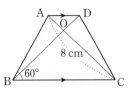

(1) $\overline{BD}$의 길이

(2) ∠DCB의 크기

연구 (1) $\overline{BD}=\overline{AC}=$ □ (cm)

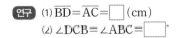

(2) ∠DCB=∠ABC= □°

1-2

오른쪽 그림과 같은 직사각형 ABCD에서 점 O가 두 대각선의 교점일 때, 다음을 구하시오.

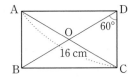

(1) $\overline{DO}$의 길이

(2) ∠OCD의 크기

2-2

오른쪽 그림과 같은 마름모 ABCD에서 점 O가 두 대각선의 교점일 때, 다음을 구하시오.

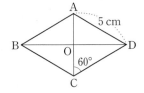

(1) $\overline{AB}$의 길이

(2) ∠ODC의 크기

3-2

오른쪽 그림과 같은 정사각형 ABCD에서 점 O가 두 대각선의 교점일 때, 다음을 구하시오.

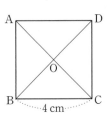

(1) $\overline{AB}$의 길이

(2) ∠AOD의 크기

4-2

오른쪽 그림과 같이 $\overline{AD}\,/\!/\,\overline{BC}$인 등변사다리꼴 ABCD에서 다음을 구하시오.

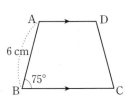

(1) $\overline{DC}$의 길이

(2) ∠D의 크기

대표 유형 ① 직사각형의 뜻과 성질

- 직사각형은 네 내각의 크기가 모두 90°로 같은 사각형이다.
- 직사각형의 두 대각선은 길이가 같고, 서로 다른 것을 이등분한다.

1-1 오른쪽 그림과 같은 직사각형 ABCD에서 점 O가 두 대각선의 교점일 때, x, y의 값을 각각 구하시오.

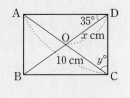

쌍둥이 1-2

오른쪽 그림과 같은 직사각형 ABCD에서 점 O가 두 대각선의 교점일 때, x, y의 값을 각각 구하시오.

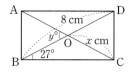

풀이 $\overline{BD}=\overline{AC}=10\,cm$이므로

$\overline{OD}=\dfrac{1}{2}\overline{BD}=\dfrac{1}{2}\times 10=5\,(cm)$ ∴ $x=5$

∠ADC=90°이므로 ∠ODC=90°-35°=55°

이때 △OCD는 $\overline{OC}=\overline{OD}$인 이등변삼각형이므로

∠OCD=∠ODC=55° ∴ $y=55$

답 $x=5$, $y=55$

대표 유형 ② 평행사변형이 직사각형이 되는 조건

- 직사각형은 평행사변형 중 특수한 경우이므로 평행사변형의 성질을 모두 만족한다.
- 평행사변형의 한 내각이 직각이거나 두 대각선의 길이가 같으면 직사각형이 된다.

2-1 다음 중 오른쪽 그림과 같은 평행사변형 ABCD가 직사각형이 되는 조건이 <u>아닌</u> 것은?
(단, 점 O는 두 대각선의 교점이다.)

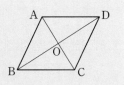

① $\overline{OA}=\overline{OB}$ ② $\overline{BO}=\overline{DO}$
③ $\overline{AC}=\overline{BD}$ ④ ∠BCD=90°
⑤ ∠BAD=∠ABC

쌍둥이 2-2

오른쪽 그림과 같은 평행사변형 ABCD에서 점 O는 두 대각선의 교점이다. ∠CAD=30°이고 $\overline{AD}=8\,cm$, $\overline{AC}=10\,cm$일 때, 다음 중 □ABCD가 직사각형이 되는 조건을 모두 고르면?

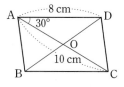

(정답 2개)

① $\overline{AB}=8\,cm$ ② $\overline{BO}=5\,cm$
③ $\overline{CO}=5\,cm$ ④ ∠ACD=60°
⑤ ∠AOD=90°

풀이 ① □ABCD는 평행사변형이므로 $\overline{OA}=\overline{OC}$, $\overline{OB}=\overline{OD}$
이때 $\overline{OA}=\overline{OB}$이면 $\overline{OA}=\overline{OB}=\overline{OC}=\overline{OD}$
즉 두 대각선의 길이가 같으므로 □ABCD는 직사각형이다.
③ 두 대각선의 길이가 같으므로 □ABCD는 직사각형이다.
④ 한 내각의 크기가 90°이므로 □ABCD는 직사각형이다.
⑤ $\overline{AD}/\!/\overline{BC}$이므로 ∠BAD+∠ABC=180°
이때 ∠BAD=∠ABC이면 ∠BAD=∠ABC=90°
즉 한 내각의 크기가 90°이므로 □ABCD는 직사각형이다.

답 ②

대표 유형 ③ 마름모의 뜻과 성질

- 마름모는 네 변의 길이가 모두 같은 사각형이다.
- 마름모의 두 대각선은 서로 다른 것을 수직이등분한다.

3-1 오른쪽 그림과 같은 마름모 ABCD에서 점 O는 두 대각선의 교점이다. $\overline{AB}=5$ cm이고 $\angle ABO=40°$일 때, x, y의 값을 각각 구하시오.

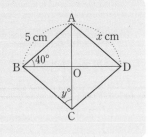

쌍둥이 3-2

오른쪽 그림과 같은 마름모 ABCD에서 점 O는 두 대각선의 교점이다. $\overline{AO}=4$ cm, $\overline{BO}=6$ cm일 때, $\triangle BCD$의 넓이를 구하시오.

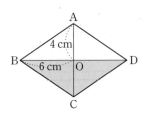

풀이 마름모의 네 변의 길이는 모두 같으므로

$\overline{AD}=\overline{AB}=5$ cm ∴ $x=5$

$\overline{AC}\perp\overline{BD}$이므로 $\angle AOB=90°$

$\triangle ABO$에서 $\angle BAO=180°-(40°+90°)=50°$

이때 $\overline{BC}=\overline{BA}$이므로 $\angle BCA=\angle BAC=50°$ ∴ $y=50$

답 $x=5, y=50$

대표 유형 ④ 평행사변형이 마름모가 되는 조건

- 마름모는 평행사변형 중 특수한 경우이므로 평행사변형의 성질을 모두 만족한다.
- 평행사변형에서 이웃하는 두 변의 길이가 같거나 두 대각선이 수직으로 만나면 마름모가 된다.

4-1 다음 중 오른쪽 그림과 같은 평행사변형 ABCD가 마름모가 되는 조건을 모두 고르면? (단, 점 O는 두 대각선의 교점이다.) (정답 2개)

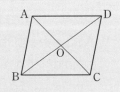

① $\overline{AB}=\overline{BC}$
② $\overline{AC}=\overline{BD}$
③ $\overline{AC}\perp\overline{BD}$
④ $\angle BAD=90°$
⑤ $\angle BAD=\angle ABC$

쌍둥이 4-2

오른쪽 그림과 같은 평행사변형 ABCD에서 $\angle BAC=62°$, $\angle BDC=28°$이고 $\overline{CD}=7$ cm일 때, $\overline{BC}$의 길이를 구하시오.

(단, 점 O는 두 대각선의 교점이다.)

풀이 ① 이웃하는 두 변의 길이가 같으므로 □ABCD는 마름모이다.
② 두 대각선의 길이가 같으므로 □ABCD는 직사각형이다.
③ 두 대각선이 수직으로 만나므로 □ABCD는 마름모이다.
④ 한 내각의 크기가 90°이므로 □ABCD는 직사각형이다.
⑤ $\overline{AD}/\!/\overline{BC}$이므로 $\angle BAD+\angle ABC=180°$
　 이때 $\angle BAD=\angle ABC$이면 $\angle BAD=\angle ABC=90°$
　 즉 한 내각의 크기가 90°이므로 □ABCD는 직사각형이다.

답 ①, ③

대표 유형 ⑤ 정사각형의 뜻과 성질

- 정사각형은 네 내각의 크기가 모두 같고, 네 변의 길이가 모두 같은 사각형이다.
- 정사각형의 두 대각선은 길이가 같고, 서로 다른 것을 수직이등분한다.

5-1 오른쪽 그림과 같은 정사각형 ABCD에서 점 O가 두 대각선의 교점이다. $\overline{AO}=6\ cm$일 때, x, y의 값을 각각 구하시오.

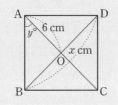

쌍둥이 5-2

오른쪽 그림과 같은 정사각형 ABCD에서 점 O가 두 대각선의 교점이다. $\overline{OA}=4\ cm$일 때, □ABCD의 넓이를 구하시오.

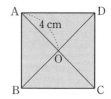

풀이 $\overline{BD}=\overline{AC}=2\overline{AO}=2\times6=12\ (cm)$ ∴ $x=12$

$\overline{AC}\perp\overline{BD}$이므로 $\angle AOB=90°$

이때 △OAB는 $\overline{OA}=\overline{OB}$인 이등변삼각형이므로

$\angle OAB=\dfrac{1}{2}\times(180°-90°)=45°$ ∴ $y=45$

답 $x=12, y=45$

대표 유형 ⑥ 정사각형이 되는 조건

- 정사각형은 평행사변형, 직사각형, 마름모의 성질을 모두 만족한다.
- 직사각형에서 이웃하는 두 변의 길이가 같거나 두 대각선이 수직으로 만나면 정사각형이 된다.
- 마름모에서 한 내각이 직각이거나 두 대각선의 길이가 같으면 정사각형이 된다.

6-1 다음 중 오른쪽 그림과 같은 직사각형 ABCD에서 점 O가 두 대각선의 교점일 때, □ABCD가 정사각형이 되는 조건을 모두 고르면? (정답 2개)

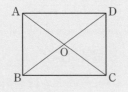

① $\overline{AB}=\overline{BC}$ ② $\angle AOD=\angle BOC$
③ $\overline{AC}=\overline{BD}$ ④ $\overline{CO}=\overline{DO}$
⑤ $\angle AOB=\angle AOD$

쌍둥이 6-2

다음 중 오른쪽 그림과 같은 마름모 ABCD가 정사각형이 되는 조건으로 옳은 것을 모두 고르면? (단, 점 O는 두 대각선의 교점이다.) (정답 2개)

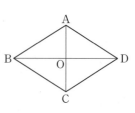

① $\angle ABD=\angle CBD$ ② $\angle ABC=\angle BCD$
③ $\angle BCA=\angle DCA$ ④ $\overline{BO}=\overline{DO}$
⑤ $\overline{AO}=\overline{BO}$

풀이 ① 직사각형 ABCD에서 이웃하는 두 변의 길이가 같으므로
□ABCD는 정사각형이다.
⑤ 직사각형 ABCD에시 $\angle AOB=\angle AOD$이면
$\angle AOB=\angle AOD=90°$
즉 두 대각선이 수직으로 만나므로 □ABCD는 정사각형이다.

답 ①, ⑤

4
여러 가지 사각형

대표 유형 **7** 등변사다리꼴의 뜻과 성질

- 등변사다리꼴은 밑변의 양 끝 각의 크기가 같은 사다리꼴이다.
- 등변사다리꼴은 평행하지 않은 한 쌍의 대변의 길이가 같고, 두 대각선의 길이도 같다.

7-1 오른쪽 그림의 □ABCD는
$\overline{\text{AD}} /\!/ \overline{\text{BC}}$인 등변사다리꼴이다.
다음 중 옳지 <u>않은</u> 것은? (단, 점
O는 두 대각선의 교점이다.)

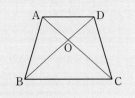

① ∠ABC=∠DCB   ② $\overline{\text{AB}}=\overline{\text{DC}}$
③ $\overline{\text{OB}}=\overline{\text{OC}}$ ④ $\overline{\text{AC}}\perp\overline{\text{BD}}$
⑤ △ABC≡△DCB

쌍둥이 7-2

오른쪽 그림의 □ABCD는
$\overline{\text{AD}} /\!/ \overline{\text{BC}}$인 등변사다리꼴이다.
∠D=110°, ∠ACB=32°일
때, ∠x의 크기를 구하시오.

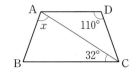

풀이 ①, ② □ABCD가 등변사다리꼴이므로
    ∠ABC=∠DCB, $\overline{\text{AB}}=\overline{\text{DC}}$ ┌→ $\overline{\text{AB}}=\overline{\text{DC}}$, $\overline{\text{BC}}$는 공통,
                                ∠ABC=∠DCB
    ③, ⑤ <u>△ABC≡△DCB</u> (SAS 합동)이므로 ∠ACB=∠DBC
    따라서 △OBC는 이등변삼각형이므로 $\overline{\text{OB}}=\overline{\text{OC}}$
    따라서 옳지 않은 것은 ④이다.   **답** ④

대표 유형 **8** 등변사다리꼴의 성질의 활용

$\overline{\text{AD}} /\!/ \overline{\text{BC}}$인 등변사다리꼴 ABCD에서

(1)
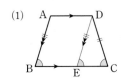
➡ □ABED는 평행사변형이다.
    △DEC는 이등변삼각형이다.

(2)
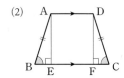
➡ △ABE≡△DCF (RHA 합동)

8-1 오른쪽 그림과 같이
$\overline{\text{AD}} /\!/ \overline{\text{BC}}$인 등변사다리꼴
ABCD에서 $\overline{\text{AB}}$=9 cm,
$\overline{\text{AD}}$=6 cm이고 ∠B=60°
일 때, $\overline{\text{BC}}$의 길이를 구하시오.

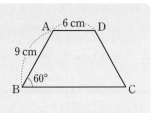

쌍둥이 8-2

오른쪽 그림과 같이 $\overline{\text{AD}} /\!/ \overline{\text{BC}}$
인 등변사다리꼴 ABCD에서
점 A에서 $\overline{\text{BC}}$에 내린 수선의
발을 E라 하자. $\overline{\text{AD}}$=6 cm,
$\overline{\text{BC}}$=14 cm일 때, $\overline{\text{BE}}$의 길이
를 구하시오.

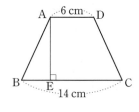

풀이 오른쪽 그림과 같이 $\overline{\text{AB}} /\!/ \overline{\text{DE}}$가
    되도록 $\overline{\text{BC}}$ 위에 점 E를 잡으면
    □ABED는 평행사변형이므로
    $\overline{\text{BE}}=\overline{\text{AD}}$=6 cm
    □ABCD는 등변사다리꼴이므로 ∠C=∠B=60°이고
    ∠DEC=∠B=60° (동위각)이므로 △DEC는 정삼각형이다.
    ∴ $\overline{\text{EC}}=\overline{\text{DC}}=\overline{\text{AB}}$=9 cm
    ∴ BC=BE+EC=6+9=15 (cm)   **답** 15 cm

직사각형

(1) 뜻: 네 내각의 크기가 모두 같은 사각형
(2) 성질: 두 **❶** 은 길이가 같고, 서로 다른 것을 이등 분한다.
(3) 평행사변형이 직사각형이 되는 조건
   ① 한 내각이 **❷** 이다.
   ② 두 대각선의 길이가 같다.

답 ❶ 대각선 ❷ 직각

01

오른쪽 그림과 같은 직사각형 ABCD에서 ∠OAD=38°일 때, ∠x, ∠y의 크기를 각각 구하시오. (단, 점 O는 두 대각선의 교점이다.)

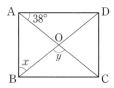

02

오른쪽 그림과 같은 직사각형 ABCD에서 $\overline{AO}=2x+2$, $\overline{DO}=5x-4$일 때, $\overline{BD}$의 길이를 구하시오. (단, 점 O는 두 대각선의 교점이다.)

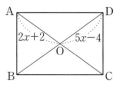

03

오른쪽 그림은 직사각형 모양의 종이 ABCD의 꼭짓점 C가 꼭짓점 A에 오도록 접은 것이다. ∠BAE=24°일 때, ∠AEF의 크기는?

① 54°   ② 57°   ③ 60°
④ 63°   ⑤ 66°

04

다음은 두 대각선의 길이가 같은 평행사변형은 직사각형임을 설명하는 과정이다. ⑺~⒣에 알맞은 것을 써넣으시오.

△ABC와 △DCB에서
$\overline{AB}=\overline{DC}$, $\overline{AC}=$ ⑦ ,
$\overline{BC}$는 공통이므로
△ABC≡△DCB (⑭ 합동)
∴ ∠ABC=∠BCD   …… ㉠
□ABCD가 평행사변형이므로
∠ABC= ㉯ , ∠BCD= ㉱   …… ㉡
㉠, ㉡에서
∠BAD=∠ABC=∠BCD=∠ADC
따라서 □ABCD는 직사각형이다.

마름모

(1) 뜻: 네 변의 길이가 모두 같은 사각형
(2) 성질: 두 대각선은 서로 다른 것을 **❶** 이등분한다.
(3) 평행사변형이 마름모가 되는 조건
   ① **❷** 하는 두 변의 길이가 같다.
   ② 두 대각선이 수직으로 만난다.

답 ❶ 수직 ❷ 이웃

★ 05

오른쪽 그림과 같은 마름모 ABCD에서 ∠ABD=32°일 때, ∠C의 크기를 구하시오.

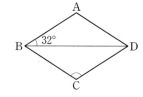

4
여러 가지 사각형

06

다음은 마름모의 두 대각선은 서로 수직임을 설명하는 과정이다. (개)~(래)에 알맞은 것을 써넣으시오.

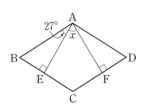

마름모 ABCD에서 두 대각선의 교점을 O라 하면

△ABO와 △ADO에서

$\overline{AB}=$ [(개)], $\overline{AO}$는 공통,

$\overline{BO}=$ [(내)]이므로

△ABO≡△ADO ([(대)] 합동)

∴ ∠AOB=∠AOD

이때 ∠AOB+∠AOD= [(래)]°이므로

∠AOB=∠AOD=90°

따라서 마름모의 두 대각선은 서로 수직이다.

07

오른쪽 그림과 같은 마름모 ABCD의 꼭짓점 A에서 두 변 BC, CD에 내린 수선의 발을 각각 E, F라 하자. ∠BAE=27° 일 때, ∠x의 크기를 구하시오.

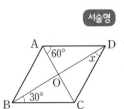

08

오른쪽 그림과 같은 평행사변형 ABCD에서 점 O가 두 대각선의 교점일 때, 다음 물음에 답하시오.

서술형

(1) □ABCD가 어떤 사각형인지 말하시오.

(2) ∠x의 크기를 구하시오.

정사각형

(1) 뜻: 네 내각의 크기가 모두 같고, 네 변의 길이가 모두 같은 사각형

(2) 성질: 두 대각선은 길이가 같고, 서로 다른 것을 ❶ 이등분한다.

(3) 직사각형이 정사각형이 되는 조건

① ❷ 하는 두 변의 길이가 같다.

② 두 대각선이 수직으로 만난다.

(4) 마름모가 정사각형이 되는 조건

① 한 내각이 직각이다.

② 두 ❸ 의 길이가 같다.

답 ❶수직 ❷이웃 ❸대각선

09

오른쪽 그림과 같은 정사각형 ABCD에서 점 O가 두 대각선의 교점일 때, x, y의 값을 각각 구하시오.

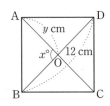

★ 10

다음 그림과 같은 사각형 (개), (내)가 정사각형이 되기 위한 조건으로 알맞은 것을 보기에서 각각 모두 찾으시오.

(개)

(내)

보기

㉠ $\overline{AC}=\overline{BD}$ ㉡ $\overline{OA}=\overline{OB}$ ㉢ ∠B=90°

㉣ $\overline{AC}\perp\overline{BD}$ ㉤ $\overline{BC}=\overline{CD}$ ㉥ ∠A=∠B

11

오른쪽 그림과 같은 정사각형 ABCD에서 $\overline{DC}=\overline{DE}$이고 $\angle DCE=65°$일 때, $\angle DAE$의 크기를 구하시오.

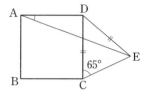

★ 12

오른쪽 그림과 같은 정사각형 ABCD에서 $\overline{BE}=\overline{CF}$이고 $\overline{AE}$와 $\overline{BF}$의 교점을 G라 하자. $\angle DAG=65°$일 때, 다음 중 옳지 <u>않은</u> 것은?

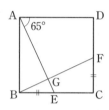

① $\angle FBC=25°$
② $\angle AGF=90°$
③ $\angle DFG=115°$
④ $\overline{AG}=\overline{AD}$
⑤ $\triangle ABE \equiv \triangle BCF$

등변사다리꼴

(1) 뜻: 밑변의 양 ❶☐ 의 크기가 같은 사다리꼴
(2) 성질: 평행하지 않은 한 쌍의 대변의 길이가 같고, 두 대각선의 길이도 같다.

📋 ❶끝각

13

오른쪽 그림과 같이 $\overline{AD} /\!/ \overline{BC}$인 등변사다리꼴 ABCD에서 $\overline{AB}=\overline{AD}=\overline{DC}$이고 $\angle DBC=34°$일 때, $\angle C$의 크기를 구하시오.

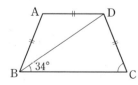

14

다음은 $\overline{AD} /\!/ \overline{BC}$인 사다리꼴 ABCD에서 $\angle B=\angle C$이면 $\overline{AB}=\overline{DC}$임을 설명하는 과정이다. ㈎~㈒에 알맞은 것을 써넣으시오.

점 D에서 $\overline{AB}$에 평행하게 그은 직선이 $\overline{BC}$와 만나는 점을 E라 하면 ▱ABED는 평행사변형이다.
∴ ☐㈎ $=\overline{DE}$
$\overline{AB} /\!/ \overline{DE}$이므로 $\angle B=$ ☐㈏ (동위각)
$\angle B=\angle C$이므로 $\angle DEC=$ ☐㈐
따라서 △DEC는 $\overline{DE}=$ ☐㈑인 이등변삼각형이다.
∴ ☐㈒ $=\overline{DC}$

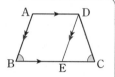

★ 15

서술형

오른쪽 그림과 같이 $\overline{AD} /\!/ \overline{BC}$인 등변사다리꼴 ABCD에서 $\overline{AB}=9$ cm, $\overline{AD}=5$ cm이고 $\angle A=120°$일 때, 다음을 구하시오.

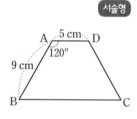

(1) $\overline{DC}$의 길이

(2) $\overline{BC}$의 길이

(3) ▱ABCD의 둘레의 길이

16

오른쪽 그림과 같이 $\overline{AD} /\!/ \overline{BC}$인 등변사다리꼴 ABCD에서 $\overline{AD}=4$ cm, $\overline{BC}=10$ cm이다. 점 A에서 $\overline{BC}$에 내린 수선의 발을 E라 할 때, $\overline{EC}$의 길이를 구하시오.

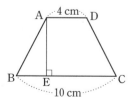

2 여러 가지 사각형 사이의 관계

개념 1 여러 가지 사각형 사이의 관계

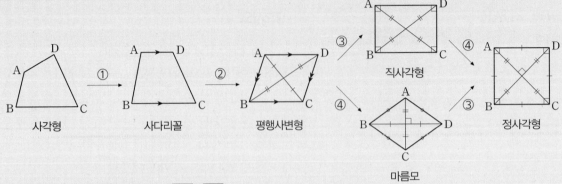

① 한 쌍의 대변이 평행하다. ➡ $\overline{AD}\,/\!/\,\overline{BC}$

② 다른 한 쌍의 대변이 평행하다. ➡ $\overline{AB}\,/\!/\,\overline{DC}$

③ 한 내각이 직각이다. 또는 두 대각선의 길이가 같다. ➡ $\angle A = 90°$ 또는 $\overline{AC} = \overline{BD}$

④ 이웃하는 두 변의 길이가 같다. 또는 두 대각선이 수직으로 만난다. ➡ $\overline{AB} = \overline{BC}$ 또는 $\overline{AC} \perp \overline{BD}$

설명
- 사각형 중에서 한 쌍의 대변이 평행한 것이 사다리꼴이다.
- 사다리꼴 중에서 또 다른 한 쌍의 대변이 평행한 것이 평행사변형이다.
- 평행사변형 중에서 한 내각이 직각인 것이 직사각형,
  이웃하는 두 변의 길이가 같은 것이 마름모이다.
- 직사각형 중에서 이웃하는 두 변의 길이가 같거나 두 대각선이 수직으로 만나는 것이 정사각형이다.
- 마름모 중에서 한 내각이 직각이거나 두 대각선의 길이가 같은 것이 정사각형이다.

> 각 사각형의 성질과 여러 가지 사각형 사이의 관계를 잘 정리하여 이해해야 해.

| 개념 확인 | 1 다음 표에서 주어진 성질이 각 사각형의 성질에 해당되면 ○표, 해당되지 않으면 ×표를 하시오.

성질 \ 사각형	평행사변형	직사각형	마름모	정사각형
(1) 두 쌍의 대변이 각각 평행하다.				
(2) 두 쌍의 대변의 길이가 각각 같다.				
(3) 두 쌍의 대각의 크기가 각각 같다.				
(4) 네 변의 길이가 모두 같다.				
(5) 두 대각선의 길이가 같다.				
(6) 두 대각선이 서로 다른 것을 이등분한다.				
(7) 두 대각선이 서로 다른 것을 수직이등분한다.				

사각형의 각 변의 중점을 연결하여 만든 사각형이 어떤 사각형인지 알아볼 때는 삼각형의 합동을 이용한다.

평행사변형 → 평행사변형

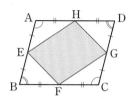

$\triangle AEH \equiv \triangle CGF$ (SAS 합동)이므로 $\overline{EH} = \overline{GF}$
$\triangle BFE \equiv \triangle DHG$ (SAS 합동)이므로 $\overline{EF} = \overline{GH}$
즉 □EFGH는 두 쌍의 대변의 길이가 같으므로 평행사변형이다.

직사각형 → 마름모

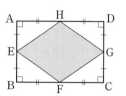

$\triangle AEH \equiv \triangle BEF \equiv \triangle CGF \equiv \triangle DGH$ (SAS 합동)
이므로 $\overline{EH} = \overline{EF} = \overline{GF} = \overline{GH}$
즉 □EFGH는 네 변의 길이가 모두 같으므로 마름모이다.

마름모 → 직사각형

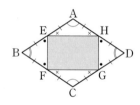

$\triangle AEH \equiv \triangle CGF$ (SAS 합동)이므로
$\angle AEH = \angle AHE = \angle CFG = \angle CGF$
$\triangle BFE \equiv \triangle DHG$ (SAS 합동)이므로
$\angle BEF = \angle BFE = \angle DHG = \angle DGH$
$\therefore \angle HEF = \angle EFG = \angle FGH = \angle GHE$
$\qquad = 180° - (\bullet + \times)$
즉 □EFGH는 네 내각의 크기가 모두 같으므로 직사각형이다.

정사각형 → 정사각형

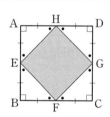

$\triangle AEH \equiv \triangle BFE \equiv \triangle CGF \equiv \triangle DHG$ (SAS 합동)
이므로
$\angle AEH = \angle AHE = \angle BFE = \angle BEF = \angle CGF$
$\qquad = \angle CFG = \angle DHG = \angle DGH$
$\therefore \angle HEF = \angle EFG = \angle FGH = \angle GHE = 90°,$
$\overline{EF} = \overline{FG} = \overline{GH} = \overline{HE}$
즉 □EFGH는 네 내각의 크기가 모두 같고, 네 변의 길이가 모두 같으므로 정사각형이다.

사각형 → 평행사변형

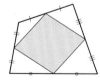

사다리꼴 → 평행사변형

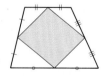

등변사다리꼴 → 마름모

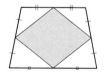

사각형, 사다리꼴, 등변사다리꼴에 대한 설명은 6단원의 내용으로 설명할 수 있으니 지금은 알아만 둔다.

개념 2 평행선과 삼각형의 넓이

오른쪽 그림에서 두 직선 l, m이 평행할 때, $\triangle ABC$와 $\triangle DBC$는 밑변이 공통이고, 높이가 같으므로 두 삼각형의 넓이는 같다.

➡ $\triangle ABC = \triangle DBC = \dfrac{1}{2}ah$

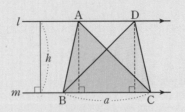

(참고) 오른쪽 그림과 같이 $\overline{AD} /\!/ \overline{BC}$인 사다리꼴 ABCD 에서 두 대각선의 교점을 O라 하면

$$\triangle ABC = \triangle DBC$$

$$\therefore \triangle ABO = \triangle ABC - \triangle OBC$$

$$= \triangle DBC - \triangle OBC = \triangle DOC$$

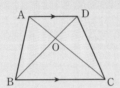

(보충)
● 평행한 두 직선 사이의 거리는 일정하다.

$l /\!/ m \Rightarrow h = h' = h''$

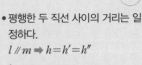

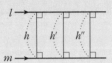

(보기) 오른쪽 그림과 같이 $\overline{AD} /\!/ \overline{BC}$인 사다리꼴 ABCD에서 점 O는 두 대각선의 교점이고 $\triangle ABC = 3 \text{ cm}^2$, $\triangle OBC = 2 \text{ cm}^2$일 때, $\triangle DOC$의 넓이를 구해 보자.

➡ $\triangle DBC = \triangle ABC = 3 \text{ cm}^2$이므로
  ┗─ 밑변이 $\overline{BC}$로 같고 $\overline{AD} /\!/ \overline{BC}$이므로 높이가 같다.

$$\triangle DOC = \triangle DBC - \triangle OBC$$

$$= 3 - 2 = 1 \ (\text{cm}^2)$$

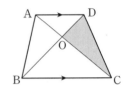

• Lecture •

● (삼각형의 넓이)$= \dfrac{1}{2} \times$ (밑변의 길이)$\times$ (높이)이고,

평행선 사이에 있는 두 삼각형은 높이가 같으므로 밑변의 길이가 같으면 넓이도 같다.

‖ 개념 확인 ‖ **2** 오른쪽 그림에서 $l /\!/ m$일 때, 다음 표를 완성하시오.

삼각형	밑변의 길이	높이	넓이
(1) $\triangle ABC$			
(2) $\triangle DBC$			

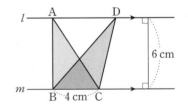

‖ 개념 확인 ‖ **3** 오른쪽 그림과 같이 $\overline{AD} /\!/ \overline{BC}$인 사다리꼴 ABCD에서 다음 삼각형과 넓이가 같은 삼각형을 찾으시오. (단, 점 O는 두 대각선의 교점이다.)

(1) $\triangle ABC$ (2) $\triangle ABD$ (3) $\triangle ABO$

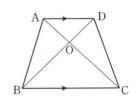

정답과 해설 p.31

개념 ③ 높이가 같은 두 삼각형의 넓이의 비

높이가 같은 두 삼각형의 넓이의 비는 밑변의 길이의 비와 같다.

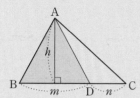 ➡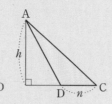

위의 그림에서 $\overline{BD} : \overline{DC} = m : n$이면 $\triangle ABD : \triangle ADC = m : n$

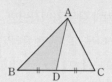

(보충)
• 다음 그림과 같이 점 D가 $\overline{BC}$의 중점일 때, $\overline{BD} = \overline{CD}$이므로
$\triangle ABD = \triangle ADC$

설명
$$\triangle ABD = \frac{1}{2} \times m \times h = \frac{1}{2}mh$$
$$\triangle ADC = \frac{1}{2} \times n \times h = \frac{1}{2}nh$$
$$\therefore \triangle ABD : \triangle ADC = \frac{1}{2}mh : \frac{1}{2}nh = m : n$$

보기 오른쪽 그림에서 $\overline{BD} : \overline{DC} = 3 : 2$이고 $\triangle ADC = 40 \text{ cm}^2$일 때, $\triangle ABD$의 넓이를 구해 보자.

➪ $\triangle ABD : \triangle ADC = \overline{BD} : \overline{DC} = 3 : 2$이므로
  $\triangle ABD : 40 = 3 : 2$, $2\triangle ABD = 120$
  $\therefore \triangle ABD = 60 \ (\text{cm}^2)$

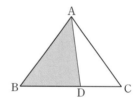

| 개념 확인 | **4**

오른쪽 그림을 보고, 물음에 답하시오.

(1) 다음 표를 완성하시오.

삼각형	밑변의 길이	높이	넓이
① △ABD			
② △ADC			

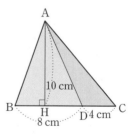

(2) 다음을 구하시오.
  ① $\overline{BD} : \overline{DC}$ ② $\triangle ABD : \triangle ADC$

개념 기초

1-1

오른쪽 그림과 같은 평행사변형 ABCD가 다음 조건을 만족하면 어떤 사각형이 되는지 (　　) 안에 써넣으시오.

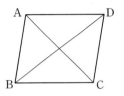

(1) $\overline{AC}=\overline{BD}$　　　　　(　　　　　)

(2) $\angle ABC=90°$　　　　　(　　　　　)

(3) $\angle BAC=\angle DAC$　　　　　(　　　　　)

(4) $\overline{AB}=\overline{AD}$, $\angle BAD=90°$　　(　　　　　)

연구 평행사변형 ABCD에 주어진 조건을 표시해 본다.

쌍둥이 문제

1-2

오른쪽 그림과 같은 평행사변형 ABCD가 다음 조건을 만족하면 어떤 사각형이 되는지 (　　) 안에 써넣으시오. (단, 점 O는 두 대각선의 교점이다.)

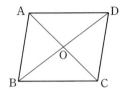

(1) $\overline{AB}=\overline{BC}$　　　　　(　　　　　)

(2) $\overline{OA}=\overline{OB}$　　　　　(　　　　　)

(3) $\overline{AC}\perp\overline{BD}$　　　　　(　　　　　)

(4) $\overline{AB}=\overline{AD}$, $\overline{AC}=\overline{BD}$　　(　　　　　)

2-1

오른쪽 그림에서 $l /\!/ m$이고 $\overline{AH}\perp\overline{BC}$이다. $\overline{AH}=5$ cm, $\overline{BC}=10$ cm일 때, $\triangle DBC$의 넓이를 구하시오.

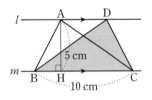

연구 $l /\!/ m$이므로

$$\triangle DBC=\triangle \boxed{}=\frac{1}{2}\times 10\times \boxed{}$$

$$=\boxed{}\,(cm^2)$$

2-2

오른쪽 그림과 같이 $\overline{AD} /\!/ \overline{BC}$인 사다리꼴 ABCD에서 $\triangle ABC=24$ cm²일 때, $\triangle DBC$의 넓이를 구하시오.

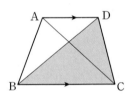

3-1

오른쪽 그림과 같은 △ABC에서 $\overline{BD}:\overline{DC}=5:2$이고 $\triangle ABC=56$ cm²일 때, $\triangle ABD$의 넓이를 구하시오.

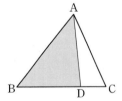

연구 △ABD와 △ADC의 높이가 같으므로

$$\triangle ABD:\triangle ADC=\boxed{}:\boxed{}=5:2$$

$$\therefore \triangle ABD=\frac{\boxed{}}{7}\triangle ABC=\frac{\boxed{}}{7}\times 56=\boxed{}\,(cm^2)$$

3-2

오른쪽 그림과 같은 △ABC에서 $\overline{BD}=6$ cm, $\overline{DC}=10$ cm이고 $\triangle ABC=96$ cm²일 때, 다음을 구하시오.

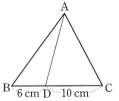

(1) $\triangle ABD:\triangle ADC$

(2) $\triangle ADC$의 넓이

대표 유형 ❶ 여러 가지 사각형

이미 알고 있는 사각형의 뜻과 성질, 삼각형의 합동을 이용하여 주어진 사각형이 어떤 사각형인지 판별한다.

1-1 오른쪽 그림과 같은 정사각형 ABCD에서

$\overline{EB}=\overline{FC}=\overline{GD}=\overline{HA}$가 되도록

각 변 위에 점 E, F, G, H를 잡을 때, 다음 물음에 답하시오.

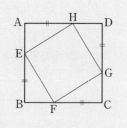

(1) □EFGH는 어떤 사각형인지 말하시오.

(2) $\overline{EF}=6$ cm일 때, □EFGH의 넓이를 구하시오.

풀이 (1) △AHE와 △BEF에서

$\angle A=\angle B=90°$, $\overline{AH}=\overline{BE}$,

$\overline{AE}=\overline{AB}-\overline{BE}=\overline{BC}-\overline{CF}=\overline{BF}$

이므로

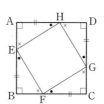

△AHE≡△BEF (SAS 합동)

∴ $\overline{HE}=\overline{EF}$

같은 방법으로 하면

△AHE≡△BEF≡△CFG≡△DGH (SAS 합동)

이므로 $\overline{HE}=\overline{EF}=\overline{FG}=\overline{GH}$

따라서 □EFGH는 마름모이다.

또 $\angle AEH+\angle BEF=\angle AEH+\angle AHE=90°$이므로

$\angle HEF=180°-(\angle AEH+\angle BEF)$

$=180°-90°=90°$

이때 한 내각의 크기가 90°인 마름모는 정사각형이므로 □EFGH는 정사각형이다.

(2) □EFGH는 정사각형이므로

□EFGH=$6\times6=36$ (cm²)

답 (1) 정사각형 (2) 36 cm²

> **참고** ① 평행사변형: 두 쌍의 대변이 각각 평행한 사각형
> ② 직사각형: 네 내각의 크기가 모두 같은 사각형
> ③ 마름모: 네 변의 길이가 모두 같은 사각형
> ④ 정사각형: 네 내각의 크기가 모두 같고, 네 변의 길이가 모두
> 같은 사각형
> ⑤ 등변사다리꼴: 밑변의 양 끝 각의 크기가 같은 사다리꼴

쌍둥이 1-2

오른쪽 그림과 같은 평행사변형 ABCD에서 네 내각의 이등분선의 교점을 각각 E, F, G, H라 할 때, □EFGH는 어떤 사각형인지 말하시오.

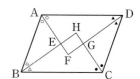

쌍둥이 1-3

오른쪽 그림과 같은 직사각형 ABCD에서 대각선 AC의 수직이등분선이 $\overline{AD}$, $\overline{BC}$와 만나는 점을 각각 E, F라 하자.

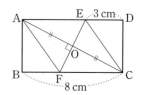

$\overline{BC}=8$ cm, $\overline{ED}=3$ cm일 때, 다음 물음에 답하시오.

(1) □AFCE는 어떤 사각형인지 말하시오.

(2) $\overline{AF}$의 길이를 구하시오.

4 여러 가지 사각형

대표 유형 **2** 여러 가지 사각형 사이의 관계

어떤 사각형이 다른 사각형이 되기 위해 필요한 조건을 생각한다.

2-1 오른쪽 그림과 같은 평행사변형 ABCD에 대하여 다음 중 옳지 <u>않은</u> 것은? (단, 점 O는 두 대각선의 교점이다.)

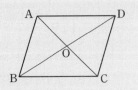

① $\overline{AB} = \overline{AD}$이면 □ABCD는 마름모이다.
② $\overline{AC} = \overline{BD}$이면 □ABCD는 직사각형이다.
③ ∠ABC + ∠ADC = 180°이면 □ABCD는 직사각형이다.
④ $\overline{AC} \perp \overline{BD}$이면 □ABCD는 정사각형이다.
⑤ ∠ABD = ∠ADB이면 □ABCD는 마름모이다.

풀이　③ □ABCD가 평행사변형이므로 ∠ABC = ∠ADC
　　　　∠ABC + ∠ADC = 180°이면 2∠ABC = 180°
　　　　∴ ∠ABC = 90°
　　　　즉 한 내각의 크기가 90°이므로 □ABCD는 직사각형이다.
　　　④ $\overline{AC} \perp \overline{BD}$이면 □ABCD는 마름모이다.
　　　⑤ ∠ABD = ∠ADB이면 △ABD는 $\overline{AB} = \overline{AD}$인 이등변삼각형이다. 즉 이웃하는 두 변의 길이가 같으므로 □ABCD는 마름모이다.

답 ④

쌍둥이 2-2

다음 중 옳지 <u>않은</u> 것은?

① 두 대각선의 길이가 같은 평행사변형은 직사각형이다.
② 두 대각선이 수직으로 만나는 직사각형은 정사각형이다.
③ 한 내각이 직각인 마름모는 정사각형이다.
④ 이웃하는 두 변의 길이가 같은 평행사변형은 정사각형이다.
⑤ 한 내각의 크기가 90°인 평행사변형은 직사각형이다.

대표 유형 **3** 여러 가지 사각형의 대각선의 성질

• 평행사변형 ➡ 서로 다른 것을 이등분한다.
• 직사각형 ➡ 길이가 같고, 서로 다른 것을 이등분한다.
• 마름모 ➡ 서로 다른 것을 수직이등분한다.
• 정사각형 ➡ 길이가 같고, 서로 다른 것을 수직이등분한다.
• 등변사다리꼴 ➡ 길이가 같다.

3-1 다음 사각형 중 두 대각선의 길이가 같은 것을 모두 고르면? (정답 2개)

① 평행사변형　② 직사각형　③ 마름모
④ 정사각형　⑤ 사다리꼴

풀이　주어진 사각형 중 두 대각선의 길이가 같은 사각형은 직사각형, 정사각형이다.

답 ②, ④

쌍둥이 3-2

다음 보기에서 두 대각선이 서로 다른 것을 수직이등분하는 사각형을 모두 고르시오.

┌─ 보기 ──────────────────────┐
│ ㉠ 사다리꼴　　ㄴ 평행사변형　　ㄷ 직사각형 │
│ ㉣ 마름모　　　ㅁ 정사각형　　　ㅂ 등변사다리꼴 │
└────────────────────────────┘

대표 유형 ④ 사각형의 각 변의 중점을 연결하여 만든 사각형

사각형의 각 변의 중점을 연결하여 만든 사각형은 다음과 같다.
- 사각형, 사다리꼴, 평행사변형 ➡ 평행사변형
- 직사각형, 등변사다리꼴 ➡ 마름모
- 마름모 ➡ 직사각형
- 정사각형 ➡ 정사각형

4-1 오른쪽 그림의 직사각형 ABCD에서 점 E, F, G, H는 각 변의 중점이다. 다음 보기에서 □EFGH에 대한 설명으로 옳지 않은 것을 모두 고르시오.

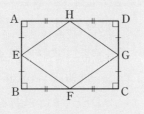

보기
㉠ 네 변의 길이가 모두 같다.
㉡ 네 내각의 크기가 모두 같다.
㉢ 두 대각선이 수직으로 만난다.
㉣ 두 대각선의 길이가 같다.

쌍둥이 4-2

오른쪽 그림에서 □ABCD는 정사각형이고, □EFGH는 □ABCD의 각 변의 중점을 연결하여 만든 사각형이다. $\overline{EF}=8$ cm일 때, □EFGH의 넓이를 구하시오.

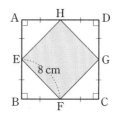

풀이 △AEH≡△BEF≡△CGF≡△DGH (SAS 합동)이므로
$\overline{EH}=\overline{EF}=\overline{GF}=\overline{GH}$

즉 □EFGH는 네 변의 길이가 모두 같으므로 마름모이다.

㉡ 네 내각의 크기가 모두 같은 사각형은 직사각형이다.

㉣ 두 대각선의 길이가 같은 것은 마름모의 성질이 아니다.

답 ㉡, ㉣

대표 유형 ⑤ 평행선과 삼각형의 넓이 ⑴

- 평행선 사이에 있는 두 삼각형은 높이가 같으므로 밑변의 길이가 같으면 넓이도 같다.
- 오른쪽 그림과 같이 $\overline{AD}/\!/\overline{BC}$인 사다리꼴에는 넓이가 같은 삼각형이 3쌍 있다.
  ➡ △ABC=△DBC, △ABD=△ACD, △ABO=△DOC

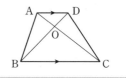

5-1 오른쪽 그림과 같이 $\overline{AD}/\!/\overline{BC}$인 사다리꼴 ABCD에서 두 대각선의 교점을 O라 하자. △ABC=35 cm², △OBC=21 cm²일 때, △OCD의 넓이를 구하시오.

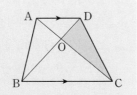

쌍둥이 5-2

오른쪽 그림과 같이 $\overline{AD}/\!/\overline{BC}$인 사다리꼴 ABCD에서 △ABO=6 cm², △OBC=15 cm²일 때, △DBC의 넓이를 구하시오.

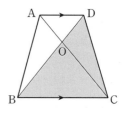

풀이 $\overline{AD}/\!/\overline{BC}$이므로 △ABC=△DBC

∴ △OCD=△DBC−△OBC=△ABC−△OBC
　　　　=35−21=14 (cm²)

답 14 cm²

4
여러 가지 사각형

대표 유형 **6** 평행선과 삼각형의 넓이 ⑵

평행선 사이에 있으면서 밑변의 길이가 같은 두 삼각형은 높이가 같으므로
그 넓이가 같다.

⑴ $\triangle ACD = \triangle ACE$

⑵ $\square ABCD = \triangle ABC + \triangle ACD = \triangle ABC + \triangle ACE = \triangle ABE$

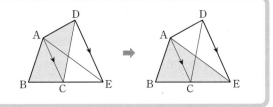

6-1 오른쪽 그림과 같이
□ABCD의 꼭짓점 D를 지나
고 $\overline{AC}$에 평행한 직선이 $\overline{BC}$
의 연장선과 만나는 점을 E라
하자. □ABCD의 넓이를 구
하시오.

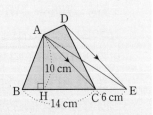

풀이 $\overline{AC} /\!/ \overline{DE}$이므로 $\triangle ACD = \triangle ACE$

$\therefore \square ABCD = \triangle ABC + \triangle ACD$

$\qquad = \triangle ABC + \triangle ACE$

$\qquad = \triangle ABE = \dfrac{1}{2} \times (14 + 6) \times 10 = 100 \ (cm^2)$

답 $100 \ cm^2$

쌍둥이 **6-2**

오른쪽 그림에서 $\overline{AE} /\!/ \overline{DB}$이
고 □ABCD$= 16 \ cm^2$,
$\triangle DEB = 9 \ cm^2$일 때,
$\triangle DBC$의 넓이를 구하시오.

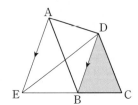

대표 유형 **7** 높이가 같은 두 삼각형의 넓이

오른쪽 그림에서 $\overline{BD} : \overline{DC} = m : n$이면 $\triangle ABD : \triangle ADC = m : n$

⑴ $\triangle ABD = \dfrac{m}{m+n} \times \triangle ABC$

⑵ $\triangle ADC = \dfrac{n}{m+n} \times \triangle ABC$

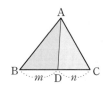

7-1 오른쪽 그림과 같은
$\triangle ABC$에서 점 D는 $\overline{BC}$의 중점
이고, $\overline{AE} : \overline{ED} = 2 : 1$이다.
$\triangle ABC = 48 \ cm^2$일 때,
$\triangle EDC$의 넓이를 구하시오.

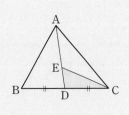

풀이 $\triangle ABC$에서 $\overline{BD} = \overline{DC}$이므로

$\triangle ADC = \dfrac{1}{2} \triangle ABC$

$\qquad = \dfrac{1}{2} \times 48 = 24 \ (cm^2)$

$\triangle ADC$에서 $\overline{AE} : \overline{ED} = 2 : 1$이므로

$\triangle EDC = \dfrac{1}{2+1} \times \triangle ADC = \dfrac{1}{3} \times 24 = 8 \ (cm^2)$ **답** $8 \ cm^2$

쌍둥이 **7-2**

오른쪽 그림과 같은 $\triangle ABC$에
서 $\overline{BD} : \overline{DC} = 1 : 2$,
$\overline{AE} : \overline{EC} = 3 : 2$이다.
$\triangle ABC = 30 \ cm^2$일 때,
$\triangle EDC$의 넓이를 구하시오.

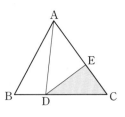

대표 유형 **8** 평행사변형에서 높이가 같은 두 삼각형의 넓이

오른쪽 그림의 □ABCD가 평행사변형일 때

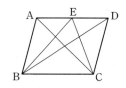

(1) $\triangle ABC = \triangle EBC = \triangle DBC = \dfrac{1}{2}$□ABCD

(2) $\triangle ABC = \triangle BCD = \triangle ACD = \triangle ABD$

8-1 오른쪽 그림과 같은 평행사변형 ABCD에서 $\overline{BE} : \overline{EC} = 1 : 2$이다. □ABCD$=60 \text{ cm}^2$일 때, $\triangle ABE$의 넓이를 구하시오.

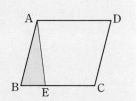

풀이 오른쪽 그림과 같이 $\overline{AC}$를 그으면

$\triangle ABC = \dfrac{1}{2}$□ABCD

$\qquad = \dfrac{1}{2} \times 60 = 30 \ (\text{cm}^2)$

$\overline{BE} : \overline{EC} = 1 : 2$이므로

$\triangle ABE = \dfrac{1}{1+2} \times \triangle ABC = \dfrac{1}{3} \times 30 = 10 \ (\text{cm}^2)$

답 10 cm^2

쌍둥이 8-2

오른쪽 그림과 같은 평행사변형 ABCD에서 $\overline{AE} : \overline{EC} = 2 : 1$이다. $\triangle DEC = 6 \text{ cm}^2$일 때, □ABCD의 넓이를 구하시오.

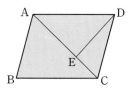

대표 유형 **9** 사다리꼴에서 높이가 같은 두 삼각형의 넓이

오른쪽 그림의 □ABCD가 $\overline{AD} /\!/ \overline{BC}$인 사다리꼴일 때

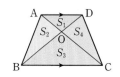

(1) $S_2 = S_4$

(2) $\overline{BO} : \overline{OD} = 2 : 1$이면 $S_2 : S_1 = 2 : 1$, $S_3 : S_4 = 2 : 1$

9-1 오른쪽 그림과 같이 $\overline{AD} /\!/ \overline{BC}$인 사다리꼴 ABCD에서 $\overline{AO} : \overline{OC} = 2 : 3$이다. $\triangle OBC = 30 \text{ cm}^2$일 때, $\triangle DBC$의 넓이를 구하시오.

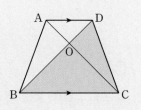

풀이 $\overline{AO} : \overline{OC} = 2 : 3$이므로 $\triangle OAB : \triangle OBC = 2 : 3$

$\triangle OAB : 30 = 2 : 3, \ 3\triangle OAB = 60$

$\therefore \triangle OAB = 20 \ (\text{cm}^2)$

$\therefore \triangle DBC = \triangle ABC = \triangle OAB + \triangle OBC$

$\qquad = 20 + 30 = 50 \ (\text{cm}^2)$

답 50 cm^2

쌍둥이 9-2

오른쪽 그림과 같이 $\overline{AD} /\!/ \overline{BC}$인 사다리꼴 ABCD에서 $\overline{BO} : \overline{OD} = 2 : 1$이다. $\triangle AOD = 8 \text{ cm}^2$일 때, 다음을 구하시오.

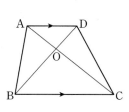

(1) $\triangle ABO$의 넓이

(2) $\triangle OBC$의 넓이

여러 가지 사각형 사이의 관계

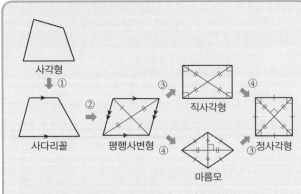

① 한 쌍의 대변이 평행하다.
② 다른 한 쌍의 대변이 ❶ 하다.
③ 한 내각의 크기가 ❷ 이거나 두 대각선의 길이가 같다.
④ 이웃하는 두 변의 길이가 같거나 두 대각선이 수직으로 만난다.

답 ❶ 평행 ❷ 90°

⭐ 01

다음 그림에서 화살표 왼쪽의 사각형이 화살표 오른쪽의 사각형이 되는 조건으로 (가)~(라)에 알맞은 것을 보기에서 고르시오.

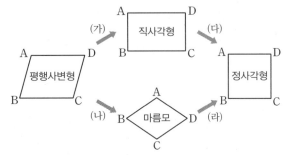

┌ 보기 ─────────────────
│ ㉠ $\overline{AB} = \overline{AD}$ ㉡ $\overline{AB} \parallel \overline{DC}$
│ ㉢ $\overline{AB} = \overline{DC}$ ㉣ $\angle A = 90°$
└────────────────────────

(가) : _____   (나) : _____
(다) : _____   (라) : _____

02

다음 사각형 4개가 화살표를 따라 이동할 때, (가)~(라)에 알맞은 사각형을 각각 말하시오.

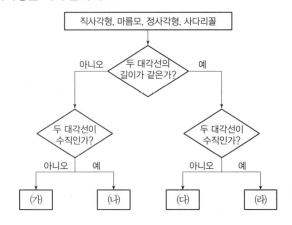

⭐ 03

다음은 사각형과 그 사각형의 각 변의 중점을 연결하여 만든 사각형을 짝 지은 것이다. 옳지 <u>않은</u> 것은?

① 직사각형 ➡ 마름모   ② 마름모 ➡ 직사각형
③ 정사각형 ➡ 정사각형   ④ 평행사변형 ➡ 정사각형
⑤ 등변사다리꼴 ➡ 마름모

04

오른쪽 그림과 같은 평행사변형 ABCD에서 네 내각의 이등분선의 교점을 각각 E, F, G, H라 할 때, 다음 중 옳지 <u>않은</u> 것은?

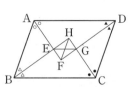

① $\overline{EG} = \overline{FH}$ ② $\overline{EG} \perp \overline{FH}$
③ $\triangle AFD \equiv \triangle CHB$ ④ $\overline{EH} \parallel \overline{FG}, \overline{EH} = \overline{FG}$
⑤ $\angle HEF = \angle EFG = \angle FGH = \angle GHE$

평행선과 삼각형의 넓이

(1) $l /\!/ m$이면

$\quad \triangle ABC = \triangle DBC$

$\qquad\qquad\ = \triangle EBC$

$\qquad\qquad\ = \boxed{①}\,ah$

(2) $\overline{BD} : \overline{DC} = m : n$이면

$\quad \triangle ABD : \triangle ADC$

$\quad = m : \boxed{②}$

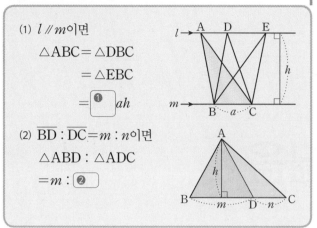

답 $\boxed{①}\dfrac{1}{2}$ $\boxed{②}n$

05

오른쪽 그림과 같이 $\overline{AD} /\!/ \overline{BC}$인
사다리꼴 ABCD에서
$\triangle ABC = 35\ cm^2$,
$\triangle OBC = 20\ cm^2$일 때, $\triangle DOC$
의 넓이를 구하시오.

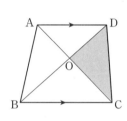

★ 06

오른쪽 그림에서 $\overline{AC} /\!/ \overline{DE}$이고
$\overline{AB} = 6\ cm$, $\overline{BC} = 3\ cm$,
$\overline{CE} = 4\ cm$일 때, □ABCD의 넓
이를 구하시오.

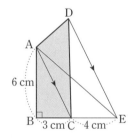

07

오른쪽 그림과 같은 $\triangle ABC$에서
$\overline{AP} : \overline{PC} = 2 : 1$, $\overline{BQ} : \overline{QC} = 1 : 2$
이다. $\triangle ABC = 18\ cm^2$일 때,
$\triangle PQC$의 넓이를 구하시오.

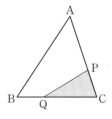

08

서술형 + 융합형

오른쪽 그림과 같은 마름모 ABCD
에서 $\overline{BP} : \overline{PC} = 3 : 5$일 때,
$\triangle APC$의 넓이를 구하시오.

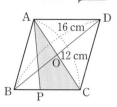

16 cm

12 cm

09

오른쪽 그림과 같은 평행사변형
ABCD의 대각선 BD의 삼등분점
을 차례로 P, Q라 하자. 평행사변형
ABCD의 넓이가 $54\ cm^2$일 때,
□APCQ의 넓이를 구하시오.

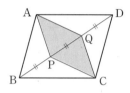

★ 10

오른쪽 그림과 같이 $\overline{AD} /\!/ \overline{BC}$인
사다리꼴 ABCD에서
$\overline{BO} : \overline{DO} = 3 : 1$이다.
$\triangle ABC = 24\ cm^2$일 때, $\triangle DOC$
의 넓이를 구하시오.

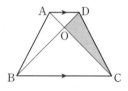

11

오른쪽 그림과 같은 평행사변형
ABCD에서 $\overline{BD} /\!/ \overline{EF}$일 때, 다
음 중 나머지 넷과 넓이가 항상 같
다고 할 수 없는 것은?

① $\triangle ABE$ ② $\triangle DBE$ ③ $\triangle DBF$

④ $\triangle AFD$ ⑤ $\triangle BCF$

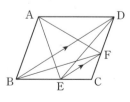

4 여 러 가 지 사 각 형

5 도형의 닮음

학습 목표

- 도형의 닮음의 뜻을 안다.
- 닮은 도형의 성질을 이해한다.
- 삼각형의 닮음 조건을 이해하고, 이를 이용하여 두 삼각형이 닮음인지 판별할 수 있다.

1 닮은 도형의 성질

개념 ① 닮은 도형

(1) **닮음** 한 도형을 일정한 비율로 확대 또는 축소하여 얻은 도형이 다른 도형과 합동일 때, 그 두 도형은 서로 **닮음**인 관계에 있다고 한다.

(2) **닮은 도형** 서로 닮음인 관계에 있는 두 도형

(3) **닮음의 기호** 두 도형이 닮은 도형일 때, 기호 ∽를 사용하여 나타낸다.

△ABC와 △DEF가 닮은 도형이면

$$△ABC ∽ △DEF$$

로 나타낸다. 이때 꼭짓점은 대응하는 순서대로 쓴다.

> **용어**
> • 닮음 기호 ∽
> 닮음을 뜻하는 영어 Similar의 첫 글자 S를 옆으로 뉘어서 쓴 것이다.

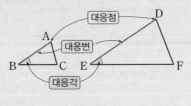

참고 ① 대응하는 점: 점 A와 점 D, 점 B와 점 E, 점 C와 점 F
② 대응하는 변: $\overline{AB}$와 $\overline{DE}$, $\overline{BC}$와 $\overline{EF}$, $\overline{AC}$와 $\overline{DF}$
③ 대응하는 각: ∠A와 ∠D, ∠B와 ∠E, ∠C와 ∠F

보기 오른쪽 그림에서 △ABC의 각 변을 2배로 확대하면 △DFE와 합동이므로 △ABC∽△DFE
(1) 대응하는 점 ⇨ 점 A와 점 D, 점 B와 점 F, 점 C와 점 E
(2) 대응하는 변 ⇨ $\overline{AB}$와 $\overline{DF}$, $\overline{BC}$와 $\overline{FE}$, $\overline{AC}$와 $\overline{DE}$
(3) 대응하는 각 ⇨ ∠A와 ∠D, ∠B와 ∠F, ∠C와 ∠E

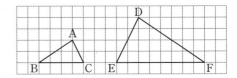

• Lecture •

● 기호의 구별: △ABC와 △DEF가

① 닮음일 때	② 합동일 때	③ 넓이가 같을 때
△ABC∽△DEF	△ABC≡△DEF	△ABC=△DEF

‖ 개념 확인 ‖ 1 오른쪽 그림에 대하여 다음 물음에 답하시오.

(1) 닮은 도형을 기호 ∽를 사용하여 나타내시오.

(2) 점 A에 대응하는 점을 구하시오.

(3) $\overline{DC}$에 대응하는 변을 구하시오.

(4) ∠B에 대응하는 각을 구하시오.

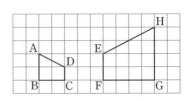

개념 **2** 평면도형에서 닮음의 성질

(1) 평면도형에서 닮음의 성질

닮은 두 평면도형에서

① 대응하는 변의 길이의 비는 일정하다.

② 대응하는 각의 크기는 각각 같다.

(2) 닮음비 닮은 두 도형에서 대응하는 변의 길이의 비

참고 닮음비가 1 : 1인 두 도형은 합동이다.

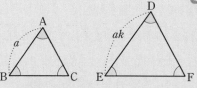

$\triangle ABC \backsim \triangle DEF$

➡ $\overline{AB} : \overline{DE} = a : ak$이므로

닮음비는 $1 : k$

보기 오른쪽 그림에서 □ABCD∽□EFGH일 때

(1) 닮음비

    ⇨ 대응하는 변의 길이의 비와 같으므로

      $\overline{AD} : \overline{EH} = 3 : 6 = 1 : 2$ → 닮음비는 가장 간단한 자연수의 비로

      따라서 닮음비는 **1 : 2**이다.   나타낸다.

                                   따라서 3 : 6이 아닌 1 : 2로 나타낸다.

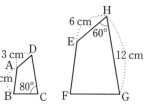

(2) $\overline{CD}$와 $\overline{EF}$의 길이

    ⇨ 닮음비가 1 : 2이므로

      ① $\overline{CD} : \overline{GH} = $ **1 : 2**   ② $\overline{AB} : \overline{EF} = $ **1 : 2**

         $\overline{CD} : 12 = 1 : 2$ $4 : \overline{EF} = 1 : 2$

          $2\overline{CD} = 12$ $\therefore \overline{EF} = 8 \ (cm)$

          $\therefore \overline{CD} = 6 \ (cm)$

(3) ∠D와 ∠G의 크기

    ⇨ 대응하는 각의 크기는 각각 같으므로

      ① $\angle D = \angle H = 60°$ ② $\angle G = \angle C = 80°$

• Lecture •

● 도형을 확대, 축소하면 각의 크기도 확대, 축소될 것 같지만 각의 크기는 변하지 않는다.

   변의 길이만 확대, 축소됨에 주의한다.

| 개념 확인 | **2**   오른쪽 그림에서 $\triangle ABC \backsim \triangle DEF$일 때, 다음

을 구하시오.

    (1) $\triangle ABC$와 $\triangle DEF$의 닮음비

    (2) $\overline{DE}$의 길이

    (3) ∠C의 크기

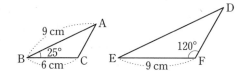

5

도형의 닮음

개념 3 입체도형에서 닮음의 성질

(1) **입체도형에서 닮음의 성질**

닮은 두 입체도형에서

① 대응하는 모서리의 길이의 비는 일정하다.

② 대응하는 면은 닮은 도형이다.

(2) **닮음비** 닮은 두 도형에서 대응하는 모서리의 길이의 비

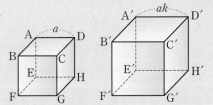

닮은 두 입체도형에서 □ABCD∽□A′B′C′D′

➡ $\overline{AD} : \overline{A'D'} = a : ak$이므로 닮음비는 $1 : k$

보기 오른쪽 그림에서 두 삼각뿔은 닮은 도형이고 △ABC에 대응하는 면이

△A′B′C′일 때

(1) 닮음비 ⇨ $\overline{AB}$에 대응하는 모서리는 $\overline{A'B'}$이므로 닮음비는

$$\overline{AB} : \overline{A'B'} = 6 : 4 = 3 : 2$$

(2) $\overline{C'D'}$의 길이 ⇨ 닮음비가 3 : 2이므로

$$\overline{CD} : \overline{C'D'} = 3 : 2, \ 4 : \overline{C'D'} = 3 : 2$$

$$3\overline{C'D'} = 8 \qquad \therefore \overline{C'D'} = \frac{8}{3} \ (\text{cm})$$

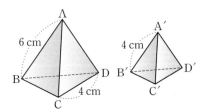

• Lecture •

구	원뿔	원기둥
(닮은 두 구의 닮음비) =(반지름의 길이의 비) =2 : 3	(닮은 두 원뿔의 닮음비) =(높이의 비) =(모선의 길이의 비) =(밑면인 원의 반지름의 길이의 비) =2 : 3	(닮은 두 원기둥의 닮음비) =(높이의 비) =(밑면인 원의 반지름의 길이의 비) =3 : 4

| 개념 확인 | **3** 오른쪽 그림에서 두 직육면체는 닮은 도형이다. $\overline{FG}$에 대응

하는 모서리가 $\overline{F'G'}$일 때, 다음을 구하시오.

(1) 두 직육면체의 닮음비

(2) x, y의 값

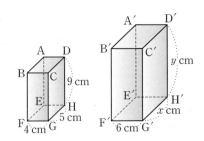

(1) 항상 닮은 평면도형

도형	닮음비
모든 원 	반지름의 길이의 비
중심각의 크기가 같은 모든 부채꼴	
모든 직각이등변삼각형	대응하는 변의 길이의 비
변의 개수가 같은 모든 정다각형 (모든 정삼각형, 모든 정사각형, …)	한 변의 길이의 비

(2) 항상 닮은 입체도형

도형	닮음비
모든 구	반지름의 길이의 비
면의 개수가 같은 모든 정다면체 (모든 정사면체, 모든 정육면체, 모든 정팔면체, 모든 정십이면체, 모든 정이십면체)	한 모서리의 길이의 비

항상 닮음이라고 착각하기 쉬운 도형들

평면도형

두 이등변삼각형　　두 직각삼각형

두 마름모　　두 직사각형
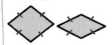　

두 부채꼴

입체도형

두 직육면체　　두 원뿔

• **Lecture** •

● 다음과 같이 두 직사각형과 두 마름모는 항상 닮은 도형이 되는 것은 아니므로 주의한다.

(1) 두 직사각형

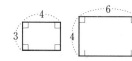

➡ 대응하는 각의 크기는 같지만 대응하는 변의 길이의 비가 다르다.

(2) 두 마름모

➡ 대응하는 변의 길이의 비는 같지만 대응하는 각의 크기가 다르다.

STEP 1 기초 개념 드릴

1-1

아래 그림에서 △ABC∽△DEF일 때, 다음을 구하시오.

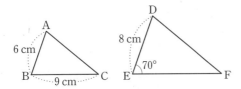

(1) △ABC와 △DEF의 닮음비

(2) $\overline{EF}$의 길이

(3) ∠B의 크기

연구 (1) $\overline{AB}$에 대응하는 변이 ☐이므로 닮음비는
$\overline{AB}$: ☐ = 6 : ☐ = 3 : ☐

(2) ☐ : $\overline{EF}$ = 3 : 4이므로 9 : $\overline{EF}$ = 3 : 4
$3\overline{EF}$ = ☐ ∴ $\overline{EF}$ = ☐ (cm)

(3) ∠B에 대응하는 각은 ∠E이므로 ∠B = ∠E = ☐°

2-1

아래 그림에서 두 삼각기둥은 닮은 도형이다. $\overline{AB}$에 대응하는 모서리가 $\overline{A'B'}$일 때, 다음을 구하시오.

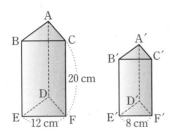

(1) ☐BEFC에 대응하는 면

(2) 두 삼각기둥의 닮음비

(3) $\overline{C'F'}$의 길이

연구 (2) $\overline{EF}$에 대응하는 모서리는 ☐이므로 닮음비는
$\overline{EF}$: ☐ = 12 : ☐ = ☐ : ☐

(3) $\overline{CF}$: $\overline{C'F'}$ = 3 : 2이므로 20 : $\overline{C'F'}$ = 3 : 2
$3\overline{C'F'}$ = ☐ ∴ $\overline{C'F'}$ = ☐ (cm)

1-2

아래 그림에서 ☐ABCD∽☐EFGH일 때, 다음을 구하시오.

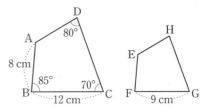

(1) ☐ABCD와 ☐EFGH의 닮음비

(2) $\overline{EF}$의 길이

(3) ∠E의 크기

2-2

아래 그림에서 두 직육면체는 닮은 도형이다. $\overline{AB}$에 대응하는 모서리가 $\overline{A'B'}$일 때, 다음을 구하시오.

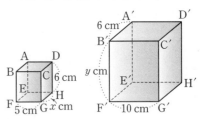

(1) ☐EFGH에 대응하는 면

(2) 두 직육면체의 닮음비

(3) x, y의 값

대표 유형 ❶ 항상 닮은 도형

닮음인 두 도형은 확대하거나 축소하면 항상 서로 포개질 수 있다.

➡ 모든 원, 모든 직각이등변삼각형, 모든 정다각형, 모든 구, 모든 정다면체는 항상 닮음이다.

1-1 다음 보기에서 항상 닮은 도형인 것을 모두 고르시오.

┌─ 보기 ─────────────┐
ㄱ 두 이등변삼각형   ㄴ 두 정사각형
ㄷ 두 구   ㄹ 두 원기둥
└──────────────────┘

쌍둥이 1-2

다음 중 항상 닮은 도형이라 할 수 없는 것은? (정답 2개)
① 두 정삼각형   ② 두 직사각형
③ 두 마름모   ④ 두 직각이등변삼각형
⑤ 두 원

풀이 ㄱ 두 이등변삼각형은 꼭지각의 크기가 다르면 닮은 도형이 아니다.

ㄹ 두 원기둥은 밑면인 원의 반지름의 길이의 비와 높이의 비가 다르면 닮은 도형이 아니다.

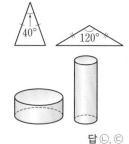

답 ㄴ, ㄷ

대표 유형 ❷ 평면도형에서 닮음의 성질

• $\triangle ABC \backsim \triangle DEF$일 때, 점 A, B, C에 대응하는 점은 각각 점 D, E, F이다.
• 닮은 두 평면도형에서 닮음비는 대응하는 변의 길이의 비이다.
• 닮은 두 도형에서 대응하는 각의 크기는 닮음비와 상관없이 항상 같다.

2-1 아래 그림에서 □ABCD∽□EFGH일 때, 다음을 구하시오.

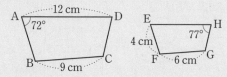

(1) □ABCD와 □EFGH의 닮음비
(2) $\overline{AB}$의 길이
(3) ∠D의 크기

쌍둥이 2-2

아래 그림에서 $\triangle ABC \backsim \triangle DEF$일 때, 다음을 구하시오.

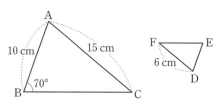

(1) $\triangle ABC$와 $\triangle DEF$의 닮음비

(2) $\overline{DE}$의 길이

(3) ∠E의 크기

풀이 (1) 닮음비는 $\overline{BC} : \overline{FG} = 9 : 6 = 3 : 2$

(2) $\overline{AB} : \overline{EF} = 3 : 2$이므로 $\overline{AB} : 4 = 3 : 2$
$2\overline{AB} = 12$ ∴ $\overline{AB} = 6$ (cm)

(3) ∠D = ∠H = 77°

답 (1) 3 : 2 (2) 6 cm (3) 77°

5 도형의 닮음

대표 유형 **3** 입체도형에서 닮음의 성질

- 닮은 두 입체도형에서 닮음비는 대응하는 모서리의 길이의 비이다.
- 닮은 두 입체도형에서 닮음비를 구할 경우 길이가 주어진 대응하는 두 모서리를 찾아 두 모서리의 길이의 비를 구한다.

3-1 다음 그림에서 두 삼각기둥은 닮은 도형이다. △ABC 에 대응하는 면이 △A′B′C′일 때, $x+y$의 값을 구하시오.

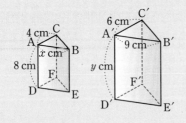

풀이 닮음비는 $\overline{AC} : \overline{A'C'} = 4 : 6 = 2 : 3$

$\overline{AB} : \overline{A'B'} = 2 : 3$이므로 $x : 9 = 2 : 3$

$3x = 18$ ∴ $x = 6$

또 $\overline{AD} : \overline{A'D'} = 2 : 3$이므로 $8 : y = 2 : 3$

$2y = 24$ ∴ $y = 12$

∴ $x + y = 6 + 12 = 18$

답 18

쌍둥이 3-2

다음 그림에서 두 직육면체는 닮은 도형이다. □ABCD에 대응하는 면이 □A′B′C′D′일 때, $x+y$의 값을 구하시오.

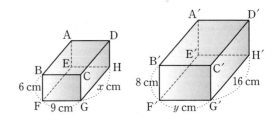

대표 유형 **4** 원뿔 또는 원기둥의 닮음

- (닮은 두 원뿔의 닮음비)=(높이의 비)=(모선의 길이의 비)=(밑면인 원의 반지름의 길이의 비)
- (닮은 두 원기둥의 닮음비)=(높이의 비)=(밑면인 원의 반지름의 길이의 비)

4-1 다음 그림에서 두 원뿔 A, B가 닮은 도형일 때, 원뿔 B 의 밑면인 원의 둘레의 길이를 구하시오.

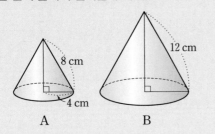

풀이 두 원뿔 A, B의 닮음비는 $8 : 12 = 2 : 3$

원뿔 B의 밑면인 원의 반지름의 길이를 x cm라 하면

$4 : x = 2 : 3, 2x = 12$ ∴ $x = 6$

따라서 원뿔 B의 밑면인 원의 둘레의 길이는

$2\pi \times 6 = 12\pi$ (cm)

답 12π cm

쌍둥이 4-2

다음 그림에서 두 원기둥 A, B가 닮은 도형일 때, 원기둥 A 의 높이를 구하시오.

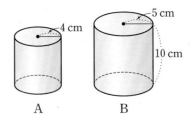

닮은 도형

(1) △ABC∽△DEF일 때, 세 점 A, B, C에 대응하는 점은 각각 점 D, ① , F이다.

(2) 닮음비: 평면도형의 닮음비는 대응하는 ② 의 길이의 비이고, 입체도형의 닮음비는 대응하는 ③ 의 길이의 비이다.

답 ❶E ❷변 ❸모서리

01

다음 중 항상 닮은 도형인 것을 모두 고르면? (정답 2개)

① 두 원뿔　　　　　② 두 등변사다리꼴

③ 두 정팔면체　　　④ 두 평행사변형

⑤ 중심각의 크기가 같은 두 부채꼴

02

아래 그림에서 □ABCD∽□EFGH일 때, 다음 중 옳지 <u>않</u>은 것은?

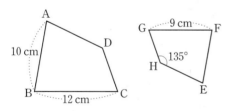

① 점 C에 대응하는 점은 점 G이다.

② $\overline{BC}$에 대응하는 변은 $\overline{FG}$이다.

③ ∠D=135°

④ $\overline{AD} : \overline{EH}=4 : 3$

⑤ $\overline{EF}=7$ cm

03

다음 그림과 같이 원 모양의 두 접시의 반지름의 길이가 각각 14 cm, 8 cm일 때, 큰 접시와 작은 접시의 닮음비를 구하시오.

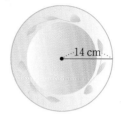

★ 04

아래 두 삼각뿔은 닮은 도형이고 $\overline{AB}$와 $\overline{A'B'}$이 대응하는 모서리일 때, 다음 중 옳지 <u>않</u>은 것은?

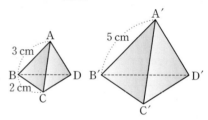

① $\overline{B'C'}=\dfrac{10}{3}$ cm

② $\overline{CD} : \overline{C'D'}=3 : 5$

③ △ABC∽△A'B'C'

④ ∠ABC=80°이면 ∠A'B'C'=80°이다.

⑤ $\overline{BD} : \overline{B'D'}=\overline{AC} : \overline{B'C'}$

05

오른쪽 그림에서 두 원기둥 A, B가 닮은 도형일 때, 다음을 구하시오.

(1) 두 원기둥 A, B의 닮음비

(2) 원기둥 B의 밑면인 원의 반지름의 길이

(3) 원기둥 B의 밑면인 원의 둘레의 길이

5 도형의 닮음

2 삼각형의 닮음 조건

개념 ❶ 삼각형의 닮음 조건

다음 조건 중 어느 하나를 만족하면 두 삼각형은 닮은 도형이다.

(1) 세 쌍의 대응하는 변의 길이의 비가 같다.

$\Rightarrow a : a' = b : b' = c : c'$ (SSS 닮음)

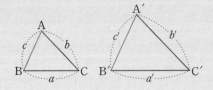

(2) 두 쌍의 대응하는 변의 길이의 비가 같고, 그 끼인각의 크기가 같다.

$\Rightarrow a : a' = c : c'$, $\angle B = \angle B'$ (SAS 닮음)

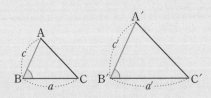

(3) 두 쌍의 대응하는 각의 크기가 각각 같다.

$\Rightarrow \angle B = \angle B'$, $\angle C = \angle C'$ (AA 닮음)

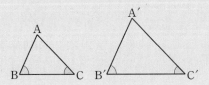

> **보충**
> • 합동 조건과 닮음 조건의 차이
> ① 합동 조건: 대응하는 변의 길이가 각각 같다. ➡ SSS 합동
> ② 닮음 조건: 대응하는 변의 길이의 비가 같다. ➡ SSS 닮음

보기 (1)

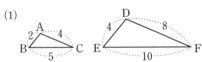

⇨ △ABC와 △DEF에서
$\overline{AB} : \overline{DE} = \overline{BC} : \overline{EF}$
$= \overline{CA} : \overline{FD} = 1 : 2$
∴ △ABC∽△DEF (SSS 닮음)

> 가장 긴 변은 가장 긴 변끼리, 그 다음 긴 변은 그 다음 긴 변끼리, 가장 짧은 변은 가장 짧은 변끼리 길이를 비교해 봐.

(2)

⇨ △ABC와 △DEF에서
$\overline{AB} : \overline{DE} = \overline{BC} : \overline{EF} = 2 : 3$,
$\angle B = \angle E = 70°$ (끼인각)
∴ △ABC∽△DEF (SAS 닮음)

(3)

⇨ △ABC와 △DEF에서
$\angle B = \angle E = 40°$, $\angle C = \angle F = 60°$
∴ △ABC∽△DEF (AA 닮음)

참고 ASA 닮음이 아니고 AA 닮음인 이유는 무엇일까?

두 삼각형에서 두 쌍의 대응하는 각의 크기가 각각 같으면 삼각형의 세 내각의 크기의 합은 180°이므로 나머지 한 각의 크기도 같다. 따라서 최소한의 조건으로 AA 닮음으로 정한 것이다.

• Lecture •

● 닮음인 삼각형을 찾는 방법

두 삼각형에서

(1) 크기가 같은 각이 있는지 찾는다. ➡ 크기가 같은 각이 2개 이상 있다. (AA 닮음)

(2) 긴 변은 긴 변끼리, 짧은 변은 짧은 변끼리 길이를 비교한다. ➡ 변의 길이의 비가 같은 것이 3개 있다. (SSS 닮음)

(3) 끼인각의 크기가 같은 것을 찾는다. ➡ 변의 길이의 비가 같은 것이 2개 있고, 그 끼인각의 크기가 같다. (SAS 닮음)

┃개념 확인┃ **1** 다음에 주어진 두 삼각형은 닮은 도형이다. ☐ 안에 알맞은 기호를 써넣고, 이때 사용된 닮음 조건을 ( ) 안에 써넣으시오.

(1)
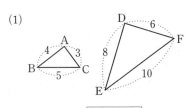

△ABC∽[   ]

닮음 조건: (   ) 닮음

(2)
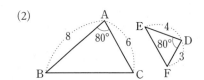

△ABC∽[   ]

닮음 조건: (   ) 닮음

(3)
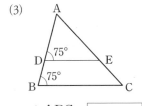

△ABC∽[   ]

닮음 조건: (   ) 닮음

(4)
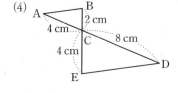

△ABC∽[   ]

닮음 조건: (   ) 닮음

┃개념 확인┃ **2** 다음 보기에서 오른쪽 그림의 △ABC와 △DEF가 닮은 도형이 되는 것을 모두 고르시오.

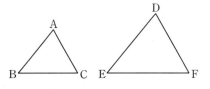

┌─ 보기 ──────────────────────┐

㉠ ∠A=∠D, ∠B=∠E

㉡ $\overline{AB} : \overline{DE} = \overline{BC} : \overline{EF}$, ∠B=∠E

㉢ $\overline{AB} : \overline{DE} = \overline{BC} : \overline{EF} = \overline{AC} : \overline{DF}$

㉣ $\overline{AB} : \overline{BC} = \overline{DE} : \overline{EF}$, ∠C=∠F

㉤ $\overline{AC} : \overline{DE} = \overline{BC} : \overline{EF}$, ∠A=∠E

└──────────────────────────┘

개념 ② 직각삼각형의 닮음의 활용

∠A=90°인 직각삼각형 ABC의 꼭짓점 A에서 빗변 BC에 내린 수선의 발을 D라 하면

(1)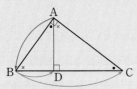

$\triangle ABC \backsim \triangle DBA$ (AA 닮음)

$\therefore \overline{AB}^2 = \overline{BD} \times \overline{BC}$

(2)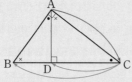

$\triangle ABC \backsim \triangle DAC$ (AA 닮음)

$\therefore \overline{AC}^2 = \overline{CD} \times \overline{CB}$

(3)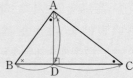

$\triangle DBA \backsim \triangle DAC$ (AA 닮음)

$\therefore \overline{AD}^2 = \overline{DB} \times \overline{DC}$

(4) $\triangle ABC = \dfrac{1}{2} \times \overline{AB} \times \overline{AC} = \dfrac{1}{2} \times \overline{BC} \times \overline{AD}$ $\quad \therefore \overline{AB} \times \overline{AC} = \overline{AD} \times \overline{BC}$

설명

(1) △ABC와 △DBA에서

∠BAC=∠BDA=90°, ∠B는 공통

따라서 △ABC∽△DBA (AA 닮음)이므로

$\overline{AB} : \overline{DB} = \overline{BC} : \overline{BA}$ $\quad \therefore \overline{AB}^2 = \overline{BD} \times \overline{BC}$

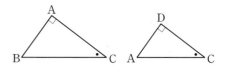

(2) △ABC와 △DAC에서

∠BAC=∠ADC=90°, ∠C는 공통

따라서 △ABC∽△DAC (AA 닮음)이므로

$\overline{AC} : \overline{DC} = \overline{BC} : \overline{AC}$ $\quad \therefore \overline{AC}^2 = \overline{CD} \times \overline{CB}$

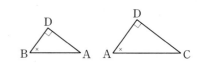

(3) △DBA와 △DAC에서

∠BDA=∠ADC=90°, ∠DBA=∠DAC

따라서 △DBA∽△DAC (AA 닮음)이므로

$\overline{DB} : \overline{DA} = \overline{DA} : \overline{DC}$ $\quad \therefore \overline{AD}^2 = \overline{DB} \times \overline{DC}$

보기 다음 그림에서 x의 값을 구해 보자.

(1)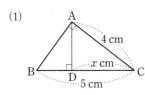

$\overline{AC}^2 = \overline{CD} \times \overline{CB}$이므로

$4^2 = x \times 5$, $5x = 16$

$\therefore x = \dfrac{16}{5}$

(2)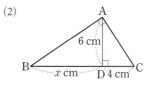

$\overline{AD}^2 = \overline{DB} \times \overline{DC}$이므로

$6^2 = x \times 4$, $4x = 36$

$\therefore x = 9$

│개념 확인│ **3** 다음 그림에서 x의 값을 구하시오.

(1)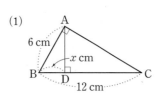

(2)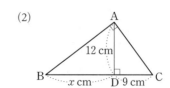

개념 기초

1-1

다음 중 오른쪽 보기의 △ABC와 닮음인 것은?

보기

①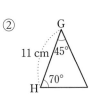

②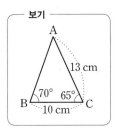

③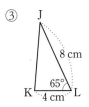

④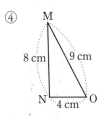

⑤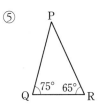

연구 삼각형의 세 내각의 크기의 합은 [　]°임을 이용하여 주어지지 않은 나머지 한 각의 크기를 구해 본다.

쌍둥이 문제

1-2

다음 보기에서 서로 닮음인 두 삼각형을 찾고, 이때 사용된 닮음 조건을 말하시오.

보기

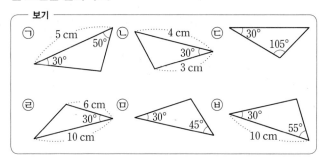

2-1

오른쪽 그림과 같이 ∠A=90°인 직각삼각형 ABC에서 $\overline{AD} \perp \overline{BC}$일 때, 다음 [　] 안에 알맞은 것을 써넣으시오.

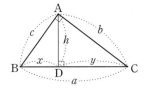

(1) △ABC∽△DBA이므로

　　$c : \square = a : c$　　$\therefore c^2 = \square$

(2) △ABC∽△DAC이므로

　　$b : \square = a : b$　　$\therefore b^2 = \square$

(3) △DBA∽△DAC이므로

　　$\square : h = h : y$　　$\therefore h^2 = \square$

연구 닮은 두 도형에서 대응하는 변의 길이의 비는 같음을 이용한다.

2-2

다음 그림에서 x의 값을 구하시오.

(1)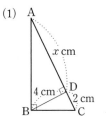

(2)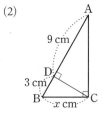

(3)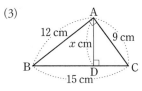

(4)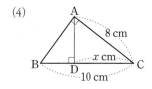

대표 유형 ❶ 삼각형의 닮음 조건

- 삼각형의 닮음 조건 ➡ (1) 세 쌍의 대응하는 변의 길이의 비가 같다. (SSS 닮음)
  - (2) 두 쌍의 대응하는 변의 길이의 비가 같고, 그 끼인각의 크기가 같다. (SAS 닮음)
  - (3) 두 쌍의 대응하는 각의 크기가 각각 같다. (AA 닮음)

- 닮은 두 삼각형을 찾을 때는 $\begin{cases} 변의 \ 길이의 \ 비 \\ 각의 \ 크기 \end{cases}$ 를 비교해 본다.

1-1 다음 보기에서 서로 닮음인 삼각형을 모두 찾아 기호로 나타내고, 이때 사용된 닮음 조건을 말하시오.

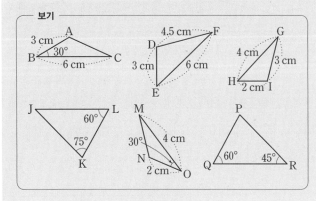

쌍둥이 1-2

다음 그림에서 서로 닮음인 삼각형을 찾아 기호로 나타내고, 이때 사용된 닮음 조건을 말하시오.

(1)
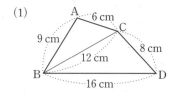

(2)
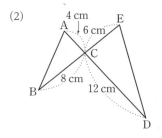

풀이 (i) △ABC와 △NOM에서

$\overline{AB} : \overline{NO} = 3 : 2, \overline{BC} : \overline{OM} = 6 : 4 = 3 : 2,$

∠B = ∠O = 30°

∴ △ABC∽△NOM (SAS 닮음)

(ii) △DEF와 △IHG에서

$\overline{DE} : \overline{IH} = 3 : 2, \overline{EF} : \overline{HG} = 6 : 4 = 3 : 2,$

$\overline{DF} : \overline{IG} = 4.5 : 3 = 3 : 2$

∴ △DEF∽△IHG (SSS 닮음)

(iii) △JKL에서 ∠J = 180° − (75° + 60°) = 45°

△JKL과 △RPQ에서

∠J = ∠R = 45°, ∠L = ∠Q = 60°

∴ △JKL∽△RPQ (AA 닮음)

답 △ABC∽△NOM (SAS 닮음)

△DEF∽△IHG (SSS 닮음)

△JKL∽△RPQ (AA 닮음)

쌍둥이 1-3

아래 그림과 같은 두 삼각형이 닮은 도형이 되려면 다음 중 어느 조건을 추가해야 하는가?

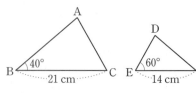

① ∠A = 60°, ∠D = 60°

② ∠C = 60°, ∠D = 80°

③ ∠A = 60°, $\overline{DE}$ = 10 cm

④ $\overline{AC}$ = 12 cm, $\overline{DE}$ = 8 cm

⑤ $\overline{AB}$ = 18 cm, $\overline{DE}$ = 12 cm

대표 유형 **2**　삼각형의 닮음 조건 – SAS 닮음

공통인 각을 끼인각으로 하는 두 쌍의 대응하는 변의 길이의 비가 같으면 SAS 닮음을 이용한다.
➡ 크기가 같은 각을 끼인각으로 하는 두 쌍의 변에서 변끼리의 비를 구할 경우 긴 변은 긴 변끼리, 짧은 변은 짧은 변끼리 길이를 비교한다.

2-1 오른쪽 그림과 같은
△ABC에 대하여 다음 물음에 답하시오.
(1) △ABC와 서로 닮음인 삼각형을 찾아 기호로 나타내고, 이때 사용된 닮음 조건을 말하시오.
(2) x의 값을 구하시오.

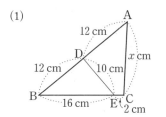

풀이 (1) △ABC와 △AED에서 ∠A는 공통,
　　　$\overline{AB} : \overline{AE} = 8 : 4 = 2 : 1$, $\overline{AC} : \overline{AD} = 10 : 5 = 2 : 1$
　　　이므로 △ABC∽△AED (SAS 닮음)
　　(2) $\overline{BC} : \overline{ED} = 2 : 1$이므로 $x : 6 = 2 : 1$
　　　∴ $x = 12$

　　답 (1) △ABC∽△AED (SAS 닮음)　(2) 12

쌍둥이 2-2

다음 그림과 같은 △ABC에서 x의 값을 구하시오.

(1)

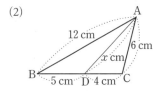

(2)

대표 유형 **3**　삼각형의 닮음 조건 – AA 닮음

공통인 각과 다른 한 내각의 크기가 같으면 AA 닮음을 이용한다.
이때 긴 변은 긴 변끼리, 짧은 변은 짧은 변끼리 대응하는 변이다.

3-1 오른쪽 그림과 같은
△ABC에서 ∠C = ∠ADE
일 때, 다음 물음에 답하시오.
(1) △ABC와 서로 닮음인 삼각형을 찾아 기호로 나타내고, 이때 사용된 닮음 조건을 말하시오.
(2) x의 값을 구하시오.

풀이 (1) △ABC와 △AED에서 ∠A는 공통, ∠C = ∠ADE
　　　이므로 △ABC∽△AED (AA 닮음)
　　(2) $\overline{AB} : \overline{AE} = \overline{AC} : \overline{AD}$이므로 $10 : 5 = (5+x) : 6$
　　　$5(5+x) = 60$, $5x = 35$　∴ $x = 7$

　　답 (1) △ABC∽△AED (AA 닮음)　(2) 7

쌍둥이 3-2

오른쪽 그림과 같은 △ABC에서 ∠B = ∠ACD일 때, x의 값을 구하시오.

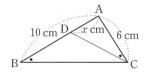

쌍둥이 3-3

오른쪽 그림과 같은 △ABC에서 ∠A = ∠DEC일 때, x의 값을 구하시오.

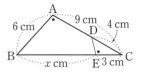

5
도형의 닮음

대표 유형 **4** 직각삼각형의 닮음

한 예각이 공통인 두 직각삼각형은 닮은 도형이다.

예 오른쪽 그림의 △ABC와 △AED에서

∠A는 공통, ∠C=∠ADE=90°

이므로 △ABC∽△AED (AA 닮음)

4-1 오른쪽 그림과 같은 △ABC에서 $\overline{AB} \perp \overline{CE}$, $\overline{AC} \perp \overline{BD}$일 때, $\overline{AE}$의 길이를 구하시오.

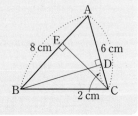

풀이 △ABD와 △ACE에서

∠A는 공통, ∠ADB=∠AEC=90°

이므로 △ABD∽△ACE (AA 닮음)

따라서 $\overline{AB} : \overline{AC} = \overline{AD} : \overline{AE}$이므로

$8 : 6 = (6-2) : \overline{AE}$

$8\overline{AE} = 24$ ∴ $\overline{AE} = 3$ (cm)

답 3 cm

쌍둥이 4-2

다음 그림에서 x의 값을 구하시오.

(1)

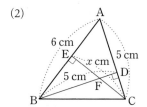

(2)

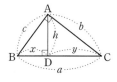

대표 유형 **5** 직각삼각형의 닮음의 활용

오른쪽 그림의 직각삼각형 ABC에서

(1) $c^2 = ax$

(2) $b^2 = ay$

(3) $h^2 = xy$

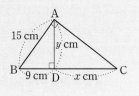

5-1 오른쪽 그림과 같이 ∠A=90°인 직각삼각형 ABC에서 $\overline{AD} \perp \overline{BC}$일 때, x, y의 값을 각각 구하시오.

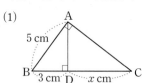

풀이 $\overline{AB}^2 = \overline{BD} \times \overline{BC}$에서 $15^2 = 9 \times (9+x)$

$225 = 81 + 9x$, $9x = 144$ ∴ $x = 16$

$\overline{AD}^2 = \overline{DB} \times \overline{DC}$에서 $y^2 = 9 \times x = 9 \times 16 = 144$

∴ $y = 12$ (∵ $y > 0$)

답 $x = 16, y = 12$

쌍둥이 5-2

다음 그림에서 x의 값을 구하시오.

(1)

(2)

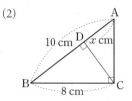

대표 유형 6 접힌 도형에서 삼각형의 닮음

(1) 접힌 직사각형에서 삼각형의 닮음

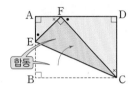

➡ △AEF∽△DFC (AA 닮음)

(2) 접힌 정삼각형에서 삼각형의 닮음

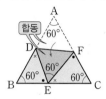

➡ △DBE∽△ECF (AA 닮음)

6-1 오른쪽 그림과 같이 직사각형 ABCD를 $\overline{BE}$를 접는 선으로 하여 꼭짓점 C가 $\overline{AD}$ 위의 점 F에 오도록 접었을 때, 다음 물음에 답하시오.

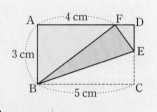

(1) △ABF와 서로 닮음인 삼각형을 찾아 기호로 나타내고, 이때 사용된 닮음 조건을 말하시오.

(2) $\overline{DE}$의 길이를 구하시오.

풀이 (1) △ABF와 △DFE에서
$\angle A = \angle D = 90°$,
$\angle ABF = 90° - \angle AFB$
$\qquad = \angle DFE$
이므로 △ABF∽△DFE (AA 닮음)

(2) $\overline{AD} = \overline{BC} = 5$ cm이므로
$\overline{DF} = \overline{AD} - \overline{AF} = 5 - 4 = 1$ (cm)
이때 $\overline{AB} : \overline{DF} = \overline{AF} : \overline{DE}$이므로
$3 : 1 = 4 : \overline{DE}$, $3\overline{DE} = 4$
$\therefore \overline{DE} = \dfrac{4}{3}$ (cm)

답 (1) △ABF∽△DFE (AA 닮음) (2) $\dfrac{4}{3}$ cm

쌍둥이 6-2

오른쪽 그림과 같이 직사각형 ABCD를 $\overline{CE}$를 접는 선으로 하여 꼭짓점 B가 $\overline{AD}$ 위의 점 F에 오도록 접었을 때, $\overline{AE}$의 길이를 구하시오.

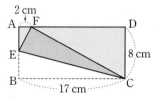

쌍둥이 6-3

오른쪽 그림과 같이 정삼각형 모양의 종이 ABC를 $\overline{DF}$를 접는 선으로 하여 꼭짓점 A가 $\overline{BC}$ 위의 점 E에 오도록 접었을 때, $\overline{EF}$의 길이를 구하시오.

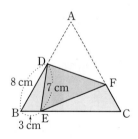

삼각형의 닮음 조건

다음 조건 중 어느 하나를 만족하면 두 삼각형은 닮은 도형이다.

(1) 세 쌍의 대응하는 변의 길이의 비가 같다.
➡ ❶ [___] 닮음

(2) 두 쌍의 대응하는 변의 길이의 비가 같고, 그 ❷ [___] 의 크기가 같다. ➡ SAS 닮음

(3) 두 쌍의 대응하는 각의 크기가 각각 같다.
➡ AA 닮음

❶ SSS ❷ 끼인각

01

다음 보기에서 서로 닮음인 삼각형을 옳게 짝 지은 것은?

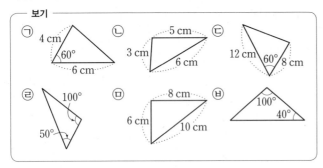

① ㉠, ㉢   ② ㉠, ㉱   ③ ㉡, ㉱
④ ㉢, ㉲   ⑤ ㉣, ㉲

02

아래 그림에서 △ABC와 △DEF가 닮은 도형이 되려면 다음 중 어느 조건을 추가해야 하는가?

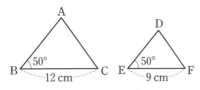

① ∠A=65°, ∠F=60°

② ∠C=70°, ∠D=55°

③ $\overline{AC}$=8 cm, $\overline{DF}$=6 cm

④ $\overline{AB}$=10 cm, $\overline{DF}$=8 cm

⑤ $\overline{AB}$=16 cm, $\overline{DE}$=12 cm

03

아래 그림의 △ABC와 △ADE에 대한 다음 설명 중 옳지 <u>않은</u> 것은?

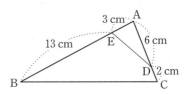

① $\overline{AB} : \overline{AD} = \overline{AC} : \overline{AE}$

② $\overline{BC} : \overline{DE} = 8 : 3$

③ ∠ABC=∠AED

④ △ABC∽△ADE

⑤ △ABC와 △ADE의 닮음비는 8 : 3이다.

⭐ 04

서술형

오른쪽 그림의 △ABC에 대하여 다음 물음에 답하시오.

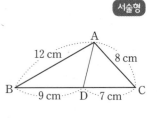

(1) △ABC∽△DBA임을 설명하시오.

(2) $\overline{AD}$의 길이를 구하시오.

05

오른쪽 그림과 같이 ∠C=90°인 직각삼각형 ABC에서 $\overline{AB}⊥\overline{ED}$일 때, $\overline{AC}$의 길이를 구하시오.

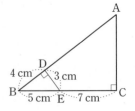

06

창의력

오른쪽 그림과 같은 △ABC에서 $\overline{AB}\perp\overline{CE}$, $\overline{AC}\perp\overline{BD}$이고 점 F는 $\overline{BD}$와 $\overline{CE}$의 교점일 때, 다음 중 나머지 넷과 닮음이 아닌 것은?

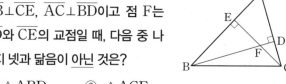

① △ABD ② △ACE
③ △BCE ④ △FCD
⑤ △FBE

07

오른쪽 그림에서 $\overline{AD} /\!/ \overline{BE}$, $\overline{AB} /\!/ \overline{DC}$일 때, △ACD의 둘레의 길이를 구하시오.

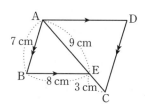

직각삼각형의 닮음의 활용

오른쪽 그림의 직각삼각형 ABC에서 다음이 성립한다.

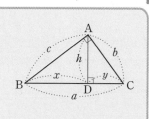

(1) $c^2 = \boxed{①} \times a$
(2) $b^2 = y \times a$
(3) $h^2 = x \times \boxed{②}$
(4) $b \times c = a \times h$

답 ❶ x ❷ y

08

오른쪽 그림과 같이 ∠A=90°인 직각삼각형 ABC에서 $\overline{AD}\perp\overline{BC}$일 때, 다음 중 옳지 않은 것은?

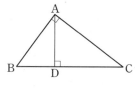

① △ABC∽△DAC
② △DBA∽△DAC
③ $\overline{AC}^2 = \overline{CD} \times \overline{CB}$
④ $\overline{AB}^2 = \overline{BC} \times \overline{DC}$
⑤ $\overline{AB} \times \overline{AC} = \overline{AD} \times \overline{BC}$

09

서술형

오른쪽 그림과 같이 ∠A=90°인 직각삼각형 ABC에서 $\overline{AD}\perp\overline{BC}$일 때, $x+y$의 값을 구하시오.

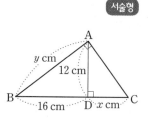

10

융합형

오른쪽 그림과 같이 직사각형 ABCD의 점 A에서 대각선 BD에 내린 수선의 발을 H라 하자. $\overline{BH}=4\ cm$, $\overline{HD}=9\ cm$일 때, □ABCD의 넓이를 구하시오.

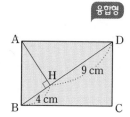

11

다음 그림과 같이 직사각형 ABCD를 $\overline{BE}$를 접는 선으로 하여 꼭짓점 C가 $\overline{AD}$ 위의 점 F에 오도록 접었다. 이때 $\overline{FE}$의 길이를 구하시오.

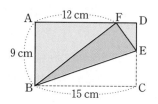

6 평행선과 선분의 길이의 비

학습 목표

- 삼각형에서 평행선 사이의 선분의 길이의 비를 구할 수 있다.
- 삼각형의 두 변의 중점을 연결한 선분과 나머지 한 변 사이의 관계를 이해한다.
- 평행선 사이의 선분의 길이의 비에 대한 성질을 이해한다.

개념 **1** 삼각형에서 평행선과 선분의 길이의 비 (1)

△ABC에서 $\overline{AB}$, $\overline{AC}$ 또는 그 연장선 위에 각각 점 D, E가 있을 때, $\overline{BC} /\!/ \overline{DE}$이면 다음이 성립한다.

(1)
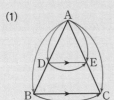 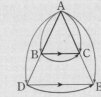 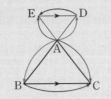

➡ $\overline{AB} : \overline{AD} = \overline{AC} : \overline{AE} = \overline{BC} : \overline{DE}$

(2)
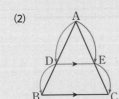 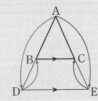 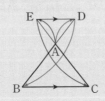

➡ $\overline{AD} : \overline{DB} = \overline{AE} : \overline{EC}$

 (1) △ABC와 △ADE에서

$\overline{BC} /\!/ \overline{DE}$이므로

∠B = ∠ADE (동위각), ∠C = ∠AED (동위각)

∴ △ABC ∽ △ADE (AA 닮음)

이때 닮은 두 삼각형에서 세 쌍의 대응하는 변의 길이의 비는 같으므로

$\overline{AB} : \overline{AD} = \overline{AC} : \overline{AE} = \overline{BC} : \overline{DE}$

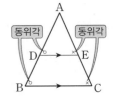

(2) $\overline{AB} /\!/ \overline{EF}$가 되도록 $\overline{BC}$ 위에 점 F를 잡으면

△ADE와 △EFC에서

$\overline{AB} /\!/ \overline{EF}$이므로 ∠A = ∠FEC (동위각),

$\overline{DE} /\!/ \overline{BC}$이므로 ∠AED = ∠C (동위각)

∴ △ADE ∽ △EFC (AA 닮음)

즉 $\overline{AD} : \overline{EF} = \overline{AE} : \overline{EC}$ ······ ㉠

이때 ▱DBFE는 평행사변형이므로 $\overline{DB} = \overline{EF}$ ······ ㉡

㉠, ㉡에서 $\overline{AD} : \overline{DB} = \overline{AE} : \overline{EC}$

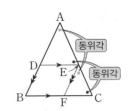

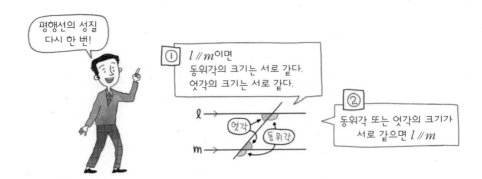

보기 다음 그림에서 $\overline{BC} /\!/ \overline{DE}$일 때, x의 값을 구해 보자.

(1)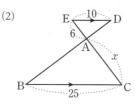

(2)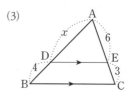

(3)

⇨ $12 : 18 = 8 : x$에서

$12x = 144$ ∴ $x = 12$

⇨ $x : 6 = 25 : 10$에서

$10x = 150$ ∴ $x = 15$

⇨ $x : 4 = 6 : 3$에서

$3x = 24$ ∴ $x = 8$

• Lecture •

• 오른쪽 그림에서 $a : a' = b : b' \neq c : c'$임에 주의한다.

➡ $a : (a + a') = b : (b + b') = c : c'$

│개념 확인│ 1 다음 그림에서 $\overline{BC} /\!/ \overline{DE}$일 때, x의 값을 구하시오.

(1)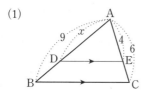

(2)

(3)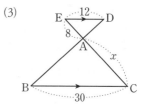

│개념 확인│ 2 다음 그림에서 $\overline{BC} /\!/ \overline{DE}$일 때, x의 값을 구하시오.

(1)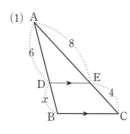

(2)

(3)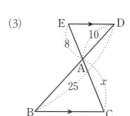

개념 **2** 삼각형에서 평행선과 선분의 길이의 비 (2)

△ABC에서 $\overline{AB}$, $\overline{AC}$ 또는 그 연장선 위에 각각 점 D, E가 있을 때, 다음이 성립한다.

(1) $\overline{AB} : \overline{AD} = \overline{AC} : \overline{AE}$이면 $\overline{BC} /\!/ \overline{DE}$

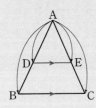 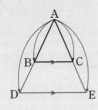 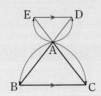

(2) $\overline{AD} : \overline{DB} = \overline{AE} : \overline{EC}$이면 $\overline{BC} /\!/ \overline{DE}$

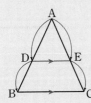 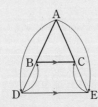

설명 (1) △ABC와 △ADE에서

$\overline{AB} : \overline{AD} = \overline{AC} : \overline{AE}$, ∠A는 공통

∴ △ABC∽△ADE (SAS 닮음)

이때 닮은 두 삼각형에서 대응하는 각의 크기는 같으므로 ∠B = ∠ADE

즉 동위각의 크기가 같으므로 $\overline{BC} /\!/ \overline{DE}$

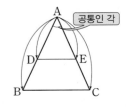

보기 다음 그림에서 $\overline{BC} /\!/ \overline{DE}$인지 확인해 보자.

(1)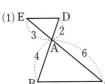

⇨ $\overline{AB} : \overline{AD} = 4 : 2 = 2 : 1$

$\overline{AC} : \overline{AE} = 6 : 3 = 2 : 1$

즉 $\overline{AB} : \overline{AD} = \overline{AC} : \overline{AE}$

이므로 $\overline{BC} /\!/ \overline{DE}$이다.

(2)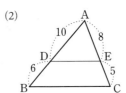

⇨ $\overline{AD} : \overline{DB} = 10 : 6 = 5 : 3$

$\overline{AE} : \overline{EC} = 8 : 5$

즉 $\overline{AD} : \overline{DB} \neq \overline{AE} : \overline{EC}$

이므로 $\overline{BC}$와 $\overline{DE}$는 평행하지 않다.

┃개념 확인┃ **3** 다음 그림에서 $\overline{BC} /\!/ \overline{DE}$인 것에는 ○표, $\overline{BC} /\!/ \overline{DE}$가 아닌 것에는 × 표를 (   ) 안에 써넣으시오.

(1)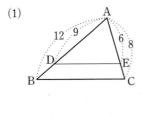

(   )

(2)

(   )

개념 ③ 삼각형의 두 변의 중점을 연결한 선분

(1) 삼각형의 두 변의 중점을 연결한 선분은 나머지 한 변과 평행하고, 그 길이는 나머지 한 변의 길이의 $\frac{1}{2}$이다.

➡ △ABC에서 $\overline{AM}=\overline{MB}$, $\overline{AN}=\overline{NC}$이면

$$\overline{MN}/\!/\overline{BC}, \overline{MN}=\frac{1}{2}\overline{BC}$$

(2) 삼각형의 한 변의 중점을 지나고 다른 한 변에 평행한 직선은 나머지 한 변의 중점을 지난다.

➡ △ABC에서 $\overline{AM}=\overline{MB}$, $\overline{MN}/\!/\overline{BC}$이면

$$\overline{AN}=\overline{NC}$$

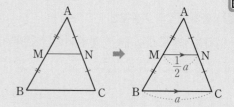
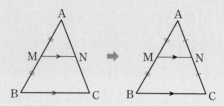

설명 (1) △ABC에서 $\overline{AB}$, $\overline{AC}$의 중점을 각각 M, N이라 하면

$\overline{AM}:\overline{AB}=\overline{AN}:\overline{AC}=1:2$이므로 $\overline{MN}/\!/\overline{BC}$

따라서 $\overline{MN}:\overline{BC}=\overline{AM}:\overline{AB}=1:2$이므로

$$\overline{MN}=\frac{1}{2}\overline{BC}$$

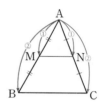

(2) △ABC에서 점 M이 $\overline{AB}$의 중점이고 $\overline{MN}/\!/\overline{BC}$이면

$\overline{AN}:\overline{NC}=\overline{AM}:\overline{MB}=1:1$

∴ $\overline{AN}=\overline{NC}$

Lecture

(1) △ABC에서
$\overline{AM}=\overline{MB}$, $\overline{AN}=\overline{NC}$이면
$\overline{MN}/\!/\overline{BC}$, $\overline{MN}=\frac{1}{2}\overline{BC}$

(2) △ABC에서
$\overline{AM}=\overline{MB}$, $\overline{MN}/\!/\overline{BC}$이면
$\overline{AN}=\overline{NC}$

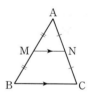

개념 확인 4 다음 그림에서 x, y의 값을 각각 구하시오.

(1)
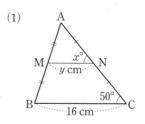

(2)
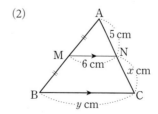

개념 **4** 삼각형의 각의 이등분선

(1) 삼각형의 내각의 이등분선

△ABC에서 ∠A의 이등분선이 $\overline{BC}$와 만나는 점을 D라 하면

➡ $\overline{AB} : \overline{AC} = \overline{BD} : \overline{CD}$

(2) 삼각형의 외각의 이등분선

△ABC에서 ∠A의 외각의 이등분선이 $\overline{BC}$의 연장선과 만나는 점을 D라 하면

➡ $\overline{AB} : \overline{AC} = \overline{BD} : \overline{CD}$

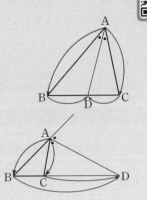

설명 (1) 오른쪽 그림과 같이 점 C에서 $\overline{AD}$에 평행한 선을 그어 $\overline{AB}$의 연장선과 만나는 점을 E라 하자.

△ACE는 이등변삼각형이므로 $\overline{AC} = \overline{AE}$ ...... ㉠

△BCE에서 $\overline{AD} /\!/ \overline{EC}$이므로

$\overline{BA} : \overline{AE} = \overline{BD} : \overline{DC}$ ...... ㉡

㉠, ㉡에서 $\overline{AB} : \overline{AC} = \overline{BD} : \overline{CD}$

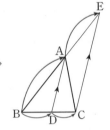

(2) 오른쪽 그림과 같이 점 C에서 $\overline{AD}$에 평행한 선을 그어 $\overline{AB}$와 만나는 점을 E라 하자.

△AEC는 이등변삼각형이므로

$\overline{AE} = \overline{AC}$ ...... ㉢

△BDA에서 $\overline{AD} /\!/ \overline{EC}$이므로

$\overline{BA} : \overline{AE} = \overline{BD} : \overline{DC}$ ...... ㉣

㉢, ㉣에서 $\overline{AB} : \overline{AC} = \overline{BD} : \overline{CD}$

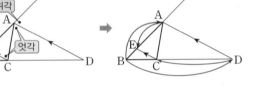

• **Lecture** •

(1) 삼각형의 내각의 이등분선

△ABC에서

∠BAD = ∠CAD이면

$a : b = c : d$

(2) 삼각형의 외각의 이등분선

△ABC에서

∠CAD = ∠EAD이면

$a : b = c : d$

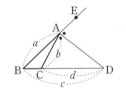

| 개념 확인 | **5** 다음 그림에서 x의 값을 구하시오.

(1)

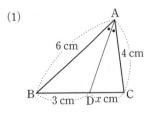

(2)

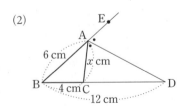

개념 기초

1-1

다음 그림에서 $\overline{BC} /\!/ \overline{DE}$일 때, x의 값을 구하시오.

(1)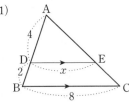

(2)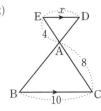

(3)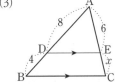

(4)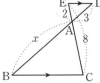

연구 $\overline{BC} /\!/ \overline{DE}$이므로
$\overline{AD} : \overline{AB} = \overline{AE} : \boxed{} = \overline{DE} : \overline{BC}$, $\overline{AD} : \boxed{} = \overline{AE} : \overline{EC}$
임을 이용한다.

쌍둥이 문제

1-2

다음 그림에서 $\overline{BC} /\!/ \overline{DE}$일 때, x, y의 값을 각각 구하시오.

(1)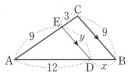

(2)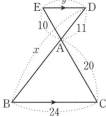

(3)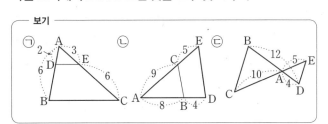

(4)

2-1

다음 보기에서 $\overline{BC} /\!/ \overline{DE}$인 것을 찾으시오.

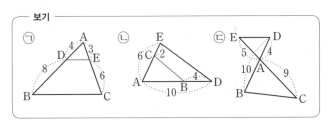

연구 (1) $\overline{AB} : \overline{AD} = \overline{AC} : \overline{AE}$이면 $\overline{BC}\boxed{}\overline{DE}$이다.
(2) $\overline{AD} : \overline{DB} = \overline{AE} : \boxed{}$이면 $\overline{BC} /\!/ \overline{DE}$이다.

2-2

다음 보기에서 $\overline{BC} /\!/ \overline{DE}$인 것을 모두 찾으시오.

개념 기초

3-1

다음 그림과 같은 △ABC에서 $\overline{AB}$, $\overline{AC}$의 중점을 각각 M, N이라 할 때, x의 값을 구하시오.

(1)
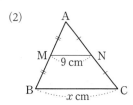

(2)

△ABC에서 $\overline{AM}=\overline{MB}$, $\overline{AN}=\overline{NC}$이므로 $\overline{MN}=\boxed{}\ \overline{BC}$

쌍둥이 문제

3-2

다음 그림과 같은 △ABC에서 $\overline{AB}$, $\overline{AC}$의 중점을 각각 M, N이라 할 때, x의 값을 구하시오.

(1)
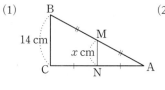

(2)
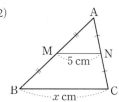

4-1

다음 그림과 같은 △ABC에서 $\overline{AM}=\overline{MB}$, $\overline{MN}/\!/\overline{BC}$일 때, x, y의 값을 각각 구하시오.

(1)
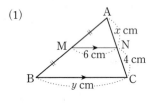

(2)
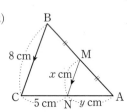

△ABC에서 $\overline{AM}=\overline{MB}$, $\overline{MN}/\!/\overline{BC}$이므로 $\overline{AN}\boxed{}\overline{NC}$

4-2

다음 그림과 같은 △ABC에서 $\overline{AM}=\overline{MB}$, $\overline{MN}/\!/\overline{BC}$일 때, x, y의 값을 각각 구하시오.

(1)
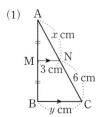

(2)
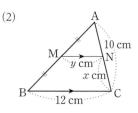

5-1

다음 그림에서 x의 값을 구하시오.

(1)
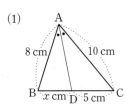

(2)
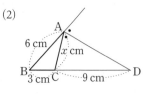

(1) $\overline{AD}$가 ∠A의 이등분선일 때, $\overline{AB}:\boxed{}=\boxed{}:\overline{CD}$
(2) $\overline{AD}$가 ∠A의 외각의 이등분선일 때,
$\boxed{}:\overline{AC}=\overline{BD}:\boxed{}$

5-2

다음 그림에서 x의 값을 구하시오.

(1)
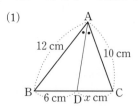

(2)
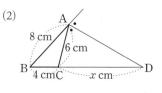

대표 유형 **1** 삼각형에서 평행선과 선분의 길이의 비

오른쪽 그림에서 $\overline{BC} /\!/ \overline{DE}$이면
(1) $\overline{AB} : \overline{AD} = \overline{AC} : \overline{AE} = \overline{BC} : \overline{DE}$
(2) $\overline{AD} : \overline{DB} = \overline{AE} : \overline{EC} \ne \overline{DE} : \overline{BC}$
↳주의하자!

1-1 다음 그림에서 $\overline{BC} /\!/ \overline{DE}$일 때, x, y의 값을 각각 구하시오.

(1) 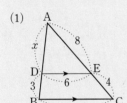　(2)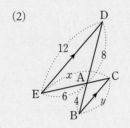

쌍둥이 **1-2**
다음 그림에서 $\overline{BC} /\!/ \overline{DE}$일 때, x, y의 값을 각각 구하시오.

(1) 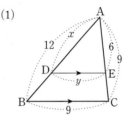　(2)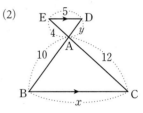

풀이 (1) $x : 3 = 8 : 4$이므로 $4x = 24$　∴ $x = 6$

$8 : (8+4) = 6 : y$이므로 $8y = 72$　∴ $y = 9$

(2) $4 : 8 = (x-6) : 6$이므로 $8x = 72$　∴ $x = 9$

$4 : 8 = y : 12$이므로 $8y = 48$　∴ $y = 6$

답 (1) $x = 6, y = 9$ (2) $x = 9, y = 6$

대표 유형 **2** 삼각형에서 평행선과 선분의 길이의 비의 활용 (1)

오른쪽 그림에서 $\overline{BC} /\!/ \overline{DE}$이면
(1) △ABF에서 $\overline{AD} : \overline{AB} = \overline{AG} : \overline{AF} = \overline{DG} : \overline{BF}$
(2) △AFC에서 $\overline{AG} : \overline{AF} = \overline{AE} : \overline{AC} = \overline{GE} : \overline{FC}$

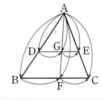

2-1 오른쪽 그림과 같은 △ABC에서 $\overline{BC} /\!/ \overline{DE}$이고 $\overline{AD} = 9$ cm, $\overline{DB} = 6$ cm, $\overline{FC} = 10$ cm일 때, $\overline{GE}$의 길이를 구하시오.

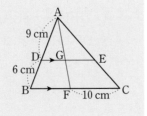

쌍둥이 **2-2**
오른쪽 그림과 같은 △ABC에서 $\overline{BC} /\!/ \overline{DE}$이고 $\overline{AE} = 9$ cm, $\overline{DG} = 6$ cm, $\overline{BF} = 8$ cm일 때, $\overline{EC}$의 길이를 구하시오.

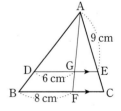

풀이 △ABF에서 $\overline{DG} /\!/ \overline{BF}$이므로

$\overline{AG} : \overline{AF} = \overline{AD} : \overline{AB} = 9 : (9+6) = 3 : 5$

△AFC에서 $\overline{GE} /\!/ \overline{FC}$이므로 $\overline{AG} : \overline{AF} = \overline{GE} : \overline{FC}$

즉 $3 : 5 = \overline{GE} : 10$, $5\overline{GE} = 30$　∴ $\overline{GE} = 6$ (cm)

답 6 cm

대표 유형 ③ 삼각형에서 평행선과 선분의 길이의 비의 활용 (2)

오른쪽 그림에서 $\overline{BC} \parallel \overline{DE}$, $\overline{BE} \parallel \overline{DF}$이면
(1) $\triangle ABC$에서 $\overline{AD} : \overline{DB} = \overline{AE} : \overline{EC}$
(2) $\triangle ABE$에서 $\overline{AD} : \overline{DB} = \overline{AF} : \overline{FE}$

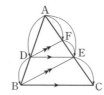

3-1 오른쪽 그림과 같은 $\triangle ABC$에서 $\overline{BC} \parallel \overline{DE}$, $\overline{BE} \parallel \overline{DF}$이고 $\overline{AF} = 5$ cm, $\overline{FE} = 3$ cm일 때, $\overline{EC}$의 길이를 구하시오.

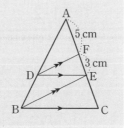

풀이 $\triangle ABE$에서 $\overline{BE} \parallel \overline{DF}$이므로 $\overline{AD} : \overline{DB} = \overline{AF} : \overline{FE} = 5 : 3$
$\triangle ABC$에서 $\overline{BC} \parallel \overline{DE}$이므로 $\overline{AD} : \overline{DB} = \overline{AE} : \overline{EC}$

즉 $5 : 3 = (5+3) : \overline{EC}$, $5\overline{EC} = 24$ $\therefore \overline{EC} = \dfrac{24}{5}$ (cm)

답 $\dfrac{24}{5}$ cm

쌍둥이 3-2

오른쪽 그림과 같은 $\triangle ABC$에서 $\overline{BC} \parallel \overline{DE}$, $\overline{DC} \parallel \overline{FE}$이고 $\overline{AD} = 30$ cm, $\overline{DB} = 15$ cm일 때, $\overline{AF}$의 길이를 구하시오.

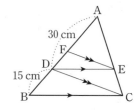

대표 유형 ④ 삼각형에서 평행한 선분 찾기

선분의 길이의 비가 일정한 것을 찾는다.

4-1 다음 보기에서 $\overline{BC} \parallel \overline{DE}$인 것을 모두 고르시오.

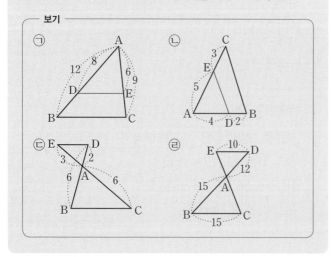

쌍둥이 4-2

다음 중 오른쪽 그림에 대한 설명으로 옳은 것은?

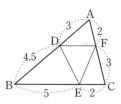

① $\overline{DE} \parallel \overline{AC}$
② $\overline{DF} \parallel \overline{BC}$
③ $\angle A = \angle EFC$
④ $\triangle BDE \backsim \triangle BAC$
⑤ $\overline{DF} : \overline{BC} = 2 : 3$

풀이 ㉠ $8 : 12 = 6 : 9$ ㉡ $4 : 2 \neq 5 : 3$
㉢ $2 : (6-2) = 3 : 6$ ㉣ $12 : 15 \neq 10 : 15$
따라서 $\overline{BC} \parallel \overline{DE}$인 것은 ㉠, ㉢이다.

답 ㉠, ㉢

대표 유형 ❺ 삼각형의 두 변의 중점을 연결한 선분 (1)

삼각형의 두 변의 중점을 연결한 선분은 나머지 한 변과 평행하고, 그 길이는 나머지 한 변의 길이의 $\frac{1}{2}$이다.

5-1 오른쪽 그림과 같은 △ABC에서 $\overline{AB}$, $\overline{BC}$, $\overline{CA}$의 중점을 각각 D, E, F라 할 때, △DEF의 둘레의 길이를 구하시오.

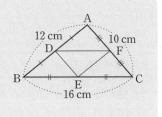

풀이 $\overline{DE}=\frac{1}{2}\overline{AC}=\frac{1}{2}\times10=5\,(cm)$

$\overline{EF}=\frac{1}{2}\overline{AB}=\frac{1}{2}\times12=6\,(cm)$

$\overline{DF}=\frac{1}{2}\overline{BC}=\frac{1}{2}\times16=8\,(cm)$

따라서 △DEF의 둘레의 길이는

$\overline{DE}+\overline{EF}+\overline{DF}=5+6+8=19\,(cm)$

답 19 cm

쌍둥이 5-2

오른쪽 그림과 같은 △ABC에서 $\overline{AB}$, $\overline{BC}$, $\overline{CA}$의 중점을 각각 D, E, F라 할 때, 다음을 구하시오.

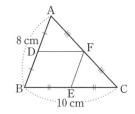

(1) $\overline{EF}$의 길이

(2) $\overline{DF}$의 길이

(3) □DBEF의 둘레의 길이

대표 유형 ❻ 삼각형의 두 변의 중점을 연결한 선분 (2)

삼각형의 한 변의 중점을 지나고 다른 한 변에 평행한 직선은 나머지 한 변의 중점을 지난다.

6-1 오른쪽 그림과 같은 △ABC에서 점 M은 $\overline{AB}$의 중점이고 $\overline{BC}\,/\!/\,\overline{MN}$일 때, x, y의 값을 각각 구하시오.

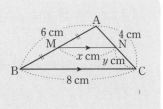

풀이 $\overline{AM}=\overline{MB}$이고 $\overline{BC}\,/\!/\,\overline{MN}$이므로

$\overline{AN}=\overline{NC}=\frac{1}{2}\overline{AC}=\frac{1}{2}\times4=2\,(cm)$ ∴ $y=2$

또 $\overline{MN}=\frac{1}{2}\overline{BC}=\frac{1}{2}\times8=4\,(cm)$ ∴ $x=4$

답 $x=4$, $y=2$

쌍둥이 6-2

오른쪽 그림과 같은 △ABC에서 ∠B=∠DEC=90°이고 $\overline{BE}=7\,cm$, $\overline{EC}=7\,cm$일 때, x의 값을 구하시오.

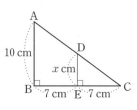

대표 유형 **7** 삼각형의 두 변의 중점을 연결한 선분의 활용 (1)

오른쪽 그림과 같은 △ABC에서 $\overline{AE}=\overline{EF}=\overline{FB}$, $\overline{BD}=\overline{DC}$일 때

(1) △BCE에서 $\overline{BD}=\overline{DC}$, $\overline{BF}=\overline{FE}$이므로 $\overline{EC}$ // $\overline{FD}$, $\overline{FD}=\dfrac{1}{2}\overline{EC}$

(2) △AFD에서 $\overline{AE}=\overline{EF}$, $\overline{EG}$ // $\overline{FD}$이므로 $\overline{AG}=\overline{GD}$, $\overline{EG}=\dfrac{1}{2}\overline{FD}$

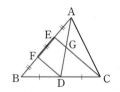

7-1 오른쪽 그림과 같은 △ABC에서 두 점 E, F는 $\overline{AB}$의 삼등분점이고 $\overline{BD}=\overline{DC}$이다. $\overline{EG}=2$ cm일 때, $\overline{EC}$의 길이를 구하시오.

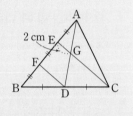

풀이 △BCE에서 $\overline{BD}=\overline{DC}$, $\overline{BF}=\overline{FE}$이므로 $\overline{EC}$ // $\overline{FD}$

△AFD에서 $\overline{AE}=\overline{EF}$, $\overline{EG}$ // $\overline{FD}$이므로

$\overline{FD}=2\overline{EG}=2\times 2=4$ (cm)

따라서 △BCE에서 $\overline{EC}=2\overline{FD}=2\times 4=8$ (cm) **답** 8 cm

쌍둥이 7-2

오른쪽 그림과 같은 △ABC에서 $\overline{BD}=\overline{DC}$, $\overline{AG}=\overline{GD}$, $\overline{EC}$ // $\overline{FD}$ 이다. $\overline{FD}=6$ cm일 때, 다음 선분의 길이를 구하시오.

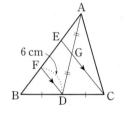

(1) $\overline{EC}$ (2) $\overline{EG}$ (3) $\overline{GC}$

대표 유형 **8** 삼각형의 두 변의 중점을 연결한 선분의 활용 (2)

오른쪽 그림과 같은 △ABC에서 $\overline{AD}=\overline{DB}$, $\overline{DF}=\overline{EF}$일 때, 점 D를 지나고 $\overline{BE}$에 평행한 직선이 $\overline{AC}$와 만나는 점을 G라 하면

(1) △DFG≡△EFC (ASA 합동)이므로 $\overline{DG}=\overline{EC}$, $\overline{GF}=\overline{CF}$

(2) △ABC에서 $\overline{AD}=\overline{DB}$, $\overline{DG}$ // $\overline{BC}$이므로 $\overline{DG}=\dfrac{1}{2}\overline{BC}$, $\overline{AG}=\overline{GC}$

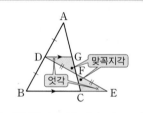

8-1 오른쪽 그림과 같은 △ABC에서 $\overline{AD}=\overline{DB}$, $\overline{DF}=\overline{EF}$이고 $\overline{BC}=8$ cm일 때, $\overline{CE}$의 길이를 구하시오.

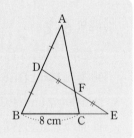

풀이 점 D를 지나고 $\overline{BE}$에 평행한 직선이 $\overline{AC}$와 만나는 점을 G라 하면 △ABC에서 $\overline{AD}=\overline{DB}$, $\overline{DG}$ // $\overline{BC}$이므로

$\overline{DG}=\dfrac{1}{2}\overline{BC}=\dfrac{1}{2}\times 8=4$ (cm)

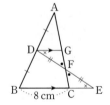

△DFG와 △EFC에서

∠GDF=∠CEF (엇각), $\overline{DF}=\overline{EF}$, ∠DFG=∠EFC (맞꼭지각)

따라서 △DFG≡△EFC (ASA 합동)이므로

CE=DG=4 cm **답** 4 cm

쌍둥이 8-2

오른쪽 그림과 같은 △ABC에서 $\overline{AD}=\overline{DB}$, $\overline{DF}=\overline{EF}$이고 $\overline{CE}=9$ cm일 때, $\overline{BE}$의 길이를 구하시오.

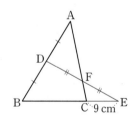

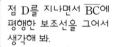 점 D를 지나면서 $\overline{BC}$에 평행한 보조선을 그어서 생각해 봐.

대표 유형 **9** 사각형의 각 변의 중점을 연결하여 만든 사각형

사각형에서 각 변의 중점을 연결하여 만든 사각형의 변의 길이는 대각선을 한 변으로 하는

삼각형에서 생각한다.

□ABCD에서 $\overline{AB}$, $\overline{BC}$, $\overline{CD}$, $\overline{DA}$의 중점을 각각 E, F, G, H라 하면

(1) $\overline{EF} \, /\!/ \, \overline{AC} \, /\!/ \, \overline{HG}$, $\overline{EF} = \overline{HG} = \dfrac{1}{2}\overline{AC}$ ⎫

(2) $\overline{EH} \, /\!/ \, \overline{BD} \, /\!/ \, \overline{FG}$, $\overline{EH} = \overline{FG} = \dfrac{1}{2}\overline{BD}$ ⎭ ➡ □EFGH는 평행사변형이다.

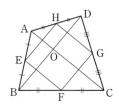

9-1 오른쪽 그림과 같은 □ABCD에서 $\overline{AB}$, $\overline{BC}$, $\overline{CD}$, $\overline{DA}$의 중점을 각각 E, F, G, H라 하자. $\overline{AC} = 8$ cm, $\overline{BD} = 10$ cm일 때, □EFGH의 둘레의 길이를 구하시오.

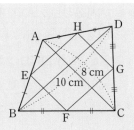

쌍둥이 9-2

오른쪽 그림과 같은 □ABCD에서 $\overline{AB}$, $\overline{BC}$, $\overline{CD}$, $\overline{DA}$의 중점을 각각 E, F, G, H라 하자. $\overline{AC} = 14$ cm, $\overline{BD} = 12$ cm일 때, □EFGH의 둘레의 길이를 구하시오.

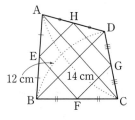

풀이 △ABC와 △ACD에서

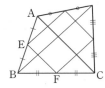 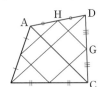

$\overline{EF} = \dfrac{1}{2}\overline{AC}$, $\overline{HG} = \dfrac{1}{2}\overline{AC}$이므로

$\overline{EF} = \overline{HG} = \dfrac{1}{2}\overline{AC} = \dfrac{1}{2} \times 8 = 4$ (cm)

또 △ABD와 △BCD에서

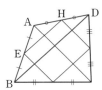 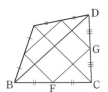

$\overline{EH} = \dfrac{1}{2}\overline{BD}$, $\overline{FG} = \dfrac{1}{2}\overline{BD}$이므로

$\overline{EH} = \overline{FG} = \dfrac{1}{2}\overline{BD} = \dfrac{1}{2} \times 10 = 5$ (cm)

∴ (□EFGH의 둘레의 길이) $= \overline{EF} + \overline{FG} + \overline{GH} + \overline{HE}$
$= 4 + 5 + 4 + 5$
$= 18$ (cm)

답 18 cm

쌍둥이 9-3

오른쪽 그림과 같이 $\overline{AD} \, /\!/ \, \overline{BC}$인 등변사다리꼴 ABCD에서 $\overline{AB}$, $\overline{BC}$, $\overline{CD}$, $\overline{DA}$의 중점을 각각 E, F, G, H라 하자. $\overline{BD} = 16$ cm일 때, 다음 물음에 답하시오.

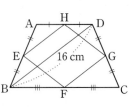

(1) □EFGH는 어떤 사각형인지 말하시오.

(2) □EFGH의 둘레의 길이를 구하시오.

대표 유형 ⑩ 삼각형의 내각의 이등분선

오른쪽 그림과 같은 △ABC에서 $\overline{AD}$가 ∠A의 이등분선일 때
$a:b=c:d$

10-1 오른쪽 그림과 같은 △ABC에서 $\overline{AD}$는 ∠A의 이등분선이고 $\overline{AB}=9$ cm, $\overline{AC}=12$ cm이다. △ABD의 넓이가 24 cm²일 때, 다음을 구하시오.

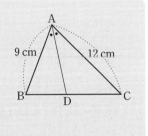

(1) $\overline{BD}:\overline{CD}$　　　(2) △ADC의 넓이

풀이 (1) $\overline{AD}$가 ∠A의 이등분선이므로

　　$9:12=\overline{BD}:\overline{CD}$, 즉 $\overline{BD}:\overline{CD}=3:4$

(2) 높이가 같은 두 삼각형의 넓이의 비는 밑변의 길이의 비와 같으므로 △ABD : △ADC=$\overline{BD}:\overline{CD}=3:4$

　　$24:△ADC=3:4$, $3△ADC=96$

　　$∴ △ADC=32\,(\text{cm}^2)$

답 (1) 3 : 4 　(2) 32 cm²

쌍둥이 10-2

오른쪽 그림과 같은 △ABC에서 $\overline{AD}$는 ∠A의 이등분선이고 $\overline{AB}=8$ cm, $\overline{AC}=4$ cm이다. △ABD의 넓이가 10 cm²일 때, △ABC의 넓이를 구하시오.

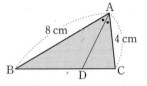

대표 유형 ⑪ 삼각형의 외각의 이등분선

오른쪽 그림과 같은 △ABC에서 $\overline{AD}$가 ∠A의 외각의 이등분선일 때
$a:b=c:d$

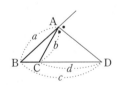

11-1 오른쪽 그림과 같은 △ABC에서 $\overline{AD}$는 ∠A의 외각의 이등분선이다.
$\overline{AB}=6$ cm, $\overline{BC}=3$ cm, $\overline{DB}=9$ cm일 때 $\overline{AC}$의 길이를 구하시오.

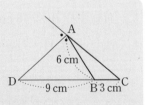

풀이 $\overline{AD}$는 ∠A의 외각의 이등분선이므로

　　$\overline{AC}:\overline{AB}=\overline{CD}:\overline{BD}$, 즉 $\overline{AC}:6=(3+9):9$

　　$9\overline{AC}=72$　　$∴ \overline{AC}=8\,(\text{cm})$

답 8 cm

쌍둥이 11-2

오른쪽 그림과 같은 △ABC에서 $\overline{AD}$는 ∠A의 외각의 이등분선이다. $\overline{AB}=7$ cm, $\overline{BC}=6$ cm, $\overline{CD}=8$ cm일 때, $\overline{AC}$의 길이를 구하시오.

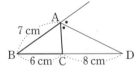

STEP **3** 개념 뛰어넘기

삼각형에서 평행선과 선분의 길이의 비

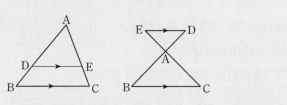

(1) $\overline{BC} \, / \! / \, \overline{DE}$이면 $\overline{AB} : \overline{AD} = \overline{AC} : \overline{AE} = $ ❶

　　　$\overline{AD} : \overline{DB} = \overline{AE} : \overline{EC}$

(2) $\overline{AB} : \overline{AD} = \overline{AC} : \overline{AE}$이면 $\overline{BC} \, / \! / \, \overline{DE}$

(3) $\overline{AD} : \overline{DB} = \overline{AE} : \overline{EC}$이면 $\overline{BC}$ ❷ $\overline{DE}$

답 ❶ $\overline{BC} : \overline{DE}$　❷ $/ \! /$

01

다음 그림에서 $\overline{BC} \, / \! / \, \overline{DE}$일 때, x의 값을 구하시오.

(1)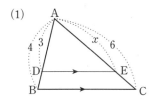

(2)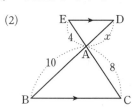

★ 02

오른쪽 그림에서 $\overline{BC} \, / \! / \, \overline{DE}$일 때, x, y의 값을 각각 구하시오.

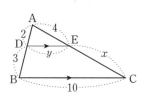

03

서술형

오른쪽 그림에서 $\overline{BC} \, / \! / \, \overline{DE} \, / \! / \, \overline{FG}$일 때, $y - x$의 값을 구하시오.

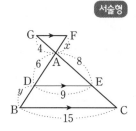

04

오른쪽 그림과 같은 △ABC에서 $\overline{BC} \, / \! / \, \overline{DE}$일 때, $x + y$의 값을 구하시오.

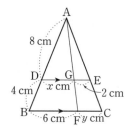

05

다음 그림에서 $\overline{FD} \, / \! / \, \overline{CE}, \overline{FE} \, / \! / \, \overline{CB}$일 때, 다음을 구하시오.

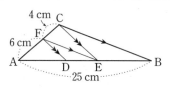

(1) $\overline{AE}$의 길이　　　　(2) $\overline{DE}$의 길이

★ 06

다음 중 $\overline{BC} \, / \! / \, \overline{DE}$가 아닌 것은?

①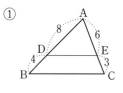

②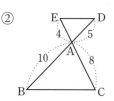

③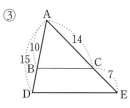

④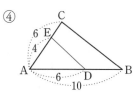

⑤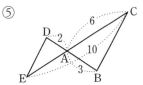

삼각형의 두 변의 중점을 연결한 선분

(1) 삼각형의 두 변의 중점을 연결한 선분은 나머지 한 변과 ❶ 하고, 그 길이는 나머지 한 변의 길이의 ❷ 이다.

(2) 삼각형의 한 변의 중점을 지나고 다른 한 변에 평행한 직선은 나머지 한 변의 ❸ 을 지난다.

답 ❶ 평행 ❷ $\frac{1}{2}$ ❸ 중점

07

오른쪽 그림과 같은 △ABC에서 세 변의 중점을 각각 D, E, F라 할 때, △DEF의 둘레의 길이를 구하시오.

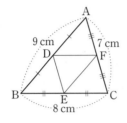

★ 08

오른쪽 그림과 같은 △ABC에서 $\overline{AD}=\overline{DB}$, $\overline{DF}=\overline{EF}$이고 $\overline{BC}=16$ cm일 때, $\overline{BE}$의 길이를 구하시오.

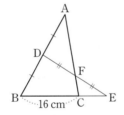

09

융합형

오른쪽 그림에서 $\overline{BF}/\!\!/\overline{DE}$일 때, $\overline{ED}$의 연장선과 $\overline{CB}$의 연장선의 교점을 G라 하자. $\overline{GB}=\overline{BC}$이고 $\overline{BF}$의 길이가 $\overline{DE}$의 길이보다 6 cm만큼 더 길다고 할 때, $\overline{GD}$의 길이를 구하시오.

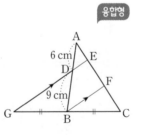

10

서술형

오른쪽 그림과 같은 직사각형 ABCD에서 네 변의 중점을 각각 E, F, G, H라 하자. $\overline{BD}=12$ cm 일 때, 다음 물음에 답하시오.

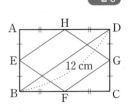

(1) □EFGH는 어떤 사각형인지 말하시오.

(2) □EFGH의 둘레의 길이를 구하시오.

삼각형의 각의 이등분선

(1) 삼각형의 내각의 이등분선
△ABC에서 $\overline{AD}$가 ∠A의 이등분선일 때
$\overline{AB} : \overline{AC}=\overline{BD} : $ ❶

(2) 삼각형의 외각의 이등분선
△ABC에서 $\overline{AD}$가 ∠A 의 외각의 이등분선일 때
$\overline{AB} : \overline{AC}=$ ❷ $: \overline{CD}$

답 ❶ $\overline{CD}$ ❷ $\overline{BD}$

11

오른쪽 그림과 같은 △ABC에서 $\overline{AD}$가 ∠A의 이등분선일 때, $\overline{AC}$ 의 길이를 구하시오.

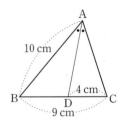

12

오른쪽 그림과 같은 △ABC에 서 ∠DAC=∠DAE일 때, $\overline{AC}$의 길이를 구하시오.

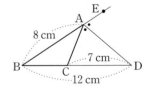

2 평행선과 선분의 길이의 비

개념 ❶ 평행선 사이의 선분의 길이의 비

평행한 세 개의 직선이 다른 두 직선과 만날 때,
평행선 사이에 생기는 선분의 길이의 비는 같다.

➡ 오른쪽 그림에서 $l \,/\!/\, m \,/\!/\, n$이면

$a : b = c : d$ 또는 $a : c = b : d$

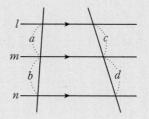
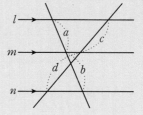

설명 오른쪽 그림과 같이 $\overline{AF}$와 직선 m의 교점을 G라 하면

$\triangle ACF$에서 $\overline{BG} \,/\!/\, \overline{CF}$이므로

$\overline{AB} : \overline{BC} = \overline{AG} : \overline{GF}$ ······ ㉠

$\triangle AFD$에서 $\overline{AD} \,/\!/\, \overline{GE}$이므로

$\overline{AG} : \overline{GF} = \overline{DE} : \overline{EF}$ ······ ㉡

따라서 ㉠, ㉡에서 $\overline{AB} : \overline{BC} = \overline{DE} : \overline{EF}$

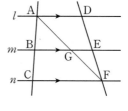

참고 오른쪽 그림과 같이 주어진 직선을 평행이동하여 삼각형을 만든 후
삼각형에서 평행선과 선분의 길이의 비를 이용할 수도 있다.

➡ $\triangle ACC'$에서 $\overline{BB'} \,/\!/\, \overline{CC'}$이므로

$\overline{AB} : \overline{BC} = \overline{AB'} : \overline{B'C'} = \overline{DE} : \overline{EF}$

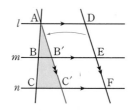

• **Lecture** •

● 위의 **개념** 그림에서 '$a : b = c : d$이면 $l \,/\!/\, m \,/\!/\, n$이다.'는 항상 옳다고 말할 수 없다.

예 오른쪽 그림에서 $\overline{AB} : \overline{BC} = \overline{DE} : \overline{EF} = 2 : 3$으로 선분의 길이의 비는 같지만,
세 직선 l, m, n은 서로 평행하지 않다.

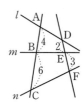

∥ 개념 확인 ∥ **1** 다음 그림에서 $l \,/\!/\, m \,/\!/\, n$일 때, x의 값을 구하시오.

(1)
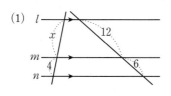

(2)
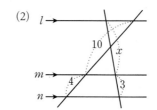
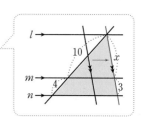

(1) $\overline{AD} /\!/ \overline{BC}$인 사다리꼴 ABCD에서 $\overline{EF} /\!/ \overline{BC}$일 때, $\overline{EF}$의 길이를 구하는 방법은 다음과 같다.

방법 1 점 A를 지나고 $\overline{DC}$와 평행한 선분 AH 긋기

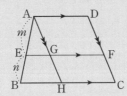

① □AHCD, □AGFD는 평행사변형이므로
$\overline{GF} = \overline{AD} = \overline{HC}$

② △ABH에서
$\overline{EG} : \overline{BH} = \overline{AE} : \overline{AB} = m : (m+n)$

③ $\overline{EF} = \overline{EG} + \overline{GF}$

방법 2 대각선 AC 긋기

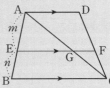

① △ABC에서
$\overline{EG} : \overline{BC} = \overline{AE} : \overline{AB} = m : (m+n)$

② △ACD에서
$\overline{GF} : \overline{AD} = \overline{CF} : \overline{CD} = n : (m+n)$

③ $\overline{EF} = \overline{EG} + \overline{GF}$

(2) $\overline{AD} /\!/ \overline{BC}$인 사다리꼴 ABCD에서 두 점 M, N이 각각 $\overline{AB}$, $\overline{DC}$의 중점일 때

① $\overline{AD} /\!/ \overline{MN} /\!/ \overline{BC}$

② $\overline{MN} = \dfrac{1}{2}(\overline{AD} + \overline{BC})$

설명 (2) ① 오른쪽 그림과 같이 $\overline{AN}$의 연장선과 $\overline{BC}$의 연장선의 교점을 E라 하면
$\triangle AND \equiv \triangle ENC$ (ASA 합동)
이므로 $\overline{AN} = \overline{EN}$, $\overline{AD} = \overline{EC}$
따라서 △ABE에서 삼각형의 두 변의 중점을 연결한 선분의 성질에 의하여
$\overline{MN} /\!/ \overline{BE}$
이때 $\overline{AD} /\!/ \overline{BC}$이므로 $\overline{AD} /\!/ \overline{MN} /\!/ \overline{BC}$

② △ABE에서 $\overline{MN} = \dfrac{1}{2}\overline{BE} = \dfrac{1}{2}(\overline{BC} + \overline{CE}) = \dfrac{1}{2}(\overline{AD} + \overline{BC})$

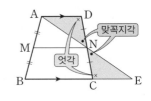

| 개념 확인 | **2** 오른쪽 그림과 같은 사다리꼴 ABCD에서 $\overline{AD} /\!/ \overline{EF} /\!/ \overline{BC}$일 때, 다음을 구하시오.

(1) $\overline{GF}$의 길이

(2) $\overline{EG}$의 길이

(3) $\overline{EF}$의 길이

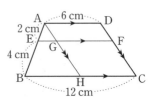

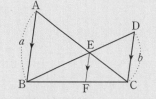

개념 3 평행선과 선분의 길이의 비의 응용

△ABC와 △BCD에서 $\overline{AC}$와 $\overline{BD}$의 교점을 E라 하고 $\overline{AB}/\!/\overline{EF}/\!/\overline{DC}$일 때,

△ABE∽△CDE이므로 $\overline{BE}:\overline{ED}=a:b$

△BCD에서 $\overline{EF}/\!/\overline{DC}$이므로 $\overline{BF}:\overline{FC}=\overline{BE}:\overline{ED}=a:b$

이때 $\overline{EF}$의 길이를 구하는 방법은 다음과 같다.

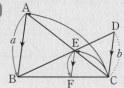

방법 1

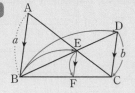

△BCD에서 $\overline{EF}/\!/\overline{DC}$이므로

$\overline{EF}:\overline{DC}=\overline{BE}:\overline{BD}$

즉 $\overline{EF}:b=a:(a+b)$

∴ $\overline{EF}=\dfrac{ab}{a+b}$

방법 2

△ABC에서 $\overline{AB}/\!/\overline{EF}$이므로

$\overline{EF}:\overline{AB}=\overline{CE}:\overline{CA}$

즉 $\overline{EF}:a=b:(a+b)$

∴ $\overline{EF}=\dfrac{ab}{a+b}$

 보기 오른쪽 그림에서 $\overline{AB}/\!/\overline{EF}/\!/\overline{DC}$일 때, x의 값을 구해 보자.

△ABE∽△CDE (AA 닮음)이므로

$\overline{BE}:\overline{DE}=\overline{AB}:\overline{CD}=15:10=3:2$

△BCD에서 $\overline{EF}/\!/\overline{DC}$이므로 $\overline{EF}:\overline{DC}=\overline{BE}:\overline{BD}$

즉 $x:10=3:(3+2)$이므로 $5x=30$ ∴ $x=6$

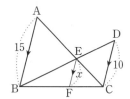

• Lecture •

● 닮음인 삼각형과 닮음비

(1) △ABE∽△CDE (AA 닮음) ➡ 닮음비 $a:b$

(2) △CEF∽△CAB (AA 닮음) ➡ 닮음비 $b:(a+b)$

(3) △BFE∽△BCD (AA 닮음) ➡ 닮음비 $a:(a+b)$

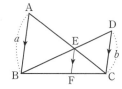

| 개념 확인 | **3** 오른쪽 그림에서 $\overline{AB}/\!/\overline{EF}/\!/\overline{DC}$일 때, 다음을 구하시오.

(1) $\overline{BE}:\overline{DE}$ (2) $\overline{BE}:\overline{BD}$

(3) $\overline{EF}:\overline{DC}$ (4) $\overline{EF}$의 길이

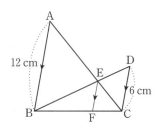

개념 기초

1-1

다음 그림에서 $l /\!/ m /\!/ n$일 때, x의 값을 구하시오.

(1)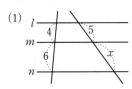

(2)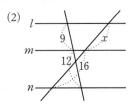

(3)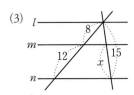

(4)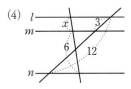

연구

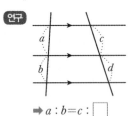

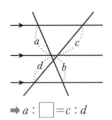

➡ $a : b = c : \boxed{}$

➡ $a : \boxed{} = c : d$

쌍둥이 문제

1-2

다음 그림에서 $l /\!/ m /\!/ n$일 때, x의 값을 구하시오.

(1)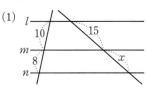

(2)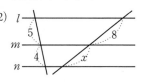

(3)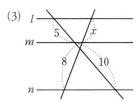

(4)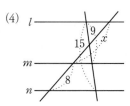

2-1

다음 그림과 같은 사다리꼴 ABCD에서 $\overline{AD} /\!/ \overline{EF} /\!/ \overline{BC}$일 때, x, y의 값을 각각 구하시오.

(1)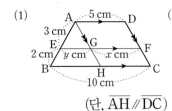

(2)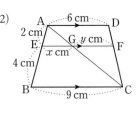

(단, $\overline{AH} /\!/ \overline{DC}$)

연구 (1) $\overline{GF} = \overline{HC} = \overline{AD} = \boxed{}$ cm이므로 $x = \boxed{}$

$\triangle ABH$에서 $\overline{BH} = \overline{BC} - \overline{HC} = 10 - 5 = 5$ (cm)이므로

$3 : 5 = y : \boxed{}$ ∴ $y = \boxed{}$

(2) $\triangle ABC$에서 $2 : \boxed{} = x : 9$ ∴ $x = \boxed{}$

$\triangle ACD$에서 $\boxed{} : 6 = y : 6$ ∴ $y = \boxed{}$

2-2

다음 그림과 같은 사다리꼴 ABCD에서 $\overline{AD} /\!/ \overline{EF} /\!/ \overline{BC}$일 때, x, y의 값을 각각 구하시오.

(1)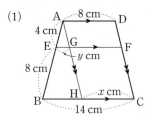

(2)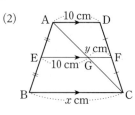

(단, $\overline{AH} /\!/ \overline{DC}$)

대표 유형 **1** 평행선 사이의 선분의 길이의 비 (1)

오른쪽 그림에서 $l /\!/ m /\!/ n$이면

$a : b = c : d = e : f$

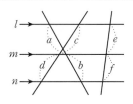

1-1 오른쪽 그림에서 $l /\!/ m /\!/ n$일 때, x, y의 값을 각각 구하시오.

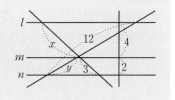

풀이 평행한 세 개의 직선이 다른 두 직선과 만나도록 두 개의 그림으로 나누어 보면 다음과 같다.

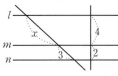 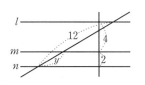

$x : 3 = 4 : 2$ $\therefore x = 6$ $(12 - y) : y = 4 : 2$ $\therefore y = 4$

답 $x = 6,\ y = 4$

쌍둥이 1-2

다음 그림에서 $l /\!/ m /\!/ n$일 때, x, y의 값을 각각 구하시오.

(1)

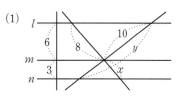

(2)

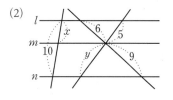

대표 유형 **2** 평행선 사이의 선분의 길이의 비 (2)

오른쪽 그림과 같이 평행선이 4개일 때는 세 직선이 평행일 때로 나누어 푼다.

(ⅰ) $l /\!/ m /\!/ n$일 때, $a : b = a' : b'$

(ⅱ) $m /\!/ n /\!/ p$일 때, $b : c = b' : c'$

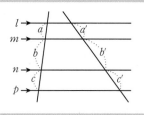

2-1 오른쪽 그림에서 $l /\!/ m /\!/ n /\!/ p$일 때, x, y의 값을 각각 구하시오.

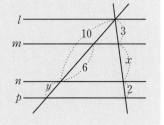

풀이 (ⅰ) $l /\!/ m /\!/ n$일 때, $(10 - 6) : 6 = 3 : x$ $\therefore x = \dfrac{9}{2}$

    (ⅱ) $m /\!/ n /\!/ p$일 때, $6 : y = \dfrac{9}{2} : 2$ $\therefore y = \dfrac{8}{3}$

답 $x = \dfrac{9}{2},\ y = \dfrac{8}{3}$

쌍둥이 2-2

오른쪽 그림에서 $l /\!/ m /\!/ n /\!/ p$일 때, x, y의 값을 각각 구하시오.

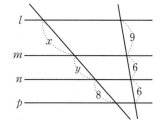

대표 유형 ③ 사다리꼴에서 평행선과 선분의 길이의 비

사다리꼴에서 선분의 길이를 구할 때는 오른쪽 그림과 같이 보조선을 그어 ~~삼각형과 평행사변형~~ 또는 ~~두 삼각형~~으로 나누어 생각한다.

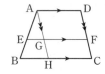 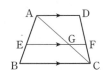

3-1 오른쪽 그림과 같은 사다리꼴 ABCD에서 $\overline{AD} /\!/ \overline{EF} /\!/ \overline{BC}$ 이고 $\overline{AE} : \overline{EB} = 2 : 3$일 때, $\overline{EF}$ 의 길이를 구하시오.

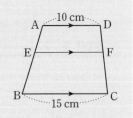

쌍둥이 3-2

오른쪽 그림과 같은 사다리꼴 ABCD에서 $\overline{AD} /\!/ \overline{EF} /\!/ \overline{BC}$ 일 때, $\overline{BC}$의 길이를 구하시오.

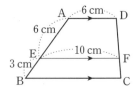

풀이 오른쪽 그림과 같이 $\overline{AH}$를 그으면

$\overline{GF} = \overline{HC} = \overline{AD} = 10 \text{ cm}$

$\therefore \overline{BH} = \overline{BC} - \overline{HC} = 15 - 10 = 5 \text{ (cm)}$

$\triangle ABH$에서 $\overline{AE} : \overline{AB} = \overline{EG} : \overline{BH}$

$2 : (2+3) = \overline{EG} : 5 \quad \therefore \overline{EG} = 2 \text{ (cm)}$

$\therefore \overline{EF} = \overline{EG} + \overline{GF} = 2 + 10 = 12 \text{ (cm)}$

답 12 cm

대표 유형 ④ 사다리꼴에서 두 변의 중점을 연결한 선분 (1)

$\overline{AD} /\!/ \overline{BC}$인 사다리꼴 ABCD에서 두 점 M, N이 각각 $\overline{AB}, \overline{DC}$의 중점일 때

(1) $\overline{AD} /\!/ \overline{MN} /\!/ \overline{BC}$

(2) $\overline{MN} = \dfrac{1}{2}(a+b)$

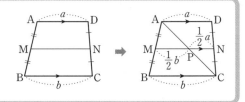

4-1 오른쪽 그림과 같이 $\overline{AD} /\!/ \overline{BC}$인 사다리꼴 ABCD에서 $\overline{AB}, \overline{DC}$인 중점을 각각 M, N이라 할 때, $\overline{MN}$의 길이를 구하시오.

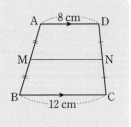

쌍둥이 4-2

오른쪽 그림과 같이 $\overline{AD} /\!/ \overline{BC}$인 사다리꼴 ABCD에서 $\overline{AB}, \overline{DC}$의 중점을 각각 M, N이라 할 때, $\overline{MN}$의 길이를 구하시오.

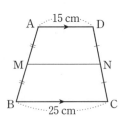

풀이 $\overline{AM} = \overline{MB}, \overline{DN} = \overline{NC}$이므로 $\overline{AD} /\!/ \overline{MN} /\!/ \overline{BC}$

오른쪽 그림과 같이 $\overline{AC}$를 그으면

$\triangle ABC$에서 $\overline{AM} = \overline{MB}, \overline{MP} /\!/ \overline{BC}$이

므로 $\overline{MP} = \dfrac{1}{2}\overline{BC} = \dfrac{1}{2} \times 12 = 6 \text{ (cm)}$

$\triangle ACD$에서 $\overline{CN} = \overline{ND}, \overline{PN} /\!/ \overline{AD}$이

므로 $\overline{PN} = \dfrac{1}{2}\overline{AD} = \dfrac{1}{2} \times 8 = 4 \text{ (cm)}$

$\therefore MN = MP + PN = 6 + 4 = 10 \text{ (cm)}$

답 10 cm

대표 유형 ⑤ 사다리꼴에서 두 변의 중점을 연결한 선분 (2)

$\overline{AD} /\!/ \overline{BC}$인 사다리꼴 ABCD에서 $\overline{AB}$, $\overline{DC}$의 중점을 각각 M, N이라 하면

△ABC에서 $\overline{MQ}=\dfrac{1}{2}\overline{BC}=\dfrac{1}{2}b$, △ABD에서 $\overline{MP}=\dfrac{1}{2}\overline{AD}=\dfrac{1}{2}a$

➡ $\overline{PQ}=\overline{MQ}-\overline{MP}=\dfrac{1}{2}(b-a)$

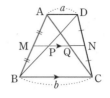
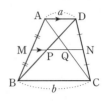

5-1 오른쪽 그림과 같이 $\overline{AD} /\!/ \overline{BC}$인 사다리꼴 ABCD에서 $\overline{AB}$, $\overline{DC}$의 중점을 각각 M, N이라 할 때, $\overline{PQ}$의 길이를 구하시오.

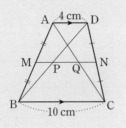

쌍둥이 5-2

오른쪽 그림과 같이 $\overline{AD} /\!/ \overline{BC}$인 사다리꼴 ABCD에서 $\overline{AB}$, $\overline{DC}$의 중점을 각각 M, N이라 할 때, $\overline{AD}$의 길이를 구하시오.

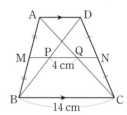

풀이 $\overline{AM}=\overline{MB}$, $\overline{DN}=\overline{NC}$이므로 $\overline{AD} /\!/ \overline{MN} /\!/ \overline{BC}$

△ABC에서 $\overline{AM}=\overline{MB}$, $\overline{MQ} /\!/ \overline{BC}$이므로

$\overline{MQ}=\dfrac{1}{2}\overline{BC}=\dfrac{1}{2}\times10=5$ (cm)

△ABD에서 $\overline{AM}=\overline{MB}$, $\overline{MP} /\!/ \overline{AD}$이므로

$\overline{MP}=\dfrac{1}{2}\overline{AD}=\dfrac{1}{2}\times4=2$ (cm)

∴ $\overline{PQ}=\overline{MQ}-\overline{MP}=5-2=3$ (cm)

답 3 cm

대표 유형 ⑥ 평행선과 선분의 길이의 비의 응용

오른쪽 그림에서 $\overline{AB} /\!/ \overline{EF} /\!/ \overline{DC}$일 때, 다음이 성립한다.
$\overline{AE}:\overline{EC}=\overline{BE}:\overline{ED}=\overline{BF}:\overline{FC}=\overline{AB}:\overline{DC}=a:b$

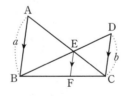

6-1 오른쪽 그림에서 $\overline{AB} /\!/ \overline{EF} /\!/ \overline{DC}$일 때, $\overline{EF}$의 길이를 구하시오.

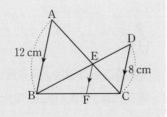

쌍둥이 6-2

다음 그림에서 $\overline{AB} /\!/ \overline{EF} /\!/ \overline{DC}$일 때, $x+y$의 값을 구하시오.

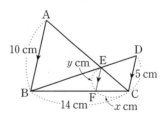

풀이 △ABE∽△CDE (AA 닮음)이므로

$\overline{AE}:\overline{CE}=\overline{AB}:\overline{CD}=12:8=3:2$

△ABC에서 $\overline{AB} /\!/ \overline{EF}$이므로 $\overline{EF}:\overline{AB}=\overline{CE}:\overline{CA}$

$\overline{EF}:12=2:(2+3)$ ∴ $\overline{EF}=\dfrac{24}{5}$ (cm)

답 $\dfrac{24}{5}$ cm

평행선 사이의 선분의 길이의 비

세 개 이상의 평행선이 다른 두 직선과 만나서 생기는 선분의 길이의 비는 같다.

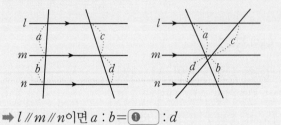

➡ $l /\!/ m /\!/ n$이면 $a : b = \boxed{①} : d$

🔖 **①** c

01

다음 그림에서 $l /\!/ m /\!/ n$일 때, x의 값을 구하시오.

(1)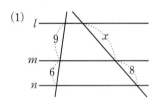

(2)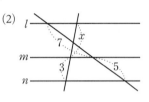

⭐ 02

오른쪽 그림에서 $l /\!/ m /\!/ n$일 때, $x+y$의 값을 구하시오.

서술형

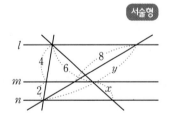

03

오른쪽 그림에서 $l /\!/ m /\!/ n /\!/ p$일 때, x, y의 값을 각각 구하시오.

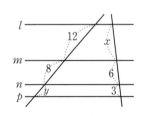

사다리꼴에서 평행선과 선분의 길이의 비

사다리꼴 $ABCD$에서 $\overline{AD} /\!/ \overline{EF} /\!/ \overline{BC}$일 때, $\overline{EF}$의 길이는 다음과 같이 구한다.

방법 1 평행선 이용

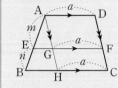

➡ $\triangle ABH$에서
$\overline{EG} : \overline{BH}$
$= m : (m+n)$
$\therefore \overline{EF} = \overline{EG} + \overline{GF}$

방법 2 대각선 이용

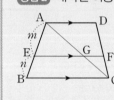

➡ $\triangle ABC$에서
$\overline{EG} : \overline{BC} = m : (m+n)$
$\triangle ACD$에서
$\overline{GF} : \overline{AD} = \boxed{①} : (m+n)$
$\therefore \overline{EF} = \overline{EG} + \overline{GF}$

🔖 **①** n

04

오른쪽 그림과 같은 사다리꼴 $ABCD$에서 $\overline{AD} /\!/ \overline{EF} /\!/ \overline{BC}$일때, x, y의 값을 각각 구하시오.

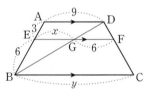

⭐ 05

오른쪽 그림과 같은 사다리꼴 $ABCD$에서 $\overline{AD} /\!/ \overline{EF} /\!/ \overline{BC}$일 때, $\overline{EF}$의 길이를 구하시오.

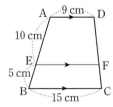

06

오른쪽 그림에서 $l /\!\!/ m /\!\!/ n$일 때, x의 값을 구하시오.

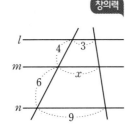

창의력

평행선과 선분의 길이의 비의 응용

오른쪽 그림에서
$\overline{AB} /\!\!/ \overline{EF} /\!\!/ \overline{DC}$일 때

(1) $\overline{AE} : \overline{CE} = \overline{BE} : \overline{DE}$
$= \boxed{①}$

(2) $\triangle ABC$에서
$\overline{EF} : a = b : (b+a)$

(3) $\triangle BCD$에서
$\overline{EF} : b = a : (a+b)$

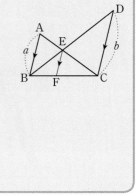

답 ① $a : b$

07

오른쪽 그림과 같이 $\overline{AD} /\!\!/ \overline{BC}$인 사다리꼴 ABCD에서 $\overline{AB}$, $\overline{DC}$의 중점을 각각 M, N이라 하자. $\overline{MN}=14$ cm, $\overline{BC}=18$ cm일 때, $\overline{AD}$의 길이를 구하시오.

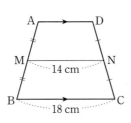

10

오른쪽 그림에서
$\overline{AB} /\!\!/ \overline{EF} /\!\!/ \overline{DC}$일 때, 다음 중 옳지 않은 것은?

① $\triangle ABE \backsim \triangle CDE$
② $\overline{AE} : \overline{CE} = 2 : 3$
③ $\overline{BF} = \dfrac{16}{5}$ cm
④ $\overline{EF} : \overline{AB} = 2 : 3$
⑤ $\overline{EF} = \dfrac{12}{5}$ cm

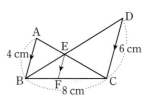

★ 08

오른쪽 그림과 같은 사다리꼴 ABCD에서 $\overline{AD} /\!\!/ \overline{EF} /\!\!/ \overline{BC}$이고 $\overline{AE} : \overline{EB} = 2 : 1$일 때, $\overline{MN}$의 길이를 구하시오.

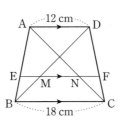

11

오른쪽 그림에서 $\overline{AB}$, $\overline{EF}$, $\overline{DC}$는 모두 $\overline{BC}$에 수직이다. $\overline{AB}=6$ cm, $\overline{BC}=10$ cm, $\overline{DC}=9$ cm일 때, 다음을 구하시오.

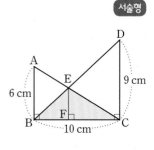

서술형

(1) $\overline{EF}$의 길이

(2) $\triangle EBC$의 넓이

09

오른쪽 그림과 같이 $\overline{AD} /\!\!/ \overline{BC}$인 사다리꼴 ABCD에서 점 O는 두 대각선의 교점이고 $\overline{EF}$는 점 O를 지난다. $\overline{EF} /\!\!/ \overline{BC}$일 때, $\overline{EF}$의 길이를 구하시오.

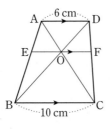

7 닮음의 활용

학습 목표

- 삼각형의 무게중심의 뜻과 성질을 이해하고, 이를 활용할 수 있다.
- 닮은 도형의 닮음비와 넓이의 비 사이의 관계를 알고 이를 이용하여 닮은 도형의 넓이를 구할 수 있다.
- 닮은 도형의 닮음비와 부피의 비 사이의 관계를 알고 이를 이용하여 닮은 도형의 부피를 구할 수 있다.
- 닮은 도형의 성질을 활용하여 직접 측정하기 어려운 거리, 높이 등을 구할 수 있다.

1 삼각형의 무게중심

⑦ 닮음의 활용

개념 ① 삼각형의 중선과 무게중심

(1) **삼각형의 중선** 삼각형의 한 꼭짓점과 그 대변의 중점을 이은 선분

(2) **삼각형의 중선의 성질** 삼각형의 한 중선은 삼각형의 넓이를 이등분한다.

➡ $\triangle ABC$에서 $\overline{AD}$가 중선이면 $\triangle ABD = \triangle ACD = \dfrac{1}{2}\triangle ABC$

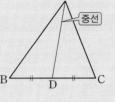

(3) **삼각형의 무게중심** 삼각형의 세 중선이 만나는 점

(4) **삼각형의 무게중심의 성질**

① 삼각형의 세 중선은 한 점(무게중심)에서 만난다.

② 삼각형의 무게중심은 세 중선의 길이를 각 꼭짓점으로부터 각각 $2 : 1$ 로 나눈다.

➡ 점 G가 $\triangle ABC$의 무게중심이면

$$\overline{AG} : \overline{GD} = \overline{BG} : \overline{GE} = \overline{CG} : \overline{GF} = 2 : 1$$

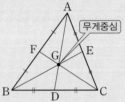

참고 이등변삼각형의 무게중심, 외심, 내심은 모두 꼭지각의 이등분선 위에 있고, 정삼각형의 무게중심, 외심, 내심은 모두 일치한다.

설명 (4) 삼각형의 무게중심의 성질을 확인해 보자.

$\triangle ABC$에서 두 중선 AD, BE의 교점을 G라 하면

두 점 D, E는 각각 $\overline{BC}$, $\overline{AC}$의 중점이므로 $\overline{AB} /\!/ \overline{ED}$, $\overline{ED} = \dfrac{1}{2}\overline{AB}$

한편 $\triangle GAB \circ\!\!\!\!\!\sim \triangle GDE$ (AA 닮음)이므로

$\overline{AG} : \overline{GD} = \overline{BG} : \overline{GE} = \overline{AB} : \overline{DE} = 2 : 1$ …… ㉠

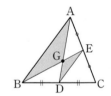

또 두 중선 AD, CF의 교점을 G′이라 하면

두 점 D, F는 각각 $\overline{BC}$, $\overline{AB}$의 중점이므로 $\overline{AC} /\!/ \overline{FD}$, $\overline{FD} = \dfrac{1}{2}\overline{AC}$

한편 $\triangle G'AC \circ\!\!\!\!\!\sim \triangle G'DF$ (AA 닮음)이므로

$\overline{AG'} : \overline{G'D} = \overline{CG'} : \overline{G'F} = \overline{AC} : \overline{DF} = 2 : 1$ …… ㉡

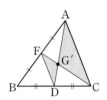

㉠, ㉡에서 점 G와 G′은 모두 중선 AD를 $2 : 1$로 나누는 점으로 일치한다.

따라서 삼각형의 세 중선은 한 점, 즉 무게중심에서 만나고, 무게중심은 세 중선의 길이를 각 꼭짓점으로부터 각각 $2 : 1$로 나눈다.

| **개념 확인** | **1** 다음 그림에서 점 G가 $\triangle ABC$의 무게중심일 때, x의 값을 구하시오.

(1)
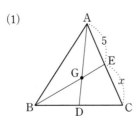

(2)
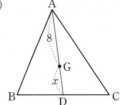

(3)
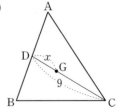

개념 2 삼각형의 무게중심과 넓이

점 G가 △ABC의 무게중심이면

(1) 세 중선에 의하여 삼각형의 넓이는 6등분된다.

➡ △GAF=△GBF=△GBD=△GCD

$$=△GCE=△GAE=\frac{1}{6}△ABC$$

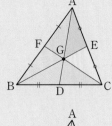

(2) 삼각형의 무게중심과 세 꼭짓점을 이어서 생기는
세 삼각형의 넓이는 같다.

➡ $△GAB=△GBC=△GCA=\frac{1}{3}△ABC$

참고 세 삼각형의 넓이는 같지만 합동은 아니다.

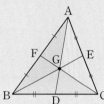

설명

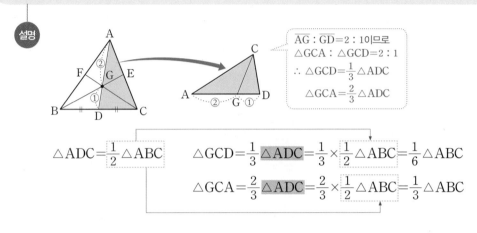

$\overline{AG} : \overline{GD}=2 : 1$이므로
$△GCA : △GCD=2 : 1$
$\therefore △GCD=\frac{1}{3}△ADC$
$△GCA=\frac{2}{3}△ADC$

$△ADC=\frac{1}{2}△ABC$ $△GCD=\frac{1}{3}△ADC=\frac{1}{3}×\frac{1}{2}△ABC=\frac{1}{6}△ABC$

$△GCA=\frac{2}{3}△ADC=\frac{2}{3}×\frac{1}{2}△ABC=\frac{1}{3}△ABC$

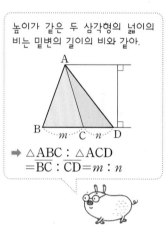

높이가 같은 두 삼각형의 넓이의
비는 밑변의 길이의 비와 같아.

➡ $\begin{aligned}&△ABC : △ACD\\&=\overline{BC} : \overline{CD}=m : n\end{aligned}$

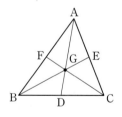

개념 확인 **2** 오른쪽 그림에서 점 G는 △ABC의 무게중심일 때, 다음 물음에 답하
시오.

(1) △GBD와 넓이가 같은 삼각형을 모두 말하시오.

(2) △GBC와 넓이가 같은 삼각형을 모두 말하시오.

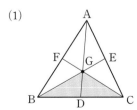

개념 확인 **3** 다음 그림에서 점 G는 △ABC의 무게중심이고, △GBD의 넓이가 2 cm²일 때, 색칠한 부분의 넓
이를 구하시오.

(1)

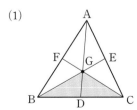

(2)

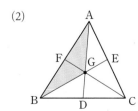

(3)

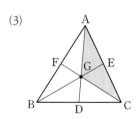

개념 기초

1-1

오른쪽 그림에서 $\overline{AD}$는 △ABC의
중선이다. △ADC의 넓이가
10 cm²일 때, 다음 ☐ 안에 알맞은
것을 써넣으시오.

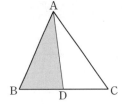

(1) $\overline{AD}$가 △ABC의 중선이므로
   $\overline{BD}=\boxed{}$

(2) △ABD=△$\boxed{}$=$\boxed{}$ cm²

연구 두 삼각형의 밑변의 길이가 같고 높이가 같으면 두 삼각형의 넓이
는 같다.

쌍둥이 문제

1-2

오른쪽 그림에서 $\overline{AD}$는 △ABC의
중선이다. △ABD=9 cm²일 때,
△ABC의 넓이를 구하시오.

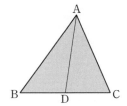

2-1

오른쪽 그림에서 점 G가 △ABC
의 무게중심일 때, 다음 ☐ 안에 알
맞은 것을 써넣으시오.

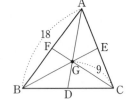

(1) 점 F는 $\overline{AB}$의 $\boxed{}$이므로
   $\overline{AF}=\overline{FB}=\boxed{}$

(2) $\overline{CG}:\overline{GF}=\boxed{}$: 1이므로 9 : $\overline{GF}=\boxed{}$: 1
   ∴ $\overline{GF}=\boxed{}$

연구 점 G가 △ABC의 무게중심이므로
   (1) $\overline{AF}=\overline{FB}$, $\overline{BD}=\overline{DC}$, $\overline{AE}\boxed{}\overline{EC}$
   (2) $\overline{AG}:\overline{GD}=\overline{BG}:\overline{GE}=\overline{CG}:\overline{GF}=\boxed{}$: 1

2-2

다음 그림에서 점 G가 △ABC의 무게중심일 때, x, y의 값을
각각 구하시오.

(1)

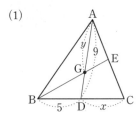

(2)

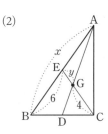

3-1

오른쪽 그림에서 점 G는 △ABC의
무게중심이다. △ABC의 넓이가
30 cm²일 때, 다음 ☐ 안에 알맞은
수를 써넣으시오.

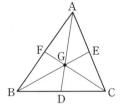

(1) △GAB=$\boxed{}$△ABC
   =$\boxed{}$ (cm²)

(2) △GBF=$\boxed{}$△ABC=$\boxed{}$ (cm²)

(3) ☐AFGE=$\boxed{}$△ABC=$\boxed{}$ (cm²)

연구 삼각형의 세 중선에 의하여 삼각형의 넓이는 6등분된다.

3-2

오른쪽 그림에서 점 G는 △ABC의
무게중심이다. △ABC의 넓이가
42 cm²일 때, 다음을 구하시오.

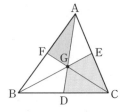

(1) △GAF의 넓이

(2) ☐GDCE의 넓이

대표 유형 ① **삼각형의 중선의 성질**

$\overline{AD}$가 $\triangle ABC$의 중선일 때

➡ $\triangle ABD = \triangle ACD = \dfrac{1}{2}\triangle ABC$

1-1 오른쪽 그림과 같은
$\triangle ABC$에서 $\overline{BM}=\overline{CM}$,
$\overline{AN}=\overline{NM}$이다.
$\triangle ABC=24\ cm^2$일 때,
$\triangle ABN$의 넓이를 구하시오.

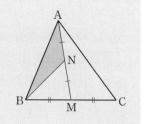

풀이 $\triangle ABC$에서 $\overline{BM}=\overline{CM}$이므로

$\triangle ABM = \triangle AMC = \dfrac{1}{2}\triangle ABC = \dfrac{1}{2}\times 24 = 12\ (cm^2)$

$\triangle ABM$에서 $\overline{AN}=\overline{NM}$이므로

$\triangle ABN = \triangle NBM = \dfrac{1}{2}\triangle ABM = \dfrac{1}{2}\times 12 = 6\ (cm^2)$

답 $6\ cm^2$

쌍둥이 1-2

오른쪽 그림과 같은 $\triangle ABC$에서
$\overline{BD}=\overline{CD}$이다.
$\triangle ABC=22\ cm^2$,
$\triangle AEC=7\ cm^2$일 때, $\triangle EBD$
의 넓이를 구하시오.

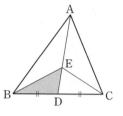

대표 유형 ② **삼각형의 무게중심의 성질**

점 G가 $\triangle ABC$의 무게중심일 때
(1) $\overline{AG}=2\overline{GD}$
(2) $\overline{AG}=\dfrac{2}{3}\overline{AD}$, $\overline{GD}=\dfrac{1}{3}\overline{AD}$

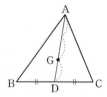

2-1 오른쪽 그림에서 두 점 G, G'
은 각각 $\triangle ABC$, $\triangle GBC$의 무게
중심이다. $\overline{AD}=36\ cm$일 때,
$\overline{GG'}$의 길이를 구하시오.

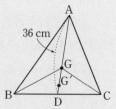

풀이 점 G가 $\triangle ABC$의 무게중심이므로

$\overline{GD}=\dfrac{1}{3}\overline{AD}=\dfrac{1}{3}\times 36 = 12\ (cm)$

점 G'이 $\triangle GBC$의 무게중심이므로

$\overline{GG'}=\dfrac{2}{3}\overline{GD}=\dfrac{2}{3}\times 12 = 8\ (cm)$

답 $8\ cm$

쌍둥이 2-2

다음 그림에서 점 G는 $\triangle ABC$의 무게중심이고, 점 G'은
$\triangle GBC$의 무게중심이다. x의 값을 구하시오.

(1)
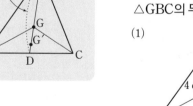

(2)
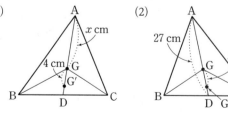

대표 유형 **3** 삼각형의 무게중심의 활용 (1)

점 G가 △ABC의 무게중심이고 $\overline{BE} \parallel \overline{DF}$, $\overline{GE}=a$일 때

(1) $\overline{BG}=2\overline{GE}=2a$

(2) $\overline{GE} : \overline{DF}=\overline{AG} : \overline{AD}=2 : 3$

(3) $\overline{BD}=\overline{DC}$, $\overline{BE} \parallel \overline{DF}$이므로 $\overline{EF}=\overline{FC}$, $\overline{DF}=\dfrac{1}{2}\overline{BE}$

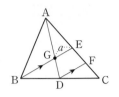

3-1 오른쪽 그림에서 점 G는 △ABC의 무게중심이고 $\overline{BE} \parallel \overline{DF}$이다. $\overline{DF}=9$ cm일 때, $\overline{BG}$의 길이를 구하시오.

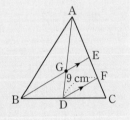

풀이 △BCE에서 $\overline{CD}=\overline{DB}$, $\overline{DF} \parallel \overline{BE}$이므로

$\overline{BE}=2\overline{DF}=2 \times 9=18$ (cm)

이때 점 G는 △ABC의 무게중심이므로

$\overline{BG}=\dfrac{2}{3}\overline{BE}=\dfrac{2}{3} \times 18=12$ (cm)

답 12 cm

쌍둥이 3-2

오른쪽 그림에서 점 G는 △ABC의 무게중심이고 $\overline{AD} \parallel \overline{EF}$이다. $\overline{EF}=12$ cm일 때, $\overline{AG}$의 길이를 구하시오.

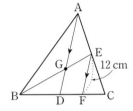

대표 유형 **4** 삼각형의 무게중심의 활용 (2)

점 G가 △ABC의 무게중심이고 $\overline{BC} \parallel \overline{DE}$일 때

(1) △ADG∽△ABM이므로 $\overline{DG} : \overline{BM}=\overline{AG} : \overline{AM}=2 : 3$

(2) △AGE∽△AMC이므로 $\overline{GE} : \overline{MC}=\overline{AG} : \overline{AM}=2 : 3$

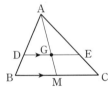

4-1 오른쪽 그림에서 점 G는 △ABC의 무게중심이고 $\overline{BC} \parallel \overline{DE}$이다. $\overline{BM}=3$ cm, $\overline{GM}=2$ cm일 때, 다음을 구하시오.

(1) $\overline{AG}$의 길이   (2) $\overline{MC}$의 길이   (3) $\overline{GE}$의 길이

풀이 (1) 점 G가 △ABC의 무게중심이므로

$\overline{AG}=2\overline{GM}=2 \times 2=4$ (cm)

(2) 점 M은 $\overline{BC}$의 중점이므로 $\overline{MC}=\overline{BM}=3$ cm

(3) △AMC에서 $\overline{AG} : \overline{AM}=\overline{GE} : \overline{MC}$이므로

$2 : 3=\overline{GE} : 3$ $\therefore \overline{GE}=2$ (cm)

답 (1) 4 cm (2) 3 cm (3) 2 cm

쌍둥이 4-2

오른쪽 그림에서 점 G는 △ABC의 무게중심이고 $\overline{BC} \parallel \overline{DE}$이다. $\overline{AG}=10$ cm, $\overline{BM}=9$ cm일 때, 다음을 구하시오.

(1) $\overline{GM}$의 길이

(2) $\overline{MC}$의 길이

(3) $\overline{GE}$의 길이

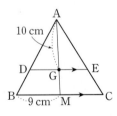

대표 유형 5 삼각형의 무게중심과 넓이 (1)

점 G가 △ABC의 무게중심일 때

(1) $\triangle GAB = \triangle GBC = \triangle GCA = \dfrac{1}{3}\triangle ABC$

(2) $\triangle GAF = \triangle GBF = \triangle GBD = \triangle GCD = \triangle GCE = \triangle GAE = \dfrac{1}{6}\triangle ABC$

참고 높이가 같은 두 삼각형의 넓이의 비는 밑변의 길이의 비와 같다.

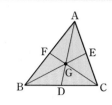

5-1 오른쪽 그림에서 점 G는 △ABC의 무게중심이고 두 점 D, E는 각각 $\overline{BG}$, $\overline{CG}$의 중점이다. △ABC=36 cm²일 때, 색칠한 부분의 넓이를 구하시오.

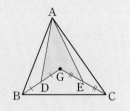

쌍둥이 5-2 오른쪽 그림에서 점 G는 △ABC의 무게중심이고 $\overline{AD}=\overline{DG}$이다. △ABC=60 cm²일 때, △GCD의 넓이를 구하시오.

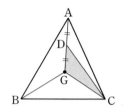

풀이 오른쪽 그림과 같이 $\overline{AG}$를 그으면

$$\triangle GAB = \triangle GCA = \dfrac{1}{3}\triangle ABC$$
$$= \dfrac{1}{3}\times 36 = 12\ (\text{cm}^2)$$

이때 $\triangle GAD = \dfrac{1}{2}\triangle GAB = \dfrac{1}{2}\times 12 = 6\ (\text{cm}^2)$,

$\triangle GAE = \dfrac{1}{2}\triangle GCA = \dfrac{1}{2}\times 12 = 6\ (\text{cm}^2)$

따라서 색칠한 부분의 넓이는

$\triangle GAD + \triangle GAE = 6+6 = 12\ (\text{cm}^2)$　**답** 12 cm²

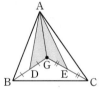

대표 유형 6 삼각형의 무게중심과 넓이 (2)

점 G가 △ABC의 무게중심일 때

➡ $\triangle EDG : \triangle EGC = \triangle CEG : \triangle CGB = 1 : 2$

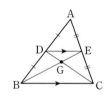

6-1 오른쪽 그림에서 점 G는 △ABC의 무게중심이고 △ABC의 넓이가 120 cm²일 때, △DGE의 넓이를 구하시오.

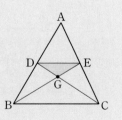

쌍둥이 6-2 오른쪽 그림에서 점 G는 △ABC의 무게중심이고 △DGE=6 cm²일 때, △GBC의 넓이를 구하시오.

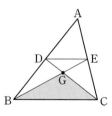

풀이 $\triangle DBG = \dfrac{1}{6}\triangle ABC = \dfrac{1}{6}\times 120 = 20\ (\text{cm}^2)$

이때 $\overline{BG} : \overline{GE} = 2 : 1$이므로

$\triangle DGE = \dfrac{1}{2}\triangle DBG = \dfrac{1}{2}\times 20 = 10\ (\text{cm}^2)$　**답** 10 cm²

대표 유형 **7** 평행사변형에서 삼각형의 무게중심의 활용

평행사변형의 두 대각선은 서로 다른 것을 이등분함을 이용하여 문제를 해결한다.

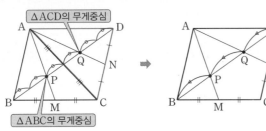

7-1 오른쪽 그림과 같은 평행사변형 ABCD에서 점 O는 두 대각선의 교점이고, 두 점 M, N은 각각 $\overline{BC}$, $\overline{CD}$의 중점이다. $\overline{BD}=24$ cm일 때, $\overline{PQ}$의 길이를 구하시오.

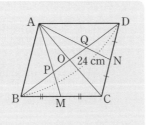

풀이 $\overline{AO}=\overline{OC}$, $\overline{BM}=\overline{MC}$이므로
점 P는 △ABC의 무게중심이다.
$$\overline{BO}=\frac{1}{2}\overline{BD}=\frac{1}{2}\times24=12\ (cm)$$
이므로 $\overline{PO}=\frac{1}{3}\overline{BO}$
$$=\frac{1}{3}\times12=4\ (cm)$$
또 $\overline{AO}=\overline{OC}$, $\overline{CN}=\overline{ND}$이므로
점 Q는 △ACD의 무게중심이다.
$$\overline{DO}=\frac{1}{2}\overline{BD}=\frac{1}{2}\times24=12\ (cm)$$
이므로 $\overline{QO}=\frac{1}{3}\overline{DO}$
$$=\frac{1}{3}\times12=4\ (cm)$$
∴ $\overline{PQ}=\overline{PO}+\overline{QO}=4+4=8\ (cm)$

답 8 cm

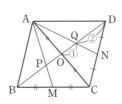

다른 풀이 $\overline{BP}:\overline{PO}=2:1$, $\overline{DQ}:\overline{QO}=2:1$
이고 $\overline{BO}=\overline{DO}$이므로
$$\overline{BP}=\overline{PQ}=\overline{DQ}$$
∴ $\overline{PQ}=\frac{1}{3}\overline{BD}$
$$=\frac{1}{3}\times24=8\ (cm)$$

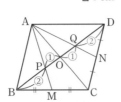

쌍둥이 7-2

오른쪽 그림과 같은 평행사변형 ABCD에서 점 O는 두 대각선의 교점이고, 두 점 M, N은 각각 $\overline{BC}$, $\overline{CD}$의 중점이다. $\overline{BD}=18$ cm일 때, 다음을 구하시오.

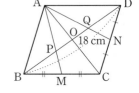

(1) $\overline{BO}$의 길이

(2) $\overline{PO}$의 길이

(3) $\overline{PQ}$의 길이

쌍둥이 7-3

다음 그림과 같은 평행사변형 ABCD에서 점 O는 두 대각선의 교점이고, 두 점 M, N은 각각 $\overline{BC}$, $\overline{CD}$의 중점이다. □ABCD의 넓이가 60 cm²일 때, 색칠한 부분의 넓이를 구하시오.

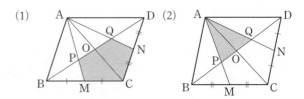

삼각형의 무게중심

(1) 삼각형의 무게중심

    삼각형의 세 **①** 이 만나는 점

(2) 삼각형의 무게중심의 성질

    ① 삼각형의 세 중선은 한 점에서 만난다.

    ② 삼각형의 무게중심은 세 중선의 길이를 각 꼭짓점으로부터 각각 2 : 1로 나눈다.

    ➡ $\overline{AG} : \overline{GD} = \overline{BG} : \overline{GE}$

             $= \overline{CG} : \overline{GF} = $ **②** $: 1$

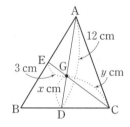

답 **①** 중선 **②** 2

01

오른쪽 그림과 같은 $\triangle ABC$에서 두 중선 AD, CE의 교점을 G라 할 때, $x+y$의 값은?

① 8   ② 10

③ 12   ④ 14

⑤ 16

02

서술형

오른쪽 그림과 같이 $\angle B = 90°$인 직각삼각형 ABC에서 점 G는 무게중심이다. $\overline{AC} = 12$ cm일 때, 다음을 구하시오.

(1) $\overline{BD}$의 길이

(2) $\overline{BG}$의 길이

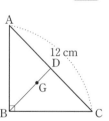

03

★

오른쪽 그림에서 두 점 G, G'은 각각 $\triangle ABC$, $\triangle GBC$의 무게중심이다. $\overline{GG'} = 6$ cm일 때, $\overline{AD}$의 길이를 구하시오.

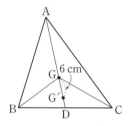

04

창의 융합

오른쪽 그림에서 점 G는 $\triangle ABC$의 무게중심이다. $\overline{GD}$를 지름으로 하는 원의 둘레의 길이가 6π cm일 때, $\overline{BG}$를 지름으로 하는 원의 둘레의 길이는?

① 10π cm   ② 12π cm   ③ 14π cm

④ 16π cm   ⑤ 18π cm

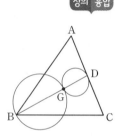

05

오른쪽 그림에서 점 G는 $\triangle ABC$의 무게중심이고 $\overline{CF} = \overline{FE}$이다. $\overline{BG} = 4$ cm일 때, $\overline{DF}$의 길이를 구하시오.

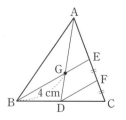

06

오른쪽 그림에서 점 G는 △ABC의
무게중심이고 $\overline{BC} \parallel \overline{EF}$일 때,
$x+y$의 값은?

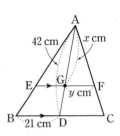

① 36   ② 38

③ 40   ④ 42

⑤ 44

삼각형의 무게중심과 넓이

점 G가 △ABC의 무게중심이면

(1) △GAF＝△GBF＝△GBD

　　＝△GCD＝△GCE

　　＝△GAE＝ △ABC

(2) △GAB＝△GBC＝△GCA＝ △ABC

답 ❶ $\frac{1}{6}$ ❷ $\frac{1}{3}$

07

오른쪽 그림에서 점 G는 △ABC
의 무게중심이다. △ABC의 넓이
가 60 cm²일 때, 색칠한 부분의 넓
이를 구하시오.

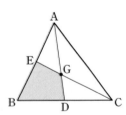

08

오른쪽 그림에서 점 G는 △ABC
의 무게중심이고, $\overline{AM}$은 △AGC
의 중선이다. △GAB의 넓이가
12 cm²일 때, △AMC의 넓이를
구하시오.

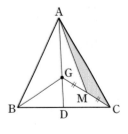

09

서술형

오른쪽 그림의 △ABC는
∠C＝90°인 직각삼각형이다.
$\overline{BC}$, $\overline{AB}$의 중점을 각각 D, E라
하고, $\overline{AD}$와 $\overline{CE}$의 교점을 G라
할 때, 다음을 구하시오.

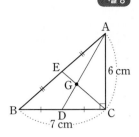

(1) △ABC의 넓이

(2) △AEG의 넓이

10

오른쪽 그림에서 점 G가 △ABC
의 무게중심일 때, 다음 중 옳지 않
은 것은?

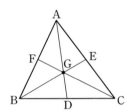

① 2△GBF＝△GCA

② $\overline{AG} : \overline{GD} = 2 : 1$

③ $\overline{AF} = \overline{AE}$

④ $△GBD = \frac{1}{3}△ABD$

⑤ $\overline{EG} : \overline{EB} = 1 : 3$

11

오른쪽 그림과 같은 평행사변형
ABCD에서 두 점 M, N은 각각
$\overline{BC}$, $\overline{CD}$의 중점이다. □ABCD
의 넓이가 24 cm²일 때,
△APQ의 넓이를 구하시오.

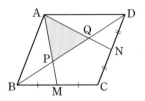

2 닮음의 활용

개념 1 | 닮은 도형의 넓이의 비와 부피의 비

(1) **닮은 평면도형의 둘레의 길이의 비와 넓이의 비**

닮은 두 평면도형의 닮음비가 $m:n$이면

① 둘레의 길이의 비는 $m:n$

② 넓이의 비는 $m^2:n^2$

(2) **닮은 입체도형의 겉넓이의 비와 부피의 비**

닮은 두 입체도형의 닮음비가 $m:n$이면

① 겉넓이의 비는 $m^2:n^2$

② 부피의 비는 $m^3:n^3$

 (1) 오른쪽 그림과 같은 두 정사각형에 대하여

① 닮음비 ⇨ $a:2a=1:2$

② 둘레의 길이의 비 ⇨ $4a:8a=1:2$

③ 넓이의 비 ⇨ $a^2:4a^2=1:4=1^2:2^2$

(2) 오른쪽 그림과 같은 두 직육면체에 대하여

① 닮음비 ⇨ $a:2a=b:2b=c:2c=1:2$

② 겉넓이의 비 ⇨ $2(ab+bc+ca):8(ab+bc+ca)$
$=1:4=1^2:2^2$

③ 부피의 비 ⇨ $abc:8abc=1:8=1^3:2^3$

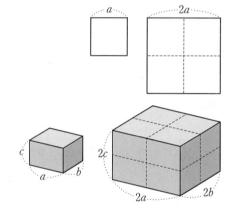

개념 확인 1 오른쪽 그림에서 $\triangle ABC \backsim \triangle DEF$일 때, 다음을 구하시오.

(1) $\triangle ABC$와 $\triangle DEF$의 닮음비

(2) $\triangle ABC$와 $\triangle DEF$의 둘레의 길이의 비

(3) $\triangle ABC$와 $\triangle DEF$의 넓이의 비

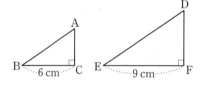

개념 확인 2 오른쪽 그림의 두 원기둥 A, B가 닮은 도형일 때, 다음을 구하시오.

(1) 두 원기둥 A, B의 닮음비

(2) 두 원기둥 A, B의 겉넓이의 비

(3) 두 원기둥 A, B의 부피의 비

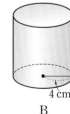

개념 2 닮음의 활용

직접 측정하기 어려운 거리, 높이, 넓이 등은 도형의 닮음을 이용하여 구할 수 있다.

(1) **축도** 어떤 도형을 일정한 비율로 줄인 그림

(2) **축척** 축도에서 실제 도형을 일정하게 줄인 비율

① $(축척)=\dfrac{(축도에서의\ 길이)}{(실제\ 길이)}$

② $(축도에서의\ 길이)=(실제\ 길이)\times(축척)$

③ $(실제\ 길이)=\dfrac{(축도에서의\ 길이)}{(축척)}$

> 축척이 1 : 25000이란 뜻은
> 실제 모습을 $\dfrac{1}{25000}$로 축소한 것이다.
> 즉 줄인 모습과 실제 모습의 닮음비가 1 : 25000이라는 뜻이다.

참고 길이 및 넓이의 단위 사이의 관계

① $1\ km=1000\ m,\ 1\ m=100\ cm,\ 1\ cm=10\ mm$

② $1\ km^2=1000000\ m^2,\ 1\ m^2=10000\ cm^2$

보기 지도에서 2 cm 떨어진 두 지점 A, B 사이의 실제 거리가 1 km일 때, 다음을 구해 보자.

① 지도의 축척

➡ $(축척)=\dfrac{(지도에서의\ 거리)}{(실제\ 거리)}$이고, $1\ km=100000\ cm$이므로

$(축척)=\dfrac{2}{100000}=\dfrac{1}{50000}$

② 실제 거리가 3 km인 두 지점 사이의 지도에서의 거리

➡ $(지도에서의\ 거리)=(실제\ 거리)\times(축척)$이고, $3\ km=300000\ cm$이므로

$(지도에서의\ 거리)=300000\times\dfrac{1}{50000}=6\ (cm)$

③ 지도에서의 거리가 5 cm인 두 지점 사이의 실제 거리

➡ $(실제\ 거리)=\dfrac{(지도에서의\ 거리)}{(축척)}$에서

$(실제\ 거리)=5\div\dfrac{1}{50000}=5\times50000=250000\ (cm)=2.5\ (km)$

> 축도에서의 길이나 실제 길이를 구할 때는 단위에 주의해야 해.

개념 확인 **3** 지도에서 4 cm 떨어진 두 지점 A, B 사이의 실제 거리가 8 km일 때, 다음 물음에 답하시오.

(1) 지도의 축척을 구하시오.

(2) 실제 거리가 5 km인 두 지점 사이의 지도에서의 거리는 몇 cm인지 구하시오.

(3) 지도에서의 거리가 6 cm인 두 지점 사이의 실제 거리는 몇 km인지 구하시오.

STEP **1** 기초 개념 드릴

개념 기초

1-1

아래 그림에서 $\triangle ABC \backsim \triangle DEF$일 때, 다음을 구하시오.

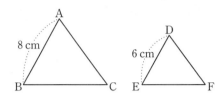

(1) $\triangle ABC$와 $\triangle DEF$의 닮음비

(2) $\triangle ABC$의 둘레의 길이가 26 cm일 때, $\triangle DEF$의 둘레의 길이

(3) $\triangle ABC = 48$ cm²일 때, $\triangle DEF$의 넓이

연구 닮음비가 $m : n$인 닮은 두 평면도형에서
둘레의 길이의 비는 [ ]이고, 넓이의 비는 $m^2 : n^2$이다.

2-1

아래 그림과 같이 닮은 두 직육면체 A, B의 밑면의 가로의 길이가 각각 6 cm, 10 cm일 때, 다음을 구하시오.

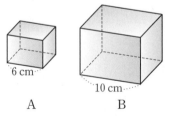

(1) 두 직육면체 A, B의 닮음비

(2) 두 직육면체 A, B의 겉넓이의 비

(3) 두 직육면체 A, B의 부피의 비

연구 닮음비가 $m : n$인 닮은 두 입체도형에서
겉넓이의 비는 $m^2 : n^2$이고, 부피의 비는 [ ]이다.

쌍둥이 문제

1-2

아래 그림에서 두 원 O, O′의 지름의 길이의 비가 2 : 3일 때, 다음을 구하시오.

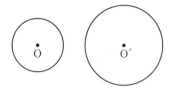

(1) 두 원 O, O′의 닮음비

(2) 원 O의 둘레의 길이가 4π cm일 때, 원 O′의 둘레의 길이

(3) 원 O′의 넓이가 9π cm²일 때, 원 O의 넓이

2-2

아래 그림과 같이 두 구 A, B의 지름의 길이가 각각 20 cm, 24 cm일 때, 다음을 구하시오.

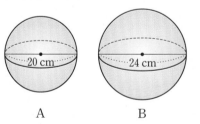

(1) 두 구 A, B의 닮음비

(2) 두 구 A, B의 겉넓이의 비

(3) 두 구 A, B의 부피의 비

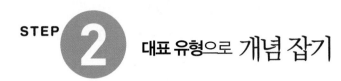

대표 유형 **1** 닮은 두 평면도형의 넓이의 비 (1)

> 닮은 두 평면도형의 닮음비가 $m : n$이면 넓이의 비는 $m^2 : n^2$이다.

1-1 오른쪽 그림과 같은 $\triangle ABC$에서 $\overline{BC} /\!/ \overline{DE}$이고 $\overline{AD}=6$ cm, $\overline{DB}=3$ cm이다. $\triangle ADE$의 넓이가 10 cm²일 때, $\triangle ABC$의 넓이를 구하시오.

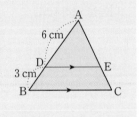

풀이 $\triangle ADE \infty \triangle ABC$ (AA 닮음)
이고 닮음비는
$\overline{AD} : \overline{AB}=6 : (6+3)=2 : 3$
이므로
$\triangle ADE : \triangle ABC=2^2 : 3^2=4 : 9$
즉 $10 : \triangle ABC=4 : 9$이므로 $4\triangle ABC=90$
$\therefore \triangle ABC=\dfrac{45}{2}$ (cm²)

답 $\dfrac{45}{2}$ cm²

쌍둥이 1-2

오른쪽 그림과 같은 $\triangle ABC$에서 $\angle B=\angle ACD$이고 $\overline{AD}=8$ cm, $\overline{AC}=10$ cm이다. $\triangle ACD$의 넓이가 32 cm²일 때, $\triangle ABC$의 넓이를 구하시오.

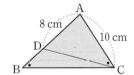

대표 유형 **2** 닮은 두 평면도형의 넓이의 비 (2)

> 오른쪽 그림과 같이 $\overline{AD} /\!/ \overline{BC}$인 사다리꼴 ABCD에서 $\triangle AOD \infty \triangle COB$ (AA 닮음)이므로 $\triangle AOD$와 $\triangle COB$의 닮음비는 $a : b$이고 넓이의 비는 $a^2 : b^2$이다.

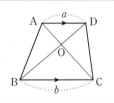

2-1 오른쪽 그림과 같이 $\overline{AD} /\!/ \overline{BC}$인 사다리꼴 ABCD에서 두 대각선의 교점을 O라 하자. $\overline{AD}=6$ cm, $\overline{BC}=15$ cm이고 $\triangle AOD$의 넓이가 16 cm²일 때, $\triangle COB$의 넓이를 구하시오.

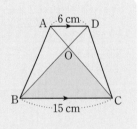

풀이 $\triangle AOD$와 $\triangle COB$에서 $\overline{AD} /\!/ \overline{BC}$이므로
$\angle DAO=\angle BCO$ (엇각), $\angle AOD=\angle COB$ (맞꼭지각)
$\therefore \triangle AOD \infty \triangle COB$ (AA 닮음)
따라서 닮음비가 $\overline{AD} : \overline{CB}=6 : 15=2 : 5$이므로
$\triangle AOD : \triangle COB=2^2 : 5^2=4 : 25$
즉 $16 : \triangle COB=4 : 25$이므로 $4\triangle COB=16 \times 25$
$\therefore \triangle COB=100$ (cm²)

답 100 cm²

쌍둥이 2-2

오른쪽 그림과 같이 $\overline{AD} /\!/ \overline{BC}$인 사다리꼴 ABCD에서 두 대각선의 교점을 O라 하자. $\overline{AD}=8$ cm, $\overline{BC}=12$ cm이고 $\triangle COB$의 넓이가 45 cm²일 때, $\triangle AOD$의 넓이를 구하시오.

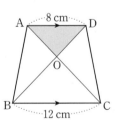

대표 유형 **3** 닮은 두 입체도형의 겉넓이의 비

닮은 두 입체도형의 닮음비가 $m : n$이면
(1) 밑넓이의 비 ➡ $m^2 : n^2$ (2) 옆넓이의 비 ➡ $m^2 : n^2$ (3) 겉넓이의 비 ➡ $m^2 : n^2$

3-1 다음 그림에서 두 원뿔 A, B는 닮은 도형이다. 원뿔 B의 겉넓이가 75π cm²일 때, 원뿔 A의 겉넓이를 구하시오.

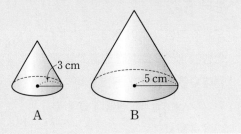

풀이 두 원뿔 A, B의 닮음비는 3 : 5이므로

겉넓이의 비는 $3^2 : 5^2 = 9 : 25$

(원뿔 A의 겉넓이) : $75\pi = 9 : 25$이므로

$25 \times$ (원뿔 A의 겉넓이) $= 75\pi \times 9$

∴ (원뿔 A의 겉넓이) $= 27\pi$ (cm²)

답 27π cm²

쌍둥이 3-2

다음 그림에서 두 원기둥 A, B는 닮은 도형이다. 원기둥 A의 겉넓이가 24π cm²일 때, 원기둥 B의 겉넓이를 구하시오.

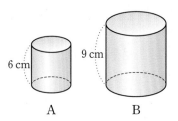

대표 유형 **4** 닮은 두 입체도형의 부피의 비 (1)

닮은 두 입체도형의 닮음비가 $m : n$이면 부피의 비는 $m^3 : n^3$이다.

4-1 다음 그림에서 두 삼각뿔 A, B는 닮은 도형이다. 삼각뿔 A의 부피가 81 cm³일 때, 삼각뿔 B의 부피를 구하시오.

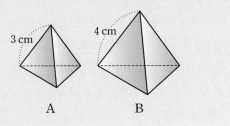

풀이 두 삼각뿔 A, B의 닮음비는 3 : 4이므로

부피의 비는 $3^3 : 4^3 = 27 : 64$

81 : (삼각뿔 B의 부피) $= 27 : 64$이므로

$27 \times$ (삼각뿔 B의 부피) $= 81 \times 64$

∴ (삼각뿔 B의 부피) $= 192$ (cm³)

답 192 cm³

쌍둥이 4-2

다음 그림에서 두 삼각기둥 A, B는 닮은 도형이다. 삼각기둥 B의 부피가 108 cm³일 때, 삼각기둥 A의 부피를 구하시오.

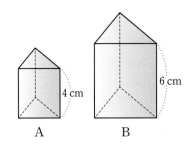

대표 유형 ⑤ 닮은 두 입체도형의 부피의 비 (2)

오른쪽 그림과 같이 원뿔의 모선 AB를 $\overline{AC} : \overline{CB} = m : n$이 되도록 밑면에 평행한 평면으로 잘랐을 때
생기는 입체도형을 P, Q라 하면
(1) 두 원뿔 P, (P+Q)는 닮은 도형이다.
(2) 두 원뿔 P, (P+Q)의 닮음비는 $\overline{AC} : \overline{AB} = m : (m+n)$

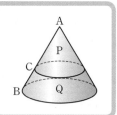

5-1 오른쪽 그림과 같이 원뿔을 밑면에 평행한 평면으로 자를 때 생기는 두 입체도형을 P, Q라 하자. $\overline{AC} = \overline{CB}$일 때, 두 입체도형 P, Q의 부피의 비를 구하시오.

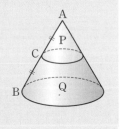

쌍둥이 5-2

오른쪽 그림과 같이 원뿔을 밑면에 평행한 평면으로 잘라 원뿔 P와 원뿔대 Q를 만들었다. 원뿔 P의 부피가 27π cm³일 때, 원뿔대 Q의 부피를 구하시오.

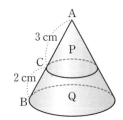

풀이 두 원뿔 P, (P+Q)는 닮은 도형이고 닮음비는
$1 : (1+1) = 1 : 2$이므로 부피의 비는 $1^3 : 2^3 = 1 : 8$
따라서 두 입체도형 P, Q의 부피의 비는
$1 : (8-1) = 1 : 7$

답 1 : 7

대표 유형 ⑥ 원뿔의 부피의 비의 활용

오른쪽 그림과 같이 원뿔 모양의 그릇에 물을 넣을 때
(1) 물이 담긴 작은 원뿔과 그릇인 큰 원뿔은 닮은 도형이다.
(2) 물이 담긴 부분과 전체 그릇의 닮음비는 높이의 비와 같으므로 $2 : 6 = 1 : 3$
(3) 물이 담긴 부분과 전체 그릇의 부피의 비는 $1^3 : 3^3 = 1 : 27$

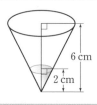

6-1 오른쪽 그림과 같이 높이가 12 cm인 원뿔 모양의 그릇에 높이가 6 cm가 되도록 물을 부었다. 물의 부피가 30π cm³일 때, 이 그릇을 가득 채우기 위해 더 필요한 물의 부피를 구하시오.

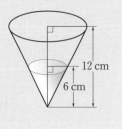

쌍둥이 6-2

오른쪽 그림과 같이 높이가 12 cm인 원뿔 모양의 그릇에 높이가 8 cm가 되도록 물을 부었다. 그릇의 부피가 81π cm³일 때, 물의 부피를 구하시오.

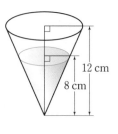

풀이 물이 들어 있는 부분과 그릇의 닮음비는 $6 : 12 = 1 : 2$이므로
부피의 비는 $1^3 : 2^3 = 1 : 8$
$30\pi : $ (그릇의 부피) $= 1 : 8$이므로 (그릇의 부피) $= 240\pi$ (cm³)
따라서 그릇을 가득 채우기 위해 더 필요한 물의 부피는
$240\pi - 30\pi = 210\pi$ (cm³)

답 210π cm³

대표 유형 ❼ 닮음의 활용

닮은 두 도형을 찾아 닮음비를 구하고, 비례식을 이용하여 길이를 구한다.

7-1 오른쪽 그림과 같이 어느 시계탑의 높이를 구하기 위하여 시계탑의 그림자의 끝 지점 A에서 2 m 떨어진 지점 B에 길이가 3 m인 막대를 세웠더니 그 그림자의 끝이 시계탑의 그림자의 끝과 일치하였다. 막대와 시계탑 사이의 거리가 4 m일 때, 시계탑의 높이는 몇 m인지 구하시오. (단, 막대의 두께는 생각하지 않는다.)

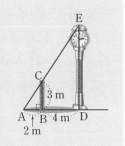

풀이 △ABC와 △ADE에서 ∠A는 공통, ∠ABC=∠ADE=90°
이므로 △ABC∽△ADE (AA 닮음)
따라서 $\overline{AB} : \overline{AD} = \overline{BC} : \overline{DE}$이므로 $2 : (2+4) = 3 : \overline{DE}$
$2\overline{DE}=18$ ∴ $\overline{DE}=9$ (m)
즉 시계탑의 높이는 9 m이다.

답 9 m

쌍둥이 7-2

다음 그림과 같이 눈높이가 1.5 m인 진희가 학교 건물에서 12 m 떨어진 A 지점에 거울을 놓고, 거울에서 1 m 떨어진 E 지점에 섰더니 건물의 꼭대기 B 지점이 거울에 비쳐 보였다. 이때 건물의 높이는 몇 m인지 구하시오.
(단, ∠BAC=∠DAE이고 거울의 두께는 생각하지 않는다.)

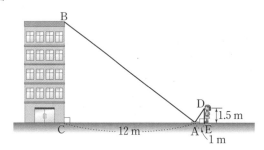

대표 유형 ❽ 축도와 축척

- $(축척) = \dfrac{(축도에서의 길이)}{(실제 길이)}$

- 축척이 $\dfrac{1}{a}$이면 축도에서의 길이와 실제 길이의 닮음비가 $1 : a$이다.

8-1 오른쪽 그림은 강의 폭을 구하기 위해 축척이 $\dfrac{1}{10000}$인 축도를 그린 것이다. $\overline{BC} / / \overline{DE}$일 때, 실제 강의 폭 A, E 사이의 거리는 몇 m인지 구하시오.

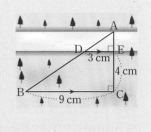

풀이 $\overline{AE}=x$ cm라 하면 △ADE∽△ABC (AA 닮음)이므로
$\overline{DE} : \overline{BC} = \overline{AE} : \overline{AC}$, 즉 $3 : 9 = x : (x+4)$
$9x=3x+12$, $6x=12$ ∴ $x=2$
따라서 실제 강의 폭 A, E 사이의 거리는
$2 \div \dfrac{1}{10000} = 2 \times 10000 = 20000$ (cm) $= 200$ (m)

답 200 m

쌍둥이 8-2

오른쪽 그림과 같이 축척이 $\dfrac{1}{50000}$인 지도 위에 가로의 길이가 7 cm, 세로의 길이가 4 cm인 직사각형 모양의 땅이 있다. 이 땅의 실제 넓이는 몇 km^2인지 구하시오.

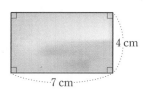

닮은 도형의 넓이의 비와 부피의 비

(1) 닮음비가 $m : n$인 두 평면도형에서
　① 둘레의 길이의 비 ➡ $m : n$
　② 넓이의 비 ➡ $m^2 : n^2$
(2) 닮음비가 $m : n$인 두 입체도형에서
　① 겉넓이의 비 ➡ $m^2 :$ ❶
　② 부피의 비 ➡ $m^3 : n^3$

답 ❶ n^2

01

닮은 두 사각형 A, B의 닮음비가 5 : 2이고 사각형 A의 넓이가 100 cm^2일 때, 사각형 B의 넓이를 구하시오.

★ 02

오른쪽 그림과 같은 △ABC에서 $\overline{BC} /\!/ \overline{DE}$이고 $\overline{AD} = 9 \text{ cm}$, $\overline{DB} = 3 \text{ cm}$이다. △ADE의 넓이가 18 cm^2일 때, □DBCE의 넓이를 구하시오.

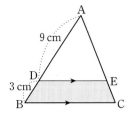

03

오른쪽 그림에서 점 G는 △ABC의 무게중심이고, $\overline{FH} /\!/ \overline{BC}$이다. △ABC의 넓이가 120 cm^2일 때, △GHF의 넓이를 구하시오.

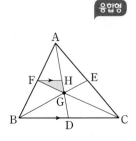

04

오른쪽 그림과 같이 $\overline{AD} /\!/ \overline{BC}$인 사다리꼴 ABCD에서 두 대각선의 교점을 O라 하자. $\overline{AD} = 3 \text{ cm}$, $\overline{BC} = 6 \text{ cm}$이고 △AOD의 넓이가 4 cm^2일 때, △COB의 넓이를 구하시오.

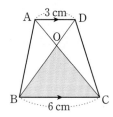

05

다음 그림과 같이 닮은 두 원기둥 A, B의 밑면인 원의 지름의 길이가 각각 8 cm, 10 cm이다. 원기둥 B의 부피가 $250\pi \text{ cm}^3$일 때, 원기둥 A의 부피를 구하시오.

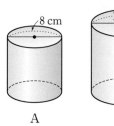

06

두 정육면체 A, B의 겉넓이의 비가 1 : 9일 때, 다음을 구하시오.

(1) 두 정육면체 A, B의 한 모서리의 길이의 비

(2) 정육면체 A의 부피가 12 cm^3일 때, 정육면체 B의 부피

07

창의력

반지름의 길이가 10 cm인 구 모양의 쇠구슬 1개를 녹여 반지름의 길이가 2 cm인 구 모양의 쇠구슬을 만들려고 한다. 이때 반지름의 길이가 2 cm인 쇠구슬은 몇 개 만들 수 있는지 구하시오.

08

서술형

오른쪽 그림과 같은 원뿔을 밑면에 평행한 평면으로 잘랐더니 자르기 전 원뿔과 자른 후 생긴 작은 원뿔의 겉넓이의 비가 4 : 1이었다. 이때 자른 후의 원뿔대의 부피는 자르기 전 원뿔의 부피의 몇 배인지 구하시오.

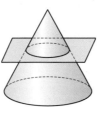

⭐ 09

오른쪽 그림과 같은 원뿔 모양의 그릇에 일정한 속도로 물을 채우고 있다. 전체 높이의 $\frac{1}{3}$ 만큼 채우는 데 3분이 걸렸다면 그 이후에 물을 가득 채울 때까지 몇 분이 더 걸리는가?

① 24분   ② 27분   ③ 78분
④ 81분   ⑤ 90분

10

창의 융합

다음을 읽고 피라미드의 높이를 구하시오.

그리스의 수학자 탈레스는 이집트를 여행하던 중 피라미드의 높이를 재려고 고민 중인 이집트 사람을 만났다. 이에 탈레스는 아래 그림처럼 태양의 반대편에 길이가 1 m인 막대기를 세워 피라미드의 그림자와 일치하게 하여 피라미드의 높이를 쟀다고 한다.

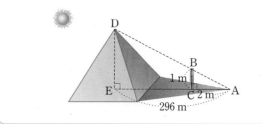

⭐ 11

다음 [그림 1]과 같이 눈높이가 1.5 m인 혜성이가 어떤 나무로부터 20 m 떨어진 곳에서 나무의 끝을 올려다본 각의 크기가 22°이었다. 이것을 축도로 그린 것이 [그림 2]일 때, 이 나무의 실제 높이는 몇 m인지 구하시오.

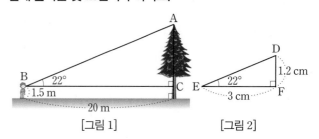

[그림 1]   [그림 2]

12

축척이 $\frac{1}{30000}$ 인 지도에서 두 지점 A, B 사이에 길이가 20 cm인 자전거 도로가 있다. 이 자전거 도로로 자전거를 타고 A 지점을 출발하여 시속 12 km로 B 지점까지 가는 데 걸리는 시간은?

① 30분   ② 1시간   ③ 1시간 30분
④ 2시간   ⑤ 2시간 30분

8 피타고라스 정리

학습 목표

• 피타고라스 정리를 이해하고, 이를 설명할 수 있다.
• 삼각형의 세 변의 길이가 주어졌을 때, 이 삼각형이 직각삼각형이 되기 위한 변의 길이 사이의 관계를 알 수 있다.

1 피타고라스 정리

개념 **1** 피타고라스 정리

(1) **피타고라스 정리** 직각삼각형 ABC에서 직각을 낀 두 변의 길이를 각각 a, b라 하고, 빗변의 길이를 c라 하면
$$a^2 + b^2 = c^2$$

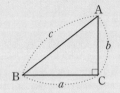

용어
• 빗변 : 직각삼각형에서 직각의 대 변으로 길이가 가장 긴 변

참고 피타고라스 정리는 고대 그리스의 수학자인 피타고라스(Pythagoras, B.C. 569?~B.C. 475?)의 이름에서 유래하였다.

 설명 오른쪽 그림과 같이 직각삼각형 ABC의 점 C에서 $\overline{AB}$에 내린 수선의 발을 D라 하자.

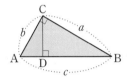

△ABC와 △CBD에서

∠B는 공통, ∠ACB=∠CDB=$90°$

이므로 △ABC∽△CBD (AA 닮음)

따라서 $c : a = a : \overline{DB}$이므로

$a^2 = c \times \overline{DB}$ ······ ㉠

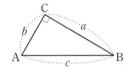 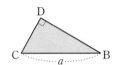

마찬가지로 △ABC와 △ACD에서

△ABC∽△ACD (AA 닮음)

따라서 $c : b = b : \overline{AD}$이므로

$b^2 = c \times \overline{AD}$ ······ ㉡

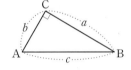

㉠, ㉡을 변끼리 더하면

$a^2 + b^2 = c \times \overline{DB} + c \times \overline{AD} = c \times (\overline{DB} + \overline{AD})$

이때 $\overline{DB} + \overline{AD} = c$이므로 $a^2 + b^2 = c^2$

• **Lecture** •

• 피타고라스 정리는 직각삼각형에서만 성립한다.

• 직각삼각형이 있으면 피타고라스 정리를 떠올린다.

| 개념 확인 | **1** 다음 그림과 같은 직각삼각형에서 x^2의 값을 구하시오.

(1)
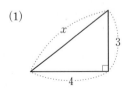

(2)
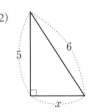

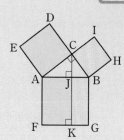

개념 ② 피타고라스 정리의 설명

유클리드의 방법

오른쪽 그림과 같이 직각삼각형 ABC의 각 변을 한 변으로 하는 정사각형 ACDE,

AFGB, CBHI를 그리고, 점 C에서 $\overline{AB}$에 내린 수선의 발을 J, 그 연장선과 $\overline{FG}$가 만나

는 점을 K라 하면

① □ACDE—□AFKJ, □CBHI=□JKGB

② □AFGB=□ACDE+□CBHI이므로 $\overline{AB}^2=\overline{AC}^2+\overline{BC}^2$

  ①

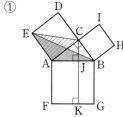

$\overline{EA} /\!/ \overline{DB}$이므로

$\triangle EAC = \triangle EAB$

$\overline{EA}=\overline{CA}, \overline{AB}=\overline{AF}$,
∠EAB=90°+∠CAB
$=∠CAF$

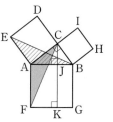

$\triangle EAB \equiv \triangle CAF$

(SAS 합동)이므로
$\triangle EAB = \triangle CAF$

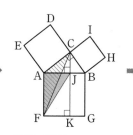

$\overline{AF} /\!/ \overline{CK}$이므로

$\triangle CAF = \triangle JAF$

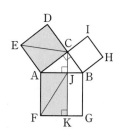

$\triangle EAC = \triangle JAF$이므로

□ACDE=2△EAC

$=2△JAF$

$=□AFKJ$

같은 방법으로 □CBHI=□JKGB

② □AFGB=□AFKJ+□JKGB=□ACDE+□CBHI

∴ $\overline{AB}^2=\overline{AC}^2+\overline{BC}^2$

> • **Lecture** •
> ● 오른쪽 그림에서 $l /\!/ m$이면 △ABC와 △DBC는 밑변 BC가 공통이고 높이는 h로 같으므로 두 삼
> 각형의 넓이는 같다. 즉 △ABC=△DBC

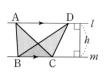

| 개념 확인 | **2** 다음 그림은 직각삼각형 ABC의 세 변을 각각 한 변으로 하는 세 정사각형을

그린 것이다. 색칠한 부분의 넓이를 구하시오.

(1)

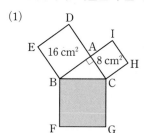

(2)

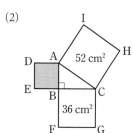

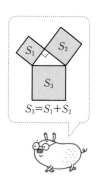

$S_3=S_1+S_2$

8 피타고라스 정리

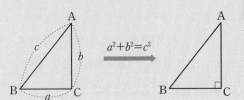

개념 ③ 직각삼각형이 되는 조건

세 변의 길이가 각각 a, b, c인 삼각형 ABC에서

$a^2 + b^2 = c^2$이면 이 삼각형은 빗변의 길이가 c인 직각삼각형이다.

즉 △ABC에서 $a^2 + b^2 = c^2$이면 ∠C=90°이다.

$$a^2 + b^2 = c^2$$

참고 피타고라스 수 : 직각삼각형의 세 변의 길이가 될 수 있는 세 자연수, 즉 피타고라스 정리를 만족하는 세 자연수

예 $(3, 4, 5), (5, 12, 13), (6, 8, 10), (7, 24, 25), (8, 15, 17), \cdots$

(1) 세 변의 길이가 각각 5, 12, 13인 삼각형에서 가장 긴 변의 길이는 13이고 $5^2 + 12^2 = 13^2$이므로 이 삼각형은 빗변의 길이가 13인 직각삼각형이다.

(2) 세 변의 길이가 각각 3, 5, 6인 삼각형에서 가장 긴 변의 길이는 6이고 $3^2 + 5^2 \neq 6^2$이므로 이 삼각형은 직각삼각형이 아니다.

• Lecture •

● 세 변의 길이가 주어진 삼각형이 직각삼각형인지 알아볼 때 다음의 순서로 한다.

세 변 중 가장 긴 변의 길이 찾기	→	가장 긴 변의 길이의 제곱과 나머지 두 변의 길이의 제곱의 합 비교	같다. →	직각삼각형이다.
			다르다. →	직각삼각형이 아니다.

|개념 확인| **3** 삼각형의 세 변의 길이가 각각 다음과 같을 때, 직각삼각형인 것은 ○표, 직각삼각형이 아닌 것은 ×표를 ( ) 안에 써넣으시오.

(1) 4, 6, 7　　　　　　(　　)　(2) 3, 3, 4　　　　　　(　　)

(3) 3, 4, 5　　　　　　(　　)　(4) 5, 12, 14　　　　　(　　)

(5) 6, 15, 17　　　　　(　　)　(6) 7, 24, 25　　　　　(　　)

STEP ① 기초 개념 드릴

1-1

다음 그림과 같은 직각삼각형에서 x의 값을 구하시오.

(1) 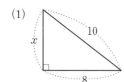　(2)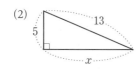

> [연구] 직각삼각형에서 직각을 낀 두 변의 길이를 각각 a, b라 하고, 빗변의 길이를 c라 하면 $a^2+b^2=\boxed{}$이 성립한다.

1-2

다음 그림과 같은 직각삼각형에서 x의 값을 구하시오.

(1) 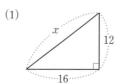　(2)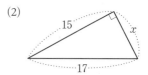

2-1

다음 그림은 직각삼각형 ABC의 세 변을 각각 한 변으로 하는 세 정사각형을 그린 것이다. 색칠한 부분의 넓이를 구하시오.

(1) 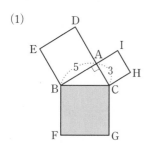　(2)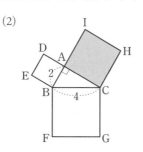

> [연구] 직각삼각형 ABC에서 $\overline{BC}^2=\overline{AB}^2+\overline{AC}^2$임을 이용한다.

2-2

다음 그림은 직각삼각형 ABC의 세 변을 각각 한 변으로 하는 세 정사각형을 그린 것이다. 색칠한 부분의 넓이를 구하시오.

(1) 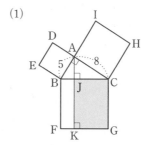　(2)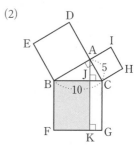

3-1

삼각형의 세 변의 길이가 각각 다음과 같을 때, ◯ 안에 $=$, $\neq$ 중 알맞은 것을 써넣고, ( ) 안에 주어진 것 중 옳은 것에 ◯표를 하시오.

(1) 5 cm, 6 cm, 8 cm

➡ 5^2+6^2 ◯ 8^2이므로 직각삼각형(이다, 이 아니다).

(2) 8 cm, 15 cm, 17 cm

➡ 8^2+15^2 ◯ 17^2이므로 직각삼각형(이다, 이 아니다).

> [연구] △ABC의 세 변의 길이가 각각 a, b, c일 때, $\boxed{}$이면 △ABC는 빗변의 길이가 c인 직각삼각형이다.

3-2

삼각형의 세 변의 길이가 각각 다음과 같을 때, ◯ 안에 $=$, $\neq$ 중 알맞은 것을 써넣고, ( ) 안에 주어진 것 중 옳은 것에 ◯표를 하시오.

(1) 5 cm, 12 cm, 13 cm

➡ 5^2+12^2 ◯ 13^2이므로 직각삼각형(이다, 이 아니다).

(2) 10 cm, 18 cm, 21 cm

➡ 10^2+18^2 ◯ 21^2이므로 직각삼각형(이다, 이 아니다).

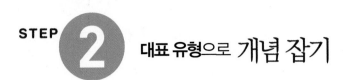
대표 유형 ❶ 삼각형에서 피타고라스 정리 이용하기

직각삼각형을 찾아 피타고라스 정리를 이용한다.

1-1 오른쪽 그림과 같은 △ABC에서 $\overline{AD}\perp\overline{BC}$일 때, x, y의 값을 각각 구하시오.

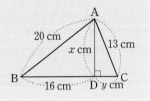

풀이 △ABD에서 $20^2=16^2+x^2$

$x^2=144$ ∴ $x=12$ ($\because x>0$)

△ADC에서 $13^2=12^2+y^2$

$y^2=25$ ∴ $y=5$ ($\because y>0$)

답 $x=12, y=5$

쌍둥이 1-2

오른쪽 그림과 같은 △ABC에서 $\overline{AD}\perp\overline{BC}$일 때, x, y의 값을 각각 구하시오.

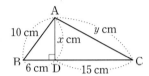

대표 유형 ❷ 사각형에서 피타고라스 정리 이용하기

적당한 보조선을 그어 직각삼각형을 만든 후 피타고라스 정리를 이용한다.

2-1 오른쪽 그림과 같이 $\angle C=\angle D=90°$인 사다리꼴 ABCD에서 $\overline{AB}=13$, $\overline{BC}=15$, $\overline{AD}=10$일 때, □ABCD의 넓이를 구하시오.

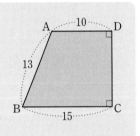

풀이 오른쪽 그림과 같이 꼭짓점 A에서 $\overline{BC}$에 내린 수선의 발을 H라 하면

$\overline{HC}=\overline{AD}=10$

$\overline{BH}=\overline{BC}-\overline{HC}=15-10=5$

△ABH에서

$\overline{AH}^2=13^2-5^2=144$ ∴ $\overline{AH}=12$ ($\because \overline{AH}>0$)

∴ □ABCD $=\dfrac{1}{2}\times(10+15)\times 12$

$=150$

답 150

쌍둥이 2-2

다음 그림과 같은 □ABCD에서 x^2의 값을 구하시오.

(1)   (2)

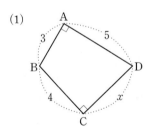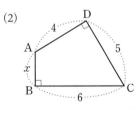

쌍둥이 2-3

오른쪽 그림과 같이 $\angle C=\angle D=90°$인 사다리꼴 ABCD에서 $\overline{AB}=5$ cm, $\overline{CD}=4$ cm, $\overline{AD}=6$ cm일 때, $\overline{BC}$의 길이를 구하시오.

대표 유형 ③ 피타고라스 정리의 설명 (1) – 유클리드의 방법

- 밑변의 길이와 높이가 각각 같은 두 삼각형은 넓이가 같다.
- 서로 합동인 두 삼각형은 넓이가 같다.

3-1 오른쪽 그림은 $\angle A = 90°$ 인 직각삼각형 ABC의 세 변을 각각 한 변으로 하는 세 정사각형을 그린 것이다. 다음 중 넓이가 나머지 넷과 다른 하나는?

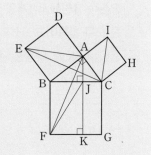

① △EBC ② △ABF
③ △BCI ④ △EBA
⑤ △BFJ

쌍둥이 3-2

오른쪽 그림은 $\angle A = 90°$인 직각삼각형 ABC의 세 변을 각각 한 변으로 하는 세 정사각형을 그린 것이다. $\overline{BC} = 10$ cm, $\overline{AC} = 6$ cm일 때, △EBC의 넓이를 구하시오.

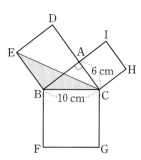

풀이 △EBA = △EBC ($\because \overline{EB} /\!/ \overline{DC}$)

$\qquad = △ABF$ ($\because △EBC \equiv △ABF$)

$\qquad = △BFJ$ ($\because \overline{BF} /\!/ \overline{AK}$)

답 ③

대표 유형 ④ 피타고라스 정리의 설명 (2) – 피타고라스의 방법

4-1에서 △AEH ≡ △BFE ≡ △CGF ≡ △DHG이므로 □EFGH는 정사각형이다.

4-1 오른쪽 그림과 같은 정사각형 ABCD에서 $\overline{AE} = \overline{BF} = \overline{CG} = \overline{DH} = 5$ cm 이고 □EFGH의 넓이가 169 cm²일 때, $\overline{AH}$의 길이를 구하시오.

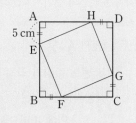

쌍둥이 4-2

오른쪽 그림에서 □ABCD는 한 변의 길이가 12 cm인 정사각형이고 $\overline{AE} = \overline{BF} = \overline{CG} = \overline{DH} = 8$ cm 일 때, □EFGH의 넓이를 구하시오.

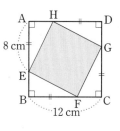

풀이 △AEH ≡ △BFE ≡ △CGF ≡ △DHG (SAS 합동)이므로

$\overline{HE} = \overline{EF} = \overline{FG} = \overline{GH}$

또 $\angle HEF = \angle EFG = \angle FGH = \angle GHE = 90°$이므로

□EFGH는 정사각형이다.

이때 □EFGH의 넓이가 169 cm²이므로

$\overline{EH} = 13$ (cm) ($\because \overline{EH} > 0$)

△AEH에서 $\overline{AH}^2 = 13^2 - 5^2 = 144$

$\therefore \overline{AH} = 12$ (cm) ($\because \overline{AH} > 0$)

답 12 cm

대표 유형 **5**   피타고라스 정리의 설명 (3) – 바스카라의 방법

> **5-1**에서 △ABC ≡ △BDF ≡ △DEG ≡ △EAH이므로 □HCFG는 정사각형이다.

5-1 오른쪽 그림은 ∠C=90°인 직 각삼각형 ABC와 이와 합동인 3개 의 직각삼각형을 붙여서 정사각형 ABDE를 만든 것이다.

$\overline{BC}=3$ cm, □HCFG의 넓이가 9 cm²일 때, □ABDE의 넓이를 구하시오.

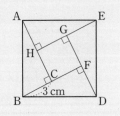

풀이   △ABC ≡ △BDF ≡ △DEG ≡ △EAH이므로 □HCFG는 정 사각형이다.

이때 □HCFG의 넓이가 9 cm²이므로

$\overline{HC}=3$ (cm) ($\because \overline{HC}>0$)

한편 $\overline{AH}=\overline{BC}=3$ cm이므로

$\overline{AC}=\overline{AH}+\overline{HC}=3+3=6$ (cm)

△ABC에서 $\overline{AB}^2=3^2+6^2=45$

$\therefore$ □ABDE $=\overline{AB}^2=45$ (cm²)

답 45 cm²

쌍둥이 5-2

오른쪽 그림에서 4개의 직각삼각형 은 모두 합동이고 $\overline{AB}=10$, $\overline{AC}=8$일 때, 다음을 구하시오.

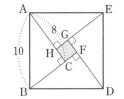

(1) $\overline{BC}$의 길이

(2) $\overline{HC}$의 길이

(3) □HCFG의 넓이

대표 유형 **6**   직각삼각형이 되는 조건

> 세 변의 길이가 각각 a, b, c인 △ABC에서 $a^2+b^2=c^2$이면 이 삼각형은 빗변의 길이가 c인 직각삼각형이다.

6-1 세 변의 길이가 각각 다음과 같은 삼각형 중에서 직각 삼각형인 것을 모두 고르면? (정답 2개)

① 7, 8, 10   ② 10, 13, 18

③ 12, 16, 20   ④ 11, 20, 22

⑤ 9, 40, 41

풀이   ① $7^2+8^2\neq10^2$이므로 직각삼각형이 아니다.

② $10^2+13^2\neq18^2$이므로 직각삼각형이 아니다.

③ $12^2+16^2=20^2$이므로 직각삼각형이다.

④ $11^2+20^2\neq22^2$이므로 직각삼각형이 아니다.

⑤ $9^2+40^2=41^2$이므로 직각삼각형이다.

따라서 직각삼각형인 것은 ③, ⑤이다.

답 ③, ⑤

쌍둥이 6-2

세 변의 길이가 각각 다음과 같이 주어진 삼각형 중에서 직 각삼각형인 것은 ○표, 직각삼각형이 아닌 것은 ×표를 ( ) 안에 써넣으시오.

(1) 6 cm, 6 cm, 10 cm   (   )

(2) $\dfrac{5}{2}$ cm, 6 cm, $\dfrac{13}{2}$ cm   (   )

(3) 4 cm, 5 cm, 7 cm   (   )

(4) 9 cm, 12 cm, 15 cm   (   )

(5) 8 cm, 15 cm, 20 cm   (   )

STEP **3** 개념 뛰어넘기

피타고라스 정리

직각삼각형 ABC에서 직각을 낀
두 변의 길이를 각각 a, b라 하고,
빗변의 길이를 c라 하면
$a^2+b^2=$ ❶ 이 성립한다.
이때 이 성질을 ❷ 라 한다.

답 ❶ c^2 ❷ 피타고라스 정리

01

오른쪽 그림과 같이 $\angle A=90°$
인 직각삼각형 ABC의 넓이를
구하시오.

02

오른쪽 그림과 같이 좌표평면 위에
$\triangle ABC$가 있다. 두 점 B$(2, 1)$,
C$(5, 5)$ 사이의 거리를 구하시오.

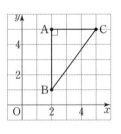

03 융합형

오른쪽 그림과 같은 이등변
삼각형 ABC의 넓이는?

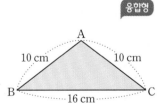

① 48 cm^2
② 60 cm^2
③ 72 cm^2
④ 80 cm^2
⑤ 96 cm^2

04

오른쪽 그림과 같은 □ABCD
에서 $\angle A=\angle C=90°$이고
$\overline{AB}=2 \text{ cm}$, $\overline{BC}=3 \text{ cm}$,
$\overline{AD}=6 \text{ cm}$일 때, x^2의 값을 구
하시오.

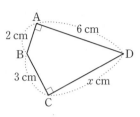

05 창의력

오른쪽 그림과 같이 직사각형
ABCD의 두 꼭짓점 B, D에서
대각선 AC에 내린 수선의 발을
각각 E, F라 할 때, $\overline{EF}$의 길이를
구하시오.

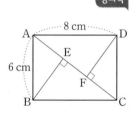

06 서술형

오른쪽 그림과 같이 넓이가 각각
16 cm^2, 144 cm^2인 두 정사각
형 ABCD, GCEF를 세 점 B,
C, E가 한 직선 위에 오도록 이어
붙였다. 이때 $\overline{BF}$의 길이를 구하
시오.

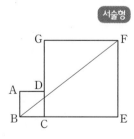

07

오른쪽 그림과 같은 사다리꼴 ABCD에서 $\overline{DC}$의 길이를 구하시오.

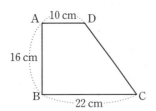

08

오른쪽 그림은 $\angle C = 90°$인 직각삼각형 ABC의 세 변을 각각 한 변으로 하는 세 정사각형을 그린 것이다. 이때 정사각형 BFGC의 넓이를 구하시오.

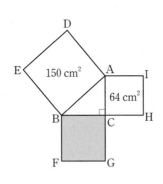

★ 09

오른쪽 그림은 $\angle A = 90°$인 직각삼각형 ABC의 세 변을 각각 한 변으로 하는 세 정사각형을 그린 것이다. 다음 중 옳지 <u>않은</u> 것은?

① $\triangle EBC \equiv \triangle ABF$

② $\triangle EBA = \triangle BFJ$

③ $\triangle ABF = \triangle BFJ$

④ $\triangle AEC = \triangle JFK$

⑤ $\square ADEB = 2\triangle JFK$

10

 서술형

오른쪽 그림과 같은 정사각형 ABCD에서 $\overline{AE} = \overline{BF} = \overline{CG} = \overline{DH} = 4$ cm이고 $\square EFGH$의 넓이가 52 cm^{2}일 때, 정사각형 ABCD의 넓이를 구하시오.

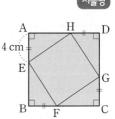

11

오른쪽 그림에서 4개의 직각삼각형은 모두 합동이고 $\overline{BR} = 7$, $\overline{CR} = 3$일 때, $\square PQRS$의 둘레의 길이를 구하시오.

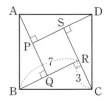

★ 12

세 변의 길이가 각각 다음과 같은 삼각형 중에서 직각삼각형인 것을 모두 고르면? (정답 2개)

① 3, 6, 7

② $\dfrac{1}{2}, \dfrac{2}{3}, \dfrac{5}{6}$

③ 7, 15, 18

④ 7, 24, 25

⑤ 9, 20, 25

★ 13

 서술형

세 변의 길이가 각각 8, 15, a인 삼각형이 직각삼각형이 되도록 하는 a^2의 값을 모두 구하시오.

2 피타고라스 정리를 이용한 성질

개념 ❶ 삼각형의 변의 길이와 각의 크기 사이의 관계

$\triangle$ABC에서 $\overline{AB}=c$, $\overline{BC}=a$, $\overline{CA}=b$일 때 (단, c는 가장 긴 변의 길이)

(1) $c^2 < a^2+b^2$이면 $\angle C < 90°$ ➡ **예각삼각형**

(2) $c^2 = a^2+b^2$이면 $\angle C = 90°$ ➡ **직각삼각형**

(3) $c^2 > a^2+b^2$이면 $\angle C > 90°$ ➡ **둔각삼각형**

> **용어**
> • **예각삼각형** : 세 내각이 모두 예각 인 삼각형
> • **직각삼각형** : 한 내각이 직각인 삼 각형
> • **둔각삼각형** : 한 내각이 둔각인 삼 각형

보기 세 변의 길이가 각각 다음 그림과 같은 $\triangle$ABC는 어떤 삼각형인지 알아보자.

(1)

(2)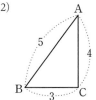

(3)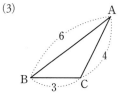

먼저 가장 긴 변의 길이를 찾아봐.

⇨ $6^2 < 5^2+4^2$이므로
예각삼각형

⇨ $5^2 = 3^2+4^2$이므로
직각삼각형

⇨ $6^2 > 3^2+4^2$이므로
둔각삼각형

• Lecture •

● 삼각형의 세 변의 길이가 주어질 때, 삼각형의 종류를 판별하는 순서

① 가장 긴 변의 길이를 찾아 제곱한다.

② 나머지 두 변의 길이를 제곱하여 더한다.

③ ①, ②의 대소를 비교한다.

➡ ①<②이면 예각삼각형

①=②이면 직각삼각형

①>②이면 둔각삼각형

│개념 확인│ 1 삼각형의 세 변의 길이가 각각 다음과 같을 때, 예각삼각형인 것은 '예', 직각삼각형인 것은 '직', 둔각삼각형인 것은 '둔'을 ( ) 안에 써넣으시오.

(1) 2, 3, 4　　　　　　　　　(　　) 　(2) 4, 6, 7　　　　　　　　　(　　)

(3) 6, 8, 10　　　　　　　　(　　) 　(4) 7, 8, 11　　　　　　　　(　　)

개념 ❷ 피타고라스 정리를 이용한 도형의 성질

(1) 피타고라스 정리를 이용한 직각삼각형의 성질

$\angle A=90°$인 직각삼각형 ABC에서 두 점 D, E가 각각 $\overline{AB}$, $\overline{AC}$ 위에 있을 때

$$\overline{DE}^2+\overline{BC}^2=\overline{BE}^2+\overline{CD}^2$$

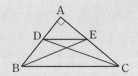

(2) 두 대각선이 직교하는 사각형의 성질

사각형 ABCD에서 두 대각선이 직교할 때

$$\overline{AB}^2+\overline{CD}^2=\overline{AD}^2+\overline{BC}^2$$

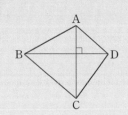

설명 (1) $\overline{DE}^2+\overline{BC}^2=(\overline{AD}^2+\overline{AE}^2)+(\overline{AB}^2+\overline{AC}^2)$
$\qquad\qquad\qquad=(\overline{AE}^2+\overline{AB}^2)+(\overline{AD}^2+\overline{AC}^2)$
$\qquad\qquad\qquad=\overline{BE}^2+\overline{CD}^2$

(2) 피타고라스 정리에 의하여
$\qquad \overline{AB}^2=a^2+b^2, \overline{BC}^2=b^2+c^2, \overline{CD}^2=c^2+d^2, \overline{AD}^2=a^2+d^2$
$\qquad \therefore \overline{AB}^2+\overline{CD}^2=(a^2+b^2)+(c^2+d^2)$
$\qquad\qquad\qquad\quad=(a^2+d^2)+(b^2+c^2)$
$\qquad\qquad\qquad\quad=\overline{AD}^2+\overline{BC}^2$

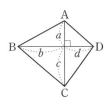

• **Lecture** •

(1) 피타고라스 정리를 이용한 직각삼각형의 성질

 $\Rightarrow \overline{DE}^2+\overline{AC}^2=\overline{AE}^2+\overline{CD}^2$

(2) 두 대각선이 직교하는 사각형의 성질

 $\Rightarrow \overline{AB}^2+\overline{CD}^2=\overline{AD}^2+\overline{BC}^2$

| 개념 확인 | **2** 오른쪽 그림과 같이 $\angle A=90°$인 **직각삼각형** ABC에서 x^2의 값을 구하시오.

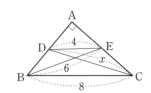

| 개념 확인 | **3** 다음 그림과 같은 □ABCD에서 x^2의 값을 구하시오.

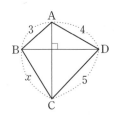

개념 ③ 직각삼각형과 반원으로 이루어진 도형의 성질

(1) 직각삼각형과 세 반원 사이의 관계

직각삼각형 ABC의 세 변을 지름으로 하는 반원의 넓이를 각각 S_1, S_2, S_3이라 할 때

$$S_1 + S_2 = S_3$$

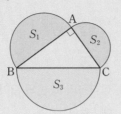

(2) 히포크라테스의 원의 넓이

직각삼각형 ABC의 세 변을 지름으로 하는 반원에서

(색칠한 부분의 넓이)

$$= \triangle ABC = \frac{1}{2}bc$$

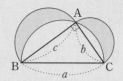

 설명

(1) 직각삼각형 ABC에서 $\overline{AB} = c$, $\overline{BC} = a$, $\overline{CA} = b$라 하면

$$S_1 + S_2 = \frac{1}{2} \times \pi \times \left(\frac{c}{2}\right)^2 + \frac{1}{2} \times \pi \times \left(\frac{b}{2}\right)^2 = \frac{1}{8}\pi(b^2 + c^2)$$

$$S_3 = \frac{1}{2} \times \pi \times \left(\frac{a}{2}\right)^2 = \frac{1}{8}\pi a^2$$

이때 피타고라스 정리에 의하여 $b^2 + c^2 = a^2$이므로 $S_1 + S_2 = S_3$

(2) 직각삼각형 ABC에서 $\overline{AB}$를 지름으로 하는 반원의 넓이를 S_1, $\overline{AC}$를 지름으로 하는 반원의 넓이를 S_2, $\overline{BC}$를 지름으로 하는 반원의 넓이를 S_3이라 하자.

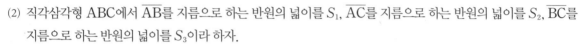

넓이가 같다.

$$\therefore (색칠한 부분의 넓이) = (S_1 + S_2) + \triangle ABC - S_3$$
$$= S_3 + \triangle ABC - S_3 = \triangle ABC$$

• Lecture •

- 일반적으로 직각삼각형의 각 변을 한 변으로 하는 정다각형을 그리면 다음이 성립한다.

  ➡ (가장 큰 정다각형의 넓이)=(다른 두 정다각형의 넓이의 합)

➡ $S_1 + S_2 = S_3$

| 개념 확인 | **4**

다음은 직각삼각형 ABC의 세 변을 지름으로 하는 반원을 그린 것이다. 색칠한 부분의 넓이를 구하시오.

(1)

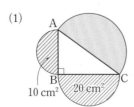

10 cm^2 20 cm^2

(2)

30 cm^2 18 cm^2

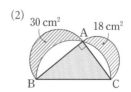

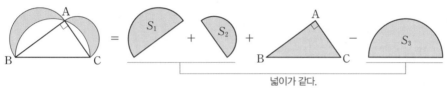

STEP **1** 기초 개념 드릴

개념 기초

1-1

삼각형의 세 변의 길이가 각각 아래 보기와 같을 때, 다음 물음에 답하시오.

보기

㉠ 5, 6, 8   ㉡ 7, 10, 12

㉢ 4, 5, 7   ㉣ 5, 12, 13

㉤ 10, 13, 15   ㉥ 7, 24, 25

(1) 예각삼각형을 모두 고르시오.

(2) 직각삼각형을 모두 고르시오.

(3) 둔각삼각형을 모두 고르시오.

연구 △ABC에서 $\overline{AB}=c$, $\overline{BC}=a$, $\overline{CA}=b$일 때

(단, c는 가장 긴 변의 길이)

(1) $c^2 < a^2 + b^2$이면 ∠C < 90° ➡ ☐

(2) $c^2 = a^2 + b^2$이면 ∠C = 90° ➡ ☐

(3) $c^2 > a^2 + b^2$이면 ∠C > 90° ➡ ☐

2-1

오른쪽 그림과 같은 직각삼각형 ABC에서 x^2의 값을 구하시오.

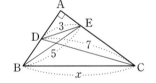

연구 $\overline{DE}^2 + \overline{BC}^2 = $ ☐ $+ \overline{CD}^2$

3-1

오른쪽 그림의 □ABCD에서 x^2의 값을 구하시오.

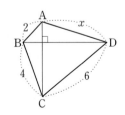

연구 $\overline{AB}^2 + \overline{CD}^2 = \overline{AD}^2 + $ ☐

쌍둥이 문제

1-2

삼각형의 세 변의 길이가 각각 아래 보기와 같을 때, 다음 물음에 답하시오.

보기

㉠ 3, 7, 9   ㉡ 4, 8, 10

㉢ 1, $\dfrac{4}{3}$, $\dfrac{5}{3}$ ㉣ 7, 9, 11

㉤ 6, 8, 9   ㉥ 9, 40, 41

(1) 예각삼각형을 모두 고르시오.

(2) 직각삼각형을 모두 고르시오.

(3) 둔각삼각형을 모두 고르시오.

2-2

오른쪽 그림과 같은 직각삼각형 ABC에서 x^2의 값을 구하시오.

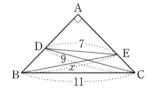

3-2

오른쪽 그림의 □ABCD에서 x^2의 값을 구하시오.

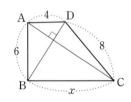

대표 유형 **1** 삼각형의 변의 길이와 각의 크기 사이의 관계

세 변의 길이가 각각 a, b, c인 △ABC에서 c가 가장 긴 변의 길이일 때

① $c^2 < a^2 + b^2$ ➡ 예각삼각형　　② $c^2 = a^2 + b^2$ ➡ 직각삼각형　　③ $c^2 > a^2 + b^2$ ➡ 둔각삼각형

1-1 삼각형의 세 변의 길이가 각각 다음과 같을 때, 둔각삼각형인 것을 모두 고르면? (정답 2개)

① 3 cm, 4 cm, 6 cm　　② 4 cm, 7 cm, 8 cm

③ 5 cm, 6 cm, 9 cm　　④ 6 cm, 7 cm, 8 cm

⑤ 8 cm, 15 cm, 17 cm

풀이 ① $6^2 > 3^2 + 4^2$이므로 둔각삼각형이다.

② $8^2 < 4^2 + 7^2$이므로 예각삼각형이다.

③ $9^2 > 5^2 + 6^2$이므로 둔각삼각형이다.

④ $8^2 < 6^2 + 7^2$이므로 예각삼각형이다.

⑤ $17^2 = 8^2 + 15^2$이므로 직각삼각형이다.

따라서 둔각삼각형인 것은 ①, ③이다.　　**답** ①, ③

쌍둥이 1-2

삼각형의 세 변의 길이가 각각 다음 보기와 같을 때, 예각삼각형인 것을 모두 고르시오.

┌ 보기 ─────────────
㉠ 1, 2, 2	㉡ 2, 5, 6
㉢ 4, 5, 7	㉣ 6, 7, 10
㉤ 5, 8, 7	㉥ 9, 12, 15
└─────────────────

대표 유형 **2** 피타고라스 정리를 이용한 도형의 성질

(1) 피타고라스 정리를 이용한 직각삼각형의 성질

 ➡ $\overline{DE}^2 + \overline{AC}^2 = \overline{AE}^2 + \overline{CD}^2$

(2) 두 대각선이 직교하는 사각형의 성질

 ➡ $\overline{AB}^2 + \overline{CD}^2 = \overline{AD}^2 + \overline{BC}^2$

2-1 오른쪽 그림과 같이 ∠B = 90°인 직각삼각형 ABC에서 x^2의 값을 구하시오.

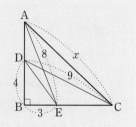

풀이 △DBE에서 $\overline{DE}^2 = 4^2 + 3^2 = 25$

∴ $\overline{DE} = 5$ (∵ $\overline{DE} > 0$)

$\overline{DE}^2 + \overline{AC}^2 = \overline{AE}^2 + \overline{CD}^2$이므로

$5^2 + x^2 = 8^2 + 9^2$, $25 + x^2 = 145$

∴ $x^2 = 120$

답 120

쌍둥이 2-2

오른쪽 그림과 같이 ∠C = 90°인 직각삼각형 ABC에서 $\overline{BD}^2 - \overline{DE}^2$의 값을 구하시오.

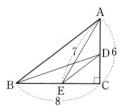

쌍둥이 2-3

오른쪽 그림과 같은 □ABCD에서 $\overline{AC} \perp \overline{BD}$일 때, $\overline{AD}^2 + \overline{BC}^2$의 값을 구하시오.

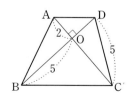

대표 유형 **3**   직각삼각형과 세 반원 사이의 관계

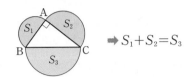

$\Rightarrow S_1 + S_2 = S_3$

3-1 오른쪽 그림과 같이 $\angle A = 90°$인 직각삼각형 ABC에서 각 변을 지름으로 하는 세 반원의 넓이를 각각 P, Q, R라 하자. $\overline{BC} = 16$ cm일 때, $P + Q + R$의 값을 구하시오.

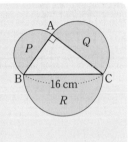

풀이 $R = P + Q$이므로

$$P + Q + R = 2R = 2 \times \left(\frac{1}{2} \times \pi \times 8^2 \right)$$
$$= 64\pi \ (\text{cm}^2)$$

답 64π cm^2

쌍둥이 3-2

오른쪽 그림과 같이 $\angle A = 90°$인 직각삼각형 ABC에서 $\overline{AB}$, $\overline{AC}$를 각각 지름으로 하는 두 반원을 그렸다. $\overline{BC} = 10$ cm일 때, 색칠한 부분의 넓이를 구하시오.

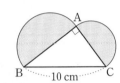

대표 유형 **4**   히포크라테스의 원의 넓이

$\Rightarrow S_1 + S_2 = \triangle \text{ABC}$
$\qquad\qquad = \dfrac{1}{2} bc$

4-1 오른쪽 그림과 같이 $\angle A = 90°$인 직각삼각형 ABC의 각 변을 지름으로 하는 세 반원을 그렸다. $\overline{BC} = 13$ cm, $\overline{AC} = 5$ cm일 때, 색칠한 부분의 넓이를 구하시오.

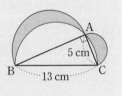

풀이 $\triangle \text{ABC}$에서 $\overline{AB}^2 = 13^2 - 5^2 = 144$

$\therefore \overline{AB} = 12 \ (\text{cm}) \ (\because \overline{AB} > 0)$

색칠한 부분의 넓이는 $\triangle \text{ABC}$의 넓이와 같으므로

(색칠한 부분의 넓이)$= \dfrac{1}{2} \times 5 \times 12 = 30 \ (\text{cm}^2)$

답 30 cm^2

쌍둥이 4-2

오른쪽 그림과 같이 $\angle C = 90°$인 직각삼각형 ABC의 각 변을 지름으로 하는 세 반원을 그렸다. $\overline{BC} = 16$ cm이고 색칠한 부분의 넓이가 96 cm^{2}일 때, $\overline{AB}$의 길이를 구하시오.

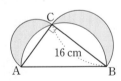

STEP 3 개념 뛰어넘기

피타고라스 정리를 이용한 성질

△ABC에서 $\overline{AB}=c$, $\overline{BC}=a$, $\overline{CA}=b$일 때
(단, c는 가장 긴 변의 길이)

① $c^2<a^2+b^2$이면 $\angle C<90°$ ➡ 예각삼각형
② $c^2=a^2+b^2$이면 $\angle C=90°$ ➡ 직각삼각형
③ $c^2>a^2+b^2$이면 $\angle C>90°$ ➡ ❶ 삼각형

답 ❶ 둔각

★ 01

삼각형의 세 변의 길이가 각각 다음과 같을 때, 예각삼각형인 것은?

① 2 cm, 3 cm, 4 cm ② 2 cm, 2 cm, 3 cm
③ 3 cm, 4 cm, 5 cm ④ 4 cm, 6 cm, 7 cm
⑤ 4 cm, 7 cm, 9 cm

02

창의력

△ABC에서 $\overline{AB}=c$, $\overline{BC}=a$, $\overline{CA}=b$일 때, 다음 중 옳지 않은 것은?

① $a^2>b^2+c^2$이면 △ABC는 둔각삼각형이다.
② $b^2<a^2+c^2$이면 △ABC는 예각삼각형이다.
③ $a^2=b^2+c^2$이면 △ABC는 직각삼각형이다.
④ $a^2<b^2+c^2$이면 $\angle A<90°$이다.
⑤ $c^2>a^2+b^2$이면 $\angle C>90°$이다.

피타고라스 정리를 이용한 도형의 성질

(1) $\angle B=90°$인 직각삼각형 ABC에서
$$\overline{DE}^2+\overline{AC}^2=❶\ \boxed{}+\overline{CD}^2$$

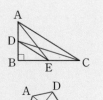

(2) 사각형 ABCD에서 두 대각선이 직교할 때
$$\overline{AB}^2+\overline{CD}^2=❷\ \boxed{}+\overline{BC}^2$$

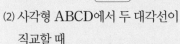

답 ❶ $\overline{AE}^2$ ❷ $\overline{AD}^2$

03

오른쪽 그림과 같이 $\angle A=90°$인 직각삼각형 ABC에서 x^2의 값을 구하시오.

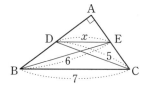

★ 04

서술형

오른쪽 그림과 같은 □ABCD에서 두 대각선 AC, BD가 점 O에서 수직으로 만날 때, x^2+y^2의 값을 구하시오.

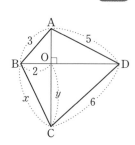

05

오른쪽 그림과 같이 $\angle A=90°$이고 $\overline{AC}=4$ cm인 직각삼각형 ABC의 각 변을 지름으로 하는 세 반원을 그렸다. $\overline{BC}$를 지름으로 하는 반원의 넓이가 12π cm²일 때, 색칠한 부분의 넓이는?

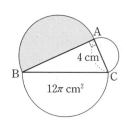

① 7π cm² ② 8π cm² ③ 9π cm²
④ 10π cm² ⑤ 11π cm²

06

창의력

오른쪽 그림과 같이 $\angle A=90°$이고 $\overline{AB}=\overline{AC}$인 직각이등변삼각형 ABC의 각 변을 지름으로 하는 세 반원을 그렸다. $\overline{BC}=10$ cm일 때, 색칠한 부분의 넓이를 구하시오.

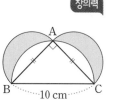

9 경우의 수

학습 목표

- 사건과 경우의 수의 뜻을 안다.
- 사건 A 또는 사건 B가 일어나는 경우의 수를 구할 수 있다.
- 사건 A와 사건 B가 동시에 일어나는 경우의 수를 구할 수 있다.

1 경우의 수

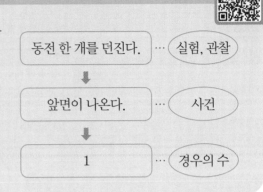

개념 ① 사건과 경우의 수

(1) **사건** 동일한 조건에서 반복할 수 있는 실험이나 관찰에 의해 나타나는 어떤 결과

(2) **경우의 수** 어떤 사건이 일어날 수 있는 모든 가짓수
- ➡ 경우의 수를 구할 때는 중복없이, 빠짐없이 세어야 한다.

동전 한 개를 던진다.	…	실험, 관찰
앞면이 나온다.	…	사건
1	…	경우의 수

 한 개의 주사위를 던질 때

사건	경우	경우의 수
5 이상의 눈이 나온다.		2
2의 배수의 눈이 나온다.		3
일어날 수 있는 모든 경우		6

경우의 수를 구할 때, 동전이 서 있는 경우와 같이 일반적이지 않은 사건은 생각하지 않아.

• **Lecture** •

● 경우의 수를 구할 때, 많이 사용되는 용어들

이상	7 이상의 자연수: 7, 8, 9, …	이하	5 이하의 자연수: 1, 2, 3, 4, 5
미만	4 미만의 자연수: 1, 2, 3	약수	4의 약수: 1, 2, 4
배수	3의 배수: 3, 6, 9, 12, …	소수	10 이하의 소수: 2, 3, 5, 7

┗→ 1보다 큰 자연수 중 1과 자기 자신만을 약수로 가지는 수

∥개념 확인∥ **1** 한 개의 주사위를 던질 때, 다음 사건이 일어나는 경우의 수를 구하시오.

(1) 4 이하의 눈이 나온다.

(2) 3보다 크고 6보다 작은 수의 눈이 나온다.

(3) 6의 약수의 눈이 나온다.

(4) 소수의 눈이 나온다.

개념 ② 사건 A 또는 사건 B가 일어나는 경우의 수

두 사건 A, B가 동시에 일어나지 않을 때, 사건 A가 일어나는 경우의 수가 m,

사건 B가 일어나는 경우의 수가 n이면

$$(\text{사건 } A \text{ 또는 사건 } B \text{가 일어나는 경우의 수}) = m + n$$

참고 두 사건 A, B가 동시에 일어나지 않는다는 것은 사건 A가 일어나면 사건 B는 일어날 수 없고,

사건 B가 일어나면 사건 A는 일어날 수 없다는 뜻이다.

보기 한 개의 주사위를 던질 때, 3 이하 또는 5 이상의 눈이 나오는 경우의 수를 구해 보자.

① 3 이하의 눈이 나오는 경우: 1, 2, 3의 3가지

② 5 이상의 눈이 나오는 경우: 5, 6의 2가지

⇨ 3 이하 또는 5 이상의 눈이 나오는 경우의 수는

   $3 + 2 = 5$

3 이하의 눈　　5 이상의 눈

3 이하이면서 5 이상인 수는 없으니까 두 사건은 동시에 일어날 수 없어.

설명 두 사건이 동시에 일어나는 경우가 있을 때는 위의 성질이 성립하지 않는다.

한 개의 주사위를 던질 때, 2의 배수 또는 3의 배수의 눈이 나오는 경우의 수를 구해 보면

2의 배수의 눈이 나오는 경우: 2, 4, 6의 3가지

3의 배수의 눈이 나오는 경우: 3, 6의 2가지

2의 배수의 눈　　3의 배수의 눈

이때 두 사건이 동시에 일어나는 경우 '6'이 중복되므로

구하는 경우의 수는

$3 + 2 - 1 = 4$

중복되어 세어진 경우의 수는 빼 준다.

• **Lecture** •

● 두 사건이 동시에 일어나지 않을 때, 문제에 '또는', '~이거나' 등의 표현이 있으면 합의 법칙을 이용한다.

● 두 사건 A, B가 중복되어 일어나는 경우가 있을 때는 각 사건이 일어나는 경우의 수를 더한 후 반드시 중복되어 일어나는 경우의 수를 빼 주어야 한다.

| 개념 확인 | **2** 오른쪽 그림과 같이 민수네 집에서 할머니 댁까지 가는 교통편으로 버스는 3가지, 기차는 2가지가 있다. 민수가 버스나 기차를 이용하여 집에서 할머니 댁까지 갈 때, □ 안에 알맞은 수를 써넣으시오.

민수네 집

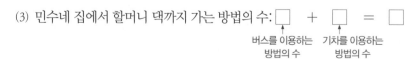

할머니 댁

(1) 버스를 이용하는 방법의 수: □

(2) 기차를 이용하는 방법의 수: □

(3) 민수네 집에서 할머니 댁까지 가는 방법의 수: □ ＋ □ ＝ □

　　　　　　버스를 이용하는　기차를 이용하는
　　　　　　방법의 수　　　　방법의 수

개념 ③ 사건 A와 사건 B가 동시에 일어나는 경우의 수

사건 A가 일어나는 경우의 수가 m이고, 그 각각의 경우에 대하여 사건 B가 일어나는

경우의 수가 n이면

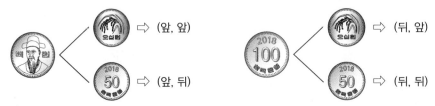

(사건 A와 사건 B가 동시에 일어나는 경우의 수)$=m \times n$

참고 사건 A와 사건 B가 동시에 일어난다는 것은 사건 A도 일어나고 사건 B도 일어난다는 뜻이다.

보기 100원짜리 동전 한 개와 50원짜리 동전 한 개를 동시에 던질 때, 일어날 수 있는 모든 경우의 수를 구해 보자.

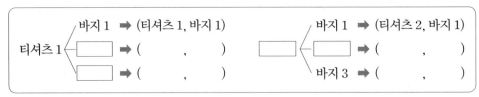

100원짜리 동전은 앞면 또는 뒷면이 나오는 2가지 경우가 있고 그 각각의 경우에 대하여 50원짜리 동전은 앞면 또는 뒷면이 나오는 2가지 경우가 있으므로
구하는 모든 경우의 수는 $2 \times 2 = 4$

• **Lecture** •
● 두 사건이 동시에 일어날 때, 문제에 '각각', '그리고', '~와' 등의 표현이 있으면 곱의 법칙을 이용한다.
● 경우의 수는 나뭇가지 그림으로 구할 수도 있다.
    └→ '수형도'라고도 한다.

| 개념 확인 | **3** 동우가 티셔츠 2종류와 바지 3종류를 가지고 있을 때, 물음에 답하시오.

(1) 다음은 동우가 티셔츠와 바지를 각각 하나씩 고르는 경우를 나타낸 나뭇가지 그림이다. 그림을 완성하시오.

```
                   ┌ 바지 1 ➡ (티셔츠 1, 바지 1)          ┌ 바지 1 ➡ (티셔츠 2, 바지 1)
         티셔츠 1 ┤ [    ] ➡ (    ,    )      [    ] ┤ [    ] ➡ (    ,    )
                   └ [    ] ➡ (    ,    )          └ 바지 3 ➡ (    ,    )
```

(2) 다음 ☐ 안에 알맞은 수를 써넣으시오.

동우가 티셔츠를 고르는 경우는 ☐ 가지이고, 그 각각에 대하여 바지를 고르는 경우는 ☐ 가지이므로 동우가 티셔츠와 바지를 각각 하나씩 고르는 경우의 수는

☐ × ☐ = ☐

개념 기초

1-1

1부터 10까지의 자연수가 각각 적힌 10장의 카드 중에서 한 장을 뽑을 때, 5의 배수가 적힌 카드가 나오는 경우의 수를 구하시오.

> **연구** 10장의 카드 중에서 한 장을 뽑을 때 나올 수 있는 모든 경우는
> 1, 2, 3, ☐
> 이 중 5의 배수는 ☐ 이므로
> 구하는 경우의 수는 ☐

쌍둥이 문제

1-2

1부터 12까지의 자연수가 각각 적힌 12장의 카드 중에서 한 장을 뽑을 때, 다음을 구하시오.

(1) 4 미만의 수가 적힌 카드가 나오는 경우의 수

(2) 6의 배수가 적힌 카드가 나오는 경우의 수

(3) 12의 약수가 적힌 카드가 나오는 경우의 수

2-1

한 개의 주사위를 던질 때, 5의 약수 또는 짝수의 눈이 나오는 경우의 수를 구하시오.

> **연구** ① 5의 약수는 1, ☐ 이므로 경우의 수는 ☐
> ② 짝수는 2, ☐, ☐ 이므로 경우의 수는 ☐
> 따라서 구하는 경우의 수는 ☐ + ☐ = ☐

2-2

1부터 10까지의 자연수가 각각 적힌 10개의 공이 들어 있는 주머니에서 한 개의 공을 꺼낼 때, 다음을 구하시오.

(1) 짝수 또는 9의 약수가 적힌 공이 나오는 경우의 수

(2) 2 이하이거나 8 이상의 수가 적힌 공이 나오는 경우의 수

3-1

연필 3종류와 지우개 4종류가 있다. 연필과 지우개를 각각 한 개씩 고르는 경우의 수를 구하시오.

> **연구** ① 연필을 고르는 경우의 수는 ☐
> ② ①의 각각의 경우에 대하여 지우개를 고르는 경우의 수는 ☐
> 따라서 구하는 경우의 수는 ☐ × ☐ = ☐

3-2

샌드위치 4종류와 김밥 7종류가 있다. 샌드위치와 김밥을 각각 하나씩 먹는 경우의 수를 구하시오.

STEP 2 대표 유형으로 개념 잡기

대표 유형 1 주사위를 던질 때의 경우의 수

서로 다른 두 개의 주사위를 동시에 던질 때, 일어날 수 있는 사건의 경우의 수는 순서쌍으로 나타내어 구한다.

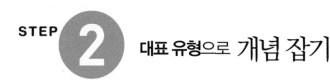

예 ⚀, ⚄ ➡ (1, 5)

1-1 두 개의 주사위 A, B를 동시에 던질 때, 나오는 두 눈의 수의 합이 7인 경우의 수를 구하시오.

풀이 두 개의 주사위 A, B를 동시에 던질 때, 나올 수 있는 모든 경우는 다음 표와 같다.

A \ B	⚀	⚁	⚂	⚃	⚄	⚅
⚀	(1, 1)	(1, 2)	(1, 3)	(1, 4)	(1, 5)	(1, 6)
⚁	(2, 1)	(2, 2)	(2, 3)	(2, 4)	(2, 5)	(2, 6)
⚂	(3, 1)	(3, 2)	(3, 3)	(3, 4)	(3, 5)	(3, 6)
⚃	(4, 1)	(4, 2)	(4, 3)	(4, 4)	(4, 5)	(4, 6)
⚄	(5, 1)	(5, 2)	(5, 3)	(5, 4)	(5, 5)	(5, 6)
⚅	(6, 1)	(6, 2)	(6, 3)	(6, 4)	(6, 5)	(6, 6)

두 눈의 수의 합이 7인 경우는
(1, 6), (2, 5), (3, 4), (4, 3), (5, 2), (6, 1)의 6가지

답 6

쌍둥이 1-2

두 개의 주사위 A, B를 동시에 던질 때, 다음을 구하시오.

(1) 나오는 두 눈의 수의 합이 11인 경우의 수

(2) 나오는 두 눈의 수의 차가 3인 경우의 수

대표 유형 2 돈을 지불하는 방법의 수

돈을 지불하는 방법의 수를 구할 때는 내야 할 각 지폐와 동전의 수를 표로 나타낸다.
이때 금액이 큰 지폐 또는 동전의 수부터 정하는 것이 편리하다.

2-1 보영이는 1000원짜리 지폐 4장과 500원짜리 동전 5개를 가지고 있다. 3500원짜리 물건을 한 개 사고 거스름돈 없이 그 값을 지불하는 방법의 수를 구하시오.

풀이 1000원짜리 지폐의 수에 따라 지불하는 방법을 표로 나타내면 다음과 같다.

1000원짜리 지폐(장)	3	2	1
500원짜리 동전(개)	1	3	5

따라서 구하는 방법의 수는 3이다.

답 3

쌍둥이 2-2

수정이는 500원짜리 동전 6개와 1000원짜리 지폐 3장을 가지고 있다. 문구점에서 4000원짜리 물건을 한 개 사고 거스름돈 없이 그 값을 지불하는 방법의 수를 구하시오.

대표 유형 3 경우의 수의 합(1)

> • 두 사건이 동시에 일어나지 않고 문제에 '또는', '~이거나' 등의 표현이 있으면 각 사건의 경우의 수를 더해서 구할 수 있다.
> • 사건 A 또는 사건 B가 일어나는 경우의 수
> ➡ (사건 A가 일어나는 경우의 수)+(사건 B가 일어나는 경우의 수)−(두 사건 A, B가 중복되어 일어나는 경우의 수)

3-1 1부터 15까지의 자연수가 각각 적힌 15장의 카드 중에서 한 장을 뽑을 때, 3의 배수 또는 16의 약수가 적힌 카드가 나오는 경우의 수를 구하시오.

풀이 3의 배수가 적힌 카드가 나오는 경우는 3, 6, 9, 12, 15의 5가지
16의 약수가 적힌 카드가 나오는 경우는 1, 2, 4, 8의 4가지
따라서 3의 배수 또는 16의 약수가 적힌 카드가 나오는 경우의 수는 5+4=9

답 9

쌍둥이 3-2

피자 3종류, 스파게티 5종류 중에서 한 가지를 선택하여 주문하는 경우의 수를 구하시오.

쌍둥이 3-3

1부터 20까지의 자연수가 각각 적힌 20개의 공이 들어 있는 상자에서 한 개의 공을 꺼낼 때, 3의 배수 또는 4의 배수가 적힌 공이 나오는 경우의 수를 구하시오.

> 3의 배수이면서 4의 배수인 수가 있으므로 주의해.

대표 유형 4 경우의 수의 합(2) – 두 개의 주사위를 던지는 경우

> • 서로 다른 두 개의 주사위를 던질 때, 나오는 두 눈의 수의 합(차)이 A 또는 B인 경우의 수
> ➡ (두 눈의 수의 합(차)이 A인 경우의 수)+(두 눈의 수의 합(차)이 B인 경우의 수)
> • 두 개의 주사위 A, B를 동시에 던질 때, A, B는 서로 다른 주사위이므로 나오는 두 눈의 수를 순서쌍 (A 주사위, B 주사위)로 나타내면 $(1, 4)$와 $(4, 1)$은 서로 다른 경우임에 주의한다.

4-1 서로 다른 두 개의 주사위를 동시에 던질 때, 나오는 두 눈의 수의 합이 3 또는 6인 경우의 수를 구하시오.

풀이 두 눈의 수의 합이 3인 경우는 $(1, 2)$, $(2, 1)$의 2가지
두 눈의 수의 합이 6인 경우는 $(1, 5)$, $(2, 4)$, $(3, 3)$, $(4, 2)$, $(5, 1)$의 5가지
따라서 두 눈의 수의 합이 3 또는 6인 경우의 수는 2+5=7

답 7

쌍둥이 4-2

서로 다른 두 개의 주사위를 동시에 던질 때, 나오는 두 눈의 수의 차가 1 또는 5인 경우의 수를 구하시오.

쌍둥이 4-3

서로 다른 두 개의 주사위를 동시에 던질 때, 나오는 두 눈의 수의 합이 5의 배수인 경우의 수를 구하시오.

9 | 경우의 수

대표 유형 **5** 경우의 수의 곱(1) – 물건의 선택

- 두 사건이 동시에 일어나고 문제에 '각각', '그리고', '~와(과)' 등의 표현이 있으면 각 사건의 경우의 수를 곱해서 구할 수 있다.
- A가 m개, B가 n개 있을 때, A와 B를 각각 1개씩 선택하는 경우의 수 ➡ $m \times n$

5-1 수연이는 5종류의 티셔츠와 3종류의 바지를 갖고 있다. 수연이가 티셔츠와 바지를 각각 하나씩 고르는 경우의 수를 구하시오.

풀이 티셔츠를 고르는 경우의 수는 5
바지를 고르는 경우의 수는 3
따라서 구하는 경우의 수는 $5 \times 3 = 15$

답 15

쌍둥이 5-2

어느 햄버거 가게에서 햄버거 6종류와 음료수 4종류를 판다고 한다. 이 가게에서 햄버거와 음료수를 각각 한 가지씩 고르는 경우의 수를 구하시오.

쌍둥이 5-3

자음 'ㄱ, ㄴ, ㄷ, ㄹ'과 모음 'ㅏ, ㅑ, ㅓ, ㅕ'로 만들 수 있는 받침 없는 글자는 모두 몇 개인지 구하시오.

대표 유형 **6** 경우의 수의 곱(2) – 길의 선택

'A 지점에서 B 지점을 거쳐 C 지점으로 간다.'는 것은 'A 지점에서 B 지점으로 가고, B 지점에서 C 지점으로 간다.'는 것을 뜻하므로 각각의 경우의 수를 곱한다.

6-1 다음 그림과 같이 집에서 학교까지 가는 길은 4가지, 학교에서 도서관까지 가는 길은 2가지, 집에서 도서관까지 직접 가는 길은 1가지가 있다. 이때 집에서 도서관까지 가는 방법의 수를 구하시오.

(단, 한 번 지나간 지점은 다시 지나지 않는다.)

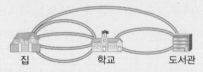

풀이 (i) 집 → 학교 → 도서관으로 가는 방법의 수는
$4 \times 2 = 8$
(ii) 집 → 도서관으로 직접 가는 방법의 수는 1
따라서 구하는 방법의 수는 $8 + 1 = 9$

답 9

쌍둥이 6-2

서울에서 대전까지 가는 버스 노선은 3가지, 대전에서 부산까지 가는 버스 노선은 4가지가 있다. 버스를 이용하여 서울에서 대전을 들렀다가 부산까지 가는 방법의 수를 구하시오.

쌍둥이 6-3

다음 그림과 같이 세 지점 A, B, C 사이에 도로가 있을 때, A 지점에서 C 지점까지 가는 방법의 수를 구하시오.

(단, 한 번 지나간 지점은 다시 지나지 않는다.)

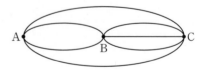

대표 유형 **7** 경우의 수의 곱(3) – 동전 또는 주사위를 던지는 경우

- 서로 다른 n개의 동전을 동시에 던질 때, 일어날 수 있는 모든 경우의 수
  ➡ 각 동전에서 일어날 수 있는 경우는 앞면, 뒷면의 2가지이므로 $\underbrace{2 \times 2 \times \cdots \times 2}_{n \text{개}} = 2^n$
- 서로 다른 m개의 주사위를 동시에 던질 때, 일어날 수 있는 모든 경우의 수
  ➡ 각 주사위에서 일어날 수 있는 경우는 1, 2, 3, 4, 5, 6의 6가지이므로 $\underbrace{6 \times 6 \times \cdots \times 6}_{m \text{개}} = 6^m$

7-1 서로 다른 2개의 동전과 1개의 주사위를 동시에 던질 때, 다음을 구하시오.
(1) 일어날 수 있는 모든 경우의 수
(2) 동전은 서로 같은 면이 나오고, 주사위는 소수의 눈이 나오는 경우의 수

풀이 (1) 서로 다른 동전 2개를 동시에 던질 때, 일어날 수 있는 모든 경우의 수는 $2 \times 2 = 4$
주사위 1개를 던질 때, 일어날 수 있는 모든 경우의 수는 6
따라서 구하는 경우의 수는 $4 \times 6 = 24$

(2) 서로 다른 동전 2개를 동시에 던질 때, 서로 같은 면이 나오는 경우는 (앞, 앞), (뒤, 뒤)의 2가지
주사위 1개를 던질 때, 소수의 눈이 나오는 경우는 2, 3, 5의 3가지
따라서 구하는 경우의 수는 $2 \times 3 = 6$

답 (1) 24 (2) 6

쌍둥이 7-2
동전 1개와 주사위 1개를 동시에 던질 때, 동전은 앞면이 나오고, 주사위는 6의 약수의 눈이 나오는 경우의 수를 구하시오.

쌍둥이 7-3
두 개의 주사위 A, B를 동시에 던질 때, A는 3의 배수의 눈이 나오고 B는 짝수의 눈이 나오는 경우의 수를 구하시오.

대표 유형 **8** 가위바위보를 할 때의 경우의 수

가위바위보를 할 때, 한 사람이 낼 수 있는 경우는 가위, 바위, 보의 3가지이다.

8-1 지수와 수찬이가 가위바위보를 할 때, 다음을 구하시오.
(1) 일어날 수 있는 모든 경우의 수
(2) 비기는 경우의 수

풀이 (1) 일어날 수 있는 모든 경우의 수는
$$3 \times 3 = 9$$
지수가 낼 수 있는 것은 ← → 수찬이가 낼 수 있는 것은
가위, 바위, 보의 3가지   가위, 바위, 보의 3가지

(2) 비기는 경우는 (가위, 가위), (바위, 바위), (보, 보)의 3가지이다.

답 (1) 9 (2) 3

쌍둥이 8-2
광수와 지효가 가위바위보를 할 때, 다음 중 옳은 것에는 ○표, 옳지 않은 것에는 ×표를 ( ) 안에 써넣으시오.
(1) 광수가 이기는 경우의 수는 3이다. ( )

(2) 서로 같은 것을 내는 경우의 수는 3이다. ( )

(3) 승부가 나는 경우의 수는 3이다. ( )

> 승부가 나는 경우는 광수가 이기 거나 지효가 이기는 경우야.

경우의 수

> 경우의 수: 어떤 사건이 일어날 수 있는 모든 가짓수
>
> **예** 한 개의 동전을 던질 때, 일어나는 모든 경우의 수는
> [**①**]이다.
>
> **참고** 경우의 수를 구할 때는 중복하여 세어진 경우가 있는지 반드시 확인하고, 서로 다른 경우만 빠짐없이 세어야 한다.

📄 **①**2

01

한 개의 주사위를 던질 때, 다음 중 경우의 수가 가장 큰 사건은?

① 홀수의 눈이 나온다.
② 합성수의 눈이 나온다.
③ 3의 배수의 눈이 나온다.
④ 5의 약수의 눈이 나온다.
⑤ 6의 약수의 눈이 나온다.

02

서로 다른 세 개의 동전을 동시에 던질 때, 한 개만 뒷면이 나오는 경우의 수는?

① 1   ② 2   ③ 3
④ 4   ⑤ 5

★ 03

50원, 100원, 500원짜리 동전이 각각 5개씩 있다. 이 동전을 사용하여 1750원을 지불하는 방법의 수를 구하시오.

사건 A 또는 사건 B가 일어나는 경우의 수

> 두 사건 A와 B가 동시에 일어나지 않을 때,
> 사건 A가 일어나는 경우의 수가 m, 사건 B가 일어나는 경우의 수가 n이면
> (사건 A **또는** 사건 B가 일어나는 경우의 수)
> $=m$[**①**]n
>
> **참고** 두 사건이 동시에 일어나지 않을 때, '또는', '~이거나' 등의 표현이 있으면 각 사건의 경우의 수를 더한다.

 ①+

04

학교 매점에 있는 자동판매기에서는 500원짜리 탄산음료 6가지와 이온음료 5가지를 뽑을 수 있다고 한다. 자동판매기에 500원짜리 동전 한 개를 넣었을 때, 음료수 한 가지를 선택하는 경우의 수를 구하시오.

★ 05

1부터 30까지의 자연수가 각각 적힌 30장의 카드에서 한 장을 뽑을 때, 홀수 또는 6의 배수가 적힌 카드가 나오는 경우의 수를 구하시오.

06   서술형

서로 다른 두 개의 주사위를 동시에 던질 때, 다음을 구하시오.

(1) 나오는 두 눈의 수의 합이 5인 경우의 수

(2) 나오는 두 눈의 수의 차가 4인 경우의 수

(3) 나오는 두 눈의 수의 합이 5이거나 차가 4인 경우의 수

07

서로 다른 두 개의 주사위를 동시에 던질 때, 나오는 두 눈의 수의 합이 10 이상인 경우의 수를 구하시오.

사건 A와 사건 B가 동시에 일어나는 경우의 수

사건 A가 일어나는 경우의 수가 m이고, 그 각각의 경우에 대하여 사건 B가 일어나는 경우의 수가 n이면
(사건 A와 사건 B가 동시에 일어나는 경우의 수)
$= m \boxed{1} \quad n$

참고 두 사건이 동시에 일어날 때, '동시에', '그리고', '~와', '~하고 나서' 등의 표현이 있으면 각 사건의 경우의 수를 곱한다.

답 ❶ ×

08

어느 중학교 배드민턴부에 5명의 남자 선수와 3명의 여자 선수가 있다. 남자 선수와 여자 선수를 각각 한 사람씩 뽑아 혼합 복식조를 만드는 경우의 수를 구하시오.

09

용합형

다음 그림은 어느 식당의 차림표이다. 알뜰 코스로 주문하는 경우의 수를 구하시오.

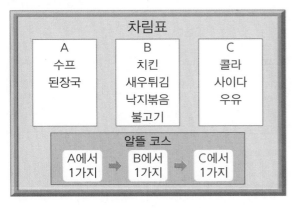

10

서술형

아래 그림과 같은 길에 대하여 다음을 구하시오.

(단, 한 번 지나간 지점은 다시 지나지 않는다.)

(1) 서울에서 대전을 거쳐 전주까지 가는 방법의 수

(2) 서울에서 대전을 거치지 않고 전주까지 가는 방법의 수

(3) 서울에서 전주까지 가는 방법의 수

11

서로 다른 동전 3개와 주사위 1개를 동시에 던질 때, 다음을 구하시오.

(1) 일어날 수 있는 모든 경우의 수

(2) 동전은 앞면이 1개 나오고 주사위는 홀수의 눈이 나오는 경우의 수

12

창의 융합

오른쪽 그림과 같이 3개의 전구가 있다. 전구에 불을 켜거나 꺼서 신호를 만들려고 한다. 만들 수 있는 신호는 모두 몇 가지인지 구하시오.

(단, 모두 꺼져 있는 경우도 신호로 생각한다.)

9 경우의 수

2 여러 가지 경우의 수

개념 ❶ 한 줄로 세우는 경우의 수

(1) n명을 한 줄로 세우는 경우의 수 ➡ $n\times(n-1)\times(n-2)\times\cdots\times2\times1$

                 ↳ 2명을 뽑고 남은 $(n-2)$명 중에서 1명을 뽑는 경우의 수

            ↳ 1명을 뽑고 남은 $(n-1)$명 중에서 1명을 뽑는 경우의 수

        ↳ n명 중에서 1명을 뽑는 경우의 수

(2) n명 중에서 2명을 뽑아 한 줄로 세우는 경우의 수 ➡ $n\times(n-1)$

(3) n명 중에서 3명을 뽑아 한 줄로 세우는 경우의 수 ➡ $n\times(n-1)\times(n-2)$

보기

(1) A, B, C 3명을 한 줄로 세우는 경우의 수는

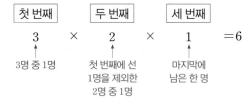

첫 번째		두 번째		세 번째	
3	×	2	×	1	=6

3명 중 1명   첫 번째에 선 1명을 제외한 2명 중 1명   마지막에 남은 한 명

(2) A, B, C, D 4명 중에서 2명을 뽑아 한 줄로 세우는 경우의 수는

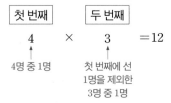

첫 번째		두 번째	
4	×	3	=12

4명 중 1명   첫 번째에 선 1명을 제외한 3명 중 1명

• Lecture •

● 한 줄로 세우는 경우는 위의 보기와 같이 필요한 개수만큼 자리를 만든 후 제일 앞자리부터 채워 나간다.

 이때 앞자리에 이미 서 있는 사람은 다음 자리에서 제외시킨다.

● 한 줄로 세운다는 것은 순서를 생각한다는 의미와 같다.

 예 A, B와 B, A는 서로 다른 배열이다.

‖ 개념 확인 ‖ **1**   A, B, C, D 4명을 한 줄로 세우는 경우의 수를 구하시오.

‖ 개념 확인 ‖ **2**   A, B, C, D 4명 중에서 3명을 뽑아 한 줄로 세우는 경우의 수를 구하시오.

개념 ② 한 줄로 세울 때 이웃하여 세우는 경우의 수

한 줄로 세울 때 이웃하여 세우는 경우의 수를 구하는 방법은 다음과 같다.

① 이웃하는 것을 하나로 묶어 한 줄로 세우는 경우의 수를 구한다.

② 묶음 안에서 자리를 바꾸는 경우의 수를 구한다.

③ ①의 경우의 수와 ②의 경우의 수를 곱한다.

묶음 안에서 자리를 바꾸는 경우의 수는 묶음 안에서 한 줄로 세우는 경우의 수와 같아.

$$\left(\begin{matrix}\text{이웃하는 것을 하나로 묶어서}\\ \text{한 줄로 세우는 경우의 수}\end{matrix}\right) \times \left(\begin{matrix}\text{묶음 안에서}\\ \text{자리를 바꾸는 경우의 수}\end{matrix}\right)$$

보기 A, B, C, D 4명을 한 줄로 세울 때, A, B 두 사람이 이웃하여 서는 경우의 수를 구해 보자.

① A, B를 한 묶음으로 생각하여 (A, B), C, D 3명을 한 줄로 세우는 경우의 수는

$3 \times 2 \times 1 = 6$

⇨ ((A, B), C, D), ((A, B), D, C), (C, (A, B), D),
(D, (A, B), C), (C, D, (A, B)), (D, C, (A, B))의 6가지

② 묶음 안에서 A, B가 자리를 바꾸는 경우의 수는

$2 \times 1 = 2$ ← 묶음 안에서 A, B를 한 줄로 세우는 경우의 수와 같다.

⇨ (A, B), (B, A)의 2가지

우리가 자리를 바꾸는 경우를 잊지 않도록 주의해!

③ 따라서 구하는 경우의 수는 $6 \times 2 = 12$

└── ①과 ②의 경우의 수를 곱한다.

• **Lecture** •
● 이웃하여 세우는 경우의 수에서는 이웃하는 것끼리 서로 자리를 바꾸는 경우를 잊지 말아야 한다.

| 개념 확인 | **3** A, B, C 3명을 한 줄로 세울 때, A와 B가 이웃하여 서는 경우의 수를 구하시오.

| 개념 확인 | **4** A, B, C, D 4명을 한 줄로 세울 때, A, C, D를 이웃하여 세우려고 한다. 다음을 구하시오.

(1) A, C, D를 하나로 묶어 (A, C, D)와 B를 한 줄로 세우는 경우의 수

(2) A, C, D가 서로 자리를 바꾸는 경우의 수

(3) A, B, C, D 4명을 한 줄로 세울 때, A, C, D를 이웃하여 세우는 경우의 수

9 경우의 수

개념 ③ 자연수를 만드는 경우의 수

(1) 0을 포함하지 않는 경우

0이 아닌 서로 다른 한 자리의 숫자가 각각 적힌 n장의 카드 중에서

① 2장을 뽑아 만들 수 있는 두 자리 자연수의 개수 ➡ $n \times (n-1)$

　　　　n장 중에서 1장을 뽑는 경우의 수 ┘　　└ 십의 자리에 온 숫자를 제외한 $(n-1)$장 중에서 1장을 뽑는 경우의 수

② 3장을 뽑아 만들 수 있는 세 자리 자연수의 개수 ➡ $n \times (n-1) \times (n-2)$

(2) 0을 포함하는 경우

0을 포함한 서로 다른 한 자리의 숫자가 각각 적힌 n장의 카드 중에서

① 2장을 뽑아 만들 수 있는 두 자리 자연수의 개수 ➡ $(n-1) \times (n-1)$

　　　　0을 제외한 $(n-1)$장 중에서 ┘　　└ 십의 자리에 온 숫자를 제외한 $(n-1)$장
　　　　1장을 뽑는 경우의 수　　　　　　중에서 1장을 뽑는 경우의 수

② 3장을 뽑아 만들 수 있는 세 자리 자연수의 개수 ➡ $(n-1) \times (n-1) \times (n-2)$

보기 다음 4장의 카드 중에서 2장을 뽑아 만들 수 있는 두 자리 자연수의 개수를 구해 보자.

(1) [1] [2] [3] [4]

방법1 | 십의 자리 | 일의 자리 |

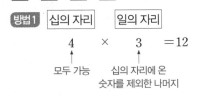

$$4 \times 3 = 12$$

모두 가능　십의 자리에 온 숫자를 제외한 나머지

(2) [0] [1] [2] [3]

방법1 | 십의 자리 | 일의 자리 |

$$3 \times 3 = 9$$

0을 제외한 나머지　십의 자리에 온 숫자를 제외한 나머지

방법2 나뭇가지 그림 이용

```
      2 ⇨ 12        1 ⇨ 21
1 ┬ 3 ⇨ 13    2 ┬ 3 ⇨ 23
      4 ⇨ 14        4 ⇨ 24

      1 ⇨ 31        1 ⇨ 41
3 ┬ 2 ⇨ 32    4 ┬ 2 ⇨ 42
      4 ⇨ 34        3 ⇨ 43
```

방법2 나뭇가지 그림 이용

```
      0 ⇨ 10        0 ⇨ 20        0 ⇨ 30
1 ┬ 2 ⇨ 12    2 ┬ 1 ⇨ 21    3 ┬ 1 ⇨ 31
      3 ⇨ 13        3 ⇨ 23        2 ⇨ 32
```

자연수에서 숫자 0은 맨 앞자리에는 올 수 없어.

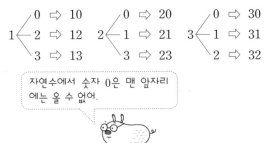

• **Lecture** •

● 0을 포함하지 않는 서로 다른 한 자리의 숫자 n개 중에서 r개를 뽑아 r자리의 자연수를 만드는 경우의 수는 n명 중에서 r명을 뽑아 한 줄로 세우는 경우의 수와 같다.

∥개념 확인∥ **5** 1, 2, 3, 4의 숫자가 각각 적힌 4장의 카드 중에서 3장을 뽑아 만들 수 있는 세 자리 자연수의 개수를 구하시오.

∥개념 확인∥ **6** 0, 1, 2, 3의 숫자가 각각 적힌 4장의 카드 중에서 3장 뽑아 만들 수 있는 세 자리 자연수의 개수를 구하시오.

개념 ④ 대표를 뽑는 경우의 수

(1) **자격이 다른 대표를 뽑을 때**(뽑는 **순서와 관계가 있는 경우**)

① n명 중에서 자격이 다른 대표 2명을 뽑는 경우의 수

➡ $n \times (n-1)$ ← 한 줄로 세우는 경우의 수와 같다.

② n명 중에서 자격이 다른 대표 3명을 뽑는 경우의 수

➡ $n \times (n-1) \times (n-2)$

(2) **자격이 같은 대표를 뽑을 때**(뽑는 **순서와 관계가 없는 경우**)

① n명 중에서 자격이 같은 대표 2명을 뽑는 경우의 수

➡ $\dfrac{n \times (n-1)}{2 \times 1}$ ← 자격이 다른 대표 2명을 뽑는 경우의 수
← 뽑은 2명을 한 줄로 세우는 경우의 수

② n명 중에서 자격이 같은 대표 3명을 뽑는 경우의 수

➡ $\dfrac{n \times (n-1) \times (n-2)}{3 \times 2 \times 1}$ ← 자격이 다른 대표 3명을 뽑는 경우의 수
← 뽑은 3명을 한 줄로 세우는 경우의 수

보기 A, B, C 3명의 후보 중에서 다음과 같이 뽑는 경우의 수를 구해 보자.

(1) 회장 1명, 부회장 1명

회장		부회장
3	×	2

$=6$

3명 모두 가능 / 회장이 된 1명을 제외한 나머지

⇨ (A, B), (A, C), (B, A)
(B, C), (C, A), (C, B)

(2) 대표 2명

$\dfrac{3 \times 2}{2 \times 1} = 3$

3명 중에서 자격이 다른 대표 2명을 뽑는 경우의 수

뽑은 2명을 한 줄로 세우는 경우의 수

⇨ A와 B, A와 C, B와 C

• **Lecture** •

● 뽑는 순서와 관계가 있는 경우 ➡ 한 줄로 세우는 경우, 자연수를 만드는 경우, 자격이 다른 대표 n명을 뽑는 경우

● 뽑는 순서와 관계가 없는 경우 ➡ 대표를 구별없이 뽑는 경우, 악수를 하는 경우, 선분의 개수, 경기 수

| 개념 확인 | **7** A, B, C, D 4명의 학생 중에서 학급 임원을 뽑을 때, 다음을 구하시오.

(1) 회장 1명, 부회장 1명을 뽑는 경우의 수

(2) 회장 1명, 부회장 1명, 서기 1명을 뽑는 경우의 수

(3) 임원 2명을 뽑는 경우의 수

개념 기초

1-1

A, B, C, D, E 5명이 있다. 다음을 구하시오.

(1) 5명을 한 줄로 세우는 경우의 수

(2) 5명 중에서 3명을 뽑아 한 줄로 세우는 경우의 수

연구 n명을 한 줄로 세울 때는 ☐개의 자리를 만든 후, 첫 번째 자리부터 ☐번째 자리까지 차례대로 채워 나간다.

2-1

A, B, C, D, E 5명을 한 줄로 세울 때, B, C가 이웃하여 서는 경우의 수를 구하시오.

연구 B와 C를 하나로 묶으면 B, C, A, D, E
즉 4명을 한 줄로 세우는 경우의 수와 같으므로
$4 \times$ ☐ $\times$ ☐ $\times$ ☐ $=$ ☐
이때 묶음 안에서 자리를 바꾸는 경우의 수도 생각한다.

3-1

다음과 같은 숫자가 각각 적힌 5장의 카드 중에서 2장을 뽑아 만들 수 있는 두 자리 자연수의 개수를 구하시오.

(1) 1, 2, 3, 4, 5   (2) 0, 1, 2, 3, 4

연구 두 자리 자연수이므로 십의 자리, 일의 자리에 올 수 있는 숫자를 생각한다.
이때 십의 자리에는 숫자 ☐이 올 수 없다.

4-1

A, B, C, D, E 5명의 학생 중에서 다음과 같이 2명을 뽑는 경우의 수를 구하시오.

(1) 학급 대표 1명, 청소 당번 1명

(2) 청소 당번 2명

연구 (1) 자격이 ☐ 대표 2명을 뽑는 경우의 수와 같다.
(2) 자격이 ☐ 대표 2명을 뽑는 경우의 수와 같다.

쌍둥이 문제

1-2

A, H, M, T 4개의 알파벳이 있다. 다음을 구하시오.

(1) 4개의 알파벳을 일렬로 나열하는 경우의 수

(2) 4개의 알파벳 중에서 2개를 뽑아 일렬로 나열하는 경우의 수

2-2

다음을 구하시오.

(1) A, H, M, T 4개의 알파벳을 일렬로 나열할 때, A, T를 이웃하여 나열하는 경우의 수

(2) A, B, C, D, E 5명을 한 줄로 세울 때, A, B, C가 이웃하여 서는 경우의 수

3-2

다음과 같은 숫자가 각각 적힌 6장의 카드 중에서 2장을 뽑아 만들 수 있는 두 자리 자연수의 개수를 구하시오.

(1) 1, 2, 3, 4, 5, 6   (2) 0, 1, 2, 3, 4, 5

4-2

다음을 구하시오.

(1) A, B, C, D 4명의 학생 중에서 회장 1명, 부회장 1명, 총무 1명을 뽑는 경우의 수

(2) A, B, C, D 4명의 학생 중에서 반 대표 달리기 선수 2명을 뽑는 경우의 수

대표 유형 **1** 한 줄로 세우는 경우의 수

- n명을 한 줄로 세우는 경우의 수 ➡ $n \times (n-1) \times (n-2) \times \cdots \times 2 \times 1$
- n명 중에서 r명을 뽑아 한 줄로 세우는 경우의 수 ➡ $\underline{n \times (n-1) \times (n-2) \times \cdots \times \{n-(r-1)\}}$ (단, $n \geq r$)
  └── n부터 1씩 작아지는 수를 차례대로 r개를 곱한다.

1-1 서로 다른 종류의 펜 5개 중에서 3개를 골라 준석, 혜영, 정희에게 각각 한 개씩 나누어 주는 경우의 수를 구하시오.

풀이 5명 중에서 3명을 뽑아 한 줄로 세우는 경우의 수와 같으므로
$5 \times 4 \times 3 = 60$

답 60

쌍둥이 1-2

학교 체육대회의 400 m 이어달리기 선수로 우리 반은 희수, 지혜, 경석, 현수가 출전하기로 하였다. 네 사람이 달리는 순서를 정하는 경우의 수를 구하시오.

쌍둥이 1-3

서로 다른 종류의 책 6권 중에서 4권을 골라 책꽂이에 일렬로 꽂는 경우의 수를 구하시오.

대표 유형 **2** 특정한 사람의 위치를 고정하여 한 줄로 세우는 경우의 수

특정한 사람의 위치가 정해진 경우는 그 사람의 자리를 고정시키고 나머지 사람들을 한 줄로 세운다.

2-1 A, B, C, D, E 5명의 학생이 나란히 놓인 5개의 의자에 앉을 때, A가 한가운데 앉는 경우의 수를 구하시오.

풀이 A가 한가운데 앉는 경우는 다음과 같이 A를 한가운데 고정시킨 후 경우의 수를 구한다.

첫 번째	두 번째	세 번째	네 번째	다섯 번째
☐	☐	A	☐	☐
A를 제외한 4명 중 1명	나머지 3명 중 1명	한가운데에 A를 고정	나머지 2명 중 1명	마지막 남은 1명

즉 A를 제외한 나머지 B, C, D, E 4명의 학생을 한 줄로 세우는 경우의 수와 같으므로
$4 \times 3 \times 2 \times 1 = 24$

답 24

쌍둥이 2-2

A, B, C, D 4명을 한 줄로 세울 때, A가 맨 앞에 서는 경우의 수를 구하시오.

쌍둥이 2-3

A, B, C, D, E 5명을 한 줄로 세울 때, A와 E를 양 끝에 세우는 경우의 수를 구하시오.

대표 유형 ③ 특정한 사람들을 이웃하여 세우는 경우의 수

특정한 사람들을 이웃하여 한 줄로 세울 때는 이웃하는 사람들을 하나로 묶어 생각한다.

$$\Rightarrow \begin{pmatrix} \text{한 줄로 세울 때} \\ \text{이웃하여 세우는 경우의 수} \end{pmatrix} = \begin{pmatrix} \text{이웃하는 사람들을 하나로 묶어서} \\ \text{한 줄로 세우는 경우의 수} \end{pmatrix} \times \begin{pmatrix} \text{묶음 안에서} \\ \text{자리를 바꾸는 경우의 수} \end{pmatrix}$$

3-1 아버지, 어머니, 오빠, 언니, 동생, 나 6명이 가족 사진을 찍으려고 한다. 긴 의자에 한 줄로 앉아 찍을 때, 아버지, 어머니가 이웃하여 앉는 경우의 수를 구하시오.

풀이 아버지, 어머니를 1명으로 생각하여 5명을 한 줄로 앉히는 경우의
수는 $5 \times 4 \times 3 \times 2 \times 1 = 120$
이때 아버지와 어머니가 서로 자리를 바꾸는 경우의 수는
$2 \times 1 = 2$
따라서 구하는 경우의 수는 $120 \times 2 = 240$

답 240

쌍둥이 3-2

남학생 3명과 여학생 2명을 한 줄로 세울 때, 여학생끼리 이웃하여 서는 경우의 수를 구하시오.

쌍둥이 3-3

학교 축제에 중창단으로 정현, 보아, 희애, 태원 4명이 한 팀을 이루어 나가기로 했다. 4명이 한 줄로 무대에 설 때, 보아가 태원이의 오른쪽 옆에 서는 경우의 수를 구하시오.

대표 유형 ④ 색칠하기

이웃하는 부분에 서로 다른 색을 칠하는 경우
➡ 먼저 한 부분을 정하여 그 부분에 칠하는 경우의 수를 구하고, 다른 부분으로 옮겨 가면서 이웃한 부분에 칠한 색을 제외하며 칠하는 경우의 수를 구한다.

4-1 오른쪽 그림과 같이 A, B, C, D 네 부분으로 나누어진 종이에 빨강, 노랑, 파랑, 초록의 4가지 색으로 칠하려고 한다. 같은 색을 여러 번 사용해도 좋으나 이웃한 부분은 서로 다른 색을 칠하는 경우의 수를 구하시오.

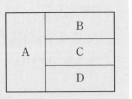

풀이 A에 칠할 수 있는 색은 4가지
B에 칠할 수 있는 색은 A에 칠한 색을 제외한 3가지
C에 칠할 수 있는 색은 A와 B에 칠한 색을 제외한 2가지
D에 칠할 수 있는 색은 A와 C에 칠한 색을 제외한 2가지
따라서 구하는 경우의 수는 $4 \times 3 \times 2 \times 2 = 48$

답 48

쌍둥이 4-2

다음 그림과 같이 A, B, C 세 부분으로 나누어진 종이에 빨강, 하양, 노랑, 검정 4가지 색 중에서 서로 다른 세 가지의 색을 골라 칠하려고 한다. 이때 칠할 수 있는 경우의 수를 구하시오.

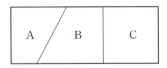

대표 유형 **5** 자연수의 개수 (1)

서로 다른 한 자리의 숫자가 각각 적힌 n장의 카드 중에서 2장을 뽑아 만들 수 있는 두 자리 자연수의 개수

➡ ─ 0이 포함되지 않는 경우: $n \times (n-1)$ ←─ n명 중에서 2명을 뽑아 줄로 세우는 경우의 수와 같다.

　 └─ 0이 포함되는 경우: $(n-1) \times (n-1)$
　　　　　　　　　　　 └─▶ 맨 앞자리에는 0이 올 수 없다.

5-1 1, 2, 3, 4, 5, 6의 숫자가 각각 적힌 6장의 카드가 있을 때, 다음을 구하시오.

(1) 3장을 뽑아 만들 수 있는 세 자리 자연수의 개수

(2) 2장을 뽑아 만들 수 있는 두 자리 자연수 중 홀수의 개수

풀이 (1) 백의 자리에 올 수 있는 숫자는 6가지

십의 자리에 올 수 있는 숫자는 백의 자리에 온 숫자를 제외한 5가지

일의 자리에 올 수 있는 숫자는 백의 자리와 십의 자리에 온 숫자를 제외한 4가지

따라서 구하는 자연수의 개수는 $6 \times 5 \times 4 = 120$

(2) 홀수가 되려면 일의 자리 숫자가 1 또는 3 또는 5이어야 한다.

(ⅰ) □1인 경우: 21, 31, 41, 51, 61의 5개

(ⅱ) □3인 경우: 13, 23, 43, 53, 63의 5개

(ⅲ) □5인 경우: 15, 25, 35, 45, 65의 5개

따라서 구하는 홀수의 개수는 $5+5+5=15$

답 (1) 120 (2) 15

쌍둥이 5-2

0, 1, 2, 3, 4의 숫자가 각각 적힌 5장의 카드가 있을 때, 다음을 구하시오.

(1) 3장을 뽑아 만들 수 있는 세 자리 자연수의 개수

(2) 3장을 뽑아 만들 수 있는 세 자리 자연수 중 짝수의 개수

대표 유형 **6** 자연수의 개수 (2) – n보다 크거나 작은 경우

어떤 수보다 작은(큰) 두 자리 자연수의 개수를 구하는 방법

① 십의 자리 숫자가 어떤 수보다 작은(큰) 자연수의 개수를 구한다.

② 십의 자리 숫자가 같을 때 일의 자리 숫자가 어떤 수보다 작은(큰) 자연수의 개수를 구한다.

6-1 1, 2, 3, 4, 5의 숫자가 각각 적힌 5장의 카드 중에서 2장을 뽑아 두 자리 자연수를 만들 때, 40 이상인 수의 개수를 구하시오.

풀이 두 자리 자연수가 40 이상이려면 십의 자리 숫자가 4 또는 5이어야 한다.

(ⅰ) 4□인 경우: 일의 자리에 올 수 있는 숫자는 4를 제외한 4가지

(ⅱ) 5□인 경우: 일의 자리에 올 수 있는 숫자는 5를 제외한 4가지

따라서 40 이상인 두 자리 자연수의 개수는 $4+4=8$

답 8

쌍둥이 6-2

0, 1, 2, 3, 4의 숫자가 각각 적힌 5장의 카드 중에서 2장을 뽑아 두 자리 자연수를 만들 때, 34보다 작은 수의 개수를 구하시오.

9 경우의 수

대표 유형 **7** 대표 뽑기(1) – 자격이 다른 경우

- n명 중에서 자격이 다른 대표 r명을 뽑는 경우의 수는 n명 중에서 r명을 뽑아 한 줄로 세우는 경우의 수와 같다.
- n명 중에서 자격이 다른 대표 2명을 뽑는 경우의 수 ➡ $n \times (n-1)$
- n명 중에서 자격이 다른 대표 3명을 뽑는 경우의 수 ➡ $n \times (n-1) \times (n-2)$

7-1 A, B, C, D, E, F 6명의 후보 중에서 회장 1명, 부회장 1명, 총무 1명을 뽑는 경우의 수를 구하시오.

풀이 회장 1명을 뽑는 경우의 수는 6
부회장 1명을 뽑는 경우의 수는 회장에 뽑힌 사람을 제외한 5
총무 1명을 뽑는 경우의 수는 회장, 부회장에 뽑힌 사람을 제외한 4
따라서 구하는 경우의 수는
$6 \times 5 \times 4 = 120$

답 120

쌍둥이 7-2

남학생 3명과 여학생 4명이 있다. 남학생 중에서 대표 1명, 여학생 중에서 대표 1명, 부대표 1명을 뽑는 경우의 수를 구하시오.

대표 유형 **8** 대표 뽑기(2) – 자격이 같은 경우

- 자격이 같은 대표 2명을 뽑을 때는 먼저 선택되고 나중에 선택되는 순서와 상관없다.
  즉 (A, B)를 선택하는 것과 (B, A)를 선택하는 것은 같은 경우이므로 한 번만 세어 준다.
- n명 중에서 자격이 같은 대표 2명을 뽑는 경우의 수 ➡ $\dfrac{n \times (n-1)}{2 \times 1}$
- n명 중에서 자격이 같은 대표 3명을 뽑는 경우의 수 ➡ $\dfrac{n \times (n-1) \times (n-2)}{3 \times 2 \times 1}$

8-1 A, B, C, D, E 5명의 학생 중에서 씨름 선수를 뽑으려고 할 때, 다음을 구하시오.
(1) 선수 3명을 뽑는 경우의 수
(2) 선수 3명을 뽑을 때, A, D가 반드시 뽑히는 경우의 수

풀이 (1) 5명 중에서 자격이 같은 대표 3명을 뽑는 경우의 수와 같으므로
$\dfrac{5 \times 4 \times 3}{3 \times 2 \times 1} = 10$
(2) A, D가 반드시 뽑히는 경우는 A, D를 제외한 B, C, E 3명 중에서 대표 1명을 뽑는 경우의 수와 같으므로 3

답 (1) 10 (2) 3

쌍둥이 8-2

우리나라의 지역별 대표 김치로 깻잎김치, 고들빼기김치, 보쌈김치, 섞박지, 가지김치, 더덕김치의 6가지가 있다. 이 중에서 우리나라 대표 김치 3가지를 선정하는 경우의 수를 구하시오.

쌍둥이 8-3

재석, 명수, 준하, 동훈, 세형 5명의 후보 중에서 대표 3명을 뽑을 때, 명수가 반드시 뽑히는 경우의 수를 구하시오.

대표 유형 **9**   대표 뽑기⑶ – 경기 수, 악수하기

> • A 팀과 B 팀이 경기하는 것과 B 팀과 A 팀이 경기하는 것은 같다. ┐
> • A와 B가 악수하는 것과 B와 A가 악수하는 것은 같다. ┘
>
> ➡ 순서를 생각하지 않으므로 자격이 같은 대표 2명을 뽑는 경우의 수와 같다.

9-1 농구대회에 8팀이 참가하였다. 각 팀이 모두 서로 다른 팀과 한 번씩 경기를 한다고 할 때, 모두 몇 번의 경기를 해야 하는지 구하시오.

풀이 8팀 중에서 순서를 생각하지 않고 경기하는 2팀을 뽑으면 되므로 8명 중에서 자격이 같은 대표 2명을 뽑는 경우의 수와 같다. 즉

$$\frac{8\times 7}{2\times 1}=28(번)$$

답 28번

쌍둥이 9-2

6개의 축구팀이 서로 다른 팀과 모두 한 번씩 경기를 한다고 하면 모두 몇 번의 경기를 치러야 하는지 구하시오.

쌍둥이 9-3

탁구 동아리에서 만난 5명의 학생이 한 학생도 빠짐없이 서로 한 번씩 악수를 할 때, 모두 몇 번의 악수가 이루어지는지 구하시오.

대표 유형 **10**   원 위의 선분 또는 삼각형의 개수

> • 두 점을 이어서 만든 선분의 개수 ➡ $\overline{AB}=\overline{BA}$이므로 선분은 점을 선택하는 순서와 관계없다.
>   즉 자격이 같은 대표 2명을 뽑는 경우의 수와 같다.
> • 세 점을 이어서 만든 삼각형의 개수 ➡ 삼각형은 세 점을 연결하여 만들기 때문에 순서와 관계없이 3개의 점을 선택하는 경우의 수와 같다. 즉 자격이 같은 대표 3명을 뽑는 경우의 수와 같다.

10-1 오른쪽 그림과 같이 원 위에 A, B, C, D 4개의 점이 있다. 이때 다음을 구하시오.
(1) 두 점을 연결하여 만들 수 있는 선분의 개수
(2) 세 점을 연결하여 만들 수 있는 삼각형 개수

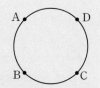

풀이 (1) 4명 중에서 자격이 같은 대표 2명을 뽑는 경우의 수와 같으므로 만들 수 있는 선분의 개수는 $\dfrac{4\times 3}{2\times 1}=6$

(2) 4명 중에서 자격이 같은 대표 3명을 뽑는 경우의 수와 같으므로 만들 수 있는 삼각형의 개수는 $\dfrac{4\times 3\times 2}{3\times 2\times 1}=4$

답 (1) 6 (2) 4

쌍둥이 10-2

오른쪽 그림과 같이 원 위에 A, B, C, D, E 5개의 점이 있다. 이때 다음을 구하시오.
(1) 두 점을 연결하여 만들 수 있는 선분의 개수

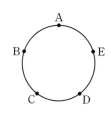

(2) 세 점을 연결하여 만들 수 있는 삼각형의 개수

STEP 3 개념 뛰어넘기

한 줄로 세우는 경우의 수

(1) n명을 한 줄로 세우는 경우의 수

　➡ $n \times (n-1) \times (n-2) \times \cdots \times 2 \times 1$

(2) n명 중에서 r명을 뽑아 한 줄로 세우는 경우의 수

　➡ $n \times (n-1) \times (\boxed{①}) \times \cdots \times \{n-(r-1)\}$

(3) 한 줄로 세울 때 이웃하여 세우는 경우의 수

　➡ $\begin{pmatrix} \text{이웃하는 것을} \\ \text{하나로 묶어서 한 줄로} \\ \text{세우는 경우의 수} \end{pmatrix} \times \begin{pmatrix} \boxed{②} \text{ 안에서} \\ \text{자리를 바꾸는} \\ \text{경우의 수} \end{pmatrix}$

참고 특정한 사람의 위치가 정해진 경우는 그 사람의 자리를 $\boxed{③}$ 시키고 나머지 사람을 한 줄로 세운다.

답 ① $n-2$ ② 묶음 ③ 고정

01

성호는 경복궁, 창덕궁, 창경궁, 덕수궁, 종묘 5곳을 답사하려고 한다. 다음을 구하시오.

(1) 5곳을 답사하는 순서를 정하는 경우의 수

(2) 5곳 중에서 3곳을 골라 답사하는 순서를 정하는 경우의 수

(3) 5곳 중에서 3곳을 골라 답사하는 순서를 정할 때, 첫 답사지가 경복궁인 경우의 수

★ 02

할머니, 아버지, 어머니와 2명의 자녀로 구성된 5명의 가족이 한 줄로 서서 사진을 찍으려고 한다. 다음을 구하시오.

(1) 할머니가 한가운데 서는 경우의 수

(2) 아버지가 맨 앞에, 어머니가 맨 뒤에 서는 경우의 수

03
서술형

서점에서 소설책 3권과 만화책 2권을 샀다. 5권의 책을 책꽂이에 일렬로 꽂으려고 할 때, 소설책끼리 이웃하게 꽂는 경우의 수를 구하시오.

04

음악 수행평가 시간에 나현, 재희, 수연, 유민, 보라 5명이 순서를 정하여 노래를 부르려고 한다. 수연이 바로 다음에 나현이, 나현이 바로 다음에 보라가 노래를 부르는 경우의 수를 구하시오.

05
융합형

오른쪽 그림은 우리나라 지도의 일부분이다. 경기도, 강원도, 충청북도, 경상북도를 서로 다른 5가지 색으로 칠하려고 할 때, 같은 색을 여러 번 사용해도 좋으나 이웃하는 도에는 서로 다른 색으로 칠하는 경우의 수를 구하시오.

자연수를 만드는 경우의 수

서로 다른 한 자리 숫자가 각각 적힌 n장의 카드 중에서 2장을 뽑아 만들 수 있는 두 자리 자연수의 개수

(1) 0을 포함하지 않는 경우 ➡ (**①**) $\times (n-1)$

(2) 0을 포함하는 경우 ➡ ((**②**)) $\times (n-1)$

주의 숫자 0은 맨 앞자리에는 올 수 없다.

답 **①** n **②** $n-1$

06

1, 2, 3, 4, 5, 6의 숫자가 각각 적힌 6장의 카드 중에서 3장을 뽑아 세 자리 자연수를 만들 때, 다음을 구하시오.

(1) 만들 수 있는 세 자리 자연수의 개수

(2) 300보다 작은 자연수의 개수

(3) 홀수의 개수

07

0, 1, 2, 3, 4, 5의 숫자가 각각 적힌 6장의 카드 중에서 2장을 뽑아 두 자리 자연수를 만들 때, 다음을 구하시오.

(1) 만들 수 있는 두 자리 자연수의 개수

(2) 5의 배수의 개수

대표를 뽑는 경우의 수

(1) n명 중에서 자격이 다른 대표 2명을 뽑는 경우의 수
➡ $n \times (n-1)$

(2) n명 중에서 자격이 같은 대표 2명을 뽑는 경우의 수
➡ $\dfrac{n \times (n-1)}{(\text{①})}$

 답 **①** 2×1

08

A, B, C, D, E, F 6명 중에서 다음과 같이 2명을 뽑을 때, 다음을 구하시오.

(1) 회장 1명, 부회장 1명을 뽑는 경우의 수

(2) 대표 2명을 뽑는 경우의 수

(3) 대표 2명을 뽑을 때, B가 뽑히는 경우의 수

(4) 대표 2명을 뽑을 때, B가 뽑히지 않는 경우의 수

09

서술형

남학생 4명과 여학생 2명이 있다. 남학생 중에서 대표 2명을 뽑고, 여학생 중에서 대표 1명을 뽑는 경우의 수를 구하시오.

10

천재 중학교 2학년에는 우진, 재현, 서준, 성오 4명의 탁구 선수가 있다. 이 중에서 2명의 선수를 뽑아 복식조를 만들어 대회에 참가하려고 한다. 만들 수 있는 복식조의 개수를 구하시오.

11

오른쪽 그림과 같이 한 원 위에 6개의 점이 있을 때, 세 점을 이어서 만들 수 있는 삼각형의 개수를 구하시오.

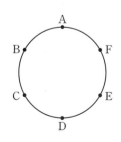

10 확률

학습 목표

- 확률의 의미를 이해한다.
- 확률의 성질을 이해하고, 이를 이용하여 확률을 구할 수 있다.
- 확률의 계산을 할 수 있다.

1 확률의 뜻과 성질

2 확률의 계산

1 확률의 뜻과 성질

개념 1 확률의 뜻

(1) **확률** 같은 조건에서 실험이나 관찰을 여러 번 반복할 때, 어떤 사건 A가 일어나는 상대도수가 일정한 값에 가까워지면 이 일정한 값을 사건 A가 일어날 확률이라 한다.

(2) **사건 A가 일어날 확률** 어떤 실험이나 관찰에서 각각의 경우가 일어날 가능성이 같다고 할 때, 일어날 수 있는 모든 경우의 수를 n, 사건 A가 일어나는 경우의 수를 a라 하면 사건 A가 일어날 확률 p는

$$p = \frac{(\text{사건 } A\text{가 일어나는 경우의 수})}{(\text{모든 경우의 수})} = \frac{a}{n}$$

> **용어**
>
> • **상대도수**
> 일정한 조건에서 같은 시행을 n번 반복하여 사건 A가 a번 일어났을 때, $(\text{상대도수}) = \dfrac{a}{n}$
>
> • **확률 p**
> 확률을 뜻하는 영어 probability의 첫 글자로, 어떤 사건이 일어날 가능성을 수로 나타낸 것

> **참고** 확률은 보통 분수, 소수, 백분율(%) 등으로 나타낸다.

보기 한 개의 주사위를 던질 때, 짝수의 눈이 나올 확률을 구해 보자.

① 모든 경우의 수 구하기

  ⇨ 모든 경우는 1, 2, 3, 4, 5, 6의 6가지

② 짝수의 눈이 나오는 경우의 수 구하기

  ⇨ 짝수의 눈이 나오는 경우는 2, 4, 6의 3가지

③ 확률 구하기

  ⇨ (구하는 확률) $= \dfrac{3}{6} = \dfrac{1}{2}$

• Lecture •

• 사건 A가 일어날 확률을 구하는 순서

➡ ① 모든 경우의 수를 구한다.

 ② 사건 A가 일어나는 경우의 수를 구한다.

 ③ (사건 A가 일어날 확률) $= \dfrac{(\text{②의 경우의 수})}{(\text{①의 경우의 수})}$

| 개념 확인 | **1**   주머니 속에 1부터 9까지의 자연수가 각각 적힌 9개의 공이 들어 있다. 이 주머니에서 한 개의 공을 꺼낼 때, 다음을 구하시오.

(1) 모든 경우의 수

(2) 소수가 적힌 공이 나오는 경우의 수

(3) 소수가 적힌 공이 나올 확률

정답과 해설 p.62

개념 **2** 확률의 성질

(1) 어떤 사건이 일어날 확률을 p라 하면 $0 \le p \le 1$이다.

(2) 절대로 일어나지 않는 사건의 확률은 0이다.

> **예** 한 개의 주사위를 던질 때, 7 이상의 눈이 나올 확률은 $\dfrac{0}{6}=0$
> └▶ 주사위에는 7 이상의 눈이 없다.

(3) 반드시 일어나는 사건의 확률은 1이다.

> **예** 한 개의 주사위를 던질 때, 6 이하의 눈이 나올 확률은 $\dfrac{6}{6}=1$
> └▶ 1, 2, 3, 4, 5, 6의 6가지

어떤 사건이 절대로 일어나지 않는다.	$0 \le p \le 1$ 0 ————————————————————— 1 확률이 커질수록 사건이 일어날 가능성이 커진다.	어떤 사건이 반드시 일어난다.

보기 1부터 10까지의 자연수가 각각 적힌 10장의 카드 중에서 한 장을 뽑을 때, 다음 확률을 구해 보자.

| 1 | 2 | 3 | 4 | 5 |
| 6 | 7 | 8 | 9 | 10 |

(1) 3의 배수가 적힌 카드를 뽑을 확률 ⇨ $\dfrac{3}{10}$
　└▶ 3, 6, 9의 3가지

(2) 11이 적힌 카드를 뽑을 확률 ⇨ $\dfrac{0}{10}=0$
　└▶ 11이 적힌 카드는 없다.

(3) 10 이하의 수가 적힌 카드를 뽑을 확률 ⇨ $\dfrac{10}{10}=1$
　└▶ 어떤 카드를 뽑아도 반드시 10 이하의 수가 적힌 카드만 나온다.

> 어떤 사건이 일어날 확률이 0이면 그 사건은 절대로 일어나지 않고, 어떤 사건이 일어날 확률이 1이면 그 사건은 반드시 일어나.

• **Lecture** •

● 어떤 사건이 일어날 확률을 구할 때, 음수가 나오거나 1보다 큰 수가 나오면 틀린 답이다.

| 개념 확인 | 2 주머니 속에 빨간 공 5개, 파란 공 4개가 들어 있다. 이 주머니에서 한 개의 공을 꺼낼 때, 다음 ☐ 안에 알맞은 수를 써넣으시오.

(1) (빨간 공이 나올 확률) = $\dfrac{(\text{빨간 공의 개수})}{(\text{전체 공의 개수})} = \dfrac{\square}{9}$

(2) (파란 공이 나올 확률) = $\dfrac{(\text{파란 공의 개수})}{(\text{전체 공의 개수})} = \dfrac{\square}{9}$

(3) (녹색 공이 나올 확률) = $\dfrac{(\text{녹색 공의 개수})}{(\text{전체 공의 개수})} = \dfrac{\square}{9} = \square$

(4) (빨간 공 또는 파란 공이 나올 확률) = $\dfrac{(\text{빨간 공 또는 파란 공의 개수})}{(\text{전체 공의 개수})} = \dfrac{\square}{9} = \square$

10 확률

개념 ③ 어떤 사건이 일어나지 않을 확률

사건 A가 일어날 확률을 p라 하면

$$(\text{사건 } A \text{가 일어나지 않을 확률}) = 1 - p$$

> 사건 A가 일어날 확률을 p라 하고 사건 A가 일어나지 않을 확률을 q라 하면 $p+q=1$이야.

예 어느 날 비가 올 확률이 <u>10 %</u>라 하면 비가 오지 않을 확률은 $1-0.1=0.9$, 즉 90 %이다.
    ⤷ 0.1

참고 다음과 같은 경우에는 어떤 사건이 일어나지 않을 확률을 이용하면 편리하다.

  ① 사건의 가짓수가 다양할 때

  ② 문제에 '적어도', '최소한', '~않을', '~못할' 등의 표현이 있을 때

보기 한 개의 주사위를 던질 때, 나오는 눈의 수가 5의 배수가 아닐 확률을 구해 보자.

사건	일어나는 경우	확률
5의 배수의 눈이 나온다.	5 ⇨ 1가지	$\dfrac{1}{6}$
5의 배수가 아닌 눈이 나온다.	1, 2, 3, 4, 6 ⇨ 5가지	$\dfrac{5}{6}$

$\left.\right\}$ (5의 배수의 눈이 나올 확률) + (5의 배수가 아닌 눈이 나올 확률) = 1

∴ (5의 배수가 아닌 눈이 나올 확률) = 1 - (5의 배수의 눈이 나올 확률) $= 1 - \dfrac{1}{6} = \dfrac{5}{6}$

• Lecture •

● 어떤 사건이 일어나지 않을 확률을 이용하면 어떤 사건이 일어날 확률을 구할 때보다 계산이 편리한 경우가 있다.

 예 서로 다른 두 개의 주사위를 던졌을 때, 두 눈의 수의 합이 11 이하일 확률 구하기

  방법 1 합이 2인 경우: $(1,1)$의 1가지
     합이 3인 경우: $(1,2)$, $(2,1)$의 2가지
     합이 4인 경우: $(1,3)$, $(2,2)$, $(3,1)$의 3가지
        ⋮
     합이 11인 경우: $(5,6)$, $(6,5)$의 2가지
    ➡ 두 눈의 수의 합이 2인 경우부터 11인 경우까지
     모두 구해야 하는 번거로움이 있다.

  방법 2 (두 눈의 수의 합이 11 이하일 확률)
     $= 1 - (\text{두 눈의 수의 합이 12일 확률})$
          ⤷ $(6,6)$의 1가지
     $= 1 - \dfrac{1}{36} = \dfrac{35}{36}$
    ➡ 두 눈의 수의 합이 12인 경우만 구하면 되므로
     편리하다.

| 개념 확인 | **3**   수진이가 농구 경기에서 3점 슛을 성공할 확률이 $\dfrac{1}{3}$일 때, 성공하지 못할 확률을 구하시오.

| 개념 확인 | **4**   서로 다른 두 개의 동전을 동시에 던질 때, 다음을 구하시오.

  (1) 모두 뒷면이 나올 확률

  (2) 적어도 한 개는 앞면이 나올 확률

개념 기초

1-1

서로 다른 두 개의 주사위를 동시에 던질 때, 나오는 두 눈의 수가 같을 확률을 구하려고 한다. ☐ 안에 알맞은 수를 써넣으시오.

① 모든 경우의 수는 $6 \times \boxed{} = 36$

② 두 눈의 수가 같은 경우는

$(1, 1), (2, 2), \boxed{}$

의 ☐ 가지

③ (구하는 확률)$= \dfrac{\boxed{}}{36} = \boxed{}$

연구 (사건 A가 일어날 확률)$= \dfrac{(\text{사건 } A \text{가 일어나는 경우의 수})}{(\text{모든 경우의 수})}$

2-1

상자 속에 5개의 제비가 들어 있다. 다음 각 경우에 대하여 한 개의 제비를 뽑을 때, 당첨 제비가 나올 확률을 구하시오.

(1) 당첨 제비가 1개인 경우

➡ (당첨 제비가 나올 확률)$= \dfrac{\boxed{}}{5}$

(2) 당첨 제비가 0개인 경우

➡ (당첨 제비가 나올 확률)$= \dfrac{\boxed{}}{5} = \boxed{}$

(3) 당첨 제비가 5개인 경우

➡ (당첨 제비가 나올 확률)$= \dfrac{\boxed{}}{5} = \boxed{}$

연구 (당첨 제비가 나올 확률)$= \dfrac{(\text{당첨 제비의 개수})}{(\text{제비의 개수})}$

3-1

어느 회사 제품 1000개 중 불량품이 9개이고 나머지는 모두 합격품이라 한다. 이 제품 중에서 한 개를 고를 때, 합격품이 나올 확률을 구하려고 한다. ☐ 안에 알맞은 수를 써넣으시오.

불량품이 나올 확률은 ☐ 이므로

(합격품이 나올 확률)$= 1 - (\text{불량품이 나올 확률})$

$= 1 - \boxed{} = \boxed{}$

연구 (어떤 사건이 일어나지 않을 확률)$= 1 - (\text{어떤 사건이 일어날 확률})$

쌍둥이 문제

1-2

서로 다른 두 개의 동전을 동시에 던질 때, 앞면 1개, 뒷면 1개가 나올 확률을 구하시오.

1-3

1부터 20까지의 자연수가 각각 적힌 20장의 카드 중에서 한 장을 뽑을 때, 4의 배수가 적힌 카드가 나올 확률을 구하시오.

2-2

서로 다른 두 개의 주사위를 동시에 던질 때, 다음을 구하시오.

(1) 나오는 두 눈의 수의 합이 1일 확률

(2) 나오는 두 눈의 수의 합이 12 이하일 확률

3-2

지효가 어떤 수학 문제를 맞힐 확률이 $\dfrac{3}{7}$일 때, 지효가 이 수학 문제를 틀릴 확률을 구하시오.

대표 유형 ① 동전, 주사위 던지기에서의 확률

사건 A가 일어날 확률을 p라 할 때, $p = \dfrac{(\text{사건 } A \text{가 일어나는 경우의 수})}{(\text{모든 경우의 수})}$

1-1 서로 다른 두 개의 주사위를 동시에 던질 때, 나오는 두 눈의 수의 차가 2일 확률을 구하시오.

풀이 모든 경우의 수는 $6 \times 6 = 36$

두 눈의 수의 차가 2인 경우는 $(1, 3)$, $(2, 4)$, $(3, 5)$, $(4, 6)$, $(3, 1)$, $(4, 2)$, $(5, 3)$, $(6, 4)$의 8가지

따라서 구하는 확률은 $\dfrac{8}{36} = \dfrac{2}{9}$

답 $\dfrac{2}{9}$

쌍둥이 1-2

서로 다른 두 개의 주사위를 동시에 던질 때, 나오는 두 눈의 수의 합이 5일 확률을 구하시오.

쌍둥이 1-3

서로 다른 3개의 동전을 동시에 던질 때, 뒷면이 1개만 나올 확률을 구하시오.

대표 유형 ② 한 줄로 세우기에서의 확률

• 한 줄로 세우는 경우의 수를 이용하여 확률을 구한다.

➡ (n명을 한 줄로 세우는 경우의 수)$= n \times (n-1) \times (n-2) \times \cdots \times 2 \times 1$

• (이웃하여 한 줄로 세우는 경우의 수)

= (이웃하는 것을 하나로 묶어서 한 줄로 세우는 경우의 수) × (묶음 안에서 자리를 바꾸는 경우의 수)

2-1 A, B, C, D, E 5명의 학생을 한 줄로 세울 때, C와 D가 이웃하여 설 확률을 구하시오.

풀이 모든 경우의 수는 $5 \times 4 \times 3 \times 2 \times 1 = 120$

C와 D가 이웃하여 서는 경우의 수는

$(4 \times 3 \times 2 \times 1) \times (2 \times 1) = 48$

따라서 구하는 확률은 $\dfrac{48}{120} = \dfrac{2}{5}$

답 $\dfrac{2}{5}$

쌍둥이 2-2

A, B, C, D, E 5명의 학생을 한 줄로 세울 때, 다음을 구하시오.

(1) A가 한가운데 설 확률

(2) A와 B가 양 끝에 설 확률

대표 유형 ③ 자연수 만들기에서의 확률

- 카드를 뽑아 자연수를 만드는 경우의 수를 이용하여 확률을 구한다.
  이때 0이 포함되어 있는 경우에는 숫자 0은 맨 앞자리에는 올 수 없음에 주의한다.
- 서로 다른 한 자리의 숫자가 각각 적힌 n장의 카드 중에서 2장을 뽑아 만들 수 있는 두 자리 자연수의 개수
  ① 0을 포함하지 않는 경우: $n \times (n-1)$ ② 0을 포함하는 경우: $(n-1) \times (n-1)$

3-1 0, 1, 2, 3의 숫자가 각각 적힌 4장의 카드 중에서 2장을 뽑아 두 자리 자연수를 만들 때, 20보다 클 확률을 구하시오.

풀이 모든 경우의 수는 $3 \times 3 = 9$

20보다 큰 수는 십의 자리 숫자가 2 또는 3이어야 한다.

(i) 2□인 경우: 21, 23의 2개

(ii) 3□인 경우: 30, 31, 32의 3개

(i), (ii)에서 20보다 큰 경우의 수는 $2+3=5$

따라서 구하는 확률은 $\dfrac{5}{9}$

답 $\dfrac{5}{9}$

쌍둥이 3-2

0, 1, 2, 3의 숫자가 각각 적힌 4장의 카드 중에서 2장을 뽑아 두 자리 자연수를 만들 때, 짝수가 될 확률을 구하시오.

쌍둥이 3-3

1, 2, 3, 4, 5의 숫자가 각각 적힌 5장의 카드 중에서 2장을 뽑아 두 자리 자연수를 만들 때, 40 이상일 확률을 구하시오.

대표 유형 ④ 대표 뽑기에서의 확률

대표를 뽑는 경우의 수를 이용하여 확률을 구한다.
① n명 중에서 자격이 다른 대표 2명을 뽑는 경우의 수: $n \times (n-1)$
② n명 중에서 자격이 같은 대표 2명을 뽑는 경우의 수: $\dfrac{n \times (n-1)}{2 \times 1}$

4-1 남학생 3명, 여학생 4명 중에서 회장 1명, 부회장 1명을 뽑으려고 한다. 회장, 부회장으로 모두 여학생이 뽑힐 확률을 구하시오.

풀이 모든 경우의 수는 $7 \times 6 = 42$

회장, 부회장으로 모두 여학생이 뽑히는 경우의 수는
$4 \times 3 = 12$

따라서 구하는 확률은 $\dfrac{12}{42} = \dfrac{2}{7}$

답 $\dfrac{2}{7}$

쌍둥이 4-2

5명의 후보 A, B, C, D, E에 대하여 다음 물음에 답하시오.

(1) 대표 2명을 뽑을 때, A가 뽑힐 확률을 구하시오.

(2) 회장 1명, 부회장 1명을 뽑을 때, B가 부회장에 뽑힐 확률을 구하시오.

10
확률

대표 유형 ❺ 방정식, 부등식에서의 확률

조건을 만족하는 x, y의 값을 순서쌍 (x, y)로 나타내어 그 개수를 구한다.

5-1 한 개의 주사위를 두 번 던져서 첫 번째에 나오는 눈의 수를 x, 두 번째에 나오는 눈의 수를 y라 할 때, $x+2y=7$일 확률을 구하시오.

풀이 모든 경우의 수는 $6 \times 6 = 36$

$x+2y=7$을 만족하는 순서쌍 (x, y)는

$(1, 3), (3, 2), (5, 1)$의 3가지

따라서 구하는 확률은 $\dfrac{3}{36} = \dfrac{1}{12}$

답 $\dfrac{1}{12}$

쌍둥이 5-2

두 개의 주사위 A, B를 동시에 던져서 나오는 눈의 수를 각각 x, y라 할 때, $2x+y=10$일 확률을 구하시오.

쌍둥이 5-3

두 개의 주사위 A, B를 동시에 던져서 나오는 눈의 수를 각각 x, y라 할 때, $x+3y \leq 7$일 확률을 구하시오.

대표 유형 ❻ 확률의 성질

• 어떤 사건이 일어날 확률은 $0 \leq p \leq 1$이다.

• 절대로 일어나지 않는 사건의 확률은 0이고, 반드시 일어나는 사건의 확률은 1이다.

6-1 다음 보기에서 옳은 것을 모두 고르시오.

── 보기 ──
㉠ 검은 구슬만 5개 들어 있는 주머니에서 한 개의 구슬을 꺼낼 때, 흰 구슬이 나올 확률은 0이다.
㉡ 한 개의 주사위를 던질 때, 나오는 눈의 수가 자연수일 확률은 100이다.
㉢ 어떤 사건이 일어날 확률을 p라 하면 $0 \leq p \leq 1$이다.

풀이 ㉠ 주머니에는 흰 구슬이 없으므로 흰 구슬이 나올 확률은 $\dfrac{0}{5} = 0$

㉡ 주사위의 눈의 수는 각각 1, 2, 3, 4, 5, 6으로 모두 자연수이므로 나오는 눈의 수가 자연수일 확률은 1이다.

㉢ 어떤 사건이 일어날 확률을 p라 하면 $0 \leq p \leq 1$이다.

따라서 옳은 것은 ㉠, ㉢이다.

답 ㉠, ㉢

쌍둥이 6-2

빨간 구슬 1개와 노란 구슬 4개가 들어 있는 주머니에서 한 개의 구슬을 꺼낼 때, 다음 중 옳은 것에는 ○표, 옳지 않는 것에는 ×표를 ( ) 안에 써넣으시오.

(1) 빨간 구슬이 나올 확률은 $\dfrac{1}{5}$이다. ( )

(2) 파란 구슬이 나올 확률은 $\dfrac{2}{5}$이다. ( )

(3) 노란 구슬이 나올 확률은 $\dfrac{4}{5}$이다. ( )

(4) 빨간 구슬 또는 노란 구슬이 나올 확률은 1이다.

( )

대표 유형 **7** 어떤 사건이 일어나지 않을 확률

어떤 사건의 확률을 구하기 어렵거나 복잡한 경우에는 그 사건이 일어나지 않을 확률을 이용하면 편리하다.

➡ (사건 A가 일어나지 않을 확률)$=1-$(사건 A가 일어날 확률)

7-1 A, B 두 사람이 주사위를 각각 한 번씩 던져서 큰 수가 나오는 사람이 이기는 게임을 하려고 한다. 두 사람의 승패가 결정될 확률을 구하시오.

풀이 모든 경우의 수는 $6\times6=36$

서로 같은 눈이 나오면 비기게 된다. 즉 비기는 경우는

$(1,1),(2,2),(3,3),(4,4),(5,5),(6,6)$의 6가지이므로

비길 확률은 $\dfrac{6}{36}=\dfrac{1}{6}$

∴ (승패가 결정될 확률)$=1-$(비길 확률)

$\qquad\qquad\qquad\qquad\quad=1-\dfrac{1}{6}=\dfrac{5}{6}$

답 $\dfrac{5}{6}$

쌍둥이 7-2

A 중학교와 B 중학교가 피구 경기를 할 때, A 중학교가 이길 확률이 $\dfrac{1}{6}$이라 한다. 이때 B 중학교가 이길 확률을 구하시오. (단, 비기는 경우는 없다.)

쌍둥이 7-3

A, B, C, D 4명의 학생이 한 줄로 설 때, A가 맨 뒤에 서지 않을 확률을 구하시오.

대표 유형 **8** '적어도 ~'일 확률

'적어도 ~'라는 표현이 있을 때는 어떤 사건이 일어나지 않을 확률을 이용한다.

➡ (적어도 하나는 뒷면일 확률)$=1-$(모두 앞면일 확률)

(적어도 하나는 짝수일 확률)$=1-$(모두 홀수일 확률)

8-1 서로 다른 3개의 동전을 동시에 던질 때, 적어도 한 개는 앞면이 나올 확률을 구하시오.

풀이 모든 경우의 수는 $2\times2\times2=8$

앞면이 한 개도 나오지 않는, 즉 모두 뒷면이 나오는 경우는

(뒤, 뒤, 뒤)의 1가지이므로

모두 뒷면이 나올 확률은 $\dfrac{1}{8}$

∴ (적어도 한 개는 앞면이 나올 확률)

$\quad=1-$(모두 뒷면이 나올 확률)

$\quad=1-\dfrac{1}{8}=\dfrac{7}{8}$

답 $\dfrac{7}{8}$

쌍둥이 8-2

서로 다른 두 개의 주사위를 동시에 던질 때, 적어도 한 개는 짝수의 눈이 나올 확률을 구하시오.

쌍둥이 8-3

남학생 4명과 여학생 3명 중에서 대표 2명을 뽑을 때, 적어도 한 명은 여학생이 뽑힐 확률을 구하시오.

10
확률

확률의 뜻

일어날 수 있는 모든 경우의 수를 n, 어떤 사건 A가 일어나는 경우의 수를 a라 하면 사건 A가 일어날 확률 p는

$$\Rightarrow p = \frac{①}{n}$$

답 ❶ a

01

1부터 20까지의 자연수가 각각 적혀 있는 20장의 카드 중에서 한 장을 뽑을 때, 다음 중 옳지 <u>않은</u> 것은?

① 짝수가 적힌 카드가 나올 확률은 $\dfrac{1}{2}$이다.

② 홀수가 적힌 카드가 나올 확률은 $\dfrac{1}{2}$이다.

③ 소수가 적힌 카드가 나올 확률은 $\dfrac{2}{5}$이다.

④ 3의 배수가 적힌 카드가 나올 확률은 $\dfrac{3}{10}$이다.

⑤ 20의 약수가 적힌 카드가 나올 확률은 $\dfrac{1}{4}$이다.

02

서로 다른 두 개의 주사위를 동시에 던질 때, 나오는 두 눈의 수의 합이 8일 확률을 구하시오.

03

융합형

주머니 속에 빨간 공 3개, 노란 공 x개, 파란 공 5개가 들어 있다. 이 주머니에서 한 개의 공을 꺼낼 때, 빨간 공이 나올 확률은 $\dfrac{1}{4}$이라 한다. 이때 x의 값을 구하시오.

04

정국이는 부모님과 누나, 남동생 둘과 함께 살고 있다. 가족 6명이 한 줄로 서서 사진을 찍을 때, 부모님이 이웃하여 설 확률을 구하시오.

★ 05

0, 1, 2, 3, 4, 5의 숫자가 각각 적힌 6장의 카드가 있다. 이 중에서 두 장을 뽑아 두 자리 자연수를 만들 때, 홀수가 될 확률을 구하시오.

06

서술형

어느 중학교 전교 회장 선거에 남준, 윤기, 슬기, 예리 4명의 학생이 후보로 등록하였다. 다음을 구하시오.

(1) 회장 1명, 부회장 1명을 뽑을 때, 슬기가 회장으로 뽑힐 확률

(2) 대표 2명을 뽑을 때, 슬기가 뽑힐 확률

07

한 개의 주사위를 두 번 던져서 첫 번째에 나온 눈의 수를 x, 두 번째에 나온 눈의 수를 y라 할 때, $3x - 2y = 4$일 확률을 구하시오.

확률의 성질

(1) 어떤 사건이 일어날 확률을 p라 하면 $0 \le p \le 1$이다.

(2) 절대로 일어나지 않는 사건의 확률은 이다.

(3) 반드시 일어나는 사건의 확률은 **②**이다.

(4) 사건 A가 일어날 확률을 p라 하면

(사건 A가 일어나지 않을 확률)= **③** $-p$

답 ❶0 ❷1 ❸1

★
08

어떤 사건 A가 일어날 확률을 p, 일어나지 않을 확률을 q라 할 때, 다음 중 옳은 것은?

① $p=0$이면 사건 A는 반드시 일어난다.

② $p=1$이면 사건 A는 절대로 일어나지 않는다.

③ $-1<p<1$

④ $p-q=1$

⑤ $p+q=1$

09

다음 보기에서 옳은 것을 모두 고르시오.

┌ 보기 ┐

㉠ 사과 주스만 4병이 들어 있는 상자에서 포도 주스를 꺼낼 확률은 $\frac{1}{2}$이다.

㉡ 어떤 사건이 일어날 확률은 $\frac{2}{3}$가 될 수 있다.

㉢ 서로 다른 두 개의 주사위를 동시에 던질 때, 두 눈의 수의 합이 12 이하일 확률은 1이다.

㉣ 내일 비가 올 확률이 $\frac{2}{7}$일 때, 내일 비가 오지 않을 확률은 $\frac{5}{7}$이다.

10

윤기와 호석이가 탁구 시합을 하기로 하였다. 윤기가 이길 확률이 $\frac{2}{5}$일 때, 호석이가 이길 확률을 구하시오.

(단, 비기는 경우는 없다.)

★
11

남학생 4명과 여학생 6명 중에서 대표 2명을 뽑을 때, 적어도 한 명은 남학생이 뽑힐 확률을 구하시오.

12

 창의 융합

준민이는 서로 다른 새 건전지 2개와 사용한 건전지 2개를 실수로 섞어 버렸다. 이 중에서 임의로 2개의 건전지를 택할 때, 사용한 건전지가 적어도 한 개 나올 확률을 구하시오.

13

 서술형

각 면에 1부터 12까지의 자연수가 각각 적힌 정십이면체 모양의 주사위 A, B를 동시에 던질 때, 바닥에 닿는 면에 적힌 두 수의 합이 5 이상일 확률을 구하려고 한다. 다음을 구하시오.

(1) 모든 경우의 수

(2) 두 수의 합이 5 미만일 확률

(3) 두 수의 합이 5 이상일 확률

10
확률

2 확률의 계산

개념 ① 사건 A 또는 사건 B가 일어날 확률(확률의 덧셈)

두 사건 A, B가 동시에 일어나지 않을 때,

사건 A가 일어날 확률을 p, 사건 B가 일어날 확률을 q라 하면

$$(사건\ A\ 또는\ 사건\ B가\ 일어날\ 확률)=p+q$$

참고 문제에 '또는', '~이거나' 등의 표현이 있으면 각 사건이 일어날 확률을 더한다.

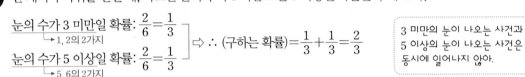

보기 한 개의 주사위를 던질 때, 나오는 눈의 수가 3 미만 또는 5 이상일 확률을 구해 보자.

눈의 수가 3 미만일 확률: $\dfrac{2}{6}=\dfrac{1}{3}$
└→ 1, 2의 2가지

눈의 수가 5 이상일 확률: $\dfrac{2}{6}=\dfrac{1}{3}$
└→ 5, 6의 2가지

⇨ ∴ (구하는 확률)$=\dfrac{1}{3}+\dfrac{1}{3}=\dfrac{2}{3}$

> 3 미만의 눈이 나오는 사건과 5 이상의 눈이 나오는 사건은 동시에 일어나지 않아.

설명 두 사건이 중복되어 일어나는 경우가 있을 때는 위의 성질이 성립하지 않는다.

한 개의 주사위를 던질 때, 짝수의 눈 또는 3의 배수의 눈이 나올 확률을 구해 보면

짝수의 눈이 나올 확률: $\dfrac{3}{6}$
└→ 2, 4, 6의 3가지

3의 배수의 눈이 나올 확률: $\dfrac{2}{6}$
└→ 3, 6의 2가지

짝수이면서 3의 배수인 눈이 나올 확률: $\dfrac{1}{6}$
└→ 6의 1가지

∴ (구하는 확률)$=$(짝수의 눈이 나올 확률)$+$(3의 배수의 눈이 나올 확률)$-$(짝수이면서 3의 배수인 눈이 나올 확률)
└→ 중복된 경우에 대한 확률은 빼 준다.

$$=\dfrac{3}{6}+\dfrac{2}{6}-\dfrac{1}{6}=\dfrac{4}{6}=\dfrac{2}{3}$$

• **Lecture** •

● 문제에 '또는', '~이거나' 등의 표현이 있으면 확률의 덧셈을 이용한다.

● 두 사건 A, B가 중복되어 일어나는 경우가 있을 때는 각 사건이 일어날 확률을 더한 후 반드시 중복된 경우에 대한 확률을 빼 주어야 한다.

| 개념 확인 | **1**   주머니 속에 1부터 10까지의 자연수가 각각 적힌 10개의 공이 들어 있다. 이 중에서 1개의 공을 꺼낼 때, 다음을 구하시오.

(1) 공에 적힌 숫자가 4보다 작을 확률

(2) 공에 적힌 숫자가 8 이상일 확률

(3) 공에 적힌 숫자가 4보다 작거나 8 이상일 확률

개념 ❷ 사건 A와 사건 B가 동시에 일어날 확률(확률의 곱셈)

두 사건 A, B가 서로 영향을 미치지 않을 때,

사건 A가 일어날 확률을 p, 사건 B가 일어날 확률을 q라 하면

$$\boxed{(\text{사건 } A\text{와 사건 } B\text{가 동시에 일어날 확률})=p \times q}$$

참고 문제에 '그리고', '~와', '동시에' 등의 표현이 있으면 각 사건이 일어날 확률을 곱한다.

보기 오른쪽 그림과 같이 상자 A에는 흰 공 4개, 파란 공 5개가 들어

있고, 상자 B에는 흰 공 3개, 파란 공 6개가 들어 있다.

두 상자에서 공을 각각 한 개씩 꺼낼 때, 두 개 모두 파란 공이 나

올 확률을 구해 보자.

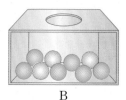

A   B

상자 A에서 파란 공이 나올 확률: $\dfrac{5}{9}$

상자 B에서 파란 공이 나올 확률: $\dfrac{6}{9}=\dfrac{2}{3}$

$\therefore$ (구하는 확률)$=\dfrac{5}{9} \times \dfrac{2}{3}=\dfrac{10}{27}$

> 상자 A에서 공을 꺼내는 사건과
> 상자 B에서 공을 꺼내는 사건은
> 서로 영향을 미치지 않아.

•**Lecture**•

● 문제에 '그리고', '~와', '동시에' 등의 표현이 있으면 확률의 곱셈을 이용한다.

● 두 사건 A, B가 중복되어 일어나는 경우가 있어도 확률의 곱셈에는 영향을 주지 않는다.

왜냐하면 사건 A가 일어나는 각각의 경우에 대하여 사건 B가 일어나기 때문이다.

|개념 확인| 2 **두 개의 주사위 A, B를 동시에 던질 때, 다음을 구하시오.**

(1) 주사위 A는 2의 배수의 눈이 나오고, 주사위 B는 3의 배수의 눈이 나올 확률

(2) 주사위 A는 3의 약수의 눈이 나오고, 주사위 B는 홀수의 눈이 나올 확률

(3) A, B 주사위 모두 4의 눈이 나올 확률

(4) A, B 주사위 모두 4의 눈이 나오지 않을 확률

10
확률

개념 ③ 연속하여 꺼낼 때의 확률

(1) 꺼낸 것을 다시 넣는 경우

처음에 꺼낸 것을 다시 꺼낼 수 있으므로 처음 사건이 나중 사건에 영향을 주지 않는다.

➡ (처음에 꺼낼 때의 조건)＝(나중에 꺼낼 때의 조건)

(2) 꺼낸 것을 다시 넣지 않는 경우 → 두 사건이 서로 영향을 준다.

처음에 꺼낸 것을 다시 꺼낼 수 없으므로 처음 사건이 나중 사건에 영향을 준다.

➡ (처음에 꺼낼 때의 조건)≠(나중에 꺼낼 때의 조건)

보기 빨간 공 3개, 파란 공 2개가 들어 있는 주머니에서 공을 한 개씩 연속하여 두 번 꺼낼 때, 두 번 모두 파란 공을 꺼낼 확률을 구해 보자.

(i) 꺼낸 공을 다시 넣는 경우

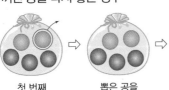

첫 번째   뽑은 공을   두 번째
파란 공 뽑기   다시 넣는다.   파란 공 뽑기

∴ (구하는 확률)$=\dfrac{2}{5}\times\dfrac{2}{5}=\dfrac{4}{25}$

처음과 나중에 꺼낼 때, 전체 공의 개수가 같다.

(ii) 꺼낸 공을 다시 넣지 않는 경우

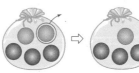

첫 번째   뽑은 공을   두 번째
파란 공 뽑기   다시 넣지 않는다.   파란 공 뽑기

∴ (구하는 확률)$=\dfrac{2}{5}\times\dfrac{1}{4}=\dfrac{1}{10}$

처음과 나중에 꺼낼 때, 전체 공의 개수가 다르다.

• Lecture •

● 연속하여 꺼내는 경우의 확률을 구할 때, 꺼낸 것을 다시 넣었는지, 다시 넣지 않았는지 항상 유의한다.

  예 주머니에서 공을 꺼낼 때

  ① 꺼낸 것을 다시 넣는 경우: (처음에 꺼낼 때의 전체 개수)＝(나중에 꺼낼 때의 전체 개수)

  ② 꺼낸 것을 다시 넣지 않는 경우: (처음에 꺼낼 때의 전체 개수)≠(나중에 꺼낼 때의 전체 개수)

‖개념 확인‖ **3**   주머니 속에 검은 구슬 3개와 흰 구슬 5개가 들어 있다. 이 주머니에서 구슬을 한 개씩 연속하여 두 번 꺼낼 때, 다음 각 경우에 대하여 2개 모두 흰 구슬일 확률을 구하시오.

(1) 꺼낸 구슬을 다시 넣는 경우

(2) 꺼낸 구슬을 다시 넣지 않는 경우

도형에서의 확률은 모든 경우의 수를 도형 전체의 넓이로, 어떤 사건이 일어날 수 있는 경우의 수를 도형에서 그 사건에 해당하는 부분의 넓이로 생각한다.

$$(\text{도형에서의 확률}) = \frac{(\text{도형에서 사건에 해당하는 부분의 넓이})}{(\text{도형 전체의 넓이})}$$

 오른쪽 그림과 같이 8등분된 원판 모양의 과녁에 화살을 쏘았을 때, 색칠한 부분을 맞힐 확률을 구해 보자. (단, 화살이 과녁을 벗어나거나 경계선에 꽂히는 경우는 생각하지 않는다.)

$$(\text{구하는 확률}) = \frac{(\text{색칠한 부분의 넓이})}{(\text{과녁 전체의 넓이})} = \frac{(3\text{조각})}{(8\text{조각})} = \frac{3}{8}$$

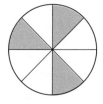

• Lecture •

● 도형에서의 확률은 도형 전체의 넓이에서 도형에서 사건에 해당하는 부분의 넓이가 차지하는 비율이다.
이때 비율은 '0≤(확률)≤1'과 같이 '0≤(비율)≤1'이다.

│개념 확인│ **4** 오른쪽 그림과 같이 8등분된 원판 모양의 과녁에 화살을 쏘았을 때, 4의 배수가 적힌 부분을 맞힐 확률을 구하시오.
(단, 화살이 과녁을 벗어나거나 경계선에 꽂히는 경우는 생각하지 않는다.)

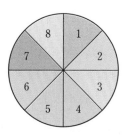

│개념 확인│ **5** 오른쪽 그림과 같이 넓이가 같게 9등분된 직사각형이 있다. 이 직사각형의 내부에 임의로 한 점을 잡을 때, 그 점이 색칠한 부분에 있을 확률을 구하시오. (단, 경계선 위에 점을 잡는 경우는 생각하지 않는다.)

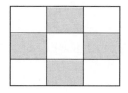

1-1

1부터 15까지의 자연수가 각각 적힌 15개의 공이 들어 있는 주머니에서 한 개의 공을 꺼낼 때, 공에 적힌 수가 5의 배수 또는 12의 약수일 확률을 구하시오.

연구 ① 공에 적힌 수가 5의 배수인 경우는

5, 10, ☐ 의 3가지이므로 그 확률은 $\frac{\square}{15}=$ ☐

② 공에 적힌 수가 12의 약수인 경우는

1, 2, ☐, ☐, 6, 12의 6가지이므로 그 확률은 $\frac{6}{\square}=$ ☐

③ 따라서 구하는 확률은 ☐ $+$ ☐ $=$ ☐

2-1

동전 1개, 주사위 1개를 동시에 던질 때, 동전은 앞면이 나오고 주사위는 홀수의 눈이 나올 확률을 구하시오.

연구 ① 동전이 앞면이 나올 확률은 ☐

② 주사위가 홀수의 눈이 나올 확률은 $\frac{\square}{6}=$ ☐

③ 따라서 구하는 확률은 ☐ $\times$ ☐ $=$ ☐

3-1

흰 공 2개와 검은 공 1개가 들어 있는 주머니에서 공을 한 개씩 연속하여 두 번 꺼낼 때, 모두 흰 공을 꺼낼 확률을 구하려고 한다. 다음 각 경우에 대하여 ☐ 안에 알맞은 수를 써넣으시오.

조건	(1) 꺼낸 것을 다시 넣을 때		(2)꺼낸 것을 다시 넣지않을 때	
	첫 번째	두 번째	첫 번째	두 번째
주머니				
확률	$\frac{2}{3}\times$ ☐ $=$ ☐		$\frac{2}{3}\times$ ☐ $=$ ☐	

연구 처음에 일어난 사건이 나중에 일어나는 사건에 영향을 주는지 확인한다.

1-2

한 개의 주사위를 던질 때, 다음을 구하시오.

(1) 나오는 눈의 수가 2 이하이거나 5 이상일 확률

(2) 나오는 눈의 수가 소수이거나 4의 배수일 확률

2-2

동전 1개, 주사위 1개를 동시에 던질 때, 동전은 뒷면이 나오고 주사위는 6의 약수의 눈이 나올 확률을 구하시오.

3-2

오른쪽 그림과 같이 주머니 속에 흰 공 3개와 검은 공 4개가 들어 있다. 이 주머니에서 공을 한 개씩 연속하여 두 번 꺼낼 때, 다음 각 경우에 대하여 모두 검은 공을 꺼낼 확률을 구하시오.

(1) 꺼낸 공을 다시 넣는 경우

(2) 꺼낸 공을 다시 넣지 않는 경우

대표 유형 ❶ 사건 A 또는 사건 B가 일어날 확률

- '또는', '~이거나' 등의 표현이 있으면 확률의 덧셈을 이용한다. 이때 중복되는 경우의 확률은 빼 주어야 한다.
- 두 사건 A, B가 동시에 일어나지 않을 때
  (사건 A 또는 사건 B가 일어날 확률)＝(사건 A가 일어날 확률)＋(사건 B가 일어날 확률)

1-1 서로 다른 두 개의 주사위를 동시에 던질 때, 나오는 두 눈의 수의 합이 5 또는 11일 확률을 구하시오.

풀이 모든 경우의 수는 $6 \times 6 = 36$

나오는 두 주사위의 눈의 수를 순서쌍으로 나타내면

(ⅰ) 두 눈의 수의 합이 5인 경우는 $(1, 4)$, $(2, 3)$, $(3, 2)$, $(4, 1)$의

4가지이므로 그 확률은 $\dfrac{4}{36}$

(ⅱ) 두 눈의 수의 합이 11인 경우는 $(5, 6)$, $(6, 5)$의 2가지이므로

그 확률은 $\dfrac{2}{36}$

따라서 구하는 확률은 $\dfrac{4}{36} + \dfrac{2}{36} = \dfrac{6}{36} = \dfrac{1}{6}$

답 $\dfrac{1}{6}$

쌍둥이 1-2

파란 공 4개, 노란 공 5개, 검은 공 3개가 들어 있는 주머니에서 한 개의 공을 꺼낼 때, 파란 공 또는 노란 공이 나올 확률을 구하시오.

쌍둥이 1-3

두 개의 주사위 A, B를 동시에 던질 때, 나오는 두 눈의 수의 차가 4이거나 합이 7일 확률을 구하시오.

대표 유형 ❷ 사건 A와 사건 B가 동시에 일어날 확률

- '~이고', '동시에' 등의 표현이 있으면 확률의 곱셈을 이용한다.
- 두 사건 A, B가 서로 영향을 미치지 않을 때
  (사건 A와 사건 B가 동시에 일어날 확률)＝(사건 A가 일어날 확률)×(사건 B가 일어날 확률)

2-1 한 개의 주사위를 두 번 던질 때, 첫 번째에는 소수의 눈이 나오고 두 번째에는 4 이하의 눈이 나올 확률을 구하시오.

풀이 (ⅰ) 나오는 눈의 수가 소수인 경우는 2, 3, 5의 3가지이므로

그 확률은 $\dfrac{3}{6} = \dfrac{1}{2}$

(ⅱ) 나오는 눈의 수가 4 이하인 경우는 1, 2, 3, 4의 4가지이므로

그 확률은 $\dfrac{4}{6} = \dfrac{2}{3}$

따라서 구하는 확률은 $\dfrac{1}{2} \times \dfrac{2}{3} = \dfrac{1}{3}$

답 $\dfrac{1}{3}$

쌍둥이 2-2

A 주머니에는 흰 공 2개와 검은 공 4개가 들어 있고, B 주머니에는 흰 공 3개와 검은 공 2개가 들어 있다. A, B 두 주머니에서 각각 공을 1개씩 꺼낼 때, 다음과 같이 공이 나올 확률을 구하시오.

(1) A 주머니에서 흰 공, B 주머니에서 검은 공

(2) A 주머니에서 검은 공, B 주머니에서 흰 공

(3) A 주머니, B 주머니 둘 다 흰 공

대표 유형 **3** 어떤 사건이 일어나지 않을 확률

- (어떤 사건이 일어나지 않을 확률)=1−(어떤 사건이 일어날 확률)
- 두 사건 A, B가 서로 영향을 미치지 않을 때, 두 사건 A, B가 일어날 확률을 각각 p, q라 하면
  ① 사건 A가 일어나고 사건 B가 일어나지 않을 확률 ➡ $p \times (1-q)$
  ② 사건 A가 일어나지 않고 사건 B가 일어날 확률 ➡ $(1-p) \times q$

3-1 어떤 일을 남진이가 성공할 확률은 $\frac{3}{4}$이고, 수정이가 성공할 확률은 $\frac{1}{3}$이다. 이때 남진이는 성공하고 수정이는 실패할 확률을 구하시오.

풀이 남진이는 성공하고 수정이는 실패할 확률은
$$\frac{3}{4} \times \left(1-\frac{1}{3}\right) = \frac{3}{4} \times \frac{2}{3} = \frac{1}{2}$$

답 $\frac{1}{2}$

쌍둥이 **3-2**
두 사격 선수 A, B의 명중률은 각각 $\frac{3}{4}$, $\frac{4}{7}$이다. 두 사격 선수가 총을 한 번씩 쏘았을 때, A 선수는 명중시키지 못하고 B 선수는 명중시킬 확률을 구하시오.

쌍둥이 **3-3**
두 농구 선수 A, B의 자유투 성공률은 각각 80 %, 60 %이다. 두 선수가 자유투를 한 번씩 던질 때, A, B 두 선수가 모두 자유투를 실패할 확률을 구하시오.

대표 유형 **4** 두 사건 A, B 중 적어도 하나가 일어날 확률

- '적어도 ~일 확률'을 구할 때는 어떤 사건이 일어나지 않을 확률을 이용한다.
- 두 사건 A, B가 서로 영향을 미치지 않을 때
  (두 사건 A, B 중 적어도 하나가 일어날 확률)=1−(두 사건 A, B가 모두 일어나지 않을 확률)

4-1 ○, ×로 정답을 표시하는 문제가 3개 있다. ○, × 중 하나를 임의로 골라 쓸 때, 세 문제 중 적어도 한 문제는 맞힐 확률을 구하시오.

풀이 적어도 한 문제를 맞히는 경우는 한 문제 이상을 맞히는 경우와 같으므로
(적어도 한 문제를 맞힐 확률)
=1−(세 문제 모두 맞히지 못할 확률)
$$=1-\frac{1}{2} \times \frac{1}{2} \times \frac{1}{2}$$
$$=1-\frac{1}{8}=\frac{7}{8}$$

답 $\frac{7}{8}$

쌍둥이 **4-2**
A 주머니에는 흰 공 3개, 검은 공 2개가 들어 있고, B 주머니에는 흰 공 4개, 검은 공 5개가 들어 있다. A, B 두 주머니에서 각각 공을 한 개씩 꺼낼 때, 적어도 한 개는 검은 공일 확률을 구하시오.

쌍둥이 **4-3**
두 포수 A, B의 명중률은 각각 $\frac{2}{5}$, $\frac{3}{4}$이다. 두 포수가 동시에 한 마리의 새를 향해 총을 1발씩 쏘았을 때, 새를 맞힐 확률을 구하시오.

대표 유형 ⑤ 확률의 덧셈과 곱셈

'또는', '~이거나'이면 확률의 덧셈, '~이고', '동시에'이면 확률의 곱셈을 이용한다.

> **예** 흰 공과 검은 공이 들어 있는 두 주머니 A, B에서 각각 한 개씩 공을 꺼낼 때
> (1) 서로 같은 색의 공이 나오는 경우 ➡ (A 주머니: 흰 공, B 주머니: 흰 공)+(A 주머니: 검은 공, B 주머니: 검은 공)
> (2) 서로 다른 색의 공이 나오는 경우 ➡ (A 주머니: 흰 공, B 주머니: 검은 공)+(A 주머니: 검은 공, B 주머니: 흰 공)

5-1 A 주머니에는 흰 구슬 3개와 검은 구슬 4개가 들어 있고, B 주머니에는 흰 구슬 4개와 검은 구슬 5개가 들어 있다. A, B 두 주머니에서 각각 구슬을 한 개씩 꺼낼 때, 두 구슬이 서로 같은 색일 확률을 구하시오.

풀이 (ⅰ) A, B 두 주머니에서 모두 흰 구슬을 꺼낼 확률은

$$\frac{3}{7} \times \frac{4}{9} = \frac{12}{63}$$

(ⅱ) A, B 두 주머니에서 모두 검은 구슬을 꺼낼 확률은

$$\frac{4}{7} \times \frac{5}{9} = \frac{20}{63}$$

(ⅰ), (ⅱ)에서 구하는 확률은 $\frac{12}{63} + \frac{20}{63} = \frac{32}{63}$

답 $\frac{32}{63}$

쌍둥이 5-2

A 주머니에는 빨간 공 2개와 파란 공 3개가 들어 있고, B 주머니에는 빨간 공 1개와 파란 공 2개가 들어 있다. A, B 두 주머니에서 각각 공을 한 개씩 꺼낼 때, 두 공이 서로 다른 색일 확률을 구하시오.

쌍둥이 5-3

어떤 시험에서 지영이가 합격할 확률은 $\frac{1}{3}$이고 승봉이가 합격할 확률은 $\frac{3}{5}$일 때, 두 사람 중 한 사람만 합격할 확률을 구하시오.

대표 유형 ⑥ 연속하여 꺼낼 때의 확률 (1) – 꺼낸 것을 다시 넣는 경우

n개의 공이 들어 있는 주머니에서 1개의 공을 꺼내 확인하고 다시 넣은 후 1개의 공을 또 꺼낼 때
① 처음에 꺼낼 때의 전체 개수: n ② 나중에 꺼낼 때의 전체 개수: n
➡ (처음에 꺼낼 때의 전체 개수)=(나중에 꺼낼 때의 전체 개수)

6-1 주머니 속에 흰 공 4개와 검은 공 6개가 들어 있다. 이 중에서 1개의 공을 꺼내 확인하고 다시 넣은 후 1개의 공을 또 꺼낼 때, 2개 모두 흰 공일 확률을 구하시오.

풀이 첫 번째에 흰 공을 꺼낼 확률은 $\frac{4}{10} = \frac{2}{5}$

꺼낸 공을 다시 넣으므로 두 번째에 흰 공을 꺼낼 확률은

$$\frac{4}{10} = \frac{2}{5}$$

따라서 구하는 확률은 $\frac{2}{5} \times \frac{2}{5} = \frac{4}{25}$

답 $\frac{4}{25}$

쌍둥이 6-2

상자 안에 들어 있는 10개의 제비 중 당첨 제비는 2개이다. 이 상자에서 태현이가 1개의 제비를 뽑아 확인하고 다시 넣은 후 인성이가 1개의 제비를 뽑을 때, 인성이만 당첨될 확률을 구하시오.

10
확률

대표 유형 7 연속하여 꺼낼 때의 확률 (2) – 꺼낸 것을 다시 넣지 않는 경우

n개의 공이 들어 있는 주머니에서 1개의 공을 꺼내 확인하고 다시 넣지 않은 후 1개의 공을 또 꺼낼 때

① 처음에 꺼낼 때의 전체 개수: n　　　② 나중에 꺼낼 때의 전체 개수: $n-1$

➡ (처음에 꺼낼 때의 전체 개수) ≠ (나중에 꺼낼 때의 전체 개수)

7-1 상자 안에 20개의 제품 중 불량품이 5개 있다. 이 상자에서 2개의 제품을 연속하여 꺼낼 때, 두 번 모두 불량품을 꺼낼 확률을 구하시오. (단, 꺼낸 제품은 다시 넣지 않는다.)

풀이 첫 번째에 불량품을 꺼낼 확률은 $\dfrac{5}{20}=\dfrac{1}{4}$

두 번째에 불량품을 꺼낼 확률은 $\dfrac{4}{19}$

따라서 구하는 확률은 $\dfrac{1}{4}\times\dfrac{4}{19}=\dfrac{1}{19}$　　　답 $\dfrac{1}{19}$

쌍둥이 7-2

상자 안에 6개의 제비 중 당첨 제비가 2개 있다. 대영이가 먼저 1개의 제비를 뽑고 나중에 신희가 1개의 제비를 뽑을 때, 다음을 구하시오. (단, 뽑은 제비는 다시 넣지 않는다.)

(1) 대영이만 당첨될 확률

(2) 대영이와 신희가 모두 당첨될 확률

대표 유형 8 도형에서의 확률

① 모든 경우의 수 ➡ 도형 전체의 넓이

② 어떤 사건이 일어나는 경우의 수 ➡ 도형에서 사건에 해당하는 부분의 넓이

8-1 다음 그림과 같이 4등분, 6등분된 두 원판 A, B가 있다. 두 원판의 바늘이 각각 돌다가 멈추었을 때, 원판 A의 바늘은 홀수를 가리키고, 원판 B의 바늘은 6의 약수를 가리킬 확률을 구하시오.

(단, 바늘이 경계선에 멈추는 경우는 생각하지 않는다.)

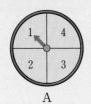

A　　　B

쌍둥이 8-2

다음 그림과 같이 4등분, 5등분된 두 원판 A, B가 있다. 두 원판에 화살을 각각 하나씩 던질 때, 맞힌 부분에 적힌 숫자가 모두 2일 확률을 구하시오. (단, 화살이 원판을 벗어나거나 경계선을 맞히는 경우는 생각하지 않는다.)

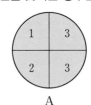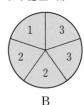

A　　　B

풀이 원판 A에서 홀수는 1, 3의 2가지이므로

원판 A의 바늘이 홀수를 가리킬 확률은 $\dfrac{2}{4}=\dfrac{1}{2}$

원판 B에서 6의 약수는 1, 2, 3, 6의 4가지이므로

원판 B의 바늘이 6의 약수를 가리킬 확률은 $\dfrac{4}{6}=\dfrac{2}{3}$

따라서 구하는 확률은 $\dfrac{1}{2}\times\dfrac{2}{3}=\dfrac{1}{3}$　　　답 $\dfrac{1}{3}$

STEP 3 개념 뛰어넘기

확률의 덧셈과 곱셈

사건 A가 일어날 확률을 p, 사건 B가 일어날 확률을 q라 하면

(1) 두 사건 A, B가 동시에 일어나지 않을 때
(사건 A 또는 사건 B가 일어날 확률)
$=p\boxed{❶}q$

(2) 두 사건 A, B가 서로 영향을 미치지 않을 때
(사건 A와 사건 B가 동시에 일어날 확률)
$=p\boxed{❷}q$

(3) 두 사건 A, B가 서로 영향을 미치지 않을 때
(두 사건 A, B 중 적어도 하나가 일어날 확률)
$=1-$ (두 사건 A, B가 $\boxed{❸}$ 일어나지 않을 확률)

답 ❶ $+$ ❷ $\times$ ❸ 모두

01

다음 표는 민성이네 반 학생들의 혈액형을 조사한 것이다. 이 학생들 중에서 한 학생을 선택할 때, 그 학생의 혈액형이 A형 또는 B형일 확률은?

혈액형	A	B	O	AB
학생 수(명)	13	12	8	2

① $\dfrac{7}{18}$ ② $\dfrac{5}{12}$ ③ $\dfrac{5}{9}$

④ $\dfrac{5}{7}$ ⑤ $\dfrac{3}{4}$

★ 02

두 개의 주사위 A, B를 동시에 던질 때, 나오는 두 눈의 수의 차가 3 또는 5일 확률은?

① $\dfrac{1}{12}$ ② $\dfrac{2}{9}$ ③ $\dfrac{1}{4}$

④ $\dfrac{5}{18}$ ⑤ $\dfrac{11}{36}$

03

서술형

1부터 50까지의 자연수가 각각 적힌 50개의 공이 들어 있는 상자가 있다. 이 상자에서 한 개의 공을 꺼낼 때, 3의 배수 또는 4의 배수가 적힌 공이 나올 확률을 구하시오.

04

융합형

오른쪽 그림과 같은 전기 회로도에서 스위치 A, B가 연결될 확률이 각각 $\dfrac{3}{5}$, $\dfrac{1}{6}$일 때, 전구에 불이 들어올 확률을 구하시오.

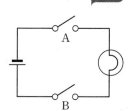

★ 05

일기예보에 따르면 이번 주 토요일에 비가 올 확률은 $\dfrac{1}{5}$이고, 일요일에 비가 올 확률은 $\dfrac{1}{4}$이라 한다. 이번 주 토요일과 일요일 중 적어도 하루는 비가 올 확률을 구하시오.

06

세 사람 A, B, C가 화살을 쏘아 풍선을 맞힐 확률은 각각 $\dfrac{1}{3}$, $\dfrac{1}{4}$, $\dfrac{1}{2}$이다. 이 세 사람이 동시에 한 풍선을 향하여 화살을 한 번씩 쏘았을 때, 풍선이 터질 확률을 구하시오.

07

어떤 시험에서 정건이가 합격할 확률은 $\frac{3}{4}$, 승환이가 합격할 확률은 $\frac{4}{5}$일 때, 두 명 중 한 명만 합격할 확률을 구하시오.

08   창의력

두 자연수 a, b가 짝수일 확률은 각각 $\frac{2}{5}$, $\frac{3}{7}$일 때, 두 자연수의 곱 ab가 짝수일 확률을 구하시오.

연속하여 꺼낼 때의 확률

(1) 꺼낸 것을 다시 넣는 경우
  (처음 꺼낼 때의 조건)＝(나중에 꺼낼 때의 조건)
(2) 꺼낸 것을 다시 넣지 않는 경우
  (처음 꺼낼 때의 조건) ❶   (나중에 꺼낼 때의 조건)

답 ❶ ≠

09   서술형

파란 공 3개와 빨간 공 2개가 들어 있는 주머니에서 공을 1개씩 두 번 꺼낼 때, 다음 각 경우에 대하여 두 개 모두 빨간 공일 확률을 구하시오.

(1) 처음 꺼낸 공을 다시 넣을 때

(2) 처음 꺼낸 공을 다시 넣지 않을 때

10   융합형

접시에 12개의 송편이 놓여 있는데 이 중 4개에는 깨가 들어 있고, 8개에는 팥이 들어 있다. 하영이가 송편을 1개씩 두 번 선택할 때, 다음을 구하시오.
        (단, 처음에 선택한 송편은 다시 접시에 놓지 않는다.)

(1) 두 개 모두 깨가 들어 있는 송편일 확률

(2) 두 개 모두 팥이 들어 있는 송편일 확률

(3) 첫 번째에는 깨가 들어 있는 송편, 두 번째에는 팥이 들어 있는 송편일 확률

도형에서의 확률

도형에서의 확률은 사건에 해당하는 부분의 넓이가 전체 넓이에서 차지하는 비율이다. 즉

$$(도형에서의 확률)＝\frac{(사건에 해당하는 부분의 넓이)}{(도형 \; ❶ \; 의 \; 넓이)}$$

답 ❶ 전체

11

다음 그림과 같이 6등분, 8등분된 두 원판 A, B가 있다. 이 두 원판을 각각 돌릴 때, 원판 A에서는 3의 배수, 원판 B에서는 4의 약수가 나올 확률을 구하시오.
       (단, 바늘이 경계선을 가리키는 경우는 생각하지 않는다.)

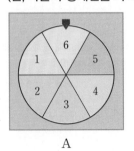 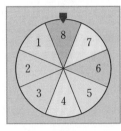

             A   B

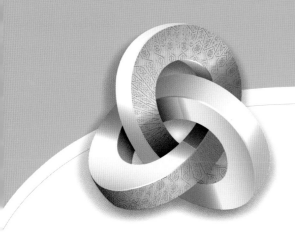

단원
종합 문제

2-2

개념 해결의
법칙

01

다음은 두 내각의 크기가 같은 삼각형은 이등변삼각형임을 설명하는 과정이다. ①~⑤에 들어갈 것으로 옳지 **않은** 것은?

오른쪽 그림과 같이 ∠A의 이등분선과 $\overline{BC}$의 교점을 D라 하면

△ABD와 △ACD에서

∠B=∠C   …… ㉠

∠BAD= ①   …… ㉡

삼각형의 세 내각의 크기의 합은 180°이므로

㉠, ㉡에서 ∠ADB= ②   …… ㉢

③ 는 공통   …… ㉣

㉡, ㉢, ㉣에 의해 △ABD≡ ④ (⑤ 합동)

∴ $\overline{AB}=\overline{AC}$

① ∠CAD   ② ∠ADC   ③ $\overline{AD}$

④ △ACD   ⑤ SAS

02

오른쪽 그림과 같은 △ABC에서 ∠A=80°, ∠C=50°, $\overline{AC}$=6 cm일 때, $\overline{AB}$의 길이를 구하시오.

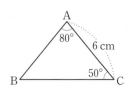

03

오른쪽 그림에서 △ABC는 $\overline{AB}=\overline{AC}$인 이등변삼각형이고 △CDB는 $\overline{CD}=\overline{CB}$인 이등변삼각형이다. ∠A=52°, ∠ACD=∠DCE일 때, ∠x의 크기는?

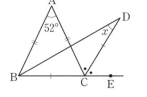

① 26°   ② 29°   ③ 32°

④ 35°   ⑤ 38°

04

오른쪽 그림과 같이 $\overline{AB}=\overline{AC}$인 이등변삼각형 ABC에서 ∠B의 이등분선과 $\overline{AC}$의 교점을 D라 하자. ∠A=36°일 때, 다음 중 옳지 **않은** 것은?

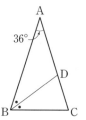

① $\overline{BC}=\overline{BD}$ ② ∠ADB=72°

③ $\overline{BD}=\overline{AD}$ ④ ∠ABD=∠A

⑤ ∠C=∠BDC

05

오른쪽 그림과 같이 직사각형 모양의 종이 ABCD를 꼭짓점 A와 C가 겹치도록 접었을 때, $\overline{AE}$의 길이를 구하시오.

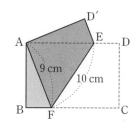

06

다음은 각의 두 변에서 같은 거리에 있는 점은 그 각의 이등분선 위에 있음을 설명하는 과정이다. (1)~(5)에 알맞은 것을 써넣으시오.

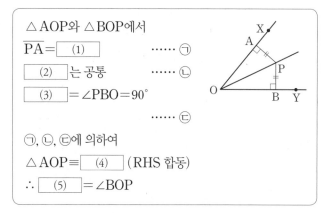

△AOP와 △BOP에서

$\overline{PA}$= (1)   …… ㉠

(2) 는 공통   …… ㉡

(3) =∠PBO=90°   …… ㉢

㉠, ㉡, ㉢에 의하여

△AOP≡ (4) (RHS 합동)

∴ (5) =∠BOP

07

다음 중 오른쪽 보기의 직각삼각형과 합동인 것은?

보기

①

②

③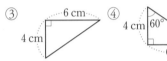

④

⑤

10

다음 설명 중 옳은 것은?

① 삼각형의 외심은 삼각형의 외부에 있다.

② 직각삼각형의 내심은 빗변의 중점에 있다.

③ 삼각형의 외심은 세 내각의 이등분선이 만나는 점이다.

④ 삼각형의 내심은 세 변의 수직이등분선이 만나는 점이다.

⑤ 삼각형의 내심에서 삼각형의 세 변에 이르는 거리는 같다.

08

서술형

오른쪽 그림과 같이 $\angle B = 90°$인 직각삼각형 ABC에서 $\angle A$의 이등분선과 $\overline{BC}$의 교점을 D라 하자. $\overline{AC} = 8$ cm, $\overline{BD} = 2$ cm일 때, $\triangle ADC$의 넓이를 구하시오.

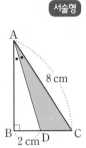

11

오른쪽 그림에서 점 O는 $\triangle ABC$의 외심이다. $\overline{AD} = 7$ cm, $\overline{BE} = 8$ cm, $\overline{AF} = 6$ cm일 때, $\triangle ABC$의 둘레의 길이를 구하시오.

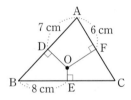

09

오른쪽 그림과 같이 $\angle A = 90°$이고 $\overline{AB} = \overline{AC}$인 직각이등변삼각형 ABC에서 꼭짓점 A를 지나는 직선 l을 긋고 두 점 B, C에서 직선 l에 내린 수선의 발을 각각 D, E라 하자. $\overline{BD} = 15$ cm, $\overline{DE} = 27$ cm일 때, $\overline{CE}$의 길이를 구하시오.

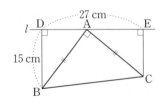

12

오른쪽 그림에서 점 O는 $\triangle ABC$의 외심이다. $\angle OBC = 25°$일 때, $\angle BAC$의 크기를 구하시오.

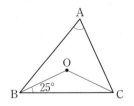

13
서술형

오른쪽 그림과 같이 ∠B=90°인 △ABC에서 점 M은 $\overline{AC}$의 중점이다. ∠C=32°일 때, ∠AMB의 크기를 구하시오.

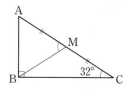

14

오른쪽 그림에서 점 I는 △ABC의 내심이다. ∠C=74°, ∠ABI=26°일 때, ∠IAB의 크기를 구하시오.

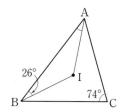

15

오른쪽 그림에서 점 I는 △ABC의 내심이다. $\overline{DE}$∥$\overline{BC}$일 때, 다음 중 옳지 <u>않은</u> 것은?

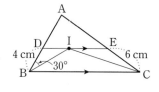

① ∠DIB=30°
② △DBI는 이등변삼각형이다.
③ $\overline{DI}$=4 cm
④ $\overline{DE}$=8 cm
⑤ (△ADE의 둘레의 길이)=$\overline{AB}$+$\overline{AC}$

16
서술형

오른쪽 그림과 같이 $\overline{AB}$=$\overline{AC}$인 이등변삼각형 ABC에서 두 점 O, I는 각각 외심과 내심이다. ∠A=40°일 때, 다음을 구하시오.

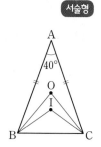

(1) ∠OBC의 크기

(2) ∠IBC의 크기

(3) ∠OBI의 크기

17

오른쪽 그림에서 점 I는 △ABC의 내심이고, 세 점 D, E, F는 각각 내접원과 세 변 AB, BC, CA의 접점일 때, $\overline{AC}$의 길이를 구하시오.

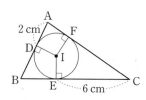

18

오른쪽 그림과 같이 ∠C=90°인 직각삼각형 ABC에서 두 점 O, I는 각각 외심과 내심이다. $\overline{AB}$=15 cm, $\overline{BC}$=9 cm, $\overline{AC}$=12 cm일 때, △ABC의 외접원 O와 내접원 I의 반지름의 길이의 합은?

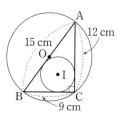

① 9 cm
② $\frac{19}{2}$ cm
③ 10 cm
④ $\frac{21}{2}$ cm
⑤ 11 cm

01

오른쪽 그림과 같은 평행사변형 ABCD에서 $\overline{AD}=9$ cm, $\overline{OA}=5$ cm, $\angle ABC=80°$일 때, $x+y+z$의 값을 구하시오.
(단, 점 O는 두 대각선의 교점이다.)

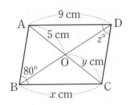

02

오른쪽 그림과 같은 평행사변형 ABCD에서 $\angle B$의 이등분선이 $\overline{CD}$의 연장선과 만나는 점을 E라 하자. $\overline{AB}=5$ cm, $\overline{BC}=8$ cm 일 때, $\overline{DE}$의 길이는?

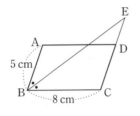

① 2 cm ② 2.5 cm ③ 3 cm
④ 3.5 cm ⑤ 4 cm

03

오른쪽 그림과 같은 평행사변형 ABCD에서 $\angle B : \angle C = 2 : 3$ 이고 $\overline{AE}$는 $\angle A$의 이등분선일 때, $\angle AEC$의 크기를 구하시오.

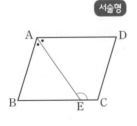

04

다음 중 □ABCD가 평행사변형이 <u>아닌</u> 것은?

①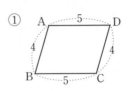
②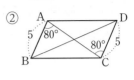
③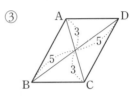
④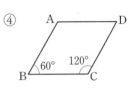
⑤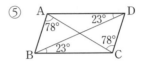

05

다음은 오른쪽 그림과 같은 평행사변형 ABCD에서 $\overline{OA}$, $\overline{OC}$ 위에 $\overline{OE}=\overline{OF}$가 되도록 두 점 E, F를 각각 잡을 때, □EBFD가 평행사변형임을 설명하는 과정이다. ☐ 안에 들어갈 평행사변형이 되는 조건을 써넣으시오.
(단, 점 O는 두 대각선의 교점이다.)

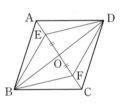

□EBFD에서 $\overline{OE}=\overline{OF}$, $\overline{OB}=\overline{OD}$
즉 '_____'는 평행사변형의 조건을 만족하므로 □EBFD는 평행사변형이다.

06

오른쪽 그림과 같은 평행사변형 ABCD에서 두 대각선의 교점을 O라 하자. □ABCD의 넓이가 24 cm²일 때, $\triangle ABO$의 넓이를 구하시오.

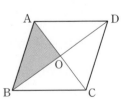

07

오른쪽 그림과 같이 평행사변형 ABCD의 내부에 점 P를 잡았다. △PBC의 넓이가 6 cm²일 때, △PDA의 넓이는?

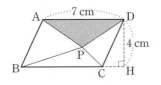

① 4 cm²　　② 6 cm²　　③ 8 cm²
④ 10 cm²　　⑤ 14 cm²

08

오른쪽 그림과 같은 직사각형 ABCD에서 점 O는 두 대각선의 교점이고 ∠BOC=115°일 때, ∠y−∠x의 크기는?

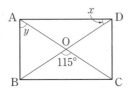

① 20°　　② 25°　　③ 30°
④ 35°　　⑤ 40°

09

오른쪽 그림과 같은 마름모 ABCD에서 ∠A=120°일 때, ∠x+∠y의 크기는?

① 60°　　② 65°
③ 70°　　④ 75°
⑤ 80°

10

오른쪽 그림과 같은 평행사변형 ABCD에서 $\overline{AB}=\overline{BC}$일 때, 다음 중 □ABCD가 정사각형이 되는 조건은? (단, 점 O는 두 대각선의 교점이다.)

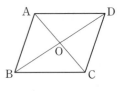

① ∠C=90°　　　　② $\overline{AB}=\overline{AD}$
③ $\overline{AB}=\overline{AC}$　　　　④ ∠AOB=90°
⑤ ∠OAB=∠OAD

11

오른쪽 그림과 같은 정사각형 ABCD에서 대각선 AC 위의 점 P에 대하여 ∠BPC=70°일 때, ∠x의 크기를 구하시오.

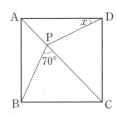

12

오른쪽 그림과 같이 $\overline{AD}/\!/\overline{BC}$인 등변사다리꼴 ABCD에서 $\overline{AB}=\overline{AD}$이고 ∠DBC=25°일 때, ∠BDC의 크기를 구하시오.

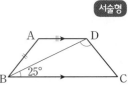

13

오른쪽 그림과 같이 $\overline{\text{AD}} \parallel \overline{\text{BC}}$인 등변사다리꼴 ABCD에서 $\overline{\text{AB}}=8 \text{ cm}$, $\overline{\text{AD}}=6 \text{ cm}$, $\angle \text{C}=60°$일 때, $\overline{\text{BC}}+\overline{\text{CD}}$의 길이를 구하시오.

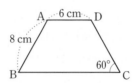

14

다음 중 ①~⑤에 들어갈 조건으로 옳지 <u>않은</u> 것은?

① 다른 한 쌍의 대변이 평행하다.
② 한 내각의 크기가 90°이다.
③ 이웃하는 두 변의 길이가 같다.
④ 두 대각선의 길이가 같다.
⑤ 이웃하는 두 내각의 크기가 같다.

15

서술형

다음 보기 중 두 대각선이 서로 다른 것을 이등분하는 사각형은 a개, 두 대각선의 길이가 같은 사각형은 b개, 두 대각선이 내각을 이등분하는 사각형은 c개일 때, $3a+2b+c$의 값을 구하시오.

보기
등변사다리꼴, 평행사변형, 마름모, 직사각형, 정사각형

16

오른쪽 그림에서 $\overline{\text{AC}} \parallel \overline{\text{DE}}$이고 $\overline{\text{AE}}$와 $\overline{\text{DC}}$의 교점을 O라 할 때, 다음 중 옳지 <u>않은</u> 것은?

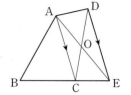

① $\triangle \text{AED}=\triangle \text{CED}$
② $\triangle \text{ACE}=\triangle \text{DCE}$
③ $\triangle \text{ACE}=\triangle \text{ACD}$
④ $\triangle \text{AOD}=\triangle \text{COE}$
⑤ $\triangle \text{ABE}=\square \text{ABCD}$

17

오른쪽 그림과 같은 $\triangle \text{ABC}$에서 $\overline{\text{BD}} : \overline{\text{DC}}=3 : 1$, $\overline{\text{AE}} : \overline{\text{EC}}=3 : 2$이다. $\triangle \text{ABC}$의 넓이가 60 cm^2일 때, $\triangle \text{EDC}$의 넓이를 구하시오.

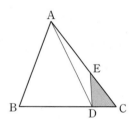

18

오른쪽 그림과 같은 평행사변형 ABCD에서 $\overline{\text{BD}} \parallel \overline{\text{EF}}$일 때, $\triangle \text{AFD}$와 넓이가 같은 삼각형은 $\triangle \text{AFD}$를 제외하고 몇 개인가?

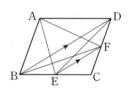

① 1개　　② 2개　　③ 3개
④ 4개　　⑤ 5개

01

다음 설명 중 옳지 <u>않은</u> 것은?

① 닮음인 두 도형의 대응하는 각의 크기는 같다.

② 닮음비가 1 : 1인 두 도형은 서로 합동이다.

③ 닮음인 두 도형의 대응하는 변의 길이의 비는 같다.

④ 반지름의 길이가 같은 두 부채꼴은 항상 닮음이다.

⑤ 꼭지각의 크기가 같은 두 이등변삼각형은 항상 닮음이다.

02

서술형

다음 그림에서 $\triangle ABC \backsim \triangle DEF$이고 닮음비가 2 : 3일 때, $\triangle DEF$의 둘레의 길이를 구하시오.

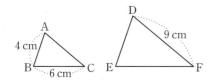

03

오른쪽 그림의 두 삼각기둥은 닮은 도형이고 $\overline{AB}$에 대응하는 모서리가 $\overline{A'B'}$일 때, 다음 중 옳은 것은?

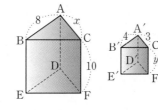

① 면 ABED에 대응하는 면은 면 A′D′F′C′이다.

② 두 삼각기둥의 닮음비는 5 : 4이다.

③ $x = 4$이다.

④ $y = 8$이다.

⑤ $\overline{B'C'} = 5$이면 $\overline{BC} + \overline{EF} = 20$이다.

04

오른쪽 그림에서 $\angle ABD = \angle C$일 때, 다음 물음에 답하시오.

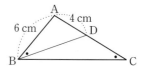

(1) 서로 닮음인 삼각형을 찾아 기호로 나타내고, 이때 사용된 닮음 조건을 쓰시오.

(2) $\overline{CD}$의 길이를 구하시오.

05

오른쪽 그림과 같은 $\triangle ABC$에서 x의 값은?

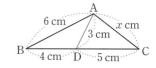

① 4
② $\dfrac{9}{2}$

③ 5
④ $\dfrac{11}{2}$

⑤ 6

06

오른쪽 그림과 같이 $\angle A = 90°$인 직각삼각형 ABC에서 $\overline{AD} \perp \overline{BC}$일 때, $\overline{AB}$의 길이는?

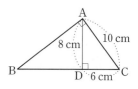

① 12 cm
② $\dfrac{37}{3}$ cm
③ $\dfrac{38}{3}$ cm

④ 13 cm
⑤ $\dfrac{40}{3}$ cm

07

오른쪽 그림의 △ABC에서
$\overline{AD} \perp \overline{BC}, \overline{BE} \perp \overline{AC}$이다.
$\overline{BD} : \overline{DC} = 2 : 1$일 때, $\overline{AE}$의 길
이를 구하시오.

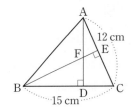

08

오른쪽 그림과 같이 정삼각형 모양
의 종이 ABC를 꼭짓점 A가 변
BC 위의 점 E에 오도록 접을 때,
$\overline{AD}$의 길이는?

① $\dfrac{28}{5}$ cm   ② 6 cm

③ $\dfrac{31}{5}$ cm   ④ $\dfrac{34}{5}$ cm

⑤ 7 cm

09

서술형

오른쪽 그림에서 $\overline{DE} /\!/ \overline{BC}$일 때,
xy의 값을 구하시오.

10

△ABC에서 두 점 D, E가 각각 $\overline{AB}, \overline{AC}$ 또는 그 연장선 위
의 점일 때, 다음 중 $\overline{BC} /\!/ \overline{DE}$인 것은?

①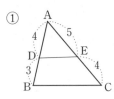

②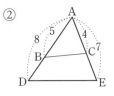

③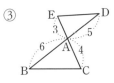

④

⑤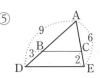

11

오른쪽 그림과 같은 △ABC에서
$\overline{AD}$는 ∠A의 이등분선이다.
△ABD의 넓이가 24 cm²일 때,
△ACD의 넓이를 구하시오.

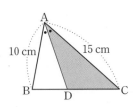

12

오른쪽 그림과 같은 △ABC에서 $\overline{AB}$,
$\overline{AC}$의 중점을 각각 D, E라 할 때, 다음
중 옳지 않은 것은?

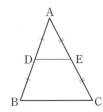

① $\overline{BC} /\!/ \overline{DE}$

② $\overline{AD} : \overline{DB} = \overline{DE} : \overline{BC}$

③ △ABC ∽ △ADE

④ $\overline{AD} : \overline{BD} = \overline{AE} : \overline{CE}$

⑤ $2\overline{DE} = \overline{BC}$

13

오른쪽 그림과 같은 △ABC에서 $\overline{AB}$, $\overline{BC}$, $\overline{CA}$의 중점을 각각 D, E, F라 할 때, △ABC의 둘레의 길이는?

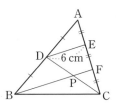

① 15 cm   ② 18 cm

③ 20 cm   ④ 22 cm

⑤ 33 cm

14

오른쪽 그림과 같은 △ABC에서 점 D는 $\overline{AB}$의 중점이고 두 점 E, F는 $\overline{AC}$를 3등분하는 점이다. 점 P가 $\overline{BF}$, $\overline{CD}$의 교점이고 $\overline{DE}=6$ cm일 때, $\overline{BP}$의 길이를 구하시오.

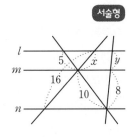

15   서술형

오른쪽 그림에서 $l /\!/ m /\!/ n$일 때, x, y의 값을 각각 구하시오.

16

오른쪽 그림과 같이 $\overline{AD} /\!/ \overline{BC}$인 사다리꼴 ABCD에서 $\overline{PQ} /\!/ \overline{BC}$이고 $\overline{AP} : \overline{PB}=3 : 2$일 때, $\overline{PQ}$의 길이를 구하시오.

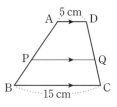

17

오른쪽 그림과 같이 $\overline{AD} /\!/ \overline{BC}$인 사다리꼴 ABCD에서 두 점 M, N은 각각 $\overline{AB}$, $\overline{DC}$의 중점일 때, $\overline{PQ}$의 길이를 구하시오.

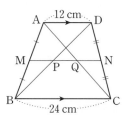

18   서술형

오른쪽 그림에서 $\overline{AB}$, $\overline{EF}$, $\overline{DC}$가 모두 $\overline{BC}$에 수직일 때, △EBC의 넓이를 구하려고 한다. 다음 순서대로 구하시오.

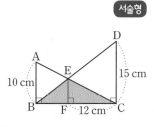

(1) $\overline{EF}$의 길이

(2) $\overline{BF}$의 길이

(3) △EBC의 넓이

01

오른쪽 그림에서 점 G가 △ABC의 무게중심일 때, 다음 중 옳지 <u>않은</u> 것은?

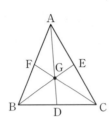

① $\overline{BD}=\overline{DC}$

② $\overline{AG}:\overline{GD}=2:1$

③ $\overline{AG}=\overline{BG}=\overline{CG}$

④ $\triangle ABC=6\triangle BDG$

⑤ $\triangle GCA=\dfrac{1}{3}\triangle ABC$

02

서술형

오른쪽 그림에서 점 G는 ∠B=90° 인 직각삼각형 ABC의 무게중심이다. $\overline{AC}=18\ \text{cm}$일 때, $\overline{BG}$의 길이를 구하시오.

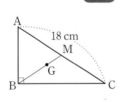

03

오른쪽 그림에서 점 G는 △ABC의 무게중심이고 $\overline{BE}\parallel\overline{DF}$이다. $\overline{AC}=10\ \text{cm}$일 때, $\overline{FC}$의 길이는?

① $\dfrac{5}{2}$ cm ② $\dfrac{8}{3}$ cm

③ 3 cm ④ $\dfrac{10}{3}$ cm

⑤ $\dfrac{7}{2}$ cm

04

오른쪽 그림과 같은 평행사변형 ABCD에서 $\overline{AD}$, $\overline{BC}$의 중점을 각각 M, N이라 하고 대각선 AC 와 $\overline{BM}$, $\overline{ND}$가 만나는 점을 각각 P, Q라 하자. $\overline{AC}=12\ \text{cm}$일 때, $\overline{PQ}$의 길이를 구하시오.

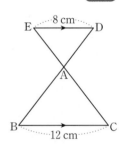

05

서술형

오른쪽 그림에서 $\overline{ED}\parallel\overline{BC}$일 때, 다음 물음에 답하시오.

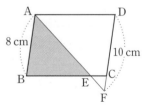

(1) △ABC와 △ADE의 닮음비를 구하시오.

(2) △ABC의 둘레의 길이가 32 cm일 때, △ADE의 둘레의 길이를 구하시오.

(3) △ABC의 넓이가 36 cm²일 때, △ADE의 넓이를 구하시오.

06

오른쪽 그림에서 □ABCD는 평행사변형이다.
△FCE=2 cm²일 때, △ABE의 넓이를 구하시오.

07

다음 그림에서 밑면인 원의 반지름의 길이가 각각 6 cm, 9 cm 인 두 원뿔 A, B가 닮은 도형이다. 원뿔 B의 부피가 324π cm^3 일 때, 원뿔 A의 부피를 구하시오.

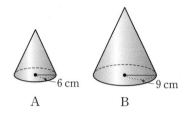

08

오른쪽 그림과 같은 원뿔 모양의 그릇에 일정한 속도로 물을 채우고 있다. 전체 높이의 $\frac{1}{3}$을 채우는 데 2분이 걸렸다면 가득 채울 때까지 몇 분이 더 걸리는지 구하시오.

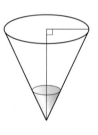

09

강의 폭 $\overline{AB}$의 길이를 알아보기 위하여 다음 그림과 같이 축도를 그려 $\overline{A'B'}$의 길이를 재었더니 3 cm가 되었다. 이를 이용하여 이 강의 실제 폭은 몇 m인지 구하시오.

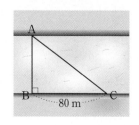
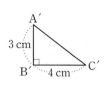

10

오른쪽 그림과 같은 $\triangle ABC$에서 $\overline{AH}\perp\overline{BC}$일 때, $x+y$의 값을 구하시오.

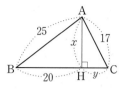

11

오른쪽 그림과 같은 $\square ABCD$에서 x^2의 값을 구하시오.

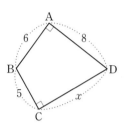

12

오른쪽 그림과 같이 $\overline{AB}=\overline{AC}=5$ cm, $\overline{BC}=8$ cm인 이등변삼각형 ABC의 넓이를 구하시오.

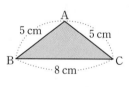

13

서술형

오른쪽 그림과 같이 $\angle C=\angle D=90°$인 사다리꼴 ABCD에서 $\overline{AB}=17$, $\overline{AD}=12$, $\overline{BC}=20$일 때, $\overline{BD}$의 길이를 구하시오.

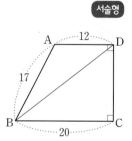

14

오른쪽 그림은 직각삼각형 ABC
의 세 변을 각각 한 변으로 하는 세
정사각형을 그린 것이다. 다음 중
옳지 않은 것은?

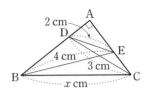

① $\overline{EC}=\overline{AF}$

② $\angle ECB=\angle BAF$

③ $\triangle ABF \equiv \triangle EBC$

④ $\triangle AEB = \triangle NFM$

⑤ $\square ADEB = \square BFMN$

15

서술형

오른쪽 그림과 같은 정사각형 ABCD
에서 $\overline{AH}=\overline{BE}=\overline{CF}=\overline{DG}=6$ cm이
고 $\square EFGH$의 넓이가 100 cm²일 때,
$\square ABCD$의 넓이를 구하시오.

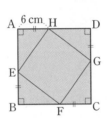

16

세 변의 길이가 각각 다음과 같은 삼각형 중에서 직각삼각형이
아닌 것은?

① 3 cm, 4 cm, 5 cm　　② 5 cm, 12 cm, 13 cm

③ 6 cm, 10 cm, 12 cm　　④ 7 cm, 24 cm, 25 cm

⑤ 8 cm, 15 cm, 17 cm

17

오른쪽 그림과 같이 $\angle A=90°$
인 직각삼각형 ABC에서
$\overline{BE}=4$ cm, $\overline{CD}=3$ cm,
$\overline{DE}=2$ cm일 때, x^2의 값을 구
하시오.

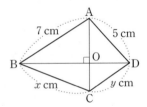

18

오른쪽 그림과 같이 $\square ABCD$
의 두 대각선이 직교하고
$\overline{AB}=7$ cm, $\overline{AD}=5$ cm일 때,
x^2-y^2의 값을 구하시오.

19

오른쪽 그림과 같이 $\angle B=90°$인 직
각삼각형 ABC에서 각 변을 지름으
로 하는 세 반원의 넓이를 각각 S_1,
S_2, S_3라 하자. $\overline{AC}=8$ cm일 때,
S_1+S_2의 값을 구하시오.

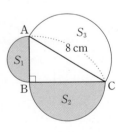

단원 종합 문제

01

1부터 10까지의 자연수가 각각 적힌 10개의 공이 들어 있는 주머니에서 한 개의 공을 꺼낼 때, 다음 중 경우의 수가 가장 작은 사건은?

① 소수가 적힌 공이 나온다.
② 홀수가 적힌 공이 나온다.
③ 9의 약수가 적힌 공이 나온다.
④ 4의 배수가 적힌 공이 나온다.
⑤ 3 이하의 수가 적힌 공이 나온다.

02

500원짜리 동전 3개와 100원짜리 동전 2개가 있다. 이때 500원짜리, 100원짜리 동전을 각각 1개 이상 사용하여 지불할 수 있는 금액은 모두 몇 가지인가?

① 2가지   ② 4가지   ③ 6가지
④ 8가지   ⑤ 10가지

03

각 면에 1부터 12까지의 자연수가 각각 적힌 정십이면체 모양의 주사위를 한 번 던질 때, 바닥에 닿는 면에 적힌 수가 3의 배수 또는 5의 배수인 경우의 수는?

① 5   ② 6   ③ 7
④ 8   ⑤ 9

04

서술형

서로 다른 두 개의 주사위를 동시에 던질 때, 나오는 두 눈의 수의 합이 3 또는 10인 경우의 수를 구하시오.

05

현민이는 3종류의 모자와 5종류의 신발을 가지고 있다. 모자와 신발을 매일 다르게 짝을 지어 코디하려고 할 때, 며칠 동안 다르게 코디할 수 있을까?

① 8일   ② 10일   ③ 12일
④ 15일   ⑤ 20일

06

오른쪽 그림의 A 지점에서 C 지점까지 가는 방법의 수는? (단, 한 번 지나간 지점은 다시 지나지 않는다.)

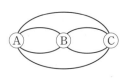

① 4   ② 5   ③ 6
④ 7   ⑤ 8

07

봉화는 삼국시대부터 통신 수단의 하나로 이용되어 왔다. 4개의 연기 구멍이 나란히 배열되어 있는 봉화대에서 표현할 수 있는 신호는 모두 몇 가지인지 구하시오.

(단, 연기를 피우지 않는 것도 신호에 포함한다.)

08

A, B, C, D 4가지 종류의 서로 다른 초콜릿이 각각 1개씩 있다. 가영, 나영, 다영, 라영이가 이 중에서 초콜릿을 각각 1개씩 고르려고 할 때, 라영이가 A 초콜릿을 먼저 골랐다고 하면 나머지 친구들이 초콜릿을 고르는 경우의 수를 구하시오.

09

서술형

성진, 효재, 연조, 신희, 세영, 정태 6명이 속한 모임이 있다. 다음 물음에 답하시오.

(1) 6명을 한 줄로 세울 때, 연조가 맨 앞에, 신희가 맨 뒤에 서고 성진이와 정태가 반드시 이웃하여 서는 경우의 수를 구하시오.

(2) 대표 1명, 부대표 2명을 뽑는 경우의 수를 구하시오.

10

1부터 5까지의 자연수가 각각 적힌 5장의 카드 중에서 2장을 뽑아 두 자리 자연수를 만들 때, 홀수의 개수는?

① 6   ② 9   ③ 12

④ 15   ⑤ 18

11

나연, 채영, 지효, 미나, 지민 5명의 학생이 한 학생도 빠짐없이 서로 한 번씩 팔씨름을 할 때, 치러야 하는 경기의 수는?

① 8번   ② 10번   ③ 12번

④ 15번   ⑤ 20번

12

오른쪽 그림과 같은 A, B, C, D 4개의 각 부분을 빨강, 주황, 노랑, 파랑, 초록의 5가지 색으로 칠하려고 한다. 같은 색을 여러 번 사용해도 좋으나 이웃하는 부분은 서로 다른 색이 되도록 칠하는 경우의 수는?

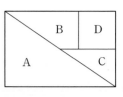

① 120   ② 160   ③ 180

④ 240   ⑤ 320

13

다음 중 확률이 가장 큰 것은?

① 빨간 공 3개, 파란 공 4개, 노란 공 5개가 들어 있는 주머니에서 한 개의 공을 임의로 꺼낼 때, 빨간 공이 나올 확률

② 서로 다른 두 개의 동전을 동시에 던질 때, 같은 면이 나올 확률

③ 서로 다른 두 개의 주사위를 동시에 던질 때, 나오는 두 눈의 수가 같을 확률

④ 4명의 학생 A, B, C, D를 한 줄로 세울 때, A가 맨 앞에 설 확률

⑤ 남학생 3명, 여학생 2명 중에서 대표 2명을 뽑을 때, 모두 여학생일 확률

14

서술형

$0, 1, 2, 3, 4$의 숫자가 각각 적힌 5장의 카드 중에서 2장을 뽑아 두 자리 자연수를 만들 때, 23 이상일 확률을 구하시오.

15

두 개의 주사위 A, B를 동시에 던져서 나온 눈의 수를 각각 x, y라 할 때, $x+2y \leq 6$일 확률은?

① $\dfrac{1}{6}$ ② $\dfrac{1}{5}$ ③ $\dfrac{1}{4}$

④ $\dfrac{1}{3}$ ⑤ $\dfrac{1}{2}$

16

다음은 태양이네 반 학생 36명의 동아리 활동 부서를 조사한 표의 일부분이다. 이 반에서 임의로 한 명을 택했을 때, 그 학생이 토론 논술부 또는 합창부일 확률은?

(단, 동아리 활동은 모든 학생이 한 부서씩 배정되었다.)

부서	토론 논술부	방송 댄스부	수학 탐구부	합창부	…	합계
인원(명)	5	4	6	4	…	36

① $\dfrac{1}{12}$ ② $\dfrac{1}{6}$ ③ $\dfrac{1}{4}$

④ $\dfrac{1}{2}$ ⑤ $\dfrac{5}{9}$

17

1부터 30까지의 자연수가 각각 적힌 30장의 카드 중에서 한 장을 뽑을 때, 4의 배수 또는 7의 배수가 적힌 카드가 나올 확률은?

① $\dfrac{1}{3}$ ② $\dfrac{11}{30}$ ③ $\dfrac{2}{5}$

④ $\dfrac{1}{2}$ ⑤ $\dfrac{3}{5}$

18

다음 중 옳지 않은 것은?

① 반드시 일어나는 사건의 확률은 1이다.

② 절대로 일어나지 않는 사건의 확률은 0이다.

③ 어떤 사건이 일어날 확률을 p라 하면 $0 < p \leq 1$이다.

④ 어떤 사건이 일어날 확률이 p일 때, 그 사건이 일어나지 않을 확률은 $1-p$이다.

⑤ 10개의 제비 중 한 개를 뽑을 때, 당첨될 확률이 1이라는 것은 10개 모두 당첨 제비라는 뜻이다.

19

A, B, C 세 사람이 시험에 합격할 확률이 각각 $\frac{2}{5}, \frac{3}{4}, \frac{1}{3}$이다. 이 세 사람 중 한 사람만 합격할 확률은?

① $\frac{1}{20}$ ② $\frac{1}{15}$ ③ $\frac{1}{10}$

④ $\frac{3}{10}$ ⑤ $\frac{5}{12}$

20

일기예보에서 수요일에 비가 올 확률은 80 %이고, 목요일에 비가 올 확률은 70 %라 한다. 수요일과 목요일 중 적어도 하루는 비가 올 확률은?

① 81 % ② 86 % ③ 90 %

④ 92 % ⑤ 94 %

21

두 자연수 a, b가 홀수일 확률이 각각 $\frac{1}{4}, \frac{2}{3}$일 때, $a+b$가 짝수일 확률은?

① $\frac{1}{6}$ ② $\frac{5}{12}$ ③ $\frac{7}{12}$

④ $\frac{5}{6}$ ⑤ $\frac{11}{12}$

22

서술형

A 주머니에는 빨간 공 3개, 파란 공 4개가 들어 있고, B 주머니에는 빨간 공 5개, 파란 공 2개가 들어 있다. 정은이가 A, B 두 주머니에서 각각 1개씩의 공을 꺼낼 때, 다음을 구하시오.

(1) 모두 파란 공일 확률

(2) 서로 다른 색의 공일 확률

23

상자 안에 10개의 제비 중 3개의 당첨 제비가 있다. 연속하여 두 개의 제비를 뽑을 때, 두 개 모두 당첨 제비일 확률을 구하시오. (단, 뽑은 제비는 다시 넣지 않는다.)

24

오른쪽 그림과 같이 중심이 같고 반지름의 길이가 각각 1, 2, 3인 세 원으로 이루어진 원판이 있다. 이 원판에 화살을 쏘았을 때, 어두운 부분을 맞힐 확률을 구하시오. (단, 화살이 원판을 벗어나거나 경계선을 맞히는 경우는 생각하지 않는다.)

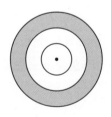

배움으로 행복한 내일을 꿈꾸는
천재교육 커뮤니티 안내 ...

교재 안내부터 구매까지 한 번에!
천재교육 홈페이지

자사가 발행하는 참고서, 교과서에 대한 소개는 물론
도서 구매도 할 수 있습니다. 회원에게 지급되는 별을 모아
다양한 상품 응모에도 도전해 보세요!

다양한 교육 꿀팁에 깜짝 이벤트는 덤!
천재교육 인스타그램

천재교육의 새롭고 중요한 소식을 가장 먼저 접하고 싶다면?
천재교육 인스타그램 팔로우가 필수!
깜짝 이벤트도 수시로 진행되니 놓치지 마세요!

수업이 편리해지는
천재교육 ACA 사이트

오직 선생님만을 위한, 천재교육 모든 교재에 대한 정보가 담긴
아카 사이트에서는 다양한 수업자료 및 부가 자료는 물론
시험 출제에 필요한 문제도 다운로드하실 수 있습니다.

https://aca.chunjae.co.kr

천재교육을 사랑하는 샘들의 모임
천사샘

학원 강사, 공부방 선생님이시라면 누구나 가입할 수 있는 천사샘!
교재 개발 및 평가를 통해 교재 검토진으로 참여할 수 있는 기회는 물론
다양한 교사용 교재 증정 이벤트가 선생님을 기다립니다.

아이와 함께 성장하는 학부모들의 모임공간
튠맘 학습연구소

튠맘 학습연구소는 초·중등 학부모를 대상으로 다양한 이벤트와 함께
교재 리뷰 및 학습 정보를 제공하는 네이버 카페입니다.
초등학생, 중학생 자녀를 둔 학부모님이라면 튠맘 학습연구소로 오세요!

개념 해결의 법칙

정답과 해설

중학
수학 2-2

개념 해결의
법칙

1 이등변삼각형

1 이등변삼각형의 성질

개념 확인 ——————— 8쪽~10쪽

1 (1) 53° (2) 70°
2 (1) 6 (2) 10 (3) 90 (4) 50
3 (1) ○ (2) × (3) ○ (4) ○

STEP 1 기초 개념 드릴 ——————— 11쪽

1-1 53, 53, 74 연구 C
1-2 (1) 45° (2) 110°
2-1 (1) 4 cm (2) 25° 연구 수직이등분
2-2 (1) 6 cm (2) 28°
3-1 40, 40, $\overline{AB}$, 4 연구 $\overline{AC}$
3-2 (1) 6 (2) 5

STEP 2 대표 유형으로 개념 잡기 ——————— 12쪽~15쪽

1-2 (1) 75° (2) 56°   **2-2** ③
3-2 (1) 68° (2) 15°   **4-2** 36°   **5-2** 22°
6-2 7   **7-2** 5 cm   **8-2** ④

STEP 3 개념 뛰어넘기 ——————— 16쪽~17쪽

01 ④   **02** 105°   **03** ③   **04** 52
05 4   **06** ③   **07** 24°   **08** 25°
09 105°   **10** 5 cm   **11** 65°   **12** 50°

2 직각삼각형의 합동 조건

개념 확인 ——————— 18쪽~19쪽

1 (1) △ABC ≡ △DFE (RHA 합동)
    (2) △ABC ≡ △DFE (RHS 합동)
2 (1) 5 (2) 8
3 (1) 20 (2) 55

STEP 1 기초 개념 드릴 ——————— 20쪽

1-1 $\overline{FD}$, D, △FDE, RHA
1-2 $\overline{ED}$, $\overline{EF}$, △EFD, RHS
2-1 ㉡, RHA 합동
2-2 ㉠, RHA 합동 / ㉢, RHS 합동

STEP 2 대표 유형으로 개념 잡기 ——————— 21쪽~23쪽

1-2 ㉡, ㉢, ㉣
2-2 ㉠과 ㉢: RHA 합동, ㉣과 ㉮: RHS 합동
3-2 (1) 7 cm (2) 72 cm²   **4-2** 66°   **5-2** ①
6-2 26 cm²

STEP 3 개념 뛰어넘기 ——————— 24쪽~25쪽

01 ④   **02** ⑤   **03** ⑤   **04** 5 cm
05 10 cm²   **06** ③   **07** ③   **08** 22 cm
09 3 cm   **10** 62°   **11** 24 cm

2 삼각형의 외심과 내심

1 삼각형의 외심

개념 확인 ────────── 29쪽~30쪽

1 ㉠, ㉣

2 (1) 5 (2) 4 (3) 6 (4) 60

3 (1) 40° (2) 22° (3) 124° (4) 65°

STEP 1 기초 개념 드릴 ────────── 31쪽

1-1 $x=5, y=30$ 연구 5, 밑각, 30

1-2 (1) $x=7, y=25$ (2) $x=12, y=126$

2-1 $x=25, y=8$ 연구 $x, 25, \dfrac{1}{2}, 8, 8$

2-2 (1) 10 (2) 30

3-1 (1) 31° (2) 132°

　　　연구 (1) 34, 90, 34, 90, 31 (2) 2, 132

3-2 (1) 30° (2) 100°

STEP 2 대표 유형으로 개념 잡기 ────────── 32쪽~33쪽

1-2 ㉠, ㉢, ㉤　　　**2-2** (1) 7 cm (2) 100°

3-2 (1) 35° (2) 62°　　　**4-2** (1) 70° (2) 150°

STEP 3 개념 뛰어넘기 ────────── 34쪽~35쪽

01 ①, ④　　**02** 18 cm　　**03** ㉣　　**04** 5 cm

05 (1) 3 cm (2) 9 cm²　　**06** 80°　　**07** ③

08 ②　　**09** 60°　　**10** ②

11 (1) 45° (2) 90° (3) 45°

2 삼각형의 내심

개념 확인 ────────── 37쪽~39쪽

1 40°

2 ㉡, ㉣

3 (1) 4 (2) 26 (3) 30

4 (1) 15° (2) 30° (3) 125° (4) 20°

5 9 cm

6 6 cm²

STEP 1 기초 개념 드릴 ────────── 41쪽

1-1 $x=3, y=32$ 연구 3, 3, 32, 32

1-2 (1) 30 (2) 2

2-1 (1) 30° (2) 62° 연구 (1) 25, 90, 30 (2) $\dfrac{1}{2}, \dfrac{1}{2}, 2, 62$

2-2 (1) 32° (2) 130°

3-1 ㉠ 2 ㉡ 7 ㉢ 3 ㉣ 5 연구 3, 3, 5

3-2 (1) 10 (2) 7

STEP 2 대표 유형으로 개념 잡기 ────────── 42쪽~45쪽

1-2 ㉢, ㉣, ㉤　　　**2-2** (1) 45° (2) 30°

3-2 (1) 114° (2) 45°　　　**4-2** (1) $\dfrac{11}{2}$ (2) 5

5-2 6π cm　　　**6-2** 12 cm

7-2 (1) 72° (2) 126°　　　**7-3** (1) 46° (2) 34° (3) 12°

STEP 3 개념 뛰어넘기 ────────── 46쪽~47쪽

01 ①, ④　　**02** 41　　**03** ③　　**04** 10 cm

05 90°　　**06** 30°　　**07** 15°

08 (1) 65° (2) 165°　　　**09** 2 cm　　**10** 84 cm²

11 (1) 2 cm (2) $(24-4\pi)$ cm²

3 평행사변형

1 평행사변형의 성질

개념 확인 ——————————————— 50쪽

1 (1) $x=7, y=135$ (2) $x=8, y=10$

STEP 1 기초 개념 드릴 ——————————— 52쪽

1-1 $\angle x=70°, \angle y=27°$ 연구 $\overline{DC}, \overline{BC}$

1-2 (1) $\angle x=40°, \angle y=60°$ (2) $\angle x=30°, \angle y=45°$

2-1 (1) $x=5, y=65$ (2) $x=6, y=8$ 연구 $\overline{BC}, \angle C$

2-2 (1) $x=8, y=130$ (2) $x=4, y=5$

3-1 (1) ◯ (2) × (3) × (4) ◯

3-2 ㉡, ㉢, ㉤, ㉥

STEP 2 대표 유형으로 개념 잡기 ——————— 53쪽~55쪽

1-2 (1) $\angle x=50°, \angle y=110°$ (2) $\angle x=35°, \angle y=60°$

2-2 (1) $x=2, y=5$ (2) $x=3, y=3$

2-3 (1) $75°$ (2) $80°$

3-2 $4\,cm$ **4-2** $50°$ **5-2** $108°$ **6-2** $30\,cm$

STEP 3 개념 뛰어넘기 ——————————— 56쪽

01 $\angle x=60°, \angle y=52°$ **02** $x=3, y=3$

03 $8\,cm$ **04** $130°$ **05** $80°$ **06** $12\,cm$

07 (1) $3\,cm$ (2) $5\,cm$

2 평행사변형이 되는 조건

개념 확인 ——————————————— 57쪽~60쪽

1 (1) $x=5, y=10$ (2) $x=70, y=110$ (3) $x=5, y=3$

2 ㈎ $\overline{OC}$ ㈏ $\overline{OF}$

3 $12\,cm^2$

4 ① 7 ② 5 ③ 14 ④ 10 (1) $36\,cm^2$ (2) $36\,cm^2$

STEP 1 기초 개념 드릴 ——————————— 61쪽

1-1 (1) $\overline{DC}, \overline{BC}$ (2) $\overline{DC}, \overline{BC}$ (3) $\angle BCD, \angle ADC$
(4) $\overline{OC}, \overline{OD}$ (5) $\overline{DC}, \overline{DC}$

1-2 (1) ◯ (2) × (3) × (4) ◯ (5) ◯

2-1 (1) $22\,cm^2$ (2) $10\,cm^2$ 연구 $\dfrac{1}{2}$

2-2 (1) $36\,cm^2$ (2) $18\,cm^2$

STEP 2 대표 유형으로 개념 잡기 ——————— 62쪽~65쪽

1-2 ⑤   **2-2** (1) $x=2, y=2$ (2) $x=125, y=55$

3-2 ㈎ $\overline{FC}$ ㈏ $\overline{FC}$ ㈐ 평행

3-3 ㈎ $\overline{CD}$ ㈏ $\overline{AB} /\!/ \overline{DC}$ ㈐ RHA ㈑ $\overline{BE} /\!/ \overline{FD}$
㈒ 한 쌍의 대변이 평행하고 그 길이가 같다.

4-2 ③   **4-3** $40°$ **5-2** $100\,cm^2$ **6-2** $8\,cm^2$

STEP 3 개념 뛰어넘기 ——————————— 66쪽~67쪽

01 ⑤   **02** $x=120, y=6$ **03** ①

04 ③   **05** $8\,cm$ **06** ㉠, ㉢, ㉤, ㉥

07 $28\,cm^2$ **08** $34\,cm^2$

09 (1) $\triangle COQ$, ASA 합동 (2) $6\,cm^2$

4 여러 가지 사각형

1 여러 가지 사각형

개념 확인 — 70쪽~73쪽

1 (1) $x=12, y=\dfrac{13}{2}$ (2) $x=90, y=30$

2 (1) $x=5, y=3$ (2) $x=60, y=30$

3 (1) $x=4, y=90$ (2) $x=5, y=45$

4 (1) $x=70, y=5$ (2) $x=10, y=122$

STEP 1 기초 개념 드릴 — 74쪽

1-1 (1) 20 cm (2) 53° 연구 (1) 20 (2) 90, 90, 53

1-2 (1) 8 cm (2) 60°

2-1 (1) 4 cm (2) 55° 연구 (1) 4 (2) 90, 90, 55

2-2 (1) 5 cm (2) 30°

3-1 (1) 18 cm (2) 45° 연구 (1) 18 (2) 90, 90, 45

3-2 (1) 4 cm (2) 90°

4-1 (1) 8 cm (2) 60° 연구 (1) 8 (2) 60

4-2 (1) 6 cm (2) 105°

STEP 2 대표 유형으로 개념 잡기 — 75쪽~78쪽

1-2 $x=4, y=54$ **2-2** ②, ④

3-2 24 cm² **4-2** 7 cm **5-2** 32 cm² **6-2** ②, ⑤

7-2 78° **8-2** 4 cm

STEP 3 개념 뛰어넘기 — 79쪽~81쪽

01 $\angle x=52°, \angle y=104°$ **02** 12 **03** ②

04 (개) $\overline{DB}$ (내) SSS (대) ∠ADC (래) ∠BAD **05** 116°

06 (개) $\overline{AD}$ (내) $\overline{DO}$ (대) SSS (래) 180 **07** 63°

08 (1) 마름모 (2) 30° **09** $x=90, y=6$

10 (1) ㉣, ㉥ (2) ㉠, ㉡, ㉢, ㉤ **11** 20° **12** ④

13 68° **14** (개) $\overline{AB}$ (내) ∠DEC (대) ∠C (래) $\overline{DC}$ (매) $\overline{AB}$

15 (1) 9 cm (2) 14 cm (3) 37 cm **16** 7 cm

2 여러 가지 사각형 사이의 관계

개념 확인 — 82쪽~85쪽

1 (1) ○, ○, ○, ○ (2) ○, ○, ○, ○ (3) ○, ○, ○, ○
(4) ×, ×, ○, ○ (5) ×, ○, ×, ○ (6) ○, ○, ○, ○
(7) ×, ×, ○, ○

2 (1) 4 cm, 6 cm, 12 cm² (2) 4 cm, 6 cm, 12 cm²

3 (1) △DBC (2) △ACD (3) △DOC

4 (1) ① 8 cm, 10 cm, 40 cm² ② 4 cm, 10 cm, 20 cm²
(2) ① 2 : 1 ② 2 : 1

STEP 1 기초 개념 드릴 — 86쪽

1-1 (1) 직사각형 (2) 직사각형 (3) 마름모 (4) 정사각형

1-2 (1) 마름모 (2) 직사각형 (3) 마름모 (4) 정사각형

2-1 25 cm² 연구 ABC, 5, 25

2-2 24 cm²

3-1 40 cm² 연구 $\overline{BD}$, $\overline{DC}$, 5, 5, 40

3-2 (1) 3 : 5 (2) 60 cm²

STEP 2 대표 유형으로 개념 잡기 — 87쪽~91쪽

1-2 직사각형 **1-3** (1) 마름모 (2) 5 cm **2-2** ④

3-2 ㉣, ㉤ **4-2** 64 cm² **5-2** 21 cm² **6-2** 7 cm²

7-2 8 cm² **8-2** 36 cm² **9-2** (1) 16 cm² (2) 32 cm²

STEP 3 개념 뛰어넘기 — 92쪽~93쪽

01 (개) ㉣ (내) ㉠ (대) ㉠ (래) ㉣

02 (개) 사다리꼴 (내) 마름모 (대) 직사각형 (래) 정사각형

03 ④ **04** ② **05** 15 cm² **06** 21 cm²

07 4 cm² **08** 30 cm² **09** 18 cm² **10** 6 cm²

11 ⑤

5 도형의 닮음

1 닮은 도형의 성질

1 (1) □ABCD∽□HGFE (2) 점 H (3) $\overline{\text{EF}}$ (4) ∠G

2 (1) 2 : 3 (2) $\dfrac{27}{2}$ cm (3) 120°

3 (1) 2 : 3 (2) $x = \dfrac{15}{2}$, $y = \dfrac{27}{2}$

1-1 (1) 3 : 4 (2) 12 cm (3) 70°

　　연구 (1) $\overline{\text{DE}}$, $\overline{\text{DE}}$, 8, 4 (2) $\overline{\text{BC}}$, 36, 12 (3) 70

1-2 (1) 4 : 3 (2) 6 cm (3) 125°

2-1 (1) □B′E′F′C′ (2) 3 : 2 (3) $\dfrac{40}{3}$ cm

　　연구 (2) $\overline{\text{E′F′}}$, $\overline{\text{E′F′}}$, 8, 3, 2 (3) 40, $\dfrac{40}{3}$

2-2 (1) □E′F′G′H′ (2) 1 : 2 (3) $x = 3$, $y = 12$

1-2 ②, ③ **2-2** (1) 5 : 2 (2) 4 cm (3) 70°

3-2 24 **4-2** 8 cm

01 ③, ⑤ **02** ⑤ **03** 7 : 4 **04** ⑤

05 (1) 2 : 3 (2) 9 cm (3) 18π cm

---

2 삼각형의 닮음 조건

1 (1) △DEF, SSS (2) △DEF, SAS
　　(3) △ADE, AA (4) △DEC, SAS

2 ㉠, ㉡, ㉢

3 (1) 3 (2) 16

1-1 ② 연구 180

1-2 ㉢과 ㉤, AA 닮음

2-1 (1) x, ax (2) y, ay (3) x, xy

2-2 (1) 8 (2) 6 (3) $\dfrac{36}{5}$ (4) $\dfrac{32}{5}$

1-2 (1) △ABC∽△CBD (SSS 닮음)
　　(2) △ABC∽△EDC (SAS 닮음)

1-3 ② **2-2** (1) 15 (2) 8 **3-2** $\dfrac{18}{5}$

3-3 9 **4-2** (1) 7 (2) $\dfrac{25}{6}$

5-2 (1) $\dfrac{16}{3}$ (2) $\dfrac{18}{5}$ **6-2** $\dfrac{15}{4}$ cm **6-3** $\dfrac{21}{2}$ cm

01 ① **02** ⑤ **03** ③

04 (1) △ABC와 △DBA에서 $\overline{\text{AB}} : \overline{\text{DB}} = 12 : 9 = 4 : 3$,
　　$\overline{\text{BC}} : \overline{\text{BA}} = (9+7) : 12 = 4 : 3$, ∠B는 공통
　　∴ △ABC∽△DBA (SAS 닮음) (2) 6 cm

05 9 cm **06** ③ **07** 32 cm **08** ④

09 29 **10** 78 cm² **11** 5 cm

6 평행선과 선분의 길이의 비

1 삼각형과 평행선

개념 확인
117쪽~120쪽

1 (1) 6 (2) 8 (3) 20

2 (1) 3 (2) 9 (3) 12

3 (1) ◯ (2) ✕

4 (1) $x=50, y=8$ (2) $x=5, y=12$

5 (1) 2 (2) 4

STEP ① 기초 개념 드릴
121쪽~122쪽

1-1 (1) $\dfrac{16}{3}$ (2) 5 (3) 3 (4) 9 연구 $\overline{AC}, \overline{DB}$

1-2 (1) $x=\dfrac{40}{7}, y=\dfrac{35}{4}$ (2) $x=4, y=\dfrac{27}{4}$

   (3) $x=5, y=12$ (4) $x=33, y=12$

2-1 ㉠ 연구 (1) // (2) $\overline{EC}$

2-2 ㉠, ㉢

3-1 (1) 6 (2) 18 연구 $\dfrac{1}{2}$

3-2 (1) 7 (2) 10

4-1 (1) $x=4, y=12$ (2) $x=4, y=5$ 연구 $=$

4-2 (1) $x=6, y=6$ (2) $x=5, y=6$

5-1 (1) 4 (2) $\dfrac{9}{2}$ 연구 (1) $\overline{AC}, \overline{BD}$ (2) $\overline{AB}, \overline{CD}$

5-2 (1) 5 (2) 12

STEP ② 대표 유형으로 개념 잡기
123쪽~128쪽

1-2 (1) $x=8, y=6$ (2) $x=15, y=\dfrac{10}{3}$

2-2 3 cm **3-2** 20 cm **4-2** ②

5-2 (1) 4 cm (2) 5 cm (3) 18 cm **6-2** 5

7-2 (1) 12 cm (2) 3 cm (3) 9 cm **8-2** 27 cm

9-2 26 cm **9-3** (1) 마름모 (2) 32 cm **10-2** 15 cm²

11-2 4 cm

STEP ③ 개념 뛰어넘기
129쪽~130쪽

01 (1) $\dfrac{9}{2}$ (2) 5 **02** $x=6, y=4$ **03** 1

04 7 **05** (1) 15 cm (2) 6 cm **06** ④

07 12 cm **08** 24 cm **09** 16 cm

10 (1) 마름모 (2) 24 cm **11** 8 cm **12** $\dfrac{14}{3}$ cm

2 평행선과 선분의 길이의 비

개념 확인
131쪽~133쪽

1 (1) 8 (2) $\dfrac{15}{2}$

2 (1) 6 cm (2) 2 cm (3) 8 cm

3 (1) 2 : 1 (2) 2 : 3 (3) 2 : 3 (4) 4 cm

STEP ① 기초 개념 드릴
134쪽

1-1 (1) $\dfrac{15}{2}$ (2) 12 (3) 9 (4) 2 연구 d, b

1-2 (1) 12 (2) $\dfrac{32}{5}$ (3) 4 (4) 12

2-1 (1) $x=5, y=3$ (2) $x=3, y=4$

   연구 (1) 5, 5, 5, 3 (2) 6, 3, 4, 4

2-2 (1) $x=8, y=2$ (2) $x=20, y=5$

STEP ② 대표 유형으로 개념 잡기
135쪽~137쪽

1-2 (1) $x=4, y=15$ (2) $x=4, y=\dfrac{15}{2}$

2-2 $x=12, y=8$ **3-2** 12 cm **4-2** 20 cm

5-2 6 cm **6-2** 8

STEP ③ 개념 뛰어넘기
138쪽~139쪽

01 (1) 12 (2) $\dfrac{21}{5}$ **02** 15 **03** $x=9, y=4$

04 $x=6, y=18$ **05** 13 cm **06** $\dfrac{27}{5}$

07 10 cm **08** 8 cm **09** $\dfrac{15}{2}$ cm **10** ④

11 (1) $\dfrac{18}{5}$ cm (2) 18 cm²

7 닮음의 활용

1 삼각형의 무게중심

개념 확인 ─────────── 142쪽~143쪽

1 (1) 5 (2) 4 (3) 3

2 (1) △GAF, △GBF, △GCD, △GCE, △GAE
　　(2) △GAB, △GCA

3 (1) 4 cm² (2) 4 cm² (3) 4 cm²

STEP ① 기초 개념 드릴 ─────────── 144쪽

1-1 (1) $\overline{CD}$ (2) ADC, 10

1-2 18 cm²

2-1 (1) 중점, 9 (2) 2, 2, $\dfrac{9}{2}$ 연구 =, 2

2-2 (1) $x=5, y=6$ (2) $x=12, y=2$

3-1 (1) $\dfrac{1}{3}$, 10 (2) $\dfrac{1}{6}$, 5 (3) $\dfrac{1}{3}$, 10

3-2 (1) 7 cm² (2) 14 cm²

STEP ② 대표 유형으로 개념 잡기 ─────────── 145쪽~148쪽

1-2 4 cm²　　**2-2** (1) 12 (2) 6　　　　**3-2** 16 cm

4-2 (1) 5 cm (2) 9 cm (3) 6 cm　　**5-2** 10 cm²

6-2 24 cm²　　**7-2** (1) 9 cm (2) 3 cm (3) 6 cm

7-3 (1) 20 cm² (2) 10 cm²

STEP ③ 개념 뛰어넘기 ─────────── 149쪽~150쪽

01 ②　　　　**02** (1) 6 cm (2) 4 cm　　**03** 27 cm

04 ②　　　　**05** 3 cm　　**06** ④　　**07** 20 cm²

08 6 cm²　　**09** (1) 21 cm² (2) $\dfrac{7}{2}$ cm²　　**10** ③

11 4 cm²

---

2 닮음의 활용

개념 확인 ─────────── 151쪽~152쪽

1 (1) 2 : 3 (2) 2 : 3 (3) 4 : 9

2 (1) 3 : 4 (2) 9 : 16 (3) 27 : 64

3 (1) $\dfrac{1}{200000}$ (2) 2.5 cm (3) 12 km

STEP ① 기초 개념 드릴 ─────────── 153쪽

1-1 (1) 4 : 3 (2) $\dfrac{39}{2}$ cm (3) 27 cm² 연구 $m : n$

1-2 (1) 2 : 3 (2) 6π cm (3) 4π cm²

2-1 (1) 3 : 5 (2) 9 : 25 (3) 27 : 125 연구 $m^3 : n^3$

2-2 (1) 5 : 6 (2) 25 : 36 (3) 125 : 216

STEP ② 대표 유형으로 개념 잡기 ─────────── 154쪽~157쪽

1-2 50 cm²　　**2-2** 20 cm²　　**3-2** 54π cm²　　**4-2** 32 cm³

5-2 98π cm³　　**6-2** 24π cm³　　**7-2** 18 m　　**8-2** 7 km²

STEP ③ 개념 뛰어넘기 ─────────── 158쪽~159쪽

01 16 cm²　　**02** 14 cm²　　**03** 5 cm²　　**04** 16 cm²

05 128π cm³　　**06** (1) 1 : 3 (2) 324 cm³　　**07** 125개

08 $\dfrac{7}{8}$배　　**09** ③　　　　**10** 148 m　　**11** 9.5 m

12 ①

8 피타고라스 정리

1 피타고라스 정리

개념 확인 ————————————— 162쪽~164쪽

1 (1) 25 (2) 11
2 (1) 24 cm² (2) 16 cm²
3 (1) × (2) × (3) ○ (4) × (5) × (6) ○

STEP 1 기초 개념 드릴 ————————————— 165쪽

1-1 (1) 6 (2) 12 **연구** c^2
1-2 (1) 20 (2) 8
2-1 (1) 34 (2) 12
2-2 (1) 64 (2) 75
3-1 (1) ≠, 이 아니다 (2) =, 이다 **연구** $a^2+b^2=c^2$
3-2 (1) =, 이다 (2) ≠, 이 아니다

STEP 2 대표 유형으로 개념 잡기 ————————————— 166쪽~168쪽

1-2 $x=8, y=17$ **2-2** (1) 18 (2) 5
2-3 9 cm **3-2** 32 cm² **4-2** 80 cm²
5-2 (1) 6 (2) 2 (3) 4
6-2 (1) × (2) ○ (3) × (4) ○ (5) ×

STEP 3 개념 뛰어넘기 ————————————— 169쪽~170쪽

01 30 cm² **02** 5 **03** ① **04** 31
05 $\dfrac{14}{5}$ cm **06** 20 cm **07** 20 cm **08** 86 cm²
09 ④ **10** 100 cm² **11** 16 **12** ②, ④
13 161, 289

2 피타고라스 정리를 이용한 성질

개념 확인 ————————————— 171쪽~173쪽

1 (1) 둔 (2) 예 (3) 직 (4) 둔
2 44
3 18
4 (1) 30 cm² (2) 48 cm²

STEP 1 기초 개념 드릴 ————————————— 174쪽

1-1 (1) ㉡, ㉢ (2) ㉣, ㉤ (3) ㉠, ㉢
　　　연구 예각삼각형, 직각삼각형, 둔각삼각형
1-2 (1) ㉣, ㉤ (2) ㉢, ㉤ (3) ㉠, ㉢
2-1 65 **연구** $\overline{BE}^2$
2-2 89
3-1 65 **연구** $\overline{BC}^2$
3-2 84

STEP 2 대표 유형으로 개념 잡기 ————————————— 175쪽~176쪽

1-2 ㉠, ㉢ **2-2** 51 **2-3** 54 **3-2** $\dfrac{25}{2}\pi$ cm²
4-2 20 cm

STEP 3 개념 뛰어넘기 ————————————— 177쪽

01 ④ **02** ② **03** 12 **04** 36
05 ④ **06** 25 cm²

9 경우의 수

1 경우의 수

1 (1) 4   (2) 2   (3) 4   (4) 3
2 (1) 3   (2) 2   (3) 3, 2, 5
3 (1)

티셔츠 1 ┌ 바지 1 ➡ (티셔츠 1, 바지 1)
　　　　├ 바지 2 ➡ (티셔츠 1, 바지 2)
　　　　└ 바지 3 ➡ (티셔츠 1, 바지 3)

티셔츠 2 ┌ 바지 1 ➡ (티셔츠 2, 바지 1)
　　　　├ 바지 2 ➡ (티셔츠 2, 바지 2)
　　　　└ 바지 3 ➡ (티셔츠 2, 바지 3)

　(2) 2, 3, 2, 3, 6

STEP 1 기초 개념 드릴 ————————— 183쪽

1-1 2   연구 4, 5, 6, 7, 8, 9, 10 / 5, 10 / 2
1-2 (1) 3   (2) 2   (3) 6
2-1 5   연구 ① 5, 2   ② 4, 6, 3 / 2, 3, 5
2-2 (1) 8   (2) 5
3-1 12   연구 ① 3   ② 4 / 3, 4, 12
3-2 28

STEP 2 대표 유형으로 개념 잡기 ————————— 184쪽~187쪽

1-2 (1) 2   (2) 6　　　**2-2** 3　　　**3-2** 8
3-3 10　　**4-2** 12　　**4-3** 7　　**5-2** 24
5-3 16개　**6-2** 12　　**6-3** 8　　**7-2** 4
7-3 6　　**8-2** (1) ○   (2) ○   (3) ×

STEP 3 개념 뛰어넘기 ————————— 188쪽~189쪽

01 ⑤　　**02** ③　　**03** 4　　**04** 11
05 20　　**06** (1) 4   (2) 4   (3) 8　　**07** 6
08 15　　**09** 24　　**10** (1) 12   (2) 2   (3) 14
11 (1) 48   (2) 9　　**12** 8가지

2 여러 가지 경우의 수

1 24
2 24
3 4
4 (1) 2   (2) 6   (3) 12
5 24
6 18
7 (1) 12   (2) 24   (3) 6

STEP 1 기초 개념 드릴 ————————— 194쪽

1-1 (1) 120   (2) 60   연구 n, n
1-2 (1) 24   (2) 12
2-1 48   연구 3, 2, 1, 24
2-2 (1) 12   (2) 36
3-1 (1) 20   (2) 16   연구 0
3-2 (1) 30   (2) 25
4-1 (1) 20   (2) 10   연구 다른, 같은
4-2 (1) 24   (2) 6

STEP 2 대표 유형으로 개념 잡기 ————————— 195쪽~199쪽

1-2 24　　　**1-3** 360　　**2-2** 6　　　**2-3** 12
3-2 48　　　**3-3** 6　　　**4-2** 24
5-2 (1) 48   (2) 30　　**6-2** 11　　**7-2** 36
8-2 20　　　**8-3** 6　　　**9-2** 15번　**9-3** 10번
10-2 (1) 10   (2) 10

STEP 3 개념 뛰어넘기 ————————— 200쪽~201쪽

01 (1) 120   (2) 60   (3) 12　　**02** (1) 24   (2) 6
03 36　　**04** 6　　**05** 180
06 (1) 120   (2) 40   (3) 60　　**07** (1) 25   (2) 9
08 (1) 30   (2) 15   (3) 5   (4) 10　　　　**09** 12
10 6　　**11** 20

10 확률

1 확률의 뜻과 성질

개념 확인 ──────── 204쪽~206쪽

1 (1) 9 (2) 4 (3) $\dfrac{4}{9}$

2 (1) 5 (2) 4 (3) 0, 0 (4) 9, 1

3 $\dfrac{2}{3}$

4 (1) $\dfrac{1}{4}$ (2) $\dfrac{3}{4}$

STEP 1 기초 개념 드릴 ──────── 207쪽

1-1 ① 6 ② (3, 3), (4, 4), (5, 5), (6, 6) / 6 ③ 6, $\dfrac{1}{6}$

1-2 $\dfrac{1}{2}$ **1-3** $\dfrac{1}{4}$

2-1 (1) 1 (2) 0, 0 (3) 5, 1 **2-2** (1) 0 (2) 1

3-1 $\dfrac{9}{1000}$, $\dfrac{9}{1000}$, $\dfrac{991}{1000}$ **3-2** $\dfrac{4}{7}$

STEP 2 대표 유형으로 개념 잡기 ──────── 208쪽~211쪽

1-2 $\dfrac{1}{9}$ **1-3** $\dfrac{3}{8}$ **2-2** (1) $\dfrac{1}{5}$ (2) $\dfrac{1}{10}$

3-2 $\dfrac{5}{9}$ **3-3** $\dfrac{2}{5}$ **4-2** (1) $\dfrac{2}{5}$ (2) $\dfrac{1}{5}$

5-2 $\dfrac{1}{12}$ **5-3** $\dfrac{5}{36}$ **6-2** (1) ○ (2) × (3) ○ (4) ○

7-2 $\dfrac{5}{6}$ **7-3** $\dfrac{3}{4}$ **8-2** $\dfrac{3}{4}$ **8-3** $\dfrac{5}{7}$

STEP 3 개념 뛰어넘기 ──────── 212쪽~213쪽

01 ⑤ **02** $\dfrac{5}{36}$ **03** 4 **04** $\dfrac{1}{3}$

05 $\dfrac{12}{25}$ **06** (1) $\dfrac{1}{4}$ (2) $\dfrac{1}{2}$ **07** $\dfrac{1}{18}$

08 ⑤ **09** ㉡, ㉢, ㉣ **10** $\dfrac{3}{5}$ **11** $\dfrac{2}{3}$

12 $\dfrac{5}{6}$ **13** (1) 144 (2) $\dfrac{1}{24}$ (3) $\dfrac{23}{24}$

2 확률의 계산

개념 확인 ──────── 214쪽~217쪽

1 (1) $\dfrac{3}{10}$ (2) $\dfrac{3}{10}$ (3) $\dfrac{3}{5}$

2 (1) $\dfrac{1}{6}$ (2) $\dfrac{1}{6}$ (3) $\dfrac{1}{36}$ (4) $\dfrac{25}{36}$

3 (1) $\dfrac{25}{64}$ (2) $\dfrac{5}{14}$

4 $\dfrac{1}{4}$

5 $\dfrac{4}{9}$

STEP 1 기초 개념 드릴 ──────── 218쪽

1-1 $\dfrac{3}{5}$ 연구 ① 15, 3, $\dfrac{1}{5}$ ② 3, 4, 15, $\dfrac{2}{5}$ ③ $\dfrac{1}{5}$, $\dfrac{2}{5}$, $\dfrac{3}{5}$

1-2 (1) $\dfrac{2}{3}$ (2) $\dfrac{2}{3}$

2-1 $\dfrac{1}{4}$ 연구 ① $\dfrac{1}{2}$ ② 3, $\dfrac{1}{2}$ ③ $\dfrac{1}{2}$, $\dfrac{1}{2}$, $\dfrac{1}{4}$

2-2 $\dfrac{1}{3}$

3-1 (1) $\dfrac{2}{3}$, $\dfrac{4}{9}$ (2) $\dfrac{1}{2}$, $\dfrac{1}{3}$

3-2 (1) $\dfrac{16}{49}$ (2) $\dfrac{2}{7}$

STEP 2 대표 유형으로 개념 잡기 ──────── 219쪽~222쪽

1-2 $\dfrac{3}{4}$ **1-3** $\dfrac{5}{18}$ **2-2** (1) $\dfrac{2}{15}$ (2) $\dfrac{2}{5}$ (3) $\dfrac{1}{5}$

3-2 $\dfrac{1}{7}$ **3-3** $\dfrac{2}{25}$ **4-2** $\dfrac{11}{15}$ **4-3** $\dfrac{17}{20}$

5-2 $\dfrac{7}{15}$ **5-3** $\dfrac{8}{15}$ **6-2** $\dfrac{4}{25}$

7-2 (1) $\dfrac{4}{15}$ (2) $\dfrac{1}{15}$ **8-2** $\dfrac{1}{10}$

STEP 3 개념 뛰어넘기 ──────── 223쪽~224쪽

01 ④ **02** ② **03** $\dfrac{12}{25}$ **04** $\dfrac{1}{10}$

05 $\dfrac{2}{5}$ **06** $\dfrac{3}{4}$ **07** $\dfrac{7}{20}$ **08** $\dfrac{23}{35}$

09 (1) $\dfrac{4}{25}$ (2) $\dfrac{1}{10}$ **10** (1) $\dfrac{1}{11}$ (2) $\dfrac{14}{33}$ (3) $\dfrac{8}{33}$

11 $\dfrac{1}{8}$

단원 종합 문제

1쪽~3쪽

❶ 이등변삼각형 ~ ❷ 삼각형의 외심과 내심

01 ⑤　　　　**02** 6 cm　　　**03** ②　　　　**04** ②

05 9 cm

06 (1) $\overline{PB}$　(2) $\overline{OP}$　(3) ∠PAO　(4) △BOP　(5) ∠AOP

07 ⑤　　　　**08** 8 cm^2　　**09** 12 cm　　**10** ⑤

11 42 cm　　**12** 65°　　　**13** 64°　　　**14** 27°

15 ④　　　　**16** (1) 50°　(2) 35°　(3) 15°　　**17** 8 cm

18 ④

4쪽~6쪽

❸ 평행사변형 ~ ❹ 여러 가지 사각형

01 94　　　　**02** ③　　　　**03** 126°　　　**04** ④

05 두 대각선이 서로 다른 것을 이등분한다.

06 6 cm^2　　**07** ③　　　　**08** ②　　　　**09** ①

10 ①　　　　**11** 25°　　　**12** 105°　　　**13** 22 cm

14 ④　　　　**15** 20　　　　**16** ②　　　　**17** 6 cm^2

18 ③

7쪽~9쪽

❺ 도형의 닮음 ~ ❻ 평행선과 선분의 길이의 비

01 ④　　　　**02** 24 cm　　**03** ⑤

04 (1) △ABC∽△ADB (AA 닮음)　(2) 5 cm

05 ②　　　　**06** ⑤　　　　**07** $\dfrac{23}{4}$ cm　　**08** ①

09 16　　　　**10** ⑤　　　　**11** 36 cm^2　　**12** ②

13 ④　　　　**14** 9 cm　　　**15** $x=\dfrac{16}{3},\ y=4$

16 11 cm　　**17** 6 cm

18 (1) 6 cm　(2) 8 cm　(3) 60 cm^2

10쪽~12쪽

❼ 닮음의 활용 ~ ❽ 피타고라스 정리

01 ③　　　　**02** 6 cm　　　**03** ①　　　　**04** 4 cm

05 (1) 3 : 2　(2) $\dfrac{64}{3}$ cm　(3) 16 cm^2

06 32 cm^2　　**07** 96π cm^3　　**08** 52분　　**09** 60 m

10 23　　　　**11** 75　　　　**12** 12 cm^2　　**13** 25

14 ②　　　　**15** 196 cm^2　　**16** ③　　　　**17** 21

18 24　　　　**19** 8π cm^2

13쪽~16쪽

❾ 경우의 수 ~ ❿ 확률

01 ④　　　　**02** ③　　　　**03** ②　　　　**04** 5

05 ④　　　　**06** ③　　　　**07** 16가지　　**08** 6

09 (1) 12　(2) 60　　　　　　　**10** ③　　　　**11** ②

12 ③　　　　**13** ②　　　　**14** $\dfrac{5}{8}$　　　　**15** ①

16 ③　　　　**17** ①　　　　**18** ③　　　　**19** ⑤

20 ⑤　　　　**21** ②　　　　**22** (1) $\dfrac{8}{49}$　(2) $\dfrac{26}{49}$

23 $\dfrac{1}{15}$　　　**24** $\dfrac{5}{9}$

개념 해결의 법칙 **중학수학 2-2**

정답과 해설

1. 이등변삼각형

1 이등변삼각형의 성질

8쪽~10쪽

1. (1) $53°$ (2) $70°$

2. (1) 6 (2) 10 (3) 90 (4) 50

3. (1) ○ (2) × (3) ○ (4) ○

1 (1) $\overline{AB}=\overline{AC}$이므로 $\angle x=\dfrac{1}{2}\times(180°-74°)=53°$

(2) $\overline{AB}=\overline{AC}$이므로 $\angle B=\angle C=55°$

$\therefore \angle x=180°-(55°+55°)=70°$

2 (1) $\overline{BD}=\overline{CD}=\dfrac{1}{2}\overline{BC}=\dfrac{1}{2}\times12=6\,(cm)$　$\therefore x=6$

(2) $\overline{BD}=\overline{CD}$이므로

$\overline{BC}=2\overline{BD}=2\times5=10\,(cm)$　$\therefore x=10$

(3) $\overline{AD}\perp\overline{BC}$이므로 $\angle ADC=90°$

$\therefore x=90$

(4) $\angle BAD=\angle CAD=40°$

$\overline{AD}\perp\overline{BC}$이므로 $\angle ADB=90°$

$\triangle ABD$에서 $\angle B=180°-(40°+90°)=50°$

$\therefore x=50$

3 (1) $\angle B=\angle C$이므로 $\triangle ABC$는 이등변삼각형이다.

(2) $\angle C=180°-(70°+50°)=60°$이므로

$\triangle ABC$는 이등변삼각형이 아니다.

(3) $\angle A=180°-(45°+90°)=45°$

즉 $\angle A=\angle B$이므로 $\triangle ABC$는 이등변삼각형이다.

(4) $\angle ACB=180°-110°=70°$이므로

$\angle B=180°-(40°+70°)=70°$

즉 $\angle B=\angle ACB$이므로 $\triangle ABC$는 이등변삼각형이다.

STEP 1

11쪽

1-1. 53, 53, 74　연구 C　**1-2.** (1) $45°$ (2) $110°$

2-1. (1) 4 cm (2) $25°$　연구 수직이등분

2-2. (1) 6 cm (2) $28°$

3-1. 40, 40, $\overline{AB}$, 4　연구 $\overline{AC}$　**3-2.** (1) 6 (2) 5

1-2 (1) $\overline{AB}=\overline{AC}$이므로 $\angle x=\dfrac{1}{2}\times(180°-90°)=45°$

(2) $\overline{AB}=\overline{AC}$이므로 $\angle B=\angle C=35°$

$\therefore \angle x=180°-(35°+35°)=110°$

2-1 (1) $\overline{BD}=\overline{CD}=\dfrac{1}{2}\overline{BC}=\dfrac{1}{2}\times8=4\,(cm)$

(2) $\angle ADB=90°$이므로

$\angle BAD=180°-(65°+90°)=25°$

2-2 (1) $\overline{BD}=\overline{CD}$이므로

$\overline{BC}=2\overline{BD}=2\times3=6\,(cm)$

(2) $\angle ADC=90°$이므로

$\angle DAC=180°-(90°+62°)=28°$

3-2 (1) $\angle B=\angle C$이므로 $\triangle ABC$는 $\overline{AB}=\overline{AC}$인 이등변삼각형이다.

따라서 $\overline{AC}=\overline{AB}=6$ cm이므로 $x=6$

(2) $\angle C=180°-(65°+50°)=65°$

즉 $\angle A=\angle C$이므로 $\triangle ABC$는 $\angle A=\angle C$인 이등변삼각형이다.

따라서 $\overline{BC}=\overline{BA}=5$ cm이므로 $x=5$

STEP 2

12쪽~15쪽

1-2. (1) $75°$ (2) $56°$　**2-2.** ③

3-2. (1) $68°$ (2) $15°$　**4-2.** $36°$

5-2. $22°$　**6-2.** 7

7-2. 5 cm　**8-2.** ④

1-2 (1) $\overline{AB}=\overline{AC}$이므로 $\angle B=\angle C$

$\therefore \angle x=\dfrac{1}{2}\times(180°-30°)=75°$

(2) $\angle BCA=180°-118°=62°$

$\overline{AB}=\overline{AC}$이므로 $\angle B=\angle BCA=62°$

$\therefore \angle x=180°-(62°+62°)=56°$

2-2 ①, ⑤ $\overline{AB}$, $\overline{AD}$의 길이는 알 수 없다.

② $\overline{AB}=\overline{AC}$이므로

$\angle B=\angle C=\dfrac{1}{2}\times(180°-70°)=55°$

③, ④ $\overline{AD}$는 $\overline{BC}$를 수직이등분하므로

$\angle ADC=90°, \overline{BD}=\dfrac{1}{2}\overline{BC}=\dfrac{1}{2}\times10=5\,(cm)$

따라서 옳은 것은 ③이다.

3-2 (1) △ABC에서 $\overline{AB}=\overline{AC}$이므로

$\angle B=\angle ACB=\dfrac{1}{2}\times(180°-44°)=68°$

△CDB에서 $\overline{CD}=\overline{CB}$이므로

$\angle x=\angle B=68°$

(2) △ABC에서 $\overline{AB}=\overline{AC}$이므로

$\angle ABC=\angle C=65°$

△BCD에서 $\overline{BC}=\overline{BD}$이므로

$\angle BDC=\angle C=65°$

$\therefore \angle DBC=180°-(65°+65°)=50°$

$\therefore \angle x=\angle ABC-\angle DBC=65°-50°=15°$

4-2 △BAC에서 $\overline{BA}=\overline{BC}$이므로

$\angle BCA=\angle A=24°$

$\therefore \angle CBD=\angle A+\angle BCA=24°+24°=48°$

△CBD에서 $\overline{CB}=\overline{CD}$이므로

$\angle CDB=\angle CBD=48°$

△DAC에서 $\angle DCE=\angle A+\angle CDA=24°+48°=72°$

△DCE에서 $\overline{DC}=\overline{DE}$이므로

$\angle DEC=\angle DCE=72°$

$\therefore \angle CDE=180°-(72°+72°)=36°$

5-2 △ABC에서 $\overline{AB}=\overline{AC}$이므로

$\angle ABC=\angle ACB=\dfrac{1}{2}\times(180°-44°)=68°$

$\therefore \angle DBC=\dfrac{1}{2}\angle ABC=\dfrac{1}{2}\times68°=34°$

$\angle ACE=180°-68°=112°$이므로

$\angle DCE=\dfrac{1}{2}\angle ACE=\dfrac{1}{2}\times112°=56°$

따라서 △BCD에서

$\angle x=\angle DCE-\angle DBC=56°-34°=22°$

6-2 △DBC는 $\angle B=\angle DCB$이므로 이등변삼각형이다.

$\therefore \overline{DC}=\overline{DB}=7\,cm$

또 △DBC에서

$\angle ADC=\angle B+\angle DCB=30°+30°=60°$

따라서 △CAD는 $\angle A=\angle ADC$이므로 이등변삼각형이다.

$\therefore \overline{AC}=\overline{DC}=7\,cm$ $\quad \therefore x=7$

7-2 $\overline{AD}$는 $\angle A$의 이등분선이므로

△PBD와 △PCD에서

$\overline{BD}=\overline{CD}$,

$\angle PDB=\angle PDC=90°$,

$\overline{PD}$는 공통

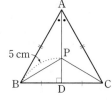

따라서 △PBD≡△PCD (SAS 합동)이므로

$\overline{PC}=\overline{PB}=5\,cm$

8-2 다음 그림에서

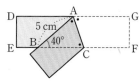

② $\angle BAC=\angle GAC$ (접은 각), $\angle BCA=\angle GAC$ (엇각)

이므로 $\angle BAC=\angle BCA$

따라서 △BCA는 $\overline{BA}=\overline{BC}$인 이등변삼각형이다.

③ $\angle DAB=\angle ABC=40°$ (엇각)

④ $\angle GAC=\angle ACB=\dfrac{1}{2}\times(180°-40°)=70°$

⑤ $\angle ACF=180°-\angle ACB=180°-70°=110°$

따라서 옳은 것은 ④이다.

16쪽~17쪽

STEP 3

01. ④	**02.** 105°	**03.** ③	**04.** 52
05. 4	**06.** ③	**07.** 24°	**08.** 25°
09. 105°	**10.** 5 cm	**11.** 65°	**12.** 50°

01 ④ SAS

02 △ABC에서 $\overline{AB}=\overline{AC}$이므로

$\angle ABC=\angle C=\dfrac{1}{2}\times(180°-80°)=50°$

$\therefore \angle DBC=\dfrac{1}{2}\angle ABC=\dfrac{1}{2}\times50°=25°$

△DBC에서 $\angle BDC=180°-(25°+50°)=105°$

03 ①, ③ △ABC에서 $\overline{AB}=\overline{AC}$이므로

$\angle B=\angle C=\dfrac{1}{2}\times(180°-72°)=54°$

②, ④ $\overline{AD}$는 $\overline{BC}$를 수직이등분하므로

$\angle ADB=\angle ADC=90°$, $\overline{BD}=\overline{CD}=8\,cm$

⑤ △ABD와 △ACD에서

$\overline{AB}=\overline{AC}$, $\angle BAD=\angle CAD$, $\overline{AD}$는 공통이므로

△ABD≡△ACD (SAS 합동)

따라서 옳지 않은 것은 ③이다.

04 $\overline{AB}=\overline{AC}$이므로 $\angle B=\angle ACD=180°-132°=48°$

$\triangle ABD$에서 $\angle BAD=180°-(48°+90°)=42°$

$\therefore x=42$

$\triangle ABC$는 $\overline{AB}=\overline{AC}$인 이등변삼각형이고 $\overline{AD}\perp\overline{BC}$이므로 점 D는 $\overline{BC}$의 중점이다.

$\overline{BD}=\dfrac{1}{2}\overline{BC}=\dfrac{1}{2}\times20=10$ (cm) $\quad\therefore y=10$

$\therefore x+y=42+10=52$

05 $\angle B=\angle C$이므로 $\triangle ABC$는 $\overline{AB}=\overline{AC}$인 이등변삼각형이다.

즉 $2x+4=x+8$이므로 $x=4$

06 ① $\triangle ABC$는 $\angle B=\angle C=45°$이므로 이등변삼각형이다.

② $\angle C=180°-(50°+65°)=65°$

즉 $\triangle ABC$는 $\angle B=\angle C=65°$이므로 이등변삼각형이다.

③ $\angle ABC=180°-128°=52°$이므로

$\angle C=180°-(62°+52°)=66°$

즉 $\triangle ABC$는 이등변삼각형이 아니다.

④ $\triangle ABD$에서 $\angle ADB=180°-(35°+55°)=90°$

$\triangle ADC$에서 $\angle C=180°-(35°+90°)=55°$

즉 $\triangle ABC$는 $\angle B=\angle C=55°$이므로 이등변삼각형이다.

⑤ $\angle ACB=\angle DAC=40°$ (엇각)

$\triangle ABC$에서 $\angle B=180°-(100°+40°)=40°$

즉 $\triangle ABC$는 $\angle B=\angle C=40°$이므로 이등변삼각형이다.

따라서 이등변삼각형이 아닌 것은 ③이다.

07 $\triangle BCD$에서 $\overline{BC}=\overline{BD}$이므로 $\angle C=\angle BDC=68°$

$\therefore \angle DBC=180°-(68°+68°)=44°$

$\triangle ABC$에서 $\overline{AB}=\overline{AC}$이므로 $\angle ABC=\angle C=68°$

$\therefore \angle x=\angle ABC-\angle DBC=68°-44°=24°$

08 $\triangle ABC$에서 $\overline{AB}=\overline{AC}$이므로

$\angle ABC=\angle ACB$

$\qquad=\dfrac{1}{2}\times(180°-20°)=80°$ $\quad$…… [30 %]

$\angle ACE=180°-80°=100°$이므로

$\angle DCE=\dfrac{1}{2}\angle ACE=\dfrac{1}{2}\times100°=50°$ $\quad$…… [30 %]

$\triangle CDB$에서 $\overline{CB}=\overline{CD}$이므로

$\angle D=\angle CBD=\dfrac{1}{2}\angle DCE=\dfrac{1}{2}\times50°=25°$ …… [40 %]

09 $\triangle ABC$에서 $\overline{AB}=\overline{AC}$

이므로

$\angle ACB=\angle B=35°$

$\therefore \angle CAD$

$\quad=\angle B+\angle ACB$

$\quad=35°+35°=70°$

$\triangle CDA$에서 $\overline{CA}=\overline{CD}$이므로 $\angle D=\angle CAD=70°$

따라서 $\triangle DBC$에서

$\angle x=\angle B+\angle D=35°+70°=105°$

10 $\triangle ABC$에서 $\overline{AB}=\overline{AC}$이므로

$\angle ABC=\angle C=\dfrac{1}{2}\times(180°-36°)=72°$

$\therefore \angle ABD=\dfrac{1}{2}\angle ABC=\dfrac{1}{2}\times72°=36°$ $\quad$…… [30 %]

$\triangle ABD$에서 $\angle BDC=\angle A+\angle ABD$

$\qquad\qquad\qquad\qquad\quad=36°+36°=72°$ $\quad$…… [30 %]

$\angle A=\angle ABD=36°$이므로 $\overline{AD}=\overline{BD}$

$\triangle BCD$에서 $\angle C=\angle BDC=72°$이므로 $\overline{BC}=\overline{BD}$

$\therefore \overline{AD}=\overline{BD}=\overline{BC}=5$ cm $\quad$…… [40 %]

11 $\angle CAB=\angle BAE$ (접은 각),

$\angle CBA=\angle BAE$ (엇각)이므로

$\angle CAB=\angle CBA$

즉 $\triangle CAB$는 $\overline{CA}=\overline{CB}$인 이등변삼각형이므로

$\angle CAB=\dfrac{1}{2}\times(180°-50°)=65°$

$\therefore \angle x=\angle CAB=65°$

12 $\angle ABE=\angle x$ (접은 각)

$\triangle ABC$에서 $\overline{AB}=\overline{AC}$이므로

$\angle C=\angle ABC$

$\quad=\angle ABE+\angle EBC$

$\quad=\angle x+15°$

따라서 $\triangle ABC$에서

$\angle x+(\angle x+15°)+(\angle x+15°)=180°$이므로

$3\angle x+30°=180°,\ 3\angle x=150°$

$\therefore \angle x=50°$

2 직각삼각형의 합동 조건

18쪽~19쪽

개념 확인

1. (1) $\triangle ABC\equiv\triangle DFE$ (RHA 합동)

(2) $\triangle ABC\equiv\triangle DFE$ (RHS 합동)

2. (1) 5 $\quad$ (2) 8 $\qquad\qquad$ **3.** (1) 20 $\quad$ (2) 55

1 (1) △ABC와 △DFE에서
∠C=∠E=90°, $\overline{AB}=\overline{DF}$=6 cm,
∠A=∠D=30°
∴ △ABC≡△DFE (RHA 합동)
(2) △ABC와 △DFE에서
∠C=∠E=90°, $\overline{AB}=\overline{DF}$=5 cm,
$\overline{BC}=\overline{FE}$=3 cm
∴ △ABC≡△DFE (RHS 합동)

2 (1) △AOP≡△BOP (RHA 합동)이므로
$\overline{PB}=\overline{PA}$=5 cm ∴ x=5
(2) △AOP≡△BOP (RHA 합동)이므로
$\overline{OB}=\overline{OA}$=8 cm ∴ x=8

3 (1) △AOP≡△BOP (RHS 합동)이므로
∠AOP=∠BOP=20°
∴ x=20
(2) △AOP≡△BOP (RHS 합동)이므로
∠BOP=∠AOP=35°
∠OPB=180°−(90°+35°)=55°
∴ x=55

STEP **1** 20쪽

1-1. $\overline{FD}$, D, △FDE, RHA
1-2. $\overline{ED}$, $\overline{EF}$, △EFD, RHS
2-1. ㉡, RHA 합동
2-2. ㉠, RHA 합동 / ㉢, RHS 합동

STEP **2** 21쪽~23쪽

1-2. ㉡, ㉢, ㉣
2-2. ㉠과 ㉢: RHA 합동, ㉣과 ㉤: RHS 합동
3-2. (1) 7 cm (2) 72 cm² **4-2.** 66°
5-2. ① **6-2.** 26 cm²

1-2 ㉡ △ABC와 △DEF에서
∠A=90°−∠B=90°−∠E=∠D,
$\overline{AC}=\overline{DF}$, ∠C=∠F
∴ △ABC≡△DEF (ASA 합동)
㉢ △ABC와 △DEF에서
∠C=∠F=90°, $\overline{AB}=\overline{DE}$, $\overline{AC}=\overline{DF}$
∴ △ABC≡△DEF (RHS 합동)

㉣ △ABC와 △DEF에서
$\overline{AC}=\overline{DF}$, ∠C=∠F, $\overline{BC}=\overline{EF}$
∴ △ABC≡△DEF (SAS 합동)

3-2 (1) △ADB와 △CEA에서
∠D=∠E=90°, $\overline{AB}=\overline{CA}$,
∠DBA=90°−∠DAB=∠EAC
따라서 △ADB≡△CEA (RHA 합동)이므로
$\overline{AE}=\overline{BD}$=5 cm
∴ $\overline{CE}=\overline{AD}=\overline{DE}-\overline{AE}$=12−5=7 (cm)
(2) (사각형 DBCE의 넓이)=$\frac{1}{2}$×(5+7)×12
=72 (cm²)

4-2 △ABD와 △AED에서
∠ABD=∠AED=90°, $\overline{AD}$는 공통, $\overline{AB}=\overline{AE}$
따라서 △ABD≡△AED (RHS 합동)이므로
∠BAD=∠EAD=$\frac{1}{2}$∠BAC
=$\frac{1}{2}$×(90°−42°)=24°
∴ ∠ADB=90°−∠BAD=90°−24°=66°

5-2 △AOP와 △BOP에서
∠OAP=∠OBP=90° (⑤), $\overline{OP}$는 공통 (④),
∠AOP=∠BOP (②)
따라서 △AOP≡△BOP (RHA 합동) (③)이므로
$\overline{PA}=\overline{PB}$

6-2 △AED와 △ACD에서
∠AED=∠ACD=90°, $\overline{AD}$는 공통,
∠EAD=∠CAD
따라서 △AED≡△ACD (RHA 합동)이므로
$\overline{ED}=\overline{CD}$=4 cm
∴ △ABD=$\frac{1}{2}$×$\overline{AB}$×$\overline{DE}$
=$\frac{1}{2}$×13×4=26 (cm²)

STEP **3** 24쪽~25쪽

01. ④	02. ⑤	03. ⑤	04. 5 cm
05. 10 cm²	06. ③	07. ③	08. 22 cm
09. 3 cm	10. 62°	11. 24 cm	

02 ① RHS 합동

② RHS 합동

③ △ABC와 △DEF에서

$\overline{BC}=\overline{EF}$, $\angle C=\angle F=90°$,

$\angle B=90°-\angle A=90°-\angle D=\angle E$

이므로 △ABC≡△DEF (ASA 합동)

④ RHA 합동

03 주어진 직각삼각형에서 나머지 한 각의 크기는

$90°-38°=52°$

따라서 주어진 직각삼각형과 합동인 것은 ⑤ (RHA 합동)

이다.

04 △ABC와 △DEF에서

$\angle B=\angle E=90°$, $\overline{AC}=\overline{DF}=10$ cm,

$\angle C=90°-30°=60°=\angle F$

따라서 △ABC≡△DEF (RHA 합동)이므로

$\overline{EF}=\overline{BC}=5$ cm

05 △ADB와 △BEC에서

$\angle ADB=\angle BEC=90°$, $\overline{AB}=\overline{BC}$,

$\angle DAB=90°-\angle ABD=\angle EBC$

따라서 △ADB≡△BEC (RHA 합동)이므로

$\overline{DB}=\overline{EC}=4$ cm, $\overline{BE}=\overline{AD}=2$ cm

∴ $\overline{DE}=\overline{DB}+\overline{BE}$

$=4+2=6$ (cm) ⋯⋯ [40 %]

(사각형 ADEC의 넓이)$=\dfrac{1}{2}\times(2+4)\times6$

$=18$ (cm²) ⋯⋯ [20 %]

$\triangle ADB=\dfrac{1}{2}\times2\times4=4$ (cm²) ⋯⋯ [20 %]

∴ △ABC=(사각형 ADEC의 넓이)$-2\triangle ADB$

$=18-2\times4$

$=10$ (cm²) ⋯⋯ [20 %]

06 △ABD와 △CAE에서

$\angle BDA=\angle AEC=90°$, $\overline{AB}=\overline{CA}$,

$\angle ABD=90°-\angle BAD=\angle CAE$

따라서 △ABD≡△CAE (RHA 합동)이므로

$\overline{AE}=\overline{BD}=12$ cm, $\overline{AD}=\overline{CE}=5$ cm

∴ $\overline{DE}=\overline{AE}-\overline{AD}$

$=12-5=7$ (cm)

07 △ADE와 △ACE에서

$\angle ADE=\angle ACE=90°$, $\overline{AE}$는 공통, $\overline{AD}=\overline{AC}$

따라서 △ADE≡△ACE (RHS 합동) (⑤)이므로

$\angle AED=\angle AEC$ (①)

$\angle DAE=\angle CAE$ (②)

$\overline{DE}=\overline{CE}$ (③)

$\angle BAC=90°-\angle B=\angle DEB$ (④)

따라서 옳지 않은 것은 ③이다.

08 △COP≡△DOP (RHA 합동)이므로

$\overline{OC}=\overline{OD}=7$ cm, $\overline{DP}=\overline{CP}=4$ cm

∴ (사각형 CODP의 둘레의 길이)

$=\overline{OC}+\overline{OD}+\overline{DP}+\overline{CP}$

$=7+7+4+4$

$=22$ (cm)

09 오른쪽 그림과 같이 점 D에서 $\overline{AB}$

에 내린 수선의 발을 E라 하면

△AED≡△ACD (RHA 합동)

이므로 $\overline{ED}=\overline{CD}$

이때

$\triangle ABD=\dfrac{1}{2}\times10\times\overline{DE}=15$

이므로

$5\overline{DE}=15$ ∴ $\overline{DE}=3$ (cm)

∴ $\overline{CD}=\overline{DE}=3$ cm

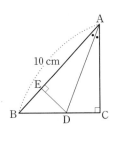

10 △EBD와 △FCD에서

$\angle BED=\angle CFD=90°$,

$\overline{DE}=\overline{DF}$, $\overline{BD}=\overline{CD}$이므로

△EBD≡△FCD (RHS 합동)

∴ $\angle B=\angle C$

즉 △ABC는 이등변삼각형이므

로 $\angle B=\dfrac{1}{2}\times(180°-56°)=62°$

11 △EBD≡△CBD (RHA 합동)이므로

$\overline{ED}=\overline{CD}$, $\overline{EB}=\overline{CB}=8$ cm

∴ $\overline{AE}=\overline{AB}-\overline{EB}$

$=17-8=9$ (cm) ⋯⋯ [50 %]

∴ (△AED의 둘레의 길이)$=\overline{AE}+\overline{ED}+\overline{AD}$

$=\overline{AE}+\overline{CD}+\overline{AD}$

$=\overline{AE}+\overline{AC}$

$=9+15$

$=24$ (cm) ⋯⋯ [50 %]

2. 삼각형의 외심과 내심

1 삼각형의 외심

개념 확인

29쪽~30쪽

1. ㉠, ㉣

2. (1) 5 (2) 4 (3) 6 (4) 60

3. (1) $40°$ (2) $22°$ (3) $124°$ (4) $65°$

1 삼각형의 외심은 세 변의 수직이등분선의 교점이고 삼각형의 외심에서 세 꼭짓점에 이르는 거리는 같으므로 점 O가 외심인 것은 ㉠, ㉣이다.

2 (1) $\overline{CD}=\overline{BD}=5\,cm$이므로 $x=5$
  (2) $\overline{OA}=\overline{OB}=\overline{OC}=4\,cm$이므로 $x=4$
  (3) $\overline{OA}=\overline{OB}=\overline{OC}$이므로
    $$\overline{OB}=\frac{1}{2}\overline{AC}=\frac{1}{2}\times12=6\,(cm)$$
    $$\therefore x=6$$
  (4) $\triangle OAB$에서 $\overline{OA}=\overline{OB}$이므로
    $\angle OAB=\angle B=30°$
    $\angle AOC=\angle OAB+\angle B=30°+30°=60°$
    $\therefore x=60$

3 (1) $\angle OBA+\angle OCB+\angle OAC=90°$이므로
    $30°+20°+\angle x=90°$　$\therefore \angle x=40°$
  (2) $\angle OBA=\angle OAB=40°$
    $\angle OBA+\angle OCB+\angle OAC=90°$이므로
    $40°+\angle x+28°=90°$　$\therefore \angle x=22°$
  (3) $\angle x=2\angle A=2\times62°=124°$
  (4) $\angle x=\frac{1}{2}\angle BOC=\frac{1}{2}\times130°=65°$

STEP ❶

31쪽

1-1. $x=5, y=30$　연구 5, 밑각, 30

1-2. (1) $x=7, y=25$ (2) $x=12, y=126$

2-1. $x=25, y=8$　연구 $x, 25, \frac{1}{2}, 8, 8$

2-2. (1) 10 (2) 30

3-1. (1) $31°$ (2) $132°$

　연구 (1) 34, 90, 34, 90, 31 (2) 2, 132

3-2. (1) $30°$ (2) $100°$

1-2 (1) $\overline{AD}=\overline{CD}=7\,cm$이므로 $x=7$
    $\triangle OBC$에서 $\overline{OB}=\overline{OC}$이므로
    $$\angle OBC=\frac{1}{2}\times(180°-130°)=25°$$　$\therefore y=25$
  (2) $\overline{BD}=\overline{CD}$이므로 $\overline{BC}=2\overline{BD}=2\times6=12\,(cm)$
    $\therefore x=12$
    $\triangle OAB$에서 $\overline{OA}=\overline{OB}$이므로
    $\angle OBA=\angle OAB=27°$
    $\therefore \angle AOB=180°-(27°+27°)=126°$
    $\therefore y=126$

2-2 (1) $\overline{OA}=\overline{OB}=\overline{OC}$이므로
    $\overline{AB}=2\overline{OC}=2\times5=10\,(cm)$　$\therefore x=10$
  (2) $\triangle OBC$에서 $\angle OBC=\angle OCB$이므로
    $\angle AOB=\angle OBC+\angle OCB=2\angle OCB$
    $60°=2\angle OCB, \angle OCB=30°$　$\therefore x=30$

3-2 (1) $\angle OBA+\angle OCB+\angle OAC=90°$이므로
    $\angle x+20°+40°=90°$　$\therefore \angle x=30°$
  (2) $\triangle OAB$에서 $\angle OBA=\angle OAB=30°$
    $\triangle OBC$에서 $\angle OBC=\angle OCB=20°$
    $\angle ABC=\angle OBA+\angle OBC$
    $\qquad=30°+20°=50°$
    $\therefore \angle x=2\angle ABC=2\times50°=100°$

STEP ❷

32쪽~33쪽

1-2. ㉠, ㉢, ㉤ 　**2-2.** (1) 7 cm (2) $100°$

3-2. (1) $35°$ (2) $62°$ 　**4-2.** (1) $70°$ (2) $150°$

1-2 ㉡ $\triangle OAD\equiv\triangle OBD$, $\triangle OAF\equiv\triangle OCF$이지만
    $\triangle OAD\equiv\triangle OAF$인지는 알 수 없다.
  ㉣ $\overline{OD}=\overline{OE}$인지는 알 수 없다.
  따라서 옳은 것은 ㉠, ㉢, ㉤이다.

2-2 (1) 점 M은 직각삼각형 ABC의 빗변 BC의 중점이므로
    $\triangle ABC$의 외심이다.
    $\therefore \overline{AM}=\overline{BM}=\overline{CM}$
    $\qquad=\frac{1}{2}\overline{BC}=\frac{1}{2}\times14=7\,(cm)$
  (2) $\triangle BMA$에서 $\overline{AM}=\overline{BM}$이므로
    $\angle MAB=\angle MBA=50°$
    $\therefore \angle AMC=\angle MAB+\angle MBA$
    $\qquad=50°+50°=100°$

3-2 (1) △OAB에서 $\overline{OA}=\overline{OB}$이므로

$\angle OBA=\angle OAB=30°$

$\angle OBA+\angle OCB+\angle OAC=90°$이므로

$30°+25°+\angle x=90°$ ∴ $\angle x=35°$

(2) 오른쪽 그림과 같이 $\overline{OB}$를 그으면 점 O가 △ABC의 외심이므로 △OBC에서 $\overline{OB}=\overline{OC}$

∴ $\angle OBC=\angle OCB=22°$

또 $\angle OBA+\angle OCB+\angle OAC=90°$이므로

$\angle OBA+22°+28°=90°$

∴ $\angle OBA=40°$

∴ $\angle x=\angle OBA+\angle OBC=40°+22°=62°$

4-2 (1) △OCA에서 $\overline{OA}=\overline{OC}$이므로

$\angle AOC=180°-2\times20°=140°$

∴ $\angle x=\dfrac{1}{2}\angle AOC=\dfrac{1}{2}\times140°=70°$

(2) △OAB에서 $\overline{OA}=\overline{OB}$이므로

$\angle OAB=\angle OBA=50°$

∴ $\angle BAC=\angle OAB+\angle OAC=50°+25°=75°$

∴ $\angle x=2\angle BAC=2\times75°=150°$

STEP ③   34쪽~35쪽

01. ①, ④	**02.** 18 cm	**03.** ㉣	**04.** 5 cm
05. (1) 3 cm (2) 9 cm²		**06.** 80°	**07.** ③
08. ②	**09.** 60°	**10.** ②	
11. (1) 45° (2) 90° (3) 45°			

02 점 O가 △ABC의 외심이므로

$\overline{BD}=\overline{AD}=4$ cm

∴ $\overline{AB}=2\overline{AD}=2\times4=8$ (cm)

또 외접원의 반지름의 길이가 5 cm이므로

$\overline{OA}=\overline{OB}=5$ cm

∴ (△OAB의 둘레의 길이)$=\overline{OA}+\overline{OB}+\overline{AB}$

$=5+5+8=18$ (cm)

03 ㉣ 삼각형의 두 변의 수직이등분선의 교점은 나머지 한 변의 수직이등분선 위에 있고 세 변의 수직이등분선은 한 점(외심)에서 만난다. 따라서 유물의 중심을 찾을 수 있다.

04 △ABC에서

$\angle A=90°-30°=60°$

점 O가 △ABC의 외심이므로

$\overline{AO}=\overline{BO}=\overline{CO}$

△ABO에서 $\overline{AO}=\overline{BO}$이므로

$\angle ABO=\angle A=60°$

$\angle AOB=60°$이므로 △ABO는 정삼각형이다.

∴ $\overline{AB}=\overline{BO}=\overline{CO}=5$ cm

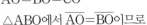

05 (1) $\overline{CD}$는 이등변삼각형 ABC의 꼭짓점 C에서 밑변 AB에 그은 수선이므로 밑변의 수직이등분선이다.

∴ $\overline{AD}=\overline{BD}$

따라서 점 D는 직각삼각형 ABC의 외심이므로

$\overline{AD}=\overline{BD}=\overline{CD}$

∴ $\overline{CD}=\dfrac{1}{2}\overline{AB}=\dfrac{1}{2}\times6=3$ (cm)   ······ [70 %]

(2) $\triangle ABC=\dfrac{1}{2}\times\overline{AB}\times\overline{CD}$

$=\dfrac{1}{2}\times6\times3=9$ (cm²)   ······ [30 %]

06 $\angle OAB=90°\times\dfrac{5}{5+4}=50°$

△OAB에서 $\overline{OA}=\overline{OB}$이므로

$\angle OBA=\angle OAB=50°$

∴ $\angle AOB=180°-2\times50°=80°$

07 $\overline{OA}=\overline{OB}=\overline{OC}$이므로

△OCB에서

$\angle OBC=\angle OCB=13°$

△OCA에서

$\angle OAC=\angle OCA$

$=32°+13°=45°$

△OAB에서

$\angle OAB=\angle OBA=\angle x+13°$

따라서 △ABC에서

$(\angle x+13°+45°)+\angle x+32°=180°$

$2\angle x=90°$ ∴ $\angle x=45°$

08 △OCA에서 $\overline{OA}=\overline{OC}$이므로

$\angle OAC=\angle OCA=40°$

$\angle OBA+\angle OCB+\angle OAC=90°$이므로

$25°+\angle x+40°=90°$ ∴ $\angle x=25°$

09 △OBC에서 $\overline{OB}=\overline{OC}$이므로

$\angle OCB=\angle OBC=30°$

$\therefore \angle BOC=180°-2\times30°=120°$

$\therefore \angle A=\dfrac{1}{2}\angle BOC=\dfrac{1}{2}\times120°=60°$

10 오른쪽 그림과 같이 $\overline{OC}$를 그으면 $\overline{OA}=\overline{OB}=\overline{OC}$이므로

$\angle OCA=\angle OAC=26°$

$\angle OCB=\angle OBC=32°$

$\therefore \angle x=26°+32°=58°$

이때 $\angle y=2\angle x=2\times58°=116°$이므로

$\angle x+\angle y=58°+116°=174°$

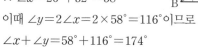

11 (1) $\angle OAB+\angle OBC+\angle OCA=90°$이므로

$\angle OAB=90°\times\dfrac{3}{3+2+1}=45°$ ...... [40 %]

(2) △OAB에서 $\overline{OA}=\overline{OB}$이므로

$\angle OBA=\angle OAB=45°$

$\therefore \angle AOB=180°-(45°+45°)=90°$ ...... [30 %]

(3) $\angle ACB=\dfrac{1}{2}\angle AOB=\dfrac{1}{2}\times90°=45°$ ...... [30 %]

2 삼각형의 내심

개념 확인

37쪽~39쪽

1. $40°$ **2.** ㉡, ㉣

3. (1) 4   (2) 26   (3) 30

4. (1) $15°$ (2) $30°$ (3) $125°$ (4) $20°$

5. 9 cm   **6.** 6 cm²

1 $\angle OTP=90°$이므로

$\angle OPT=180°-(50°+90°)=40°$

2 삼각형의 내심은 세 내각의 이등분선의 교점이고 삼각형의 내심에서 세 변에 이르는 거리가 같으므로 점 I가 내심인 것은 ㉡, ㉣이다.

3 (1) $\overline{ID}=\overline{IE}=\overline{IF}=4$ cm이므로 $x=4$

(2) $\angle IBC=\angle IBA=26°$이므로 $x=26$

(3) △IBC에서 $\angle ICB=180°-(125°+25°)=30°$

$\angle ICA=\angle ICB=30°$

$\therefore x=30$

4 (1) $\angle IAB+\angle IBC+\angle ICA=90°$이므로

$35°+\angle x+40°=90°$ $\therefore \angle x=15°$

(2) $\angle IBA=\angle IBC=20°$

$\angle IBA+\angle ICB+\angle IAC=90°$

$20°+40°+\angle x=90°$ $\therefore \angle x=30°$

(3) $\angle x=90°+\dfrac{1}{2}\times70°=125°$

(4) $\angle BIC=90°+\dfrac{1}{2}\angle BAC$이므로

$110°=90°+\angle x$ $\therefore \angle x=20°$

5 $\overline{AD}=\overline{AF}=3$ cm이므로

$\overline{BE}=\overline{BD}=7-3=4$ (cm)

또 $\overline{CE}=\overline{CF}=5$ cm

$\therefore \overline{BC}=\overline{BE}+\overline{CE}=4+5=9$ (cm)

6 $△ABC=\dfrac{1}{2}\times1\times(3+5+4)=6$ (cm²)

STEP ① 41쪽

1-1. $x=3, y=32$ 연구 3, 3, 32, 32

1-2. (1) 30   (2) 2

2-1. (1) $30°$ (2) $62°$ 연구 (1) 25, 90, 30   (2) $\dfrac{1}{2}, \dfrac{1}{2}, 2, 62$

2-2. (1) $32°$ (2) $130°$

3-1. ㉠ 2   ㉡ 7   ㉢ 3   ㉣ 5   연구 3, 3, 5

3-2. (1) 10   (2) 7

1-2 (1) $\angle IBC=\angle IBA=30°$이므로 $x=30$

(2) $\overline{IE}=\overline{ID}=2$ cm이므로 $x=2$

2-2 (1) $\angle IBA+\angle ICB+\angle IAC=90°$이므로

$32°+26°+\angle x=90°$ $\therefore \angle x=32°$

(2) $\angle x=90°+\dfrac{1}{2}\times80°=130°$

3-2 (1) $\overline{AF}=\overline{AD}=3, \overline{CF}=\overline{CE}=7$

$\therefore x=\overline{AF}+\overline{CF}=3+7=10$

(2) $\overline{AF}=\overline{AD}=2, \overline{BE}=\overline{BD}=4, \overline{CF}=\overline{CE}=9-4=5$

$\therefore x=\overline{AF}+\overline{CF}=2+5=7$

1-2. ㉢, ㉣, ㉤	**2-2.** (1) $45°$ (2) $30°$
3-2. (1) $114°$ (2) $45°$	**4-2.** (1) $\dfrac{11}{2}$ (2) 5
5-2. 6π cm	**6-2.** 12 cm
7-2. (1) $72°$ (2) $126°$	**7-3.** (1) $46°$ (2) $34°$ (3) $12°$

1-2 ㉠ $\overline{AI}=\overline{BI}$인지는 알 수 없다.

㉡ △IBE≡△IBD, △ICE≡△ICF이지만
△IBE≡△ICE인지는 알 수 없다.

2-2 (1) ∠IBA=∠IBC=$15°$

∠ICB=∠ICA=$\dfrac{1}{2}×60°=30°$

∠IBA+∠ICB+∠IAC=$90°$이므로

$15°+30°+∠x=90°$ ∴ ∠$x=45°$

(2) 오른쪽 그림과 같이 $\overline{IC}$를 그
으면

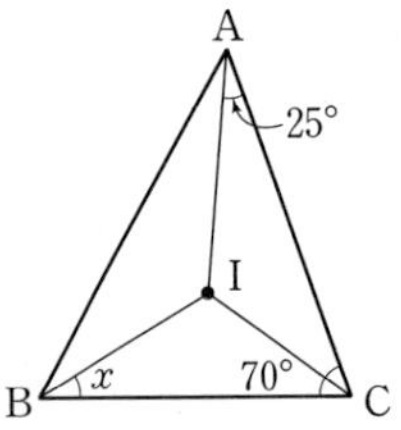

∠ICA=∠ICB

$=\dfrac{1}{2}×70°=35°$

∠IAB=∠IAC=$25°$

∠IAB+∠IBC+∠ICA=$90°$이므로

$25°+∠x+35°=90°$ ∴ ∠$x=30°$

3-2 (1) ∠$x=90°+\dfrac{1}{2}×48°=114°$

(2) ∠BIC=$90°+\dfrac{1}{2}$∠BAC이므로

$135°=90°+∠x$ ∴ ∠$x=45°$

4-2 (1) $\overline{AF}=\overline{AD}=x$이므로
$\overline{BE}=\overline{BD}=14-x,\ \overline{CE}=\overline{CF}=8-x$
이때 $\overline{BC}=\overline{BE}+\overline{CE}$이므로

$11=(14-x)+(8-x)$

$2x=11$ ∴ $x=\dfrac{11}{2}$

(2) $\overline{BD}=\overline{BE}=x$이므로
$\overline{AF}=\overline{AD}=9-x,\ \overline{CF}=\overline{CE}=8-x$
이때 $\overline{AC}=\overline{AF}+\overline{CF}$이므로

$7=(9-x)+(8-x)$

$2x=10$ ∴ $x=5$

5-2 △ABC의 내접원의 반지름의 길이를 r cm라 하면

△ABC$=\dfrac{1}{2}×r×(12+15+9)$

$54=18r$ ∴ $r=3$

따라서 △ABC의 내접원의 둘레의 길이는

$2\pi r=2\pi×3=6\pi$ (cm)

6-2 점 I는 내심이므로

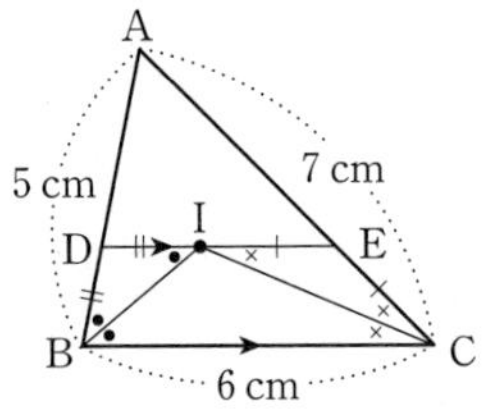

∠DBI=∠IBC,

∠ECI=∠ICB

$\overline{DE}\,/\!/\,\overline{BC}$이므로

∠IBC=∠DIB (엇각),

∠ICB=∠EIC (엇각)

즉 ∠DBI=∠DIB, ∠EIC=∠ECI이므로

$\overline{DI}=\overline{DB},\ \overline{EI}=\overline{EC}$

∴ (△ADE의 둘레의 길이)$=\overline{AD}+\overline{DI}+\overline{IE}+\overline{AE}$

$=\overline{AD}+\overline{DB}+\overline{EC}+\overline{AE}$

$=\overline{AB}+\overline{AC}$

$=5+7=12$ (cm)

7-2 (1) 점 O가 △ABC의 외심이므로

∠BOC$=2$∠A

∴ ∠A$=\dfrac{1}{2}$∠BOC$=\dfrac{1}{2}×144°=72°$

(2) 점 I가 △ABC의 내심이므로

∠BIC$=90°+\dfrac{1}{2}$∠A

$=90°+\dfrac{1}{2}×72°=126°$

7-3 (1) 점 O가 △ABC의 외심이므로

∠BOC$=2$∠A$=2×44°=88°$

△OBC에서 $\overline{OB}=\overline{OC}$이므로

∠OBC$=\dfrac{1}{2}×(180°-88°)=46°$

(2) △ABC에서 $\overline{AB}=\overline{AC}$이므로

∠ABC=∠ACB$=\dfrac{1}{2}×(180°-44°)=68°$

점 I가 △ABC의 내심이므로

∠IBC$=\dfrac{1}{2}$∠ABC$=\dfrac{1}{2}×68°=34°$

(3) ∠OBI=∠OBC−∠IBC$=46°-34°=12°$

01. ①, ④	**02.** 41	**03.** ③	**04.** 10 cm
05. $90°$	**06.** $30°$	**07.** $15°$	
08. (1) $65°$ (2) $165°$		**09.** 2 cm	**10.** 84 cm^2
11. (1) 2 cm (2) $(24-4\pi)$ cm^2			

02 점 I가 △ABC의 내심이므로

$\angle IAB = \angle IAC = 35°$　　$\therefore x = 35$

$\overline{IE} = \overline{ID} = 6$ cm이므로 $y = 6$

$\therefore x + y = 35 + 6 = 41$

04 점 I는 내심이므로

$\angle DBI = \angle IBC$, $\angle ECI = \angle ICB$

$\overline{DE} /\!/ \overline{BC}$이므로

$\angle DIB = \angle IBC$ (엇각), $\angle EIC = \angle ICB$ (엇각)

즉 $\angle DBI = \angle DIB$, $\angle ECI = \angle EIC$이므로

$\overline{DI} = \overline{DB}$, $\overline{EI} = \overline{EC}$

이때 △ADE의 둘레의 길이는

$\overline{AD} + \overline{DI} + \overline{IE} + \overline{AE} = \overline{AD} + \overline{DB} + \overline{EC} + \overline{AE}$
$= \overline{AB} + \overline{AC}$
$= 12 + \overline{AC}$

즉 $22 = 12 + \overline{AC}$이므로

$\overline{AC} = 10$ (cm)

05 $\angle IAB + \angle IBC + \angle ICA = 90°$이므로

$40° + 25° + \angle x = 90°$　　$\therefore \angle x = 25°$

점 I가 △ABC의 내심이므로

$\angle y = 90° + \dfrac{1}{2} \angle ABC$
$= 90° + 25° = 115°$

$\therefore \angle y - \angle x = 115° - 25° = 90°$

06 $\angle AIB = 360° \times \dfrac{7}{7+8+9} = 105°$

점 I가 △ABC의 내심이므로

$\angle AIB = 90° + \dfrac{1}{2} \angle ACB$

$105° = 90° + \dfrac{1}{2} \angle ACB$

$\therefore \angle ACB = 30°$

07 점 O가 △ABC의 외심이므로

$\angle BOC = 2\angle A = 2 \times 80° = 160°$

△OBC에서 $\overline{OB} = \overline{OC}$이므로

$\angle OBC = \dfrac{1}{2} \times (180° - 160°) = 10°$

△ABC에서 $\overline{AB} = \overline{AC}$이므로

$\angle ABC = \dfrac{1}{2} \times (180° - 80°) = 50°$

점 I가 △ABC의 내심이므로

$\angle IBC = \dfrac{1}{2} \angle ABC = \dfrac{1}{2} \times 50° = 25°$

$\therefore \angle IBO = \angle IBC - \angle OBC$
$= 25° - 10° = 15°$

08 (1) 점 I가 △ABC의 내심이므로

$\angle IBE = \angle IBC = \angle a$,

$\angle ICD = \angle ICB = \angle b$

이때 △ABC에서

$50° + 2\angle a + 2\angle b = 180°$

$2(\angle a + \angle b) = 130°$

$\therefore \angle a + \angle b = 65°$　　　……[50 %]

(2) △ABD에서 $\angle x = 50° + \angle a$

△AEC에서 $\angle y = 50° + \angle b$

$\therefore \angle x + \angle y = 50° + \angle a + 50° + \angle b$
$= 100° + \angle a + \angle b$
$= 100° + 65° = 165°$　　　……[50 %]

09 $\overline{AF} = x$ cm라 하면 $\overline{AD} = \overline{AF} = x$ cm

$\overline{BE} = \overline{BD} = (6-x)$ cm, $\overline{CE} = \overline{CF} = (7-x)$ cm

이때 $\overline{BC} = \overline{BE} + \overline{CE}$이므로

$(6-x) + (7-x) = 9$

$13 - 2x = 9$, $2x = 4$

$\therefore x = 2$

따라서 $\overline{AF}$의 길이는 2 cm이다.

10 △ABC의 내접원의 반지름의 길이를 r cm라 하면

$\triangle ABC = \dfrac{1}{2} \times r \times (25 + 28 + 17)$에서

$210 = 35r$　　$\therefore r = 6$

$\therefore \triangle IBC = \dfrac{1}{2} \times 28 \times 6 = 84$ (cm²)

11 (1) △ABC의 내접원의 반지름의 길이를 r cm라 하면

$\dfrac{1}{2} \times 8 \times 6 = \dfrac{1}{2} \times r \times (10 + 8 + 6)$

$24 = 12r$　　$\therefore r = 2$

따라서 △ABC의 내접원의 반지름의 길이는 2 cm이다.　　　……[50 %]

(2) (색칠한 부분의 넓이) = △ABC − (원 I의 넓이)
$= \dfrac{1}{2} \times 8 \times 6 - \pi \times 2^2$
$= 24 - 4\pi$ (cm²)　　……[50 %]

3. 평행사변형

1 평행사변형의 성질

개념 확인

1. (1) $x=7, y=135$ (2) $x=8, y=10$

1 (1) $\overline{AB}=\overline{DC}=7$ cm이므로 $x=7$

$\overline{AD}\,/\!/\,\overline{BC}$이므로 $\angle A+\angle B=180°$

$45°+\angle B=180°$ ∴ $\angle B=135°$

∴ $y=135$

(2) $\overline{OA}=\overline{OC}=8$ cm이므로 $x=8$

$\overline{OB}=\overline{OD}=10$ cm이므로 $y=10$

STEP 1

1-1. $\angle x=70°$, $\angle y=27°$ [연구] $\overline{DC}$, $\overline{BC}$

1-2. (1) $\angle x=40°$, $\angle y=60°$ (2) $\angle x=30°$, $\angle y=45°$

2-1. (1) $x=5, y=65$ (2) $x=6, y=8$ [연구] $\overline{BC}$, $\angle C$

2-2. (1) $x=8, y=130$ (2) $x=4, y=5$

3-1. (1) ○ (2) × (3) × (4) ○

3-2. ㉡, ㉢, ㉣, ㉤

1-1 $\overline{AB}\,/\!/\,\overline{DC}$이므로 $\angle x=\angle BAC=70°$ (엇각)

$\overline{AD}\,/\!/\,\overline{BC}$이므로 $\angle y=\angle ADB=27°$ (엇각)

1-2 (1) $\overline{AD}\,/\!/\,\overline{BC}$이므로

$\angle x=\angle DBC=40°$ (엇각)

$\angle y=\angle DAC=60°$ (엇각)

(2) $\overline{AD}\,/\!/\,\overline{BC}$이므로 $\angle x=\angle DBC=30°$ (엇각)

$\overline{AB}\,/\!/\,\overline{DC}$이므로 $\angle y=\angle ABD=45°$ (엇각)

2-1 (1) $\overline{BC}=\overline{AD}=5$ cm이므로 $x=5$

$\angle B=\angle D=65°$이므로 $y=65$

(2) $\overline{OB}=\overline{OD}=6$ cm이므로 $x=6$

$\overline{OC}=\overline{OA}=8$ cm이므로 $y=8$

2-2 (1) $\overline{DC}=\overline{AB}=8$ cm이므로 $x=8$

$\angle D=\angle B=130°$이므로 $y=130$

(2) $\overline{OA}=\overline{OC}$이므로 $\overline{AC}=2\overline{OA}=2\times2=4$ (cm)

∴ $x=4$

$\overline{OD}=\overline{OB}=5$ cm이므로 $y=5$

STEP 2

1-2. (1) $\angle x=50°$, $\angle y=110°$ (2) $\angle x=35°$, $\angle y=60°$

2-2. (1) $x=2, y=5$ (2) $x=3, y=3$

2-3. (1) $75°$ (2) $80°$

3-2. 4 cm **4-2.** 50°

5-2. 108° **6-2.** 30 cm

1-2 (1) $\overline{AB}\,/\!/\,\overline{DC}$이므로 $\angle x=\angle ABD=50°$ (엇각)

$\triangle OCD$에서 $\angle y=\angle OCD+\angle x=60°+50°=110°$

(2) $\overline{AD}\,/\!/\,\overline{BC}$이므로 $\angle x=\angle ACB=35°$ (엇각)

$\triangle ACD$에서 $35°+\angle y+85°=180°$

∴ $\angle y=60°$

2-2 (1) $\overline{AB}=\overline{DC}$이므로 $x+2=8-2x$

$3x=6$ ∴ $x=2$

$\overline{AD}=\overline{BC}$이므로 $y+2=3y-8$

$2y=10$ ∴ $y=5$

(2) $\overline{OC}=\overline{OA}$이므로 $x=3$

$\overline{OB}=\overline{OD}$이므로 $y+1=4$ ∴ $y=3$

2-3 (1) $\angle D=\angle B=60°$이므로

$\triangle ACD$에서 $45°+\angle x+60°=180°$

∴ $\angle x=75°$

(2) $\triangle AED$에서

$\angle D=180°-(35°+65°)=80°$

∴ $\angle x=\angle D=80°$

3-2 $\overline{AD}\,/\!/\,\overline{BC}$이므로

$\angle BEA=\angle DAE$ (엇각)

∴ $\angle BAE=\angle BEA$

따라서 $\triangle BEA$는

$\overline{BA}=\overline{BE}$인 이등변삼각형이므로

$\overline{BE}=\overline{BA}=8$ cm

이때 $\overline{BC}=\overline{AD}=12$ cm이므로

$\overline{EC}=\overline{BC}-\overline{BE}=12-8=4$ (cm)

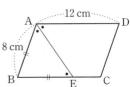

4-2 $\angle ABC=\angle D=80°$이므로

$\angle CBF=\dfrac{1}{2}\angle ABC=\dfrac{1}{2}\times80°=40°$

$\triangle FBC$에서 $\angle BCF=180°-(90°+40°)=50°$

$\angle BCD+\angle D=180°$이므로

$\angle BCD+80°=180°$ ∴ $\angle BCD=100°$

∴ $\angle DCF=\angle BCD-\angle BCF$

$=100°-50°=50°$

다른풀이 ∠ABC=∠D=80°이
므로

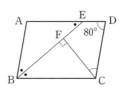

$$\angle ABE=\angle EBC=\frac{1}{2}\angle ABC$$
$$=\frac{1}{2}\times80°=40°$$

$\overline{AD} /\!\!/ \overline{BC}$이므로 ∠AEB=∠EBC=40° (엇각)

∴ ∠DEF=180°−∠AEB=180°−40°=140°

따라서 □EFCD에서

140°+90°+∠DCF+80°=360°

∴ ∠DCF=50°

5-2 $\overline{AB} /\!\!/ \overline{DC}$이므로 ∠B+∠C=180°이다.

이때 ∠B : ∠C=2 : 3이므로

$$\angle C=180°\times\frac{3}{2+3}=180°\times\frac{3}{5}=108°$$

∴ ∠A=∠C=108°

6-2 $\overline{OA}=\overline{OC}=\frac{1}{2}\overline{AC}=\frac{1}{2}\times16=8\,(cm)$

$\overline{OB}=\overline{OD}=\frac{1}{2}\overline{BD}=\frac{1}{2}\times20=10\,(cm)$

∴ (△ABO의 둘레의 길이)=$\overline{AB}+\overline{OA}+\overline{OB}$
$$=12+8+10$$
$$=30\,(cm)$$

STEP 3   56쪽

01. ∠x=60°, ∠y=52°   **02.** x=3, y=3

03. 8 cm   **04.** 130°   **05.** 80°   **06.** 12 cm

07. (1) 3 cm   (2) 5 cm

---

01 $\overline{AD} /\!\!/ \overline{BC}$이므로 ∠x=∠ACB=60° (엇각)

∠y=∠B=52°

02 $\overline{AD}=\overline{BC}$이므로

x+1=3x−5   ∴ x=3

$\overline{AB}=\overline{DC}$이므로

2y−4=3y−7   ∴ y=3

03 △AED와 △FEC에서

$\overline{AD} /\!\!/ \overline{BF}$이므로

∠ADE=∠FCE (엇각)

∠AED=∠FEC (맞꼭지각)

$\overline{DE}=\overline{CE}$

따라서 △AED≡△FEC (ASA 합동)이므로

$\overline{CF}=\overline{DA}=4\,cm$

이때 $\overline{BC}=\overline{AD}=4\,cm$이므로

$\overline{BF}=\overline{BC}+\overline{CF}=4+4=8\,(cm)$

04 $\overline{AB} /\!\!/ \overline{DE}$이므로

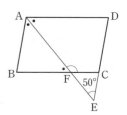

∠BAE=∠AED=50° (엇각)

∠DAF=∠BAF=50°

$\overline{AD} /\!\!/ \overline{BC}$이므로

∠AFB=∠DAF=50° (엇각)

∴ ∠AFC=180°−∠AFB
$$=180°−50°=130°$$

05 $\overline{AD} /\!\!/ \overline{BC}$이므로 ∠A+∠B=180°이다.

이때 ∠A : ∠B=4 : 5이므로

$$\angle A=180°\times\frac{4}{4+5}=180°\times\frac{4}{9}=80°$$

∴ ∠C=∠A=80°

06 $\overline{OA}=\overline{OC}=\frac{1}{2}\overline{AC}=\frac{1}{2}\times20=10\,(cm)$

$\overline{OB}=\overline{OD}=\frac{1}{2}\overline{BD}=\frac{1}{2}\times26=13\,(cm)$

△ABO의 둘레의 길이가 35 cm이므로

$\overline{AB}+\overline{OA}+\overline{OB}=\overline{AB}+10+13=35$

∴ $\overline{AB}=35−23=12\,(cm)$

따라서 $\overline{AB}=\overline{DC}$이므로

$\overline{DC}=12\,cm$

07 (1) $\overline{AD} /\!\!/ \overline{BC}$이므로

∠DAF=∠BFA (엇각)

∠BAF=∠DAF이므로

∠BAF=∠BFA

따라서 △ABF는

$\overline{BA}=\overline{BF}$인 이등변삼각형이므로

$\overline{BF}=\overline{BA}=8\,cm$

이때 $\overline{BC}=\overline{AD}=11\,cm$이므로

$\overline{FC}=\overline{BC}−\overline{BF}=11−8=3\,(cm)$ ······ [50 %]

(2) $\overline{AD} /\!\!/ \overline{BC}$이므로 ∠ADE=∠CED (엇각)

∠ADE=∠CDE이므로 ∠CDE=∠CED

따라서 △CDE는 $\overline{CE}=\overline{CD}$인 이등변삼각형이므로

$\overline{CE}=\overline{CD}=\overline{BA}=8\,cm$

∴ $\overline{EF}=\overline{EC}−\overline{FC}=8−3=5\,(cm)$ ······ [50 %]

2 평행사변형이 되는 조건

개념 확인

1. (1) $x=5, y=10$ (2) $x=70, y=110$ (3) $x=5, y=3$

2. (가) $\overline{OC}$ (나) $\overline{OF}$ **3.** 12 cm^2

4. ① 7 ② 5 ③ 14 ④ 10 (1) 36 cm^2 (2) 36 cm^2

---

3 $\triangle BCD = \dfrac{1}{2}\square ABCD = \dfrac{1}{2} \times 24 = 12 \, (\text{cm}^2)$

4 $\square AFPE$가 평행사변형이므로

     $\triangle APE = \triangle AFP = 7 \, \text{cm}^2$ $\therefore$ ①=7

     $\square EPHD$가 평행사변형이므로

     $\triangle PHD = \triangle EPD = 5 \, \text{cm}^2$ $\therefore$ ②=5

     $\square FBGP$가 평행사변형이므로

     $\triangle FBP = \triangle BGP = 14 \, \text{cm}^2$ $\therefore$ ③=14

     $\square PGCH$가 평행사변형이므로

     $\triangle PGC = \triangle PCH = 10 \, \text{cm}^2$ $\therefore$ ④=10

     (1) $\triangle PAB + \triangle PCD$

        $= (\triangle AFP + \triangle FBP) + (\triangle PHD + \triangle PCH)$

        $= (7+14) + (5+10) = 36 \, (\text{cm}^2)$

     (2) $\triangle PDA + \triangle PBC$

        $= (\triangle APE + \triangle EPD) + (\triangle BGP + \triangle PGC)$

        $= (7+5) + (14+10) = 36 \, (\text{cm}^2)$

STEP 1

1-1. (1) $\overline{DC}, \overline{BC}$ (2) $\overline{DC}, \overline{BC}$ (3) $\angle BCD, \angle ADC$

     (4) $\overline{OC}, \overline{OD}$ (5) $\overline{DC}, \overline{DC}$

1-2. (1) ○ (2) × (3) × (4) ○ (5) ○

2-1. (1) 22 cm^2 (2) 10 cm^2 연구 $\dfrac{1}{2}$

2-2. (1) 36 cm^2 (2) 18 cm^2

1-2 (1) 두 쌍의 대변의 길이가 각각 같으므로 $\square ABCD$는 평행사변형이다.

     (2) $\overline{OA} \neq \overline{OC}$, $\overline{OB} \neq \overline{OD}$이므로 $\square ABCD$는 평행사변형이 아니다.

     (3) 오른쪽 그림과 같은 $\square ABCD$는 $\overline{AD} /\!/ \overline{BC}$, $\overline{AB} = \overline{DC} = 7 \, \text{cm}$ 이지만 평행사변형이 아니다.

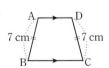

---

     (4) $\angle BAC = \angle DCA = 60°$이면 엇각의 크기가 같으므로 $\overline{AB} /\!/ \overline{DC}$

     또 $\overline{AD} /\!/ \overline{BC}$이므로 두 쌍의 대변이 각각 평행하므로 $\square ABCD$는 평행사변형이다.

     (5) $\angle ADC = 360° - (120° + 60° + 120°) = 60°$이므로

     $\angle BAD = \angle BCD$, $\angle ABC = \angle ADC$

     따라서 두 쌍의 대각의 크기가 각각 같으므로 $\square ABCD$는 평행사변형이다.

2-1 (1) $\triangle PAB + \triangle PCD = \dfrac{1}{2}\square ABCD$

                         $= \dfrac{1}{2} \times 44 = 22 \, (\text{cm}^2)$

     (2) $\triangle PAB$의 넓이가 12 cm^{2}이므로

     $12 + \triangle PCD = 22$ $\therefore \triangle PCD = 10 \, (\text{cm}^2)$

2-2 (1) $\square ABCD = 4\triangle AOD = 4 \times 9 = 36 \, (\text{cm}^2)$

     (2) $\triangle BCD = \dfrac{1}{2}\square ABCD = \dfrac{1}{2} \times 36 = 18 \, (\text{cm}^2)$

STEP 2

1-2. ⑤

2-2. (1) $x=2, y=2$ (2) $x=125, y=55$

3-2. (가) $\overline{FC}$ (나) $\overline{FC}$ (다) 평행

3-3. (가) $\overline{CD}$ (나) $\overline{AB} /\!/ \overline{DC}$ (다) RHA (라) $\overline{BE} /\!/ \overline{FD}$

     (마) 한 쌍의 대변이 평행하고 그 길이가 같다.

4-2. ③   **4-3.** 40°

5-2. 100 cm^2 **6-2.** 8 cm^2

1-2 ① 두 쌍의 대변의 길이가 각각 같으므로 평행사변형이다.

     ② 두 쌍의 대각의 크기가 각각 같으므로 평행사변형이다.

     ③ $\angle DAC = \angle ACB$ (엇각)이므로 $\overline{AD} /\!/ \overline{BC}$

     즉 한 쌍의 대변이 평행하고 그 길이가 같으므로 평행사변형이다.

     ④ $\angle BAC = \angle ACD$ (엇각)이므로 $\overline{AB} /\!/ \overline{DC}$

     $\triangle OAB$와 $\triangle OCD$에서

     $\overline{AB} /\!/ \overline{DC}$이므로 $\angle ABO = \angle CDO$ (엇각)

     $\angle AOB = \angle COD$ (맞꼭지각), $\overline{OB} = \overline{OD}$

     따라서 $\triangle OAB \equiv \triangle OCD$ (ASA 합동)이므로 $\overline{OA} = \overline{OC}$

     즉 두 대각선이 서로 다른 것을 이등분하므로 평행사변형이다.

⑤ 두 대각선이 서로 다른 것을 이등분하지 않으므로 평행사변형이 아니다.

2-2 (1) □ABCD가 평행사변형이려면
$\overline{AD}=\overline{BC}$이어야 하므로 $5x=10$ ∴ $x=2$
또 $\overline{AB}=\overline{DC}$이어야 하므로 $3y+2=5y-2$
$2y=4$ ∴ $y=2$

(2) □ABCD가 평행사변형이려면
∠D=∠B=55°이어야 하므로 $y=55$
∠A=∠C=$x°$이어야 하므로
∠A+∠B+∠C+∠D=360°에서
$x+55+x+55=360$
$2x=250$ ∴ $x=125$

4-2 □ABCD는 평행사변형이므로
$\overline{OA}=\overline{OC}$ (②), $\overline{OB}=\overline{OD}$ ...... ㉠
이때 $\overline{OE}=\frac{1}{2}\overline{OB}$, $\overline{OF}=\frac{1}{2}\overline{OD}$이므로
$\overline{OE}=\overline{OF}$ (①) ...... ㉡
㉠, ㉡에서 두 대각선이 서로 다른 것을 이등분하므로
□AECF는 평행사변형이다.
∴ $\overline{AE}=\overline{FC}$ (④)
또 $\overline{AE}/\!/\overline{FC}$이므로 ∠OAE=∠OCF (엇각) (⑤)

4-3 ∠BPQ=∠DQP=90°, 즉 엇각의 크기가 같으므로
$\overline{BP}/\!/\overline{QD}$ ...... ㉠
△ABP와 △CDQ에서
∠BPA=∠DQC=90°, ∠PAB=∠QCD (엇각),
$\overline{AB}=\overline{CD}$이므로 △ABP≡△CDQ (RHA 합동)
∴ $\overline{BP}=\overline{DQ}$ ...... ㉡
㉠, ㉡에서 한 쌍의 대변이 평행하고 그 길이가 같으므로
□PBQD는 평행사변형이다.
따라서 $\overline{PD}/\!/\overline{BQ}$이므로
∠BQP=∠DPQ=50° (엇각)
△BQP에서 ∠PBQ=180°−(90°+50°)=40°

5-2 △BCD=△ABC=25 cm²
이때 □BEFD는 두 대각선이 서로 다른 것을 이등분하므로 평행사변형이다.
∴ □BEFD=4△BCD=4×25=100 (cm²)

6-2 △PAB+△PCD=$\frac{1}{2}$□ABCD이므로
△PAB+12=$\frac{1}{2}$×40=20
∴ △PAB=8 (cm²)

STEP 3

01. ⑤ **02.** $x=120, y=6$ **03.** ①
04. ③ **05.** 8 cm **06.** ㉠, ㉢, ㉤, ㉥
07. 28 cm² **08.** 34 cm²
09. (1) △COQ, ASA 합동 (2) 6 cm²

01 ⑤ $\overline{AB}/\!/\overline{DC}$

02 $\overline{AB}/\!/\overline{DC}$이어야 하므로 ∠B+∠C=180°
$60°+∠C=180°$ ∴ ∠C=120°
∴ $x=120$
$\overline{AB}=\overline{DC}$이어야 하므로 $y=6$

03 ① ∠D=360°−(40°+140°+40°)=140°
따라서 ∠A=∠C, ∠B=∠D이므로 □ABCD는 평행사변형이다.

② 오른쪽 그림과 같은 □ABCD는
$\overline{AB}/\!/\overline{DC}$, $\overline{AB}=\overline{AD}=5$ cm
이지만 평행사변형이 아니다.

③ $\overline{OA}\neq\overline{OC}$, $\overline{OB}\neq\overline{OD}$이므로 □ABCD는 평행사변형이 아니다.

④ 오른쪽 그림과 같은 □ABCD는 $\overline{AB}=\overline{DC}=3$ cm,
$\overline{AD}/\!/\overline{BC}$이지만 평행사변형이 아니다.
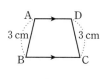

⑤ 오른쪽 그림과 같은 □ABCD는 ∠B=∠C,
$\overline{AB}=\overline{BC}=6$ cm이지만 평행사변형이 아니다.
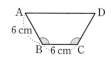

04 □ABCD가 평행사변형이므로
$\overline{AD}/\!/\overline{BC}$, $\overline{AD}=\overline{BC}$
$\overline{AD}/\!/\overline{BC}$이므로 $\overline{MD}/\!/\overline{BN}$ ...... ㉠
$\overline{MD}=\frac{1}{2}\overline{AD}$, $\overline{BN}=\frac{1}{2}\overline{BC}$이고 $\overline{AD}=\overline{BC}$이므로
$\overline{MD}=\overline{BN}$ ...... ㉡
㉠, ㉡에서 □MBND는 평행사변형이다.
따라서 평행사변형이 되는 조건으로 알맞은 것은 ③이다.

05 $\overline{AB}=\overline{DC}=12$ cm

$\overline{AD}\,/\!/\,\overline{BC}$이므로

$\angle AEB=\angle EBF$ (엇각)

또 $\angle ABE=\angle EBF$

이므로

$\angle ABE=\angle AEB$ ...... [40 %]

따라서 $\triangle ABE$는 $\overline{AB}=\overline{AE}$인 이등변삼각형이므로

$\overline{AE}=\overline{AB}=12$ cm ...... [30 %]

이때 $\overline{AD}=\overline{BC}=20$ cm이므로

$\overline{DE}=\overline{AD}-\overline{AE}=20-12=8$ (cm) ...... [30 %]

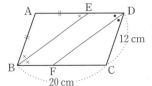

06 $\triangle ABE$와 $\triangle CDF$에서

$\angle AEB=\angle CFD=90°$, $\overline{AB}=\overline{CD}$,

$\angle ABE=\angle CDF$ (엇각)

따라서 $\triangle ABE\equiv\triangle CDF$ (RHA 합동) (㉠)이므로

$\overline{AE}=\overline{CF}$ (㉢) ...... ①

또 $\angle AEF=\angle CFE=90°$, 즉 엇각의 크기가 같으므로

$\overline{AE}\,/\!/\,\overline{CF}$ ...... ②

①, ②에서 한 쌍의 대변이 평행하고 그 길이가 같으므로

□AECF는 평행사변형이다.

∴ $\overline{OE}=\overline{OF}$ (㉲), $\angle EAF=\angle ECF$ (㉳)

따라서 옳은 것은 ㉠, ㉢, ㉲, ㉳이다.

07 □ABCD$=4\triangle AOD=4\times7=28$ (cm²)

08 $\triangle PAB+\triangle PCD=\triangle PDA+\triangle PBC$이므로

$20+32=18+\triangle PBC$

∴ $\triangle PBC=34$ (cm²)

09 (1) $\triangle AOP$와 $\triangle COQ$에서

$\overline{AO}=\overline{CO}$,

$\angle OAP=\angle OCQ$ (엇각),

$\angle AOP=\angle COQ$

(맞꼭지각)

∴ $\triangle AOP\equiv\triangle COQ$ (ASA 합동) ...... [50 %]

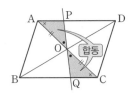

(2) 합동인 삼각형은 넓이가 같으므로

$\triangle AOP=\triangle COQ$

∴ (색칠한 부분의 넓이)$=\triangle AOP+\triangle BQO$

$=\triangle COQ+\triangle BQO$

$=\triangle BCO=\frac{1}{4}$□ABCD

$=\frac{1}{4}\times24=6$ (cm²)

...... [50 %]

---

1 여러 가지 사각형

개념 확인 70쪽~73쪽

1. (1) $x=12,\ y=\dfrac{13}{2}$ (2) $x=90,\ y=30$

2. (1) $x=5,\ y=3$ (2) $x=60,\ y=30$

3. (1) $x=4,\ y=90$ (2) $x=5,\ y=45$

4. (1) $x=70,\ y=5$ (2) $x=10,\ y=122$

1 (1) $\overline{AD}=\overline{BC}=12$ cm이므로 $x=12$

$\overline{BD}=\overline{AC}=13$ cm이므로

$\overline{BO}=\dfrac{1}{2}\overline{BD}=\dfrac{1}{2}\times13=\dfrac{13}{2}$ (cm) ∴ $y=\dfrac{13}{2}$

(2) $\angle A=90°$이므로 $x=90$

$\triangle BCD$에서 $\angle C=90°$이므로

$\angle DBC=180°-(90°+60°)=30°$ ∴ $y=30$

2 (1) $\overline{BO}=\overline{DO}=5$ cm이므로 $x=5$

$\overline{CO}=\overline{AO}=3$ cm이므로 $y=3$

(2) $\overline{AC}\perp\overline{BD}$이므로 $\angle AOB=90°$

$\triangle ABO$에서

$\angle BAO=180°-(90°+30°)=60°$

∴ $x=60$

$\triangle ABD$에서 $\overline{AB}=\overline{AD}$이므로

$\angle ADB=\angle ABD=30°$ ∴ $y=30$

3 (1) $\overline{AD}=\overline{AB}=4$ cm이므로 $x=4$

$\angle B=90°$이므로 $y=90$

(2) $\overline{BO}=\overline{AO}=5$ cm이므로 $x=5$

$\triangle OCD$에서 $\overline{OC}=\overline{OD}$이고 $\angle COD=90°$이므로

$\angle ODC=\dfrac{1}{2}\times(180°-90°)=45°$

∴ $y=45$

4 (1) $\angle DCB=\angle ABC=70°$이므로 $x=70$

$\overline{DC}=\overline{AB}=5$ cm이므로 $y=5$

(2) $\overline{AC}=\overline{DB}=10$ cm이므로 $x=10$

$\angle DCB=\angle ABC=58°$

$\overline{AD}\,/\!/\,\overline{BC}$이므로 $\angle ADC+\angle DCB=180°$에서

$\angle ADC+58°=180°$ ∴ $\angle ADC=122°$

∴ $y=122$

STEP ❶

1-1. (1) 20 cm (2) 53° 연구 (1) 20 (2) 90, 90, 53

1-2. (1) 8 cm (2) 60°

2-1. (1) 4 cm (2) 55° 연구 (1) 4 (2) 90, 90, 55

2-2. (1) 5 cm (2) 30°

3-1. (1) 18 cm (2) 45° 연구 (1) 18 (2) 90, 90, 45

3-2. (1) 4 cm (2) 90°

4-1. (1) 8 cm (2) 60° 연구 (1) 8 (2) 60

4-2. (1) 6 cm (2) 105°

1-2 (1) $\overline{BD}=\overline{AC}=16$ cm이므로

$\overline{DO}=\dfrac{1}{2}\overline{BD}=\dfrac{1}{2}\times16=8$ (cm)

(2) △OCD에서 $\overline{OC}=\overline{OD}$이므로

∠OCD=∠ODC=60°

2-2 (1) $\overline{AB}=\overline{AD}=5$ cm

(2) $\overline{AC}\perp\overline{BD}$이므로 ∠DOC=90°

△OCD에서 ∠ODC=180°−(90°+60°)=30°

3-2 (1) $\overline{AB}=\overline{BC}=4$ cm

(2) $\overline{AC}\perp\overline{BD}$이므로 ∠AOD=90°

4-2 (1) $\overline{DC}=\overline{AB}=6$ cm

(2) ∠C=∠B=75°

$\overline{AD}/\!/\overline{BC}$이므로 ∠D+∠C=180°

∠D+75°=180° ∴ ∠D=105°

STEP ❷

1-2. $x=4, y=54$ **2-2.** ②, ④

3-2. 24 cm² **4-2.** 7 cm

5-2. 32 cm² **6-2.** ②, ⑤

7-2. 78° **8-2.** 4 cm

1-2 $\overline{AC}=\overline{BD}=8$ cm이므로

$\overline{OC}=\dfrac{1}{2}\overline{AC}=\dfrac{1}{2}\times8=4$ (cm) ∴ $x=4$

△OBC에서 $\overline{OB}=\overline{OC}$이므로 ∠OCB=∠OBC=27°

∠AOB는 △OBC의 한 외각이므로

∠AOB=27°+27°=54° ∴ $y=54$

2-2 ② $\overline{BO}=5$ cm이므로 $\overline{BD}=2\overline{BO}=2\times5=10$ (cm)

∴ $\overline{AC}=\overline{BD}=10$ cm

즉 두 대각선의 길이가 같으므로 직사각형이다.

---

④ △ACD에서 ∠ACD=60°이므로

∠ADC=180°−(60°+30°)=90°

즉 한 내각의 크기가 90°이므로 직사각형이다.

3-2 마름모의 두 대각선은 서로 다른 것을 수직이등분하므로

$\overline{CO}=\overline{AO}=4$ cm, $\overline{BD}=2\overline{BO}=2\times6=12$ (cm)

∴ $\triangle BCD=\dfrac{1}{2}\times12\times4=24$ (cm²)

4-2 $\overline{AB}/\!/\overline{DC}$이므로 ∠ABO=∠CDO=28° (엇각)

△ABO에서 ∠AOB=180°−(62°+28°)=90°

즉 평행사변형 ABCD에서 두 대각선이 수직으로 만나므로 □ABCD는 마름모이다.

∴ $\overline{BC}=\overline{CD}=7$ cm

5-2 정사각형의 두 대각선은 길이가 같고, 서로 다른 것을 수직이등분하므로

$\overline{BD}=\overline{AC}=2\overline{AO}=2\times4=8$ (cm)

∴ $\square ABCD=2\triangle ABD=2\times\left(\dfrac{1}{2}\times8\times4\right)=32$ (cm²)

6-2 ② $\overline{AB}/\!/\overline{DC}$이므로 ∠ABC+∠BCD=180°

이때 ∠ABC=∠BCD이면

2∠ABC=180° ∴ ∠ABC=90°

즉 마름모 ABCD에서 한 내각이 직각이므로 □ABCD는 정사각형이다.

⑤ $\overline{AO}=\overline{BO}$이면 $\overline{AC}=2\overline{AO}=2\overline{BO}=\overline{BD}$

즉 마름모 ABCD에서 두 대각선의 길이가 같으므로 □ABCD는 정사각형이다.

7-2 $\overline{AD}/\!/\overline{BC}$이므로 ∠DAC=∠ACB=32° (엇각)

□ABCD가 등변사다리꼴이므로

∠BAD=∠D=110°

∴ ∠x=∠BAD−∠DAC=110°−32°=78°

8-2 오른쪽 그림과 같이 꼭짓점 D에서 $\overline{BC}$에서 내린 수선의 발을 F라 하면 □AEFD는 직사각형이므로

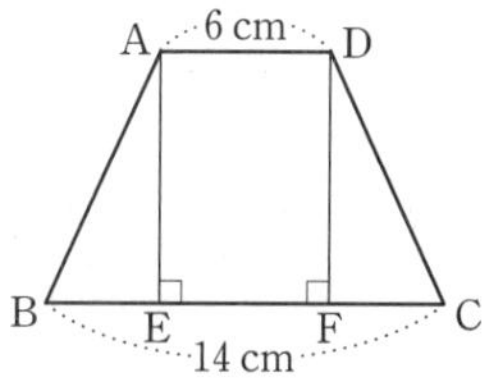

$\overline{EF}=\overline{AD}=6$ cm

한편 △ABE와 △DCF에서

$\overline{AB}=\overline{DC}$, ∠ABE=∠DCF, ∠AEB=∠DFC=90°

따라서 △ABE≡△DCF (RHA 합동)이므로

$\overline{BE}=\overline{CF}$

∴ $\overline{BE}=\dfrac{1}{2}\times(\overline{BC}-\overline{EF})=\dfrac{1}{2}\times(14-6)$

$=\dfrac{1}{2}\times8=4$ (cm)

STEP 3

01. $\angle x=52°$, $\angle y=104°$ **02.** 12 **03.** ②

04. (가) $\overline{DB}$ (나) SSS (다) $\angle ADC$ (라) $\angle BAD$ **05.** 116°

06. (가) $\overline{AD}$ (나) $\overline{DO}$ (다) SSS (라) 180 **07.** 63°

08. (1) 마름모 (2) 30° **09.** $x=90$, $y=6$

10. (1) ㄹ, ㅁ (2) ㄱ, ㄴ, ㄷ, ㅂ **11.** 20°

12. ④ **13.** 68°

14. (가) $\overline{AB}$ (나) $\angle DEC$ (다) $\angle C$ (라) $\overline{DC}$ (마) $\overline{AB}$

15. (1) 9 cm (2) 14 cm (3) 37 cm **16.** 7 cm

---

01 $\angle BAD=90°$이므로 $\angle OAB=90°-38°=52°$

이때 $\triangle OAB$는 $\overline{OA}=\overline{OB}$인 이등변삼각형이므로

$\angle x=\angle OAB=52°$

$\angle y$는 $\triangle OAB$의 한 외각이므로

$\angle y=52°+52°=104°$

02 직사각형의 두 대각선은 길이가 같고, 서로 다른 것을 이등 분하므로

$\overline{AO}=\overline{BO}=\overline{CO}=\overline{DO}$

즉 $2x+2=5x-4$에서 $3x=6$ ∴ $x=2$

이때 $\overline{DO}=5x-4=5\times2-4=6$이므로

$\overline{BD}=2\overline{DO}=2\times6=12$

03 $\angle BAD=90°$이므로 $\angle EAF=90°-24°=66°$

$\angle AEF=\angle FEC$ (접은 각), $\angle AFE=\angle FEC$ (엇각)

이므로

$\angle AEF=\angle AFE=\dfrac{1}{2}\times(180°-66°)=57°$

05 $\overline{AB}//\overline{DC}$이므로 $\angle CDB=\angle ABD=32°$

$\triangle BCD$에서 $\overline{CB}=\overline{CD}$이므로

$\angle CBD=\angle CDB=32°$

∴ $\angle C=180°-(32°+32°)=116°$

07 $\triangle ABE$에서

$\angle B=180°-(27°+90°)=63°$

□$ABCD$가 마름모이므로

$\angle B+\angle C=180°$, 즉 $63°+\angle C=180°$

∴ $\angle C=117°$

□$AECF$에서

$\angle x+90°+117°+90°=360°$

∴ $\angle x=63°$

08 (1) $\overline{AD}//\overline{BC}$이므로 $\angle ADB=\angle CBD=30°$ (엇각)

$\triangle AOD$에서 $\angle AOD=180°-(60°+30°)=90°$

즉 평행사변형 $ABCD$에서 두 대각선이 수직으로 만나

므로 □$ABCD$는 마름모이다. …… [50 %]

(2) □$ABCD$가 마름모이므로 $\overline{CB}=\overline{CD}$

즉 $\triangle BCD$는 $\overline{CB}=\overline{CD}$인 이등변삼각형이므로

$\angle x=\angle CBD=30°$ …… [50 %]

09 정사각형의 두 대각선은 길이가 같고, 서로 다른 것을 수직 이등분하므로

$\angle AOB=90°$ ∴ $x=90$

$\overline{AO}=\dfrac{1}{2}\overline{AC}=\dfrac{1}{2}\overline{BD}=\dfrac{1}{2}\times12=6$ (cm)

∴ $y=6$

10 (가)는 직사각형이므로 정사각형이 되기 위한 조건으로 알맞 은 것은

ㄹ $\overline{AC}\perp\overline{BD}$ ➡ 두 대각선이 수직으로 만난다.

ㅁ $\overline{BC}=\overline{CD}$ ➡ 이웃하는 두 변의 길이가 같다.

(나)는 마름모이므로 정사각형이 되기 위한 조건으로 알맞은 것은

ㄱ $\overline{AC}=\overline{BD}$ ➡ 두 대각선의 길이가 같다.

ㄴ $\overline{OA}=\overline{OB}$ ➡ 두 대각선의 길이가 같다.

ㄷ $\angle B=90°$ ➡ 한 내각이 직각이다.

ㅂ $\angle A=\angle B$ ➡ $\angle A+\angle B=180°$이므로

$\angle A=\angle B=90°$ ➡ 한 내각이 직각이다.

11 $\triangle DCE$에서 $\overline{DC}=\overline{DE}$이

므로

$\angle DEC=\angle DCE=65°$

∴ $\angle CDE$

$=180°-(65°+65°)$

$=50°$

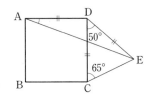

$\overline{AD}=\overline{DC}=\overline{DE}$이므로 $\triangle DAE$는 $\overline{AD}=\overline{DE}$인 이등변 삼각형이다.

이때 $\angle ADE=90°+50°=140°$이므로

$\angle DAE=\dfrac{1}{2}\times(180°-140°)=20°$

12 $\triangle ABE$와 $\triangle BCF$에서

$\overline{AB}=\overline{BC}$, $\angle ABE=\angle BCF=90°$, $\overline{BE}=\overline{CF}$이므로

$\triangle ABE\equiv\triangle BCF$ (SAS 합동) (⑤)

① $\angle FBC=\angle EAB=90°-65°=25°$

② $\triangle ABE$에서 $\angle AEB=180°-(25°+90°)=65°$

$\triangle GBE$에서 $\angle BGE=180°-(25°+65°)=90°$

∴ $\angle AGF=\angle BGE=90°$ (맞꼭지각)

③ □AGFD에서

$\angle DFG = 360° - (65° + 90° + 90°) = 115°$

따라서 옳지 않은 것은 ④이다.

13 $\overline{AD} \parallel \overline{BC}$이므로 $\angle ADB = \angle DBC = 34°$

△ABD에서 $\overline{AB} = \overline{AD}$이므로

$\angle ABD = \angle ADB = 34°$

$\therefore \angle C = \angle ABC = \angle ABD + \angle DBC$

$= 34° + 34° = 68°$

15 (1) □ABCD는 등변사다리꼴이므로

$\overline{DC} = \overline{AB} = 9\,cm$ ⋯⋯ [20 %]

(2) 오른쪽 그림과 같이 꼭짓점
D에서 $\overline{AB}$에 평행한 직선
을 그어 $\overline{BC}$와 만나는 점을
E라 하면 □ABED는 평행
사변형이므로

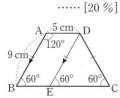

$\overline{BE} = \overline{AD} = 5\,cm$, $\angle B = 180° - 120° = 60°$

이때 $\angle C = \angle B = \angle DEC = 60°$이므로

$\angle EDC = 180° - 2 \times 60° = 60°$

즉 △DEC는 정삼각형이므로

$\overline{EC} = \overline{DC} = 9\,cm$

$\therefore \overline{BC} = \overline{BE} + \overline{EC} = 5 + 9 = 14\,(cm)$ ⋯⋯ [50 %]

(3) (□ABCD의 둘레의 길이)

$= \overline{AB} + \overline{BC} + \overline{DC} + \overline{AD}$

$= 9 + 14 + 9 + 5 = 37\,(cm)$ ⋯⋯ [30 %]

16 오른쪽 그림과 같이 꼭짓점 D에
서 $\overline{BC}$에 내린 수선의 발을 F라
하면 □AEFD는 직사각형이
므로 $\overline{EF} = \overline{AD} = 4\,cm$

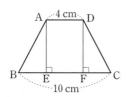

△ABE ≡ △DCF (RHA 합동)
이므로

$\overline{BE} = \overline{CF} = \dfrac{1}{2} \times (\overline{BC} - \overline{EF})$

$= \dfrac{1}{2} \times (10 - 4) = 3\,(cm)$

$\therefore \overline{EC} = \overline{BC} - \overline{BE} = 10 - 3 = 7\,(cm)$

---

2 여러 가지 사각형 사이의 관계

개념 확인

1. (1) ○, ○, ○, ○ (2) ○, ○, ○, ○ (3) ○, ○, ○, ○

(4) ×, ×, ○, ○ (5) ×, ○, ×, ○ (6) ○, ○, ○, ○

(7) ×, ×, ○, ○

2. (1) 4 cm, 6 cm, 12 cm² (2) 4 cm, 6 cm, 12 cm²

3. (1) △DBC (2) △ACD (3) △DOC

4. (1) ① 8 cm, 10 cm, 40 cm² ② 4 cm, 10 cm, 20 cm²

(2) ① 2 : 1 ② 2 : 1

2 (1) △ABC = $\dfrac{1}{2} \times 4 \times 6 = 12\,(cm^2)$

(2) △DBC = $\dfrac{1}{2} \times 4 \times 6 = 12\,(cm^2)$

3 (3) △ABO = △ABC − △OBC

$= △DBC − △OBC$

$= △DOC$

4 (1) ① △ABD = $\dfrac{1}{2} \times 8 \times 10 = 40\,(cm^2)$

② △ADC = $\dfrac{1}{2} \times 4 \times 10 = 20\,(cm^2)$

(2) ① $\overline{BD} : \overline{DC} = 8 : 4 = 2 : 1$

② △ABD : △ADC = 40 : 20 = 2 : 1

STEP 1

1-1. (1) 직사각형 (2) 직사각형 (3) 마름모 (4) 정사각형

1-2. (1) 마름모 (2) 직사각형 (3) 마름모 (4) 정사각형

2-1. 25 cm² 연구 ABC, 5, 25

2-2. 24 cm²

3-1. 40 cm² 연구 $\overline{BD}$, $\overline{DC}$, 5, 5, 40

3-2. (1) 3 : 5 (2) 60 cm²

1-1 (3) $\overline{AD} \parallel \overline{BC}$이므로 $\angle BCA = \angle DAC$ (엇각)

이때 $\angle BAC = \angle DAC$이므로

$\angle BCA = \angle BAC$ $\therefore \overline{AB} = \overline{BC}$

따라서 이웃하는 두 변의 길이가 같으므로 마름모이다.

1-2 (2) $\overline{OA}=\overline{OB}$이므로 $\overline{AC}=2\overline{OA}=2\overline{OB}=\overline{BD}$

따라서 두 대각선의 길이가 같으므로 직사각형이다.

2-2 $\overline{AD}/\!/\overline{BC}$이므로 $\triangle DBC=\triangle ABC=24\ cm^2$

3-2 (1) $\triangle ABD : \triangle ADC=\overline{BD} : \overline{DC}$
$$=6 : 10=3 : 5$$
(2) $\triangle ADC=\dfrac{5}{3+5}\times\triangle ABC=\dfrac{5}{8}\triangle ABC$
$$=\dfrac{5}{8}\times96=60\ (cm^2)$$

STEP 2

1-2. 직사각형 **1-3.** (1) 마름모 (2) 5 cm
2-2. ④ **3-2.** ㉣, ㉤
4-2. 64 cm² **5-2.** 21 cm²
6-2. 7 cm² **7-2.** 8 cm²
8-2. 36 cm² **9-2.** (1) 16 cm² (2) 32 cm²

1-2 $\overline{AD}/\!/\overline{BC}$이므로 $\angle BAD+\angle ABC=180°$

즉 $2\bigcirc+2\triangle=180°$ $\therefore \bigcirc+\triangle=90°$

$\triangle ABE$에서

$\angle AEB=180°-(\bigcirc+\triangle)=180°-90°=90°$

$\therefore \angle HEF=\angle AEB=90°$ (맞꼭지각)

같은 방법으로 하면 $\angle EFG=\angle FGH=\angle GHE=90°$

따라서 □EFGH는 네 내각의 크기가 모두 같으므로 직사각형이다.

1-3 (1) $\triangle AOE$와 $\triangle COF$에서

$\overline{AO}=\overline{CO}$, $\angle AOE=\angle COF=90°$,

$\angle EAO=\angle FCO$ (엇각)

따라서 $\triangle AOE\equiv\triangle COF$ (ASA 합동)이므로

$\overline{AE}=\overline{CF}$

또 $\overline{AE}/\!/\overline{CF}$이므로 □AFCE는 평행사변형이다. 이때

□AFCE의 두 대각선이 수직으로 만나므로 □AFCE는 마름모이다.

(2) □AFCE는 마름모이므로

$\overline{AF}=\overline{AE}=\overline{AD}-\overline{ED}=8-3=5\ (cm)$

2-2 ④ 이웃하는 두 변의 길이가 같은 평행사변형은 마름모이다.

3-2 주어진 사각형 중 두 대각선이 서로 다른 것을 수직이등분하는 사각형은 마름모, 정사각형이다.

4-2 $\triangle AEH\equiv\triangle BFE\equiv\triangle CGF\equiv\triangle DHG$ (SAS 합동)

이므로 $\overline{HE}=\overline{EF}=\overline{FG}=\overline{GH}$

또 $\angle AHE=\angle AEH=\angle BEF=\angle BFE$
$$=\angle CFG=\angle CGF=\angle DGH=\angle DHG$$

이므로 $\angle HEF=\angle EFG=\angle FGH=\angle GHE=90°$

즉 □EFGH는 네 변의 길이가 모두 같고, 네 내각의 크기가 모두 같으므로 정사각형이다.

따라서 □EFGH의 넓이는

$8\times8=64\ (cm^2)$

5-2 $\overline{AD}/\!/\overline{BC}$이므로

$\triangle DBC=\triangle ABC=\triangle ABO+\triangle OBC$
$$=6+15=21\ (cm^2)$$

6-2 $\overline{AE}/\!/\overline{DB}$이므로 $\triangle DAB=\triangle DEB$

$\therefore \triangle DBC=\square ABCD-\triangle DAB$
$$=\square ABCD-\triangle DEB$$
$$=16-9=7\ (cm^2)$$

7-2 $\overline{BD} : \overline{DC}=1 : 2$이므로

$\triangle ABD : \triangle ADC=1 : 2$

$\therefore \triangle ADC=\dfrac{2}{1+2}\times\triangle ABC$
$$=\dfrac{2}{3}\times30=20\ (cm^2)$$

또 $\overline{AE} : \overline{EC}=3 : 2$이므로

$\triangle ADE : \triangle EDC=3 : 2$

$\therefore \triangle EDC=\dfrac{2}{3+2}\times\triangle ADC=\dfrac{2}{5}\times20=8\ (cm^2)$

8-2 $\overline{AE} : \overline{EC}=2 : 1$이므로 $\triangle AED : \triangle DEC=2 : 1$

즉 $\triangle AED : 6=2 : 1$ $\therefore \triangle AED=12\ (cm^2)$

$\therefore \square ABCD=2\triangle ACD=2(\triangle AED+\triangle DEC)$
$$=2\times(12+6)=36\ (cm^2)$$

9-2 (1) $\overline{BO} : \overline{OD}=2 : 1$이므로 $\triangle ABO : \triangle AOD=2 : 1$

$\triangle ABO : 8=2 : 1$ $\therefore \triangle ABO=16\ (cm^2)$

(2) $\triangle DBC=\triangle ABC$이므로

$\triangle DOC=\triangle DBC-\triangle OBC$
$$=\triangle ABC-\triangle OBC$$
$$=\triangle ABO=16\ (cm^2)$$

$\overline{BO} : \overline{OD}=2 : 1$이므로 $\triangle OBC : \triangle DOC=2 : 1$

$\triangle OBC : 16=2 : 1$ $\therefore \triangle OBC=32\ (cm^2)$

STEP 3

01. (개) ㉣ (내) ㉠ (대) ㉠ (래) ㉣

02. (개) 사다리꼴 (내) 마름모 (대) 직사각형 (래) 정사각형

03. ④   **04.** ②   **05.** 15 cm²   **06.** 21 cm²

07. 4 cm²   **08.** 30 cm²   **09.** 18 cm²   **10.** 6 cm²

11. ⑤

03 ④ 평행사변형의 각 변의 중점을 연결하여 만든 사각형은 평행사변형이다.

04 $\overline{AD} /\!/ \overline{BC}$이므로 $\angle ABC + \angle BAD = 180°$

$$\angle ABE + \angle BAE = \frac{1}{2} \angle ABC + \frac{1}{2} \angle BAD$$
$$= \frac{1}{2} (\angle ABC + \angle BAD)$$
$$= \frac{1}{2} \times 180° = 90°$$

△ABE에서

$$\angle AEB = 180° - (\angle ABE + \angle BAE)$$
$$= 180° - 90° = 90°$$

∴ $\angle HEF = \angle AEB = 90°$ (맞꼭지각)

같은 방법으로 하면 $\angle EFG = \angle FGH = \angle GHE = 90°$

즉 □EFGH는 네 내각의 크기가 모두 같으므로 직사각형이다.

① 직사각형의 두 대각선은 길이가 같다. 즉 $\overline{EG} = \overline{FH}$

③ △AFD와 △CHB에서

$\overline{AD} = \overline{CB}$, $\angle DAF = \angle BCH$, $\angle ADF = \angle CBH$

이므로 △AFD ≡ △CHB (ASA 합동)

④ 직사각형도 평행사변형이므로 한 쌍의 대변이 평행하고 그 길이가 같다.

즉 $\overline{EH} /\!/ \overline{FG}$, $\overline{EH} = \overline{FG}$

⑤ $\angle HEF = \angle EFG = \angle FGH = \angle GHE = 90°$

05 $\overline{AD} /\!/ \overline{BC}$이므로 △ABC = △DBC

$$\therefore \triangle DOC = \triangle DBC - \triangle OBC$$
$$= \triangle ABC - \triangle OBC$$
$$= 35 - 20 = 15 \ (cm^2)$$

06 $\overline{AC} /\!/ \overline{DE}$이므로 △ACD = △ACE

$$\therefore \square ABCD = \triangle ABC + \triangle ACD$$
$$= \triangle ABC + \triangle ACE = \triangle ABE$$
$$= \frac{1}{2} \times (3 + 4) \times 6 = 21 \ (cm^2)$$

07 $\overline{BP}$를 그으면 $\overline{AP} : \overline{PC} = 2 : 1$이므로

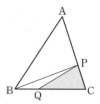

$$\triangle PBC = \frac{1}{2+1} \times \triangle ABC$$
$$= \frac{1}{3} \times 18 = 6 \ (cm^2)$$

또 $\overline{BQ} : \overline{QC} = 1 : 2$이므로

$$\triangle PQC = \frac{2}{1+2} \times \triangle PBC$$
$$= \frac{2}{3} \times 6 = 4 \ (cm^2)$$

08 마름모의 두 대각선은 서로 다른 것을 수직이등분하므로

$$\overline{BO} = \overline{DO} = \frac{1}{2} \overline{BD} = \frac{1}{2} \times 16 = 8 \ (cm)$$

$\therefore \triangle ABC = \frac{1}{2} \times 12 \times 8 = 48 \ (cm^2)$ …… [50 %]

이때 $\overline{BP} : \overline{PC} = 3 : 5$이므로

$$\triangle APC = \frac{5}{3+5} \times \triangle ABC$$
$$= \frac{5}{8} \times 48 = 30 \ (cm^2)$$ …… [50 %]

09 $\triangle ABD = \frac{1}{2} \square ABCD = \frac{1}{2} \times 54 = 27 \ (cm^2)$

이때 $\overline{BP} = \overline{PQ} = \overline{QD}$이므로

$\triangle APQ = \frac{1}{3} \triangle ABD = \frac{1}{3} \times 27 = 9 \ (cm^2)$

같은 방법으로 하면 △CQP = 9 cm²

$$\therefore \square APCQ = \triangle APQ + \triangle CQP$$
$$= 9 + 9 = 18 \ (cm^2)$$

10 $\overline{AD} /\!/ \overline{BC}$이므로 △DBC = △ABC = 24 cm²

이때 $\overline{BO} : \overline{DO} = 3 : 1$이므로

$$\triangle DOC = \frac{1}{3+1} \times \triangle DBC$$
$$= \frac{1}{4} \times 24 = 6 \ (cm^2)$$

11 $\overline{AD} /\!/ \overline{BC}$이므로 △ABE = △DBE

$\overline{BD} /\!/ \overline{EF}$이므로 △DBE = △DBF

$\overline{AB} /\!/ \overline{DC}$이므로 △DBF = △AFD

$\therefore \triangle ABE = \triangle DBE = \triangle DBF = \triangle AFD$

5. 도형의 닮음

1 닮은 도형의 성질

96쪽~98쪽

개념 확인

1. (1) □ABCD∽□HGFE (2) 점 H (3) $\overline{EF}$ (4) ∠G

2. (1) 2 : 3 (2) $\dfrac{27}{2}$ cm (3) 120°

3. (1) 2 : 3 (2) $x=\dfrac{15}{2}$, $y=\dfrac{27}{2}$

1 (1) □ABCD의 각 변을 2배로 확대하면 □HGFE와 합동
이므로 □ABCD∽□HGFE

2 (1) 닮음비는 $\overline{BC} : \overline{EF}=6 : 9=2 : 3$
  (2) $\overline{AB} : \overline{DE}=2 : 3$이므로 $9 : \overline{DE}=2 : 3$
    $2\overline{DE}=27$　∴ $\overline{DE}=\dfrac{27}{2}$ (cm)
  (3) ∠C=∠F=120°

3 (1) 닮음비는 $\overline{FG} : \overline{F'G'}=4 : 6=2 : 3$
  (2) $\overline{GH} : \overline{G'H'}=2 : 3$이므로 $5 : x=2 : 3$
    $2x=15$　∴ $x=\dfrac{15}{2}$
    $\overline{DH} : \overline{D'H'}=2 : 3$이므로 $9 : y=2 : 3$
    $2y=27$　∴ $y=\dfrac{27}{2}$

STEP ①

100쪽

1-1. (1) 3 : 4 (2) 12 cm (3) 70°

연구 (1) $\overline{DE}$, $\overline{DE}$, 8, 4 (2) $\overline{BC}$, 36, 12 (3) 70

1-2. (1) 4 : 3 (2) 6 cm (3) 125°

2-1. (1) □B'E'F'C' (2) 3 : 2 (3) $\dfrac{40}{3}$ cm

연구 (2) $\overline{E'F'}$, $\overline{E'F'}$, 8, 3, 2 (3) 40, $\dfrac{40}{3}$

2-2. (1) □E'F'G'H' (2) 1 : 2 (3) $x=3$, $y=12$

1-2 (1) 닮음비는 $\overline{BC} : \overline{FG}=12 : 9=4 : 3$
  (2) $\overline{AB} : \overline{EF}=4 : 3$이므로 $8 : \overline{EF}=4 : 3$
    $4\overline{EF}=24$　∴ $\overline{EF}=6$ (cm)
  (3) ∠E=∠A=360°−(85°+70°+80°)=125°

2-2 (2) 닮음비는 $\overline{FG} : \overline{F'G'}=5 : 10=1 : 2$
  (3) $\overline{G'H'}=\overline{A'B'}=6$ cm이고
    $\overline{GH} : \overline{G'H'}=1 : 2$이므로
    $x : 6=1 : 2$, $2x=6$
    ∴ $x=3$
    $\overline{BF}=\overline{DH}=6$ cm이고
    $\overline{BF} : \overline{B'F'}=1 : 2$이므로
    $6 : y=1 : 2$　∴ $y=12$

STEP ②

101쪽~102쪽

1-2. ②, ③

2-2. (1) 5 : 2 (2) 4 cm (3) 70°

3-2. 24

4-2. 8 cm

1-2 다음의 경우에는 닮은 도형이 아니다.

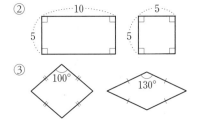

2-2 (1) 닮음비는 $\overline{AC} : \overline{DF}=15 : 6=5 : 2$
  (2) $\overline{AB} : \overline{DE}=5 : 2$이므로 $10 : \overline{DE}=5 : 2$
    $5\overline{DE}=20$　∴ $\overline{DE}=4$ (cm)
  (3) ∠E=∠B=70°

3-2 닮음비는 $\overline{BF} : \overline{B'F'}=6 : 8=3 : 4$
  $\overline{GH} : \overline{G'H'}=3 : 4$이므로 $x : 16=3 : 4$
  $4x=48$　∴ $x=12$
  $\overline{FG} : \overline{F'G'}=3 : 4$이므로 $9 : y=3 : 4$
  $3y=36$　∴ $y=12$
  ∴ $x+y=12+12=24$

4-2 두 원기둥 A, B의 닮음비는 4 : 5
  원기둥 A의 높이를 x cm라 하면
  $x : 10=4 : 5$, $5x=40$　∴ $x=8$
  따라서 원기둥 A의 높이는 8 cm이다.

STEP ③
103쪽

01. ③, ⑤　　**02.** ⑤　　**03.** 7 : 4　　**04.** ⑤

05. (1) 2 : 3　(2) 9 cm　(3) 18π cm

01 다음의 경우에는 닮은 도형이 아니다.

02 ③ ∠D=∠H=135°

④ $\overline{AD}:\overline{EH}=\overline{BC}:\overline{FG}=12:9=4:3$

⑤ $\overline{AB}:\overline{EF}=4:3$이므로

$10:\overline{EF}=4:3$

$4\overline{EF}=30$　∴ $\overline{EF}=\dfrac{15}{2}$ (cm)

03 두 원의 닮음비는 반지름의 길이의 비이므로

$14:8=7:4$

04 ① 닮음비는 $\overline{AB}:\overline{A'B'}=3:5$

$\overline{BC}:\overline{B'C'}=3:5$이므로

$2:\overline{B'C'}=3:5$

$3\overline{B'C'}=10$　∴ $\overline{B'C'}=\dfrac{10}{3}$ (cm)

⑤ $\overline{BD}:\overline{B'D'}=\overline{AC}:\overline{A'C'}$

05 (1) 두 원기둥 A, B의 닮음비는

$16:24=2:3$　　　　　　……[30 %]

(2) 원기둥 B의 밑면인 원의 반지름의 길이를 x cm라 하면

$6:x=2:3$

$2x=18$　∴ $x=9$

따라서 원기둥 B의 밑면인 원의 반지름의 길이는 9 cm

이다.　　　　　　　　　　……[40 %]

(3) 원기둥 B의 밑면인 원의 둘레의 길이는

$2\pi\times9=18\pi$ (cm)　　　……[30 %]

2 삼각형의 닮음 조건

개념 확인
104쪽~106쪽

1. (1) △DEF, SSS　(2) △DEF, SAS

　　(3) △ADE, AA　(4) △DEC, SAS

2. ㉠, ㉡, ㉢

3. (1) 3　(2) 16

1 (1) △ABC와 △DEF에서

$\overline{AB}:\overline{DE}=4:8=1:2$,

$\overline{BC}:\overline{EF}=5:10=1:2$,

$\overline{AC}:\overline{DF}=3:6=1:2$

∴ △ABC∽△DEF (SSS 닮음)

(2) △ABC와 △DEF에서

$\overline{AB}:\overline{DE}=8:4=2:1$,

$\overline{AC}:\overline{DF}=6:3=2:1$,

∠A=∠D=80°

∴ △ABC∽△DEF (SAS 닮음)

(3) △ABC와 △ADE에서

∠A는 공통, ∠ABC=∠ADE=75°

∴ △ABC∽△ADE (AA 닮음)

(4) △ABC와 △DEC에서

$\overline{AC}:\overline{DC}=4:8=1:2$,

$\overline{BC}:\overline{EC}=2:4=1:2$,

∠ACB=∠DCE (맞꼭지각)

∴ △ABC∽△DEC (SAS 닮음)

2 ㉠ ∠A=∠D, ∠B=∠E이므로

　△ABC∽△DEF (AA 닮음)

㉡ $\overline{AB}:\overline{DE}=\overline{BC}:\overline{EF}$, ∠B=∠E이므로

　△ABC∽△DEF (SAS 닮음)

㉢ $\overline{AB}:\overline{DE}=\overline{BC}:\overline{EF}=\overline{AC}:\overline{DF}$이므로

　△ABC∽△DEF (SSS 닮음)

3 (1) $\overline{AB}^2=\overline{BD}\times\overline{BC}$에서 $6^2=x\times12$

$12x=36$　∴ $x=3$

(2) $\overline{AD}^2=\overline{DB}\times\overline{DC}$에서 $12^2=x\times9$

$9x=144$　∴ $x=16$

STEP 1

1-1. ② 　연구　 180　　　　**1-2.** ㉢과 ㉤, AA 닮음

2-1. (1) x, ax　(2) y, ay　(3) x, xy

2-2. (1) 8　(2) 6　(3) $\dfrac{36}{5}$　(4) $\dfrac{32}{5}$

1-1 ② △GHI에서 ∠I$=180°-(45°+70°)=65°$

　　　즉 △ABC와 △GHI에서

　　　∠B$=$∠H$=70°$, ∠C$=$∠I$=65°$

　　　∴ △ABC∽△GHI (AA 닮음)

1-2 ㉤에서 나머지 한 각의 크기는 $180°-(30°+45°)=105°$

　　　즉 ㉢과 ㉤에서 두 쌍의 대응하는 각의 크기가 각각 같으므로 ㉢과 ㉤은 닮은 도형이다. (AA 닮음)

2-2 (1) $\overline{BD}^2=\overline{DC}\times\overline{DA}$에서 $4^2=2\times x$

　　　$2x=16$　　∴ $x=8$

　　(2) $\overline{BC}^2=\overline{BD}\times\overline{BA}$에서 $x^2=3\times(3+9)=36$

　　　∴ $x=6$ $(∵ x>0)$

　　(3) $\overline{AB}\times\overline{AC}=\overline{AD}\times\overline{BC}$에서 $12\times9=x\times15$

　　　$15x=108$　　∴ $x=\dfrac{36}{5}$

　　(4) $\overline{AC}^2=\overline{CD}\times\overline{CB}$에서 $8^2=x\times10$

　　　$10x=64$　　∴ $x=\dfrac{32}{5}$

STEP 2

1-2. (1) △ABC∽△CBD (SSS 닮음)

　　　(2) △ABC∽△EDC (SAS 닮음)

1-3. ②　　　　　　　　　**2-2.** (1) 15　(2) 8

3-2. $\dfrac{18}{5}$　　　　　　　**3-3.** 9

4-2. (1) 7　(2) $\dfrac{25}{6}$　　　**5-2.** (1) $\dfrac{16}{3}$　(2) $\dfrac{18}{5}$

6-2. $\dfrac{15}{4}$ cm　　　　　**6-3.** $\dfrac{21}{2}$ cm

1-2 (1) △ABC와 △CBD에서

　　　$\overline{AB}:\overline{CB}=9:12=3:4$,

　　　$\overline{BC}:\overline{BD}=12:16=3:4$,

　　　$\overline{AC}:\overline{CD}=6:8=3:4$

　　　∴ △ABC∽△CBD (SSS 닮음)

　　(2) △ABC와 △EDC에서

　　　$\overline{AC}:\overline{EC}=4:6=2:3$,

　　　$\overline{BC}:\overline{DC}=8:12=2:3$,

　　　∠ACB$=$∠ECD (맞꼭지각)

　　　∴ △ABC∽△EDC (SAS 닮음)

1-3 ② △ABC에서 ∠C$=60°$이면

　　　∠A$=180°-(40°+60°)=80°$

　　　즉 △ABC와 △DFE에서

　　　∠C$=$∠E$=60°$, ∠A$=$∠D$=80°$

　　　∴ △ABC∽△DFE (AA 닮음)

2-2 (1) △ABC와 △EBD에서

　　　$\overline{AB}:\overline{EB}=(12+12):16=3:2$,

　　　$\overline{BC}:\overline{BD}=(16+2):12=3:2$,

　　　∠B는 공통

　　　∴ △ABC∽△EBD (SAS 닮음)

　　　따라서 $\overline{AC}:\overline{ED}=3:2$이므로

　　　$x:10=3:2$, $2x=30$

　　　∴ $x=15$

　　(2) △ABC와 △DAC에서

　　　$\overline{BC}:\overline{AC}=(5+4):6=3:2$,

　　　$\overline{AC}:\overline{DC}=6:4=3:2$,

　　　∠C는 공통

　　　∴ △ABC∽△DAC (SAS 닮음)

　　　따라서 $\overline{AB}:\overline{DA}=3:2$이므로

　　　$12:x=3:2$, $3x=24$

　　　∴ $x=8$

3-2 △ABC와 △ACD에서

　　　∠A는 공통, ∠B$=$∠ACD

　　　∴ △ABC∽△ACD (AA 닮음)

　　　따라서 $\overline{AB}:\overline{AC}=\overline{AC}:\overline{AD}$이므로

　　　$10:6=6:x$, $10x=36$

　　　∴ $x=\dfrac{18}{5}$

3-3 △ABC와 △EDC에서

　　　∠A$=$∠DEC, ∠C는 공통

　　　∴ △ABC∽△EDC (AA 닮음)

　　　따라서 $\overline{AC}:\overline{EC}=\overline{BC}:\overline{DC}$이므로

　　　$9:3=(x+3):4$, $3(x+3)=36$

　　　$3x=27$　　∴ $x=9$

4-2 (1) △ABC와 △AED에서

　　　∠A는 공통, ∠BCA$=$∠EDA$=90°$

　　　∴ △ABC∽△AED (AA 닮음)

　　　따라서 $\overline{AB}:\overline{AE}=\overline{BC}:\overline{ED}$이므로

　　　$(x+8):10=9:6$, $6(x+8)=90$

　　　$6x=42$　　∴ $x=7$

(2) △ABD와 △ACE에서

∠A는 공통, ∠ADB=∠AEC=90°

∴ △ABD∽△ACE (AA 닮음)

따라서 $\overline{AB}:\overline{AC}=\overline{BD}:\overline{CE}$이므로

$6:5=5:x$, $6x=25$

$\therefore x=\dfrac{25}{6}$

5-2 (1) $\overline{AB}^2=\overline{BD}\times\overline{BC}$에서 $5^2=3\times(3+x)$

$25=9+3x$, $3x=16$ $\therefore x=\dfrac{16}{3}$

(2) $\overline{CB}^2=\overline{BD}\times\overline{BA}$에서 $8^2=(10-x)\times10$

$64=100-10x$, $10x=36$ $\therefore x=\dfrac{18}{5}$

6-2 △AEF와 △DFC에서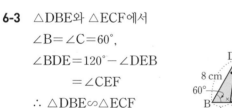

∠A=∠D=90°,

∠AEF=90°−∠AFE

  =∠DFC

∴ △AEF∽△DFC

  (AA 닮음)

$\overline{AD}=\overline{BC}=17$ cm이므로

$\overline{DF}=\overline{AD}-\overline{AF}=17-2=15$ (cm)

$\overline{AE}:\overline{DF}=\overline{AF}:\overline{DC}$이므로 $\overline{AE}:15=2:8$

$8\overline{AE}=30$ $\therefore \overline{AE}=\dfrac{15}{4}$ (cm)

6-3 △DBE와 △ECF에서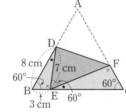

∠B=∠C=60°,

∠BDE=120°−∠DEB

  =∠CEF

∴ △DBE∽△ECF

  (AA 닮음)

$\overline{AD}=\overline{ED}=7$ cm이므로

$\overline{BC}=\overline{AB}=7+8=15$ (cm)

$\therefore \overline{EC}=\overline{BC}-\overline{BE}=15-3=12$ (cm)

$\overline{DB}:\overline{EC}=\overline{DE}:\overline{EF}$이므로 $8:12=7:\overline{EF}$

$8\overline{EF}=84$ $\therefore \overline{EF}=\dfrac{21}{2}$ (cm)

STEP ③   112쪽~113쪽

01. ①	02. ⑤	03. ③
04. (1) 풀이 참조 (2) 6 cm	05. 9 cm	06. ③
07. 32 cm	08. ④	09. 29	10. 78 cm²
11. 5 cm			

01 ① ㉠과 ㉢에서 두 쌍의 대응하는 변의 길이의 비가 1 : 2로 같고, 그 끼인각의 크기가 60°로 같으므로 ㉠과 ㉢은 닮은 도형이다.

02 ⑤ $\overline{AB}=16$ cm, $\overline{DE}=12$ cm이면

$\overline{AB}:\overline{DE}=16:12=4:3$,

$\overline{BC}:\overline{EF}=12:9=4:3$,

∠B=∠E=50°

∴ △ABC∽△DEF (SAS 닮음)

03 ①, ②, ④, ⑤ △ABC와 △ADE에서

$\overline{AB}:\overline{AD}=(13+3):6=8:3$,

$\overline{AC}:\overline{AE}=(6+2):3=8:3$,

∠A는 공통

∴ △ABC∽△ADE (SAS 닮음)

따라서 △ABC와 △ADE의 닮음비는 8 : 3이므로

$\overline{BC}:\overline{DE}=8:3$

③ ∠ABC=∠ADE

04 (1) △ABC와 △DBA에서

$\overline{AB}:\overline{DB}=12:9=4:3$,

$\overline{BC}:\overline{BA}=(9+7):12=4:3$,

∠B는 공통

∴ △ABC∽△DBA (SAS 닮음) ······ [50 %]

(2) $\overline{CA}:\overline{AD}=4:3$이므로 $8:\overline{AD}=4:3$

$4\overline{AD}=24$ $\therefore \overline{AD}=6$ (cm) ······ [50 %]

05 △ABC와 △EBD에서

∠B는 공통, ∠ACB=∠EDB=90°

∴ △ABC∽△EBD (AA 닮음)

따라서 $\overline{BC}:\overline{BD}=\overline{AC}:\overline{ED}$이므로

$(5+7):4=\overline{AC}:3$, $4\overline{AC}=36$

$\therefore \overline{AC}=9$ (cm)

06 △ABD와 △ACE에서

∠A는 공통, ∠ADB=∠AEC=90°

∴ △ABD∽△ACE (AA 닮음) ······ ㉠

△ABD와 △FBE에서

∠EBF는 공통, ∠ADB=∠FEB=90°

∴ △ABD∽△FBE (AA 닮음) ······ ㉡

△FBE와 △FCD에서

∠BEF=∠CDF=90°, ∠BFE=∠CFD (맞꼭지각)

∴ △FBE∽△FCD (AA 닮음) ······ ㉢

㉠, ㉡, ㉢에서

△ABD∽△ACE∽△FBE∽△FCD

따라서 나머지 넷과 닮음이 아닌 것은 ③이다.

07 △ABE와 △CDA에서

∠BAE＝∠DCA (엇각), ∠BEA＝∠DAC (엇각)

∴ △ABE∽△CDA (AA 닮음)

이때 $\overline{AB}:\overline{CD}=\overline{AE}:\overline{CA}$이므로

$7:\overline{CD}=9:(9+3),\ 9\overline{CD}=84$

∴ $\overline{CD}=\dfrac{28}{3}$ (cm)

$\overline{BE}:\overline{DA}=\overline{AE}:\overline{CA}$이므로

$8:\overline{DA}=9:(9+3),\ 9\overline{DA}=96$

∴ $\overline{DA}=\dfrac{32}{3}$ (cm)

따라서 △ACD의 둘레의 길이는

$$\overline{AC}+\overline{CD}+\overline{DA}=12+\dfrac{28}{3}+\dfrac{32}{3}$$
$$=32 \text{ (cm)}$$

08 ④ $\overline{AB}^2=\overline{BD}\times\overline{BC}$

09 $\overline{AD}^2=\overline{DB}\times\overline{DC}$에서 $12^2=16\times x$

$16x=144$ ∴ $x=9$ ┈┈┈ [40 %]

$\overline{AB}^2=\overline{BD}\times\overline{BC}$에서

$y^2=16\times(16+9)=400$

∴ $y=20$ $(\because y>0)$ ┈┈┈ [40 %]

∴ $x+y=9+20=29$ ┈┈┈ [20 %]

10 직각삼각형 ABD에서 $\overline{AH}^2=\overline{HB}\times\overline{HD}$이므로

$\overline{AH}^2=4\times9=36$

∴ $\overline{AH}=6$ (cm) $(\because \overline{AH}>0)$

∴ □ABCD$=2\triangle$ABD

$$=2\times\left(\dfrac{1}{2}\times13\times6\right)$$
$$=78 \text{ (cm}^2)$$

11 △ABF와 △DFE에서

∠A＝∠D＝90°,

∠ABF＝90°−∠AFB

＝∠DFE

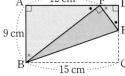

∴ △ABF∽△DFE (AA 닮음)

$\overline{BF}=\overline{BC}=15$ cm, $\overline{AD}=\overline{BC}=15$ cm

$\overline{DF}=\overline{AD}-\overline{AF}=15-12=3$ (cm)

이때 $\overline{AB}:\overline{DF}=\overline{BF}:\overline{FE}$이므로

$9:3=15:\overline{FE},\ 9\overline{FE}=45$

∴ $\overline{FE}=5$ (cm)

6. 평행선과 선분의 길이의 비

1 삼각형과 평행선

개념 확인

1. (1) 6　(2) 8　(3) 20

2. (1) 3　(2) 9　(3) 12

3. (1) ○　(2) ×

4. (1) $x=50, y=8$　(2) $x=5, y=12$

5. (1) 2　(2) 4

1 (1) $x:9=4:6$이므로 $6x=36$

　　∴ $x=6$

(2) $10:15=x:12$이므로 $15x=120$

　　∴ $x=8$

(3) $x:8=30:12$이므로 $12x=240$

　　∴ $x=20$

2 (1) $6:x=8:4$이므로 $8x=24$

　　∴ $x=3$

(2) $x:3=(8+4):4$이므로 $4x=36$

　　∴ $x=9$

(3) $10:25=8:(8+x)$이므로 $10x+80=200$

　　$10x=120$　　∴ $x=12$

3 (1) $9:12=6:8$이므로 $\overline{BC} /\!/ \overline{DE}$이다.

(2) $5:9 \neq 6:10$이므로 $\overline{BC}$와 $\overline{DE}$는 평행하지 않다.

4 (1) $\overline{AM}=\overline{MB}$, $\overline{AN}=\overline{NC}$이므로 $\overline{MN} /\!/ \overline{BC}$

　　$\angle ANM = \angle C = 50°$ (동위각)

　　∴ $x=50$

　　$\overline{MN}=\dfrac{1}{2}\overline{BC}=\dfrac{1}{2} \times 16 = 8$ (cm)　　∴ $y=8$

(2) $\overline{AM}=\overline{MB}$, $\overline{MN} /\!/ \overline{BC}$이므로

　　$\overline{AN}=\overline{NC}=5$ cm　　∴ $x=5$

　　$\overline{BC}=2\overline{MN}=2 \times 6 = 12$ (cm)　　∴ $y=12$

5 (1) $\overline{AB}:\overline{AC}=\overline{BD}:\overline{CD}$이므로 $6:4=3:x$

　　$6x=12$　　∴ $x=2$

(2) $\overline{AB}:\overline{AC}=\overline{BD}:\overline{CD}$이므로 $6:x=12:(12-4)$

　　$12x=48$　　∴ $x=4$

1-1. (1) $\dfrac{16}{3}$　(2) 5　(3) 3　(4) 9　**연구** $\overline{AC}, \overline{DB}$

1-2. (1) $x=\dfrac{40}{7}, y=\dfrac{35}{4}$　(2) $x=4, y=\dfrac{27}{4}$

　　(3) $x=5, y=12$　(4) $x=33, y=12$

2-1. ㉠　**연구** (1) $/\!/$　(2) $\overline{EC}$

2-2. ㉠, ㉢

3-1. (1) 6　(2) 18　**연구** $\dfrac{1}{2}$

3-2. (1) 7　(2) 10

4-1. (1) $x=4, y=12$　(2) $x=4, y=5$　**연구** $=$

4-2. (1) $x=6, y=6$　(2) $x=5, y=6$

5-1. (1) 4　(2) $\dfrac{9}{2}$　**연구** (1) $\overline{AC}, \overline{BD}$　(2) $\overline{AB}, \overline{CD}$

5-2. (1) 5　(2) 12

1-1 (1) $4:(4+2)=x:8$이므로 $6x=32$

　　∴ $x=\dfrac{16}{3}$

(2) $8:4=10:x$이므로 $8x=40$

　　∴ $x=5$

(3) $8:4=6:x$이므로 $8x=24$

　　∴ $x=3$

(4) $3:(x+3)=2:8$이므로 $2x+6=24$

　　$2x=18$　　∴ $x=9$

1-2 (1) $(7-3):7=x:10$이므로 $7x=40$

　　∴ $x=\dfrac{40}{7}$

　　$(7-3):7=5:y$이므로 $4y=35$

　　∴ $y=\dfrac{35}{4}$

(2) $12:x=9:3$이므로 $9x=36$

　　∴ $x=4$

　　$12:(12+4)=y:9$이므로 $16y=108$

　　∴ $y=\dfrac{27}{4}$

(3) $15:x=9:3$이므로 $9x=45$

　　∴ $x=5$

　　$y:4=9:3$이므로 $3y=36$

　　∴ $y=12$

(4) $10:(10+20)=11:x$이므로 $10x=330$

　　∴ $x=33$

　　$20:10=24:y$이므로 $20y=240$

　　∴ $y=12$

2-1 ㉠ $4:8=3:6$이므로 $\overline{BC}\,/\!/\,\overline{DE}$이다.

㉡ $10:4\neq6:2$이므로 $\overline{BC}$와 $\overline{DE}$는 평행하지 않다.

㉢ $(10-4):4\neq9:5$이므로 $\overline{BC}$와 $\overline{DE}$는 평행하지 않다.

2-2 ㉠ $2:(6-2)=3:6$이므로 $\overline{BC}\,/\!/\,\overline{DE}$이다.

㉡ $8:4\neq9:5$이므로 $\overline{BC}$와 $\overline{DE}$는 평행하지 않다.

㉢ $(12-4):4=10:5$이므로 $\overline{BC}\,/\!/\,\overline{DE}$이다.

3-1 (1) $\overline{MN}=\dfrac{1}{2}\overline{BC}=\dfrac{1}{2}\times12=6\,(cm)$ ∴ $x=6$

(2) $\overline{BC}=2\overline{MN}=2\times9=18\,(cm)$ ∴ $x=18$

3-2 (1) $\overline{MN}=\dfrac{1}{2}\overline{BC}=\dfrac{1}{2}\times14=7\,(cm)$ ∴ $x=7$

(2) $\overline{BC}=2\overline{MN}=2\times5=10\,(cm)$ ∴ $x=10$

4-1 (1) $\overline{AM}=\overline{MB}$, $\overline{MN}\,/\!/\,\overline{BC}$이므로

$\overline{AN}=\overline{NC}=4\,cm$ ∴ $x=4$

$\overline{BC}=2\overline{MN}=2\times6=12\,(cm)$ ∴ $y=12$

(2) $\overline{AM}=\overline{MB}$, $\overline{MN}\,/\!/\,\overline{BC}$이므로

$\overline{AN}=\overline{NC}=5\,cm$ ∴ $y=5$

$\overline{MN}=\dfrac{1}{2}\overline{BC}=\dfrac{1}{2}\times8=4\,(cm)$ ∴ $x=4$

4-2 (1) $\overline{AM}=\overline{MB}$, $\overline{MN}\,/\!/\,\overline{BC}$이므로

$\overline{AN}=\overline{NC}=6\,cm$ ∴ $x=6$

$\overline{BC}=2\overline{MN}=2\times3=6\,(cm)$ ∴ $y=6$

(2) $\overline{AM}=\overline{MB}$, $\overline{MN}\,/\!/\,\overline{BC}$이므로

$\overline{AN}=\overline{NC}=\dfrac{1}{2}\overline{AC}=\dfrac{1}{2}\times10=5\,(cm)$

∴ $x=4$

$\overline{MN}=\dfrac{1}{2}\overline{BC}=\dfrac{1}{2}\times12=6\,(cm)$ ∴ $y=6$

5-1 (1) $8:10=x:5$이므로 $10x=40$

∴ $x=4$

(2) $6:x=(3+9):9$이므로 $12x=54$

∴ $x=\dfrac{9}{2}$

5-2 (1) $12:10=6:x$이므로 $12x=60$

∴ $x=5$

(2) $8:6=(4+x):x$이므로 $8x=24+6x$

$2x=24$ ∴ $x=12$

STEP ②

1-2. (1) $x=8$, $y=6$ (2) $x=15$, $y=\dfrac{10}{3}$

2-2. 3 cm   **3-2.** 20 cm

4-2. ②

5-2. (1) 4 cm   (2) 5 cm   (3) 18 cm

6-2. 5

7-2. (1) 12 cm   (2) 3 cm   (3) 9 cm

8-2. 27 cm   **9-2.** 26 cm

9-3. (1) 마름모   (2) 32 cm   **10-2.** 15 cm²

11-2. 4 cm

1-2 (1) $x:12=6:9$이므로 $9x=72$ ∴ $x=8$

$6:9=y:9$이므로 $9y=54$ ∴ $y=6$

(2) $12:4=x:5$이므로 $4x=60$ ∴ $x=15$

$12:4=10:y$이므로 $12y=40$ ∴ $y=\dfrac{10}{3}$

2-2 $\triangle ABF$에서 $\overline{DG}\,/\!/\,\overline{BF}$이므로

$\overline{AG}:\overline{AF}=\overline{DG}:\overline{BF}=6:8=3:4$

$\triangle AFC$에서 $\overline{GE}\,/\!/\,\overline{FC}$이므로

$\overline{AG}:\overline{AF}=\overline{AE}:\overline{AC}$, 즉 $3:4=9:(9+\overline{EC})$

$3\overline{EC}+27=36$, $3\overline{EC}=9$

∴ $\overline{EC}=3\,(cm)$

3-2 $\triangle ABC$에서 $\overline{BC}\,/\!/\,\overline{DE}$이므로

$\overline{AE}:\overline{EC}=\overline{AD}:\overline{DB}=30:15=2:1$

$\triangle ADC$에서 $\overline{DC}\,/\!/\,\overline{FE}$이므로

$\overline{AF}:\overline{FD}=\overline{AE}:\overline{EC}$, 즉 $\overline{AF}:(30-\overline{AF})=2:1$

$\overline{AF}=60-2\overline{AF}$, $3\overline{AF}=60$

∴ $\overline{AF}=20\,(cm)$

4-2 ① $\overline{BE}:\overline{EC}=5:2$, $\overline{BD}:\overline{DA}=4.5:3=3:2$

즉 $\overline{BE}:\overline{EC}\neq\overline{BD}:\overline{DA}$이므로 $\overline{DE}$와 $\overline{AC}$는 평행하지 않다.

② $\overline{AD}:\overline{DB}=3:4.5=2:3$, $\overline{AF}:\overline{FC}=2:3$

즉 $\overline{AD}:\overline{DB}=\overline{AF}:\overline{FC}$이므로 $\overline{DF}\,/\!/\,\overline{BC}$

③ $\overline{CE}:\overline{EB}=2:5$, $\overline{CF}:\overline{FA}=3:2$

즉 $\overline{CE}:\overline{EB}\neq\overline{CF}:\overline{FA}$이므로 $\overline{FE}$와 $\overline{AB}$는 평행하지 않다.

∴ $\angle A\neq\angle EFC$

④ $\triangle BDE$와 $\triangle BAC$에서

$\overline{BD}:\overline{BA}=4.5:(4.5+3)=3:5$

$\overline{BE}:\overline{BC}=5:(5+2)=5:7$

40 • 정답과 해설

즉 ∠B는 공통이지만 $\overline{BD}:\overline{BA}\neq\overline{BE}:\overline{BC}$이므로
△BDE와 △BAC는 닮음이 아니다.

⑤ $\overline{DF}/\!/\overline{BC}$이므로
$\overline{DF}:\overline{BC}=\overline{AF}:\overline{AC}=2:(2+3)=2:5$

따라서 옳은 것은 ②이다.

5-2 (1) $\overline{EF}=\dfrac{1}{2}\overline{AB}=\dfrac{1}{2}\times8=4\,(cm)$

(2) $\overline{DF}=\dfrac{1}{2}\overline{BC}=\dfrac{1}{2}\times10=5\,(cm)$

(3) $\overline{BC}/\!/\overline{DF}$, $\overline{AB}/\!/\overline{FE}$이므로 □DBEF는 평행사변형이다.

∴ (□DBEF의 둘레의 길이)$=\overline{DB}+\overline{BE}+\overline{EF}+\overline{FD}$
$=4+5+4+5$
$=18\,(cm)$

6-2 ∠B=∠DEC=90°이므로 $\overline{AB}/\!/\overline{DE}$
$\overline{CE}=\overline{EB}$, $\overline{AB}/\!/\overline{DE}$이므로
$\overline{DE}=\dfrac{1}{2}\overline{AB}=\dfrac{1}{2}\times10=5\,(cm)$
∴ $x=5$

7-2 (1) △BCE에서 $\overline{BD}=\overline{DC}$, $\overline{FD}/\!/\overline{EC}$이므로
$\overline{EC}=2\overline{FD}=2\times6=12\,(cm)$

(2) △AFD에서 $\overline{AG}=\overline{GD}$, $\overline{EG}/\!/\overline{FD}$이므로
$\overline{EG}=\dfrac{1}{2}\overline{FD}=\dfrac{1}{2}\times6=3\,(cm)$

(3) $\overline{GC}=\overline{EC}-\overline{EG}=12-3=9\,(cm)$

8-2 오른쪽 그림과 같이 점 D를 지나고 $\overline{BE}$에 평행한 직선이 $\overline{AC}$와 만나는 점을 G라 하면
△DFG와 △EFC에서
∠GDF=∠CEF (엇각),
$\overline{DF}=\overline{EF}$,
∠DFG=∠EFC (맞꼭지각)
이므로 △DFG≡△EFC (ASA 합동)
∴ $\overline{DG}=\overline{EC}=9\,cm$
△ABC에서 $\overline{AD}=\overline{DB}$, $\overline{DG}/\!/\overline{BC}$이므로
$\overline{BC}=2\overline{DG}=2\times9=18\,(cm)$
∴ $\overline{BE}=\overline{BC}+\overline{CE}=18+9=27\,(cm)$

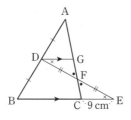

9-2 △ABC에서 $\overline{EF}=\dfrac{1}{2}\overline{AC}=\dfrac{1}{2}\times14=7\,(cm)$
△BCD에서 $\overline{FG}=\dfrac{1}{2}\overline{BD}=\dfrac{1}{2}\times12=6\,(cm)$
△ACD에서 $\overline{HG}=\dfrac{1}{2}\overline{AC}=\dfrac{1}{2}\times14=7\,(cm)$

△ABD에서 $\overline{EH}=\dfrac{1}{2}\overline{BD}=\dfrac{1}{2}\times12=6\,(cm)$
∴ (□EFGH의 둘레의 길이)$=\overline{EF}+\overline{FG}+\overline{GH}+\overline{HE}$
$=7+6+7+6=26\,(cm)$

9-3 (1) 오른쪽 그림과 같이 $\overline{AC}$를 그으면
$\overline{EF}/\!/\overline{AC}/\!/\overline{HG}$,
$\overline{EH}/\!/\overline{BD}/\!/\overline{FG}$
이므로 □EFGH는 평행사변형이다.

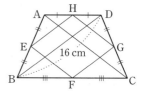

이때 △EBF와 △GCF에서
$\overline{EB}=\overline{GC}$, ∠EBF=∠GCF, $\overline{BF}=\overline{CF}$
이므로 △EBF≡△GCF (SAS 합동)
∴ $\overline{EF}=\overline{GF}$
즉 평행사변형 EFGH에서 이웃하는 두 변의 길이가 같으므로 □EFGH는 마름모이다.

(2) □EFGH가 마름모이고
$\overline{EH}=\dfrac{1}{2}\overline{BD}=\dfrac{1}{2}\times16=8\,(cm)$이므로
(□EFGH의 둘레의 길이)$=4\overline{EH}$
$=4\times8=32\,(cm)$

다른 풀이 | □ABCD가 등변사다리꼴이므로
$\overline{AC}=\overline{BD}=16\,cm$

△ABC에서 $\overline{EF}=\dfrac{1}{2}\overline{AC}=\dfrac{1}{2}\times16=8\,(cm)$

△BCD에서 $\overline{FG}=\dfrac{1}{2}\overline{BD}=\dfrac{1}{2}\times16=8\,(cm)$

△ACD에서 $\overline{HG}=\dfrac{1}{2}\overline{AC}=\dfrac{1}{2}\times16=8\,(cm)$

△ABD에서 $\overline{EH}=\dfrac{1}{2}\overline{BD}=\dfrac{1}{2}\times16=8\,(cm)$

∴ (□EFGH의 둘레의 길이)
$=\overline{EF}+\overline{FG}+\overline{GH}+\overline{HE}$
$=8+8+8+8=32\,(cm)$

10-2 $\overline{AD}$가 ∠A의 이등분선이므로
$8:4=\overline{BD}:\overline{CD}$, 즉 $\overline{BD}:\overline{CD}=2:1$
이때 높이가 같은 두 삼각형의 넓이의 비는 밑변의 길이의 비와 같으므로
△ABD : △ABC$=\overline{BD}:\overline{BC}=2:3$
10 : △ABC$=2:3$
2△ABC=30 ∴ △ABC=15 (cm^2)

11-2 $\overline{AD}$가 ∠A의 외각의 이등분선이므로
$\overline{AB}:\overline{AC}=\overline{BD}:\overline{CD}$, 즉 $7:\overline{AC}=(6+8):8$
$14\overline{AC}=56$ ∴ $\overline{AC}=4\,(cm)$

01. (1) $\dfrac{9}{2}$ (2) 5 **02.** $x=6, y=4$

03. 1 **04.** 7 **05.** (1) 15 cm (2) 6 cm

06. ④ **07.** 12 cm **08.** 24 cm **09.** 16 cm

10. (1) 마름모 (2) 24 cm **11.** 8 cm **12.** $\dfrac{14}{3}$ cm

01 (1) $3:4=x:6$이므로 $4x=18$ $\therefore x=\dfrac{9}{2}$

(2) $8:4=10:x$이므로 $8x=40$ $\therefore x=5$

02 $2:3=4:x$이므로 $2x=12$ $\therefore x=6$
$2:(2+3)=y:10$이므로 $5y=20$ $\therefore y=4$

03 $x:6=4:8$이므로 $8x=24$
$\therefore x=3$ ⋯⋯ [40 %]
$6:(6+y)=9:15$이므로 $54+9y=90$
$9y=36$ $\therefore y=4$ ⋯⋯ [40 %]
$\therefore y-x=4-3=1$ ⋯⋯ [20 %]

04 $\triangle ABF$에서 $\overline{DG}/\!/\overline{BF}$이므로
$\overline{AD}:\overline{AB}=\overline{DG}:\overline{BF}$, 즉 $8:(8+4)=x:6$
$12x=48$ $\therefore x=4$
또 $\overline{AG}:\overline{AF}=\overline{AD}:\overline{AB}=8:(8+4)=2:3$
$\triangle AFC$에서 $\overline{GE}/\!/\overline{FC}$이므로
$\overline{AG}:\overline{AF}=\overline{GE}:\overline{FC}$, 즉 $2:3=2:y$
$2y=6$ $\therefore y=3$
$\therefore x+y=4+3=7$

05 (1) $\triangle ABC$에서 $\overline{FE}/\!/\overline{CB}$이므로
$\overline{AE}:\overline{AB}=\overline{AF}:\overline{AC}$, 즉 $\overline{AE}:25=6:(6+4)$
$10\overline{AE}=150$ $\therefore \overline{AE}=15$ (cm)
(2) $\triangle AEC$에서 $\overline{FD}/\!/\overline{CE}$이므로
$\overline{AD}:\overline{DE}=\overline{AF}:\overline{FC}$, 즉 $(15-\overline{DE}):\overline{DE}=6:4$
$60-4\overline{DE}=6\overline{DE}$, $10\overline{DE}=60$
$\therefore \overline{DE}=6$ (cm)

06 ① $8:4=6:3$이므로 $\overline{BC}/\!/\overline{DE}$이다.
② $8:4=10:5$이므로 $\overline{BC}/\!/\overline{DE}$이다.
③ $10:(15-10)=14:7$이므로 $\overline{BC}/\!/\overline{DE}$이다.
④ $6:10\neq4:6$이므로 $\overline{BC}$와 $\overline{DE}$는 평행하지 않다.
⑤ $3:2=6:(10-6)$이므로 $\overline{BC}/\!/\overline{DE}$이다.

07 $\overline{DE}=\dfrac{1}{2}\overline{AC}=\dfrac{1}{2}\times7=\dfrac{7}{2}$ (cm)

$\overline{EF}=\dfrac{1}{2}\overline{AB}=\dfrac{1}{2}\times9=\dfrac{9}{2}$ (cm)

$\overline{DF}=\dfrac{1}{2}\overline{BC}=\dfrac{1}{2}\times8=4$ (cm)

$\therefore$ ($\triangle DEF$의 둘레의 길이)$=\overline{DE}+\overline{EF}+\overline{DF}$
$\qquad\qquad =\dfrac{7}{2}+\dfrac{9}{2}+4$
$\qquad\qquad =12$ (cm)

08 오른쪽 그림과 같이 점 D를 지나고 $\overline{BE}$에 평행한 직선이 $\overline{AC}$와 만나는 점을 G라 하면 $\triangle ABC$에서 $\overline{AD}=\overline{DB}$, $\overline{DG}/\!/\overline{BC}$이므로
$\overline{DG}=\dfrac{1}{2}\overline{BC}=\dfrac{1}{2}\times16=8$ (cm)

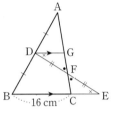

$\triangle DFG$와 $\triangle EFC$에서
$\angle GDF=\angle CEF$ (엇각), $\overline{DF}=\overline{EF}$,
$\angle DFG=\angle EFC$ (맞꼭지각)
이므로 $\triangle DFG\equiv\triangle EFC$ (ASA 합동)
$\therefore \overline{CE}=\overline{DG}=8$ cm
$\therefore \overline{BE}=\overline{BC}+\overline{CE}=16+8=24$ (cm)

09 $\overline{DE}=x$ cm라 하면 $\overline{BF}=(x+6)$ cm
$\overline{AD}:\overline{AB}=\overline{DE}:\overline{BF}$이므로
$6:15=x:(x+6)$, $6(x+6)=15x$
$6x+36=15x$, $-9x=-36$ $\therefore x=4$
$\overline{DE}=4$ cm, $\overline{BF}=10$ cm이고 $\overline{GB}=\overline{BC}$, $\overline{GE}/\!/\overline{BF}$이므로
$\overline{GE}=2\overline{BF}=2\times10=20$ (cm)
$\therefore \overline{GD}=\overline{GE}-\overline{DE}=20-4=16$ (cm)

10 (1) $\triangle AEH\equiv\triangle BEF\equiv\triangle CGF\equiv\triangle DGH$ (SAS 합동)
이므로 $\overline{EH}=\overline{EF}=\overline{GF}=\overline{GH}$
즉 $\square EFGH$는 네 변의 길이가 모두 같으므로 마름모이다.
⋯⋯ [50 %]
(2) $\square EFGH$는 마름모이고
$\overline{EH}=\dfrac{1}{2}\overline{BD}=\dfrac{1}{2}\times12=6$ (cm)이므로
($\square EFGH$의 둘레의 길이)$=4\overline{EH}$
$\qquad\qquad\qquad\qquad =4\times6$
$\qquad\qquad\qquad\qquad =24$ (cm) ⋯⋯ [50 %]

11 $\overline{AD}$가 $\angle A$의 이등분선이므로
$\overline{AB}:\overline{AC}=\overline{BD}:\overline{CD}$, 즉 $10:\overline{AC}=(9-4):4$
$5\overline{AC}=40$ $\therefore \overline{AC}=8$ (cm)

12 $\overline{AD}$가 $\angle A$의 외각의 이등분선이므로
$\overline{AB}:\overline{AC}=\overline{BD}:\overline{CD}$, 즉 $8:\overline{AC}=12:7$
$12\overline{AC}=56$ $\therefore \overline{AC}=\dfrac{14}{3}$ (cm)

2 평행선과 선분의 길이의 비

131쪽~133쪽

개념 확인

1. (1) 8 (2) $\dfrac{15}{2}$

2. (1) 6 cm (2) 2 cm (3) 8 cm

3. (1) 2 : 1 (2) 2 : 3 (3) 2 : 3 (4) 4 cm

1 (1) $x:4=12:6$이므로 $6x=48$

$\therefore x=8$

(2) $10:4=x:3$이므로 $4x=30$

$\therefore x=\dfrac{15}{2}$

2 (1) $\square$AHCD, $\square$AGFD는 모두 평행사변형이므로

$\overline{GF}=\overline{HC}=\overline{AD}=6$ cm

(2) $\overline{BH}=\overline{BC}-\overline{HC}=12-6=6$ (cm)

$\triangle$ABH에서 $\overline{EG}/\!/\overline{BH}$이므로

$\overline{EG}:\overline{BH}=\overline{AE}:\overline{AB}$, 즉 $\overline{EG}:6=2:(2+4)$

$6\overline{EG}=12$ $\therefore \overline{EG}=2$ (cm)

(3) $\overline{EF}=\overline{EG}+\overline{GF}=2+6=8$ (cm)

3 (1) $\triangle$ABE$\infty$$\triangle$CDE (AA 닮음)이므로

$\overline{BE}:\overline{DE}=\overline{AB}:\overline{CD}=12:6=2:1$

(2) $\overline{BE}:\overline{BD}=2:(2+1)$

$=2:3$

(3) $\triangle$BCD에서 $\overline{EF}/\!/\overline{DC}$이므로

$\overline{EF}:\overline{DC}=\overline{BE}:\overline{BD}=2:3$

(4) $\overline{EF}:\overline{DC}=2:3$이므로 $\overline{EF}:6=2:3$

$3\overline{EF}=12$ $\therefore \overline{EF}=4$ (cm)

STEP 1

134쪽

1-1. (1) $\dfrac{15}{2}$ (2) 12 (3) 9 (4) 2 연구 d, b

1-2. (1) 12 (2) $\dfrac{32}{5}$ (3) 4 (4) 12

2-1. (1) $x=5, y=3$ (2) $x=3, y=4$

연구 (1) 5, 5, 5, 3 (2) 6, 3, 4, 4

2-2. (1) $x=8, y=2$ (2) $x=20, y=5$

1-1 (1) $4:6=5:x$이므로 $4x=30$ $\therefore x=\dfrac{15}{2}$

(2) $9:12=x:16$이므로 $12x=144$ $\therefore x=12$

(3) $8:12=(15-x):x$이므로

$8x=180-12x, 20x=180$ $\therefore x=9$

(4) $x:6=3:(12-3)$이므로

$9x=18$ $\therefore x=2$

1-2 (1) $10:8=15:x$이므로

$10x=120$ $\therefore x=12$

(2) $5:4=8:x$이므로

$5x=32$ $\therefore x=\dfrac{32}{5}$

(3) $5:10=x:8$이므로

$10x=40$ $\therefore x=4$

(4) $x:8=9:(15-9)$이므로

$6x=72$ $\therefore x=12$

2-2 (1) $\overline{GF}=\overline{HC}=\overline{AD}=8$ cm이므로 $x=8$

$\overline{BH}=\overline{BC}-\overline{HC}=14-8=6$ (cm)

$\triangle$ABH에서

$\overline{AE}:\overline{AB}=\overline{EG}:\overline{BH}$,

즉 $4:(4+8)=y:6$이므로

$12y=24$ $\therefore y=2$

(2) $\triangle$ABC에서 $\overline{AE}=\overline{EB}, \overline{EG}/\!/\overline{BC}$이므로

$\overline{BC}=2\overline{EG}=2\times10=20$ (cm) $\therefore x=20$

$\triangle$ACD에서 $\overline{CF}=\overline{FD}, \overline{GF}/\!/\overline{AD}$이므로

$\overline{GF}=2\overline{AD}=\dfrac{1}{2}\times10=5$ (cm) $\therefore y=5$

STEP 2

135쪽~137쪽

1-2. (1) $x=4, y=15$ (2) $x=4, y=\dfrac{15}{2}$

2-2. $x=12, y=8$ **3-2.** 12 cm

4-2. 20 cm **5-2.** 6 cm

6-2. 8

1-2 (1) $6:3=8:x$이므로 $6x=24$ $\therefore x=4$

$6:3=10:(y-10)$이므로 $6y-60=30$

$6y=90$ $\therefore y=15$

(2) $x:(10-x)=6:9$이므로 $15x=60$ $\therefore x=4$

$6:9=5:y$이므로 $6y=45$ $\therefore y=\dfrac{15}{2}$

2-2 (i) $m /\!/ n /\!/ p$일 때

$y : 8 = 6 : 6$이므로 $y = 8$

(ii) $l /\!/ m /\!/ n$일 때

$x : y = 9 : 6$, 즉 $x : 8 = 9 : 6$이므로

$6x = 72$　　∴ $x = 12$

3-2 오른쪽 그림과 같이 점 A를 지나고 $\overline{DC}$에 평행한 직선을 그어 $\overline{EF}$, $\overline{BC}$와 만나는 점을 각각 G, H라 하면

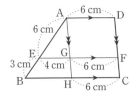

$\overline{GF} = \overline{HC} = \overline{AD} = 6$ cm

∴ $\overline{EG} = \overline{EF} - \overline{GF} = 10 - 6 = 4$ (cm)

△ABH에서 $\overline{EG} /\!/ \overline{BH}$이므로

$\overline{AE} : \overline{AB} = \overline{EG} : \overline{BH}$

즉 $6 : (6+3) = 4 : \overline{BH}$

$6\overline{BH} = 36$　　∴ $\overline{BH} = 6$ (cm)

∴ $\overline{BC} = \overline{BH} + \overline{HC} = 6 + 6 = 12$ (cm)

다른 풀이│ 오른쪽 그림과 같이 $\overline{AC}$를 그어 $\overline{EF}$와 만나는 점을 G라 하면 △ACD에서 $\overline{GF} /\!/ \overline{AD}$이므로

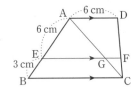

$\overline{GF} : \overline{AD} = \overline{CG} : \overline{CA}$

$= \overline{BE} : \overline{BA}$

즉 $\overline{GF} : 6 = 3 : (3+6)$

$9\overline{GF} = 18$　　∴ $\overline{GF} = 2$ (cm)

∴ $\overline{EG} = \overline{EF} - \overline{GF} = 10 - 2 = 8$ (cm)

△ABC에서 $\overline{EG} /\!/ \overline{BC}$이므로

$\overline{AE} : \overline{AB} = \overline{EG} : \overline{BC}$

즉 $6 : (6+3) = 8 : \overline{BC}$

$6\overline{BC} = 72$　　∴ $\overline{BC} = 12$ (cm)

4-2 $\overline{AM} = \overline{MB}$, $\overline{DN} = \overline{NC}$이므로

$\overline{AD} /\!/ \overline{MN} /\!/ \overline{BC}$

오른쪽 그림과 같이 $\overline{AC}$를 그어 $\overline{MN}$과 만나는 점을 P라 하면 △ABC에서 $\overline{AM} = \overline{MB}$, $\overline{MP} /\!/ \overline{BC}$이므로

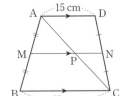

$\overline{MP} = \dfrac{1}{2}\overline{BC} = \dfrac{1}{2} \times 25 = \dfrac{25}{2}$ (cm)

△ACD에서 $\overline{CN} = \overline{ND}$, $\overline{PN} /\!/ \overline{AD}$이므로

$\overline{PN} = \dfrac{1}{2}\overline{AD} = \dfrac{1}{2} \times 15 = \dfrac{15}{2}$ (cm)

∴ $\overline{MN} = \overline{MP} + \overline{PN} = \dfrac{25}{2} + \dfrac{15}{2} = 20$ (cm)

5-2 $\overline{AM} = \overline{MB}$, $\overline{DN} = \overline{NC}$이므로 $\overline{AD} /\!/ \overline{MN} /\!/ \overline{BC}$

△DBC에서 $\overline{DN} = \overline{NC}$, $\overline{PN} /\!/ \overline{BC}$이므로

$\overline{PN} = \dfrac{1}{2}\overline{BC} = \dfrac{1}{2} \times 14 = 7$ (cm)

∴ $\overline{QN} = \overline{PN} - \overline{PQ} = 7 - 4 = 3$ (cm)

△ACD에서 $\overline{CN} = \overline{ND}$, $\overline{QN} /\!/ \overline{AD}$이므로

$\overline{AD} = 2\overline{QN} = 2 \times 3 = 6$ (cm)

6-2 △ABE∽△CDE (AA 닮음)이므로

$\overline{CE} : \overline{AE} = \overline{CD} : \overline{AB} = 5 : 10 = 1 : 2$

△ABC에서 $\overline{AB} /\!/ \overline{EF}$이므로

$\overline{CF} : \overline{CB} = \overline{CE} : \overline{CA}$, 즉 $x : 14 = 1 : (1+2)$

$3x = 14$　　∴ $x = \dfrac{14}{3}$

또 $\overline{EF} : \overline{AB} = \overline{CE} : \overline{CA}$, 즉 $y : 10 = 1 : (1+2)$

$3y = 10$　　∴ $y = \dfrac{10}{3}$

∴ $x + y = \dfrac{14}{3} + \dfrac{10}{3} = 8$

STEP ❸　　　　　　　　　　138쪽~139쪽

01. (1) 12 (2) $\dfrac{21}{5}$　　**02.** 15

03. $x = 9$, $y = 4$　　**04.** $x = 6$, $y = 18$

05. 13 cm　**06.** $\dfrac{27}{5}$　　**07.** 10 cm　　**08.** 8 cm

09. $\dfrac{15}{2}$ cm　**10.** ④　　**11.** (1) $\dfrac{18}{5}$ cm (2) 18 cm²

01 (1) $9 : 6 = x : 8$이므로 $6x = 72$　　∴ $x = 12$

(2) $7 : 5 = x : 3$이므로 $5x = 21$　　∴ $x = \dfrac{21}{5}$

02 $4 : 2 = 6 : x$이므로 $4x = 12$

∴ $x = 3$　　　　　　　　　…… [40 %]

$4 : 2 = 8 : (y-8)$이므로 $4y = 48$

∴ $y = 12$　　　　　　　　…… [40 %]

∴ $x + y = 3 + 12 = 15$　　…… [20 %]

03 (i) $l /\!/ m /\!/ n$일 때, $12 : 8 = x : 6$이므로

$8x = 72$　　∴ $x = 9$

(ii) $m /\!/ n /\!/ p$일 때, $8 : y = 6 : 3$이므로

$6y = 24$　　∴ $y = 4$

04 △ABD에서 $\overline{BE}:\overline{BA}=\overline{EG}:\overline{AD}$이므로

$6:(6+3)=x:9, 9x=54$ ∴ $x=6$

△DBC에서 $\overline{GF}:\overline{BC}=\overline{DG}:\overline{DB}=\overline{AE}:\overline{AB}$이므로

$6:y=3:(3+6), 3y=54$ ∴ $y=18$

05 오른쪽 그림과 같이 점 A를 지나고 $\overline{DC}$에 평행한 직선을 그어 $\overline{EF}$, $\overline{BC}$와 만나는 점을 각각 G, H라 하면

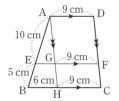

$\overline{GF}=\overline{HC}=\overline{AD}=9$ cm

∴ $\overline{BH}=\overline{BC}-\overline{HC}=15-9=6$ (cm)

△ABH에서 $\overline{EG}/\!/\overline{BH}$이므로

$\overline{AE}:\overline{AB}=\overline{EG}:\overline{BH}$

즉 $10:(10+5)=\overline{EG}:6$

$15\overline{EG}=60$ ∴ $\overline{EG}=4$ (cm)

∴ $\overline{EF}=\overline{EG}+\overline{GF}=4+9=13$ (cm)

06 오른쪽 그림에서

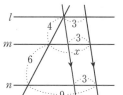

$4:(4+6)=(x-3):(9-3)$

$10x-30=24, 10x=54$

∴ $x=\dfrac{27}{5}$

07 $\overline{AM}=\overline{MB}, \overline{DN}=\overline{NC}$이므로 $\overline{AD}/\!/\overline{MN}/\!/\overline{BC}$

오른쪽 그림과 같이 $\overline{AC}$를 그어 $\overline{MN}$과 만나는 점을 P라 하면 △ABC에서 $\overline{AM}=\overline{MB}$,

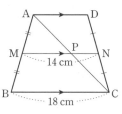

$\overline{MP}/\!/\overline{BC}$이므로

$\overline{MP}=\dfrac{1}{2}\overline{BC}=\dfrac{1}{2}\times18=9$ (cm)

∴ $\overline{PN}=\overline{MN}-\overline{MP}=14-9=5$ (cm)

△ACD에서 $\overline{CN}=\overline{ND}, \overline{PN}/\!/\overline{AD}$이므로

$\overline{AD}=2\overline{PN}=2\times5=10$ (cm)

08 △ABC에서 $\overline{EN}/\!/\overline{BC}$이므로

$\overline{AE}:\overline{AB}=\overline{EN}:\overline{BC}$

즉 $2:(2+1)=\overline{EN}:18$

$3\overline{EN}=36$ ∴ $\overline{EN}=12$ (cm)

△ABD에서 $\overline{EM}/\!/\overline{AD}$이므로

$\overline{BE}:\overline{BA}=\overline{EM}:\overline{AD}$

즉 $1:(1+2)=\overline{EM}:12$

$3\overline{EM}=12$ ∴ $\overline{EM}=4$ (cm)

∴ $\overline{MN}=\overline{EN}-\overline{EM}=12-4=8$ (cm)

09 △AOD와 △COB에서 $\overline{AD}/\!/\overline{BC}$이므로

$\overline{AO}:\overline{CO}=\overline{AD}:\overline{CB}=6:10=3:5$

△ABC에서 $\overline{EO}/\!/\overline{BC}$이므로

$\overline{EO}:\overline{BC}=\overline{AO}:\overline{AC}$, 즉 $\overline{EO}:10=3:(3+5)$

$8\overline{EO}=30$ ∴ $\overline{EO}=\dfrac{15}{4}$ (cm)

△ACD에서 $\overline{OF}/\!/\overline{AD}$이므로

$\overline{OF}:\overline{AD}=\overline{CO}:\overline{CA}$, 즉 $\overline{OF}:6=5:(5+3)$

$8\overline{OF}=30$ ∴ $\overline{OF}=\dfrac{15}{4}$ (cm)

∴ $\overline{EF}=\overline{EO}+\overline{OF}=\dfrac{15}{4}+\dfrac{15}{4}=\dfrac{15}{2}$ (cm)

10 ① △ABE와 △CDE에서

∠ABE=∠CDE (엇각),

∠AEB=∠CED (맞꼭지각)

∴ △ABE∽△CDE (AA 닮음)

② △ABE∽△CDE (AA 닮음)이므로

$\overline{AE}:\overline{CE}=\overline{AB}:\overline{CD}=4:6=2:3$

③ △ABC에서

$\overline{CF}:\overline{BF}=\overline{CE}:\overline{AE}$, 즉 $(8-\overline{BF}):\overline{BF}=3:2$

$5\overline{BF}=16$ ∴ $\overline{BF}=\dfrac{16}{5}$ (cm)

④ △ABC에서

$\overline{EF}:\overline{AB}=\overline{CE}:\overline{CA}=3:(3+2)=3:5$

⑤ △ABC에서

$\overline{EF}:\overline{AB}=\overline{CE}:\overline{CA}$, 즉 $\overline{EF}:4=3:5$

$5\overline{EF}=12$ ∴ $\overline{EF}=\dfrac{12}{5}$ (cm)

따라서 옳지 않은 것은 ④이다.

11 (1) $\overline{AB}/\!/\overline{EF}/\!/\overline{DC}$이므로

△ABE와 △CDE에서

∠ABE=∠CDE (엇각),

∠AEB=∠CED (맞꼭지각)

이므로 △ABE∽△CDE (AA 닮음)

∴ $\overline{BE}:\overline{DE}=\overline{AB}:\overline{CD}=6:9=2:3$

△BCD에서 $\overline{EF}:\overline{DC}=\overline{BE}:\overline{BD}$이므로

$\overline{EF}:9=2:(2+3), 5\overline{EF}=18$

∴ $\overline{EF}=\dfrac{18}{5}$ (cm) ⋯⋯ [60 %]

(2) △EBC$=\dfrac{1}{2}\times\overline{BC}\times\overline{EF}$

$=\dfrac{1}{2}\times10\times\dfrac{18}{5}$

$=18$ (cm^2) ⋯⋯ [40 %]

1 삼각형의 무게중심

개념 확인

1. (1) 5 (2) 4 (3) 3

2. (1) △GAF, △GBF, △GCD, △GCE, △GAE

  (2) △GAB, △GCA

3. (1) 4 cm² (2) 4 cm² (3) 4 cm²

1 (1) $\overline{CE}=\overline{AE}=5$ ∴ $x=5$

(2) $\overline{AG}:\overline{GD}=2:1$이므로 $8:x=2:1$ ∴ $x=4$

(3) $\overline{CD}:\overline{GD}=3:1$이므로 $9:x=3:1$ ∴ $x=3$

3 (1) (색칠한 부분의 넓이)$=△GBD+△GCD$
$$=2△GBD$$
$$=2\times2=4\ (\text{cm}^2)$$

(2) (색칠한 부분의 넓이)$=△GAF+△GBF$
$$=2△GBD$$
$$=2\times2=4\ (\text{cm}^2)$$

(3) (색칠한 부분의 넓이)$=△GAE+△GCE$
$$=2△GBD$$
$$=2\times2=4\ (\text{cm}^2)$$

STEP 1

1-1. (1) $\overline{CD}$ (2) ADC, 10

1-2. 18 cm²

2-1. (1) 중점, 9 (2) 2, 2, $\frac{9}{2}$ 연구 $=$, 2

2-2. (1) $x=5, y=6$ (2) $x=12, y=2$

3-1. (1) $\frac{1}{3}$, 10 (2) $\frac{1}{6}$, 5 (3) $\frac{1}{3}$, 10

3-2. (1) 7 cm² (2) 14 cm²

1-2 $△ABC=2△ABD=2\times9=18\ (\text{cm}^2)$

2-2 (1) $\overline{DC}=\overline{BD}=5$ ∴ $x=5$

$\overline{AG}:\overline{AD}=2:3$이므로 $y:9=2:3$ ∴ $y=6$

(2) $\overline{AB}=2\overline{EB}=2\times6=12$ ∴ $x=12$

$\overline{CG}:\overline{GE}=2:1$이므로 $4:y=2:1$ ∴ $y=2$

3-2 (1) $△GAF=\frac{1}{6}△ABC=\frac{1}{6}\times42=7\ (\text{cm}^2)$

(2) $□GDCE=△GCE+△GCD$
$$=\frac{1}{6}△ABC+\frac{1}{6}△ABC$$
$$=\frac{1}{3}△ABC=\frac{1}{3}\times42=14\ (\text{cm}^2)$$

STEP 2

1-2. 4 cm²   **2-2.** (1) 12 (2) 6

3-2. 16 cm

4-2. (1) 5 cm (2) 9 cm (3) 6 cm

5-2. 10 cm²   **6-2.** 24 cm²

7-2. (1) 9 cm (2) 3 cm (3) 6 cm

7-3. (1) 20 cm² (2) 10 cm²

1-2 $△ABD=△ADC=\frac{1}{2}△ABC=\frac{1}{2}\times22=11\ (\text{cm}^2)$

∴ $△EBD=△EDC=△ADC-△AEC$
$$=11-7=4\ (\text{cm}^2)$$

2-2 (1) 점 G′이 △GBC의 무게중심이므로

$\overline{GD}=\frac{3}{2}\overline{GG'}=\frac{3}{2}\times4=6\ (\text{cm})$

점 G가 △ABC의 무게중심이므로

$\overline{AG}=2\overline{GD}=2\times6=12\ (\text{cm})$

∴ $x=12$

(2) 점 G가 △ABC의 무게중심이므로

$\overline{GD}=\frac{1}{3}\overline{AD}=\frac{1}{3}\times27=9\ (\text{cm})$

점 G′이 △GBC의 무게중심이므로

$\overline{GG'}=\frac{2}{3}\overline{GD}=\frac{2}{3}\times9=6\ (\text{cm})$

∴ $x=6$

3-2 △ADC에서 $\overline{CE}=\overline{EA}$, $\overline{EF}\,/\!/\,\overline{AD}$이므로

$\overline{AD}=2\overline{EF}=2\times12=24\ (\text{cm})$

이때 점 G는 △ABC의 무게중심이므로

$\overline{AG}=\frac{2}{3}\overline{AD}=\frac{2}{3}\times24=16\ (\text{cm})$

4-2 (1) 점 G가 △ABC의 무게중심이므로

$\overline{GM}=\frac{1}{2}\overline{AG}=\frac{1}{2}\times10=5\ (\text{cm})$

(2) 점 M은 $\overline{BC}$의 중점이므로

$\overline{MC}=\overline{BM}=9\ \text{cm}$

(3) $\triangle AMC$에서 $\overline{AG}:\overline{AM}=\overline{GE}:\overline{MC}$이므로

$2:3=\overline{GE}:9$ $\therefore \overline{GE}=6\,(\text{cm})$

5-2 $\triangle GCA=\dfrac{1}{3}\triangle ABC=\dfrac{1}{3}\times 60=20\,(\text{cm}^2)$

$\triangle GCA$에서 $\overline{AD}=\overline{DG}$이므로

$\triangle GCD=\dfrac{1}{2}\triangle GCA=\dfrac{1}{2}\times 20=10\,(\text{cm}^2)$

6-2 $\overline{BG}:\overline{GE}=2:1$이므로

$\triangle DBG=2\triangle DGE=2\times 6=12\,(\text{cm}^2)$

$\overline{DG}:\overline{GC}=1:2$이므로

$\triangle GBC=2\triangle DBG=2\times 12=24\,(\text{cm}^2)$

7-2 (1) 평행사변형 ABCD에서

$\overline{BO}=\overline{DO}=\dfrac{1}{2}\overline{BD}=\dfrac{1}{2}\times 18=9\,(\text{cm})$

(2) 점 P는 $\triangle ABC$의 무게중심이므로

$\overline{PO}=\dfrac{1}{3}\overline{BO}=\dfrac{1}{3}\times 9=3\,(\text{cm})$

(3) 점 Q는 $\triangle ACD$의 무게중심이므로

$\overline{QO}=\dfrac{1}{3}\overline{DO}=\dfrac{1}{3}\times 9=3\,(\text{cm})$

$\therefore \overline{PQ}=\overline{PO}+\overline{QO}=3+3=6\,(\text{cm})$

다른 풀이 | (3) $\overline{BP}:\overline{PO}=2:1,\ \overline{DQ}:\overline{QO}=2:1$

이고 $\overline{BO}=\overline{DO}$이므로 $\overline{BP}=\overline{PQ}=\overline{DQ}$

$\therefore \overline{PQ}=\dfrac{1}{3}\overline{BD}=\dfrac{1}{3}\times 18=6\,(\text{cm})$

7-3 (1) 오른쪽 그림과 같이 $\overline{PC}$,

$\overline{QC}$를 그으면 두 점 P, Q

가 각각 $\triangle ABC$, $\triangle ACD$

의 무게중심이므로

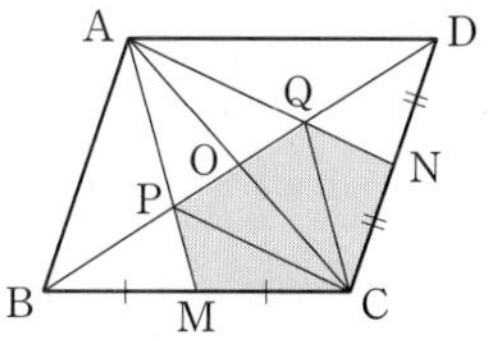

$\square PMCO=\triangle PMC+\triangle PCO$

$=\dfrac{1}{6}\triangle ABC+\dfrac{1}{6}\triangle ABC$

$=\dfrac{1}{6}\times\dfrac{1}{2}\square ABCD+\dfrac{1}{6}\times\dfrac{1}{2}\square ABCD$

$=\dfrac{1}{6}\square ABCD=\dfrac{1}{6}\times 60=10\,(\text{cm}^2)$

$\square QOCN=\triangle QOC+\triangle QCN$

$=\dfrac{1}{6}\triangle ACD+\dfrac{1}{6}\triangle ACD$

$=\dfrac{1}{6}\times\dfrac{1}{2}\square ABCD+\dfrac{1}{6}\times\dfrac{1}{2}\square ABCD$

$=\dfrac{1}{6}\square ABCD=\dfrac{1}{6}\times 60=10\,(\text{cm}^2)$

$\therefore (\text{색칠한 부분의 넓이})=\square PMCO+\square QOCN$

$=10+10$

$=20\,(\text{cm}^2)$

(2) 두 점 P, Q가 각각 $\triangle ABC$, $\triangle ACD$의 무게중심이므로

$\triangle APO=\dfrac{1}{6}\triangle ABC=\dfrac{1}{6}\times\dfrac{1}{2}\square ABCD$

$=\dfrac{1}{12}\square ABCD=\dfrac{1}{12}\times 60=5\,(\text{cm}^2)$

$\triangle AOQ=\dfrac{1}{6}\triangle ACD=\dfrac{1}{6}\times\dfrac{1}{2}\square ABCD$

$=\dfrac{1}{12}\square ABCD=\dfrac{1}{12}\times 60=5\,(\text{cm}^2)$

$\therefore (\text{색칠한 부분의 넓이})=\triangle APO+\triangle AOQ$

$=5+5=10\,(\text{cm}^2)$

STEP 3   149쪽~150쪽

01. ② **02.** (1) 6 cm (2) 4 cm **03.** 27 cm

04. ② **05.** 3 cm **06.** ④ **07.** 20 cm²

08. 6 cm² **09.** (1) 21 cm² (2) $\dfrac{7}{2}$ cm² **10.** ③

11. 4 cm²

01 점 G가 $\triangle ABC$의 무게중심이므로

$\overline{GD}=\dfrac{1}{3}\overline{AD}=\dfrac{1}{3}\times 12=4\,(\text{cm})$ $\therefore x=4$

$\overline{CG}=2\overline{GE}=2\times 3=6\,(\text{cm})$ $\therefore y=6$

$\therefore x+y=4+6=10$

02 (1) $\triangle ABC$가 직각삼각형이므로 점 D는 $\triangle ABC$의 외심

이다.

$\therefore \overline{BD}=\overline{AD}=\overline{CD}$

$=\dfrac{1}{2}\overline{AC}=\dfrac{1}{2}\times 12=6\,(\text{cm})$ ······ [50 %]

(2) 점 G가 $\triangle ABC$의 무게중심이므로

$\overline{BG}=\dfrac{2}{3}\overline{BD}=\dfrac{2}{3}\times 6=4\,(\text{cm})$ ······ [50 %]

03 점 G′이 $\triangle GBC$의 무게중심이므로

$\overline{GD}=\dfrac{3}{2}\overline{GG'}=\dfrac{3}{2}\times 6=9\,(\text{cm})$

점 G가 $\triangle ABC$의 무게중심이므로

$\overline{AD}=3\overline{GD}=3\times 9=27\,(\text{cm})$

04 $\overline{GD}$를 지름으로 하는 원의 둘레의 길이가 6π cm이므로

$2\pi\times\dfrac{1}{2}\overline{GD}=6\pi$ $\therefore \overline{GD}=6\,(\text{cm})$

점 G가 $\triangle ABC$의 무게중심이므로

$\overline{BG}=2\overline{GD}=2\times 6=12\,(\text{cm})$

따라서 $\overline{BG}$를 지름으로 하는 원의 둘레의 길이는

$2\pi\times\dfrac{1}{2}\overline{BG}=2\pi\times\dfrac{1}{2}\times 12=12\pi\,(\text{cm})$

05 점 G가 △ABC의 무게중심이므로

$\overline{BE} = \frac{3}{2}\overline{BG} = \frac{3}{2} \times 4 = 6$ (cm)

$\overline{AD}$가 △ABC의 중선이므로 $\overline{CD} = \overline{DB}$

△BCE에서 $\overline{CF} = \overline{FE}$, $\overline{CD} = \overline{DB}$이므로

$\overline{DF} = \frac{1}{2}\overline{BE} = \frac{1}{2} \times 6 = 3$ (cm)

06 점 G가 △ABC의 무게중심이므로

$\overline{AG} = \frac{2}{3}\overline{AD} = \frac{2}{3} \times 42 = 28$ (cm)　　∴ $x = 28$

또 점 D는 $\overline{BC}$의 중점이므로

$\overline{DC} = \overline{BD} = 21$ cm

△ADC에서 $\overline{AG} : \overline{AD} = \overline{GF} : \overline{DC}$이므로

$2 : 3 = y : 21$　　∴ $y = 14$

∴ $x + y = 28 + 14 = 42$

07 오른쪽 그림과 같이 $\overline{BG}$를 그
으면 점 G가 △ABC의 무게
중심이므로

(색칠한 부분의 넓이)

$= △GBE + △GBD$

$= \frac{1}{6}△ABC + \frac{1}{6}△ABC$

$= \frac{1}{3}△ABC = \frac{1}{3} \times 60 = 20$ (cm²)

08 점 G가 △ABC의 무게중심이므로

$△GCA = △GAB = 12$ cm²

△GCA에서 $\overline{GM} = \overline{MC}$이므로

$△AMC = \frac{1}{2}△GCA = \frac{1}{2} \times 12 = 6$ (cm²)

09 (1) $△ABC = \frac{1}{2} \times \overline{BC} \times \overline{AC}$

$= \frac{1}{2} \times 7 \times 6 = 21$ (cm²)　　⋯⋯ [30 %]

(2) $\overline{AD}$, $\overline{CE}$가 △ABC의 중선이므로 점 G는 △ABC의
무게중심이다.

∴ $△AEG = \frac{1}{6}△ABC$

$= \frac{1}{6} \times 21 = \frac{7}{2}$ (cm²)　　⋯⋯ [70 %]

10 ① $2△GBF = △GAB = △GCA$

③ $\overline{AF} = \overline{AE}$인지는 알 수 없다.

④ △ABD에서 $\overline{AG} : \overline{GD} = 2 : 1$이므로

$△GBD = \frac{1}{3}△ABD$

11 오른쪽 그림과 같이 $\overline{AC}$를
그어 $\overline{BD}$와 만나는 점을 O
라 하면 두 점 P, Q는 각각
△ABC, △ACD의 무게중
심이다.

∴ $△APQ = △APO + △AOQ$

$= \frac{1}{6}△ABC + \frac{1}{6}△ACD$

$= \frac{1}{6} \times \frac{1}{2}□ABCD + \frac{1}{6} \times \frac{1}{2}□ABCD$

$= \frac{1}{6}□ABCD$

$= \frac{1}{6} \times 24$

$= 4$ (cm²)

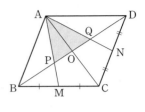

2 닮음의 활용

151쪽~152쪽

개념 확인

1. (1) $2 : 3$　(2) $2 : 3$　(3) $4 : 9$

2. (1) $3 : 4$　(2) $9 : 16$　(3) $27 : 64$

3. (1) $\frac{1}{200000}$　(2) 2.5 cm　(3) 12 km

1 (1) △ABC와 △DEF의 닮음비는

$\overline{BC} : \overline{EF} = 6 : 9 = 2 : 3$

(2) 둘레의 길이의 비는 닮음비와 같으므로 △ABC와
△DEF의 둘레의 길이의 비는 2 : 3이다.

(3) △ABC와 △DEF의 넓이의 비는 $2^2 : 3^2 = 4 : 9$

2 (2) 두 원기둥 A, B의 겉넓이의 비는 $3^2 : 4^2 = 9 : 16$

(3) 두 원기둥 A, B의 부피의 비는 $3^3 : 4^3 = 27 : 64$

3 (1) 8 km = 800000 cm이므로

$(축척) = \frac{4}{800000} = \frac{1}{200000}$

(2) 5 km = 500000 cm이므로

$(지도에서의 거리) = 500000 \times \frac{1}{200000} = 2.5$ (cm)

(3) $(실제 거리) = 6 \div \frac{1}{200000} = 6 \times 200000$

$= 1200000$ (cm) $= 12$ (km)

STEP ❶ 153쪽

1-1. (1) $4 : 3$ (2) $\dfrac{39}{2}$ cm (3) 27 cm² 연구 $m : n$

1-2. (1) $2 : 3$ (2) 6π cm (3) 4π cm²

2-1. (1) $3 : 5$ (2) $9 : 25$ (3) $27 : 125$ 연구 $m^3 : n^3$

2-2. (1) $5 : 6$ (2) $25 : 36$ (3) $125 : 216$

1-1 (1) $\triangle ABC$와 $\triangle DEF$의 닮음비는 $8 : 6 = 4 : 3$

(2) $\triangle ABC$와 $\triangle DEF$의 둘레의 길이의 비는 $4 : 3$이므로

$4 : 3 = 26 : (\triangle DEF의 둘레의 길이)$

$4 \times (\triangle DEF의 둘레의 길이) = 78$

$\therefore (\triangle DEF의 둘레의 길이) = \dfrac{39}{2}$ (cm)

(3) $\triangle ABC$와 $\triangle DEF$의 넓이의 비가 $4^2 : 3^2 = 16 : 9$이므로

$16 : 9 = 48 : \triangle DEF$, $16\triangle DEF = 432$

$\therefore \triangle DEF = 27$ (cm²)

1-2 (1) 두 원의 닮음비는 두 원의 지름의 길이의 비와 같으므로 두 원 O, O′의 닮음비는 $2 : 3$이다.

(2) 두 원 O, O′의 둘레의 길이의 비는 $2 : 3$이므로

$2 : 3 = 4\pi : (원 O′의 둘레의 길이)$

$2 \times (원 O′의 둘레의 길이) = 12\pi$

$\therefore (원 O′의 둘레의 길이) = 6\pi$ (cm)

(3) 두 원 O, O′의 넓이의 비는 $2^2 : 3^2 = 4 : 9$이므로

$4 : 9 = (원 O의 넓이) : 9\pi$

$9 \times (원 O의 넓이) = 36\pi$

$\therefore (원 O의 넓이) = 4\pi$ (cm²)

2-1 (1) 두 직육면체 A, B의 닮음비는 $6 : 10 = 3 : 5$

(2) 두 직육면체 A, B의 겉넓이의 비는 $3^2 : 5^2 = 9 : 25$

(3) 두 직육면체 A, B의 부피의 비는 $3^3 : 5^3 = 27 : 125$

2-2 (1) 두 구 A, B의 닮음비는 $20 : 24 = 5 : 6$

(2) 두 구 A, B의 겉넓이의 비는 $5^2 : 6^2 = 25 : 36$

(3) 두 구 A, B의 부피의 비는 $5^3 : 6^3 = 125 : 216$

STEP ❷ 154쪽~157쪽

1-2. 50 cm²   **2-2.** 20 cm²

3-2. 54π cm²   **4-2.** 32 cm³

5-2. 98π cm³   **6-2.** 24π cm³

7-2. 18 m   **8-2.** 7 km²

1-2 $\triangle ACD \backsim \triangle ABC$ (AA 닮음)이고 닮음비는

$\overline{AD} : \overline{AC} = 8 : 10 = 4 : 5$이므로

$\triangle ACD : \triangle ABC = 4^2 : 5^2 = 16 : 25$

즉 $32 : \triangle ABC = 16 : 25$이므로

$16\triangle ABC = 32 \times 25$ $\therefore \triangle ABC = 50$ (cm²)

2-2 $\triangle AOD \backsim \triangle COB$ (AA 닮음)이고 닮음비는

$\overline{AD} : \overline{CB} = 8 : 12 = 2 : 3$이므로

$\triangle AOD : \triangle COB = 2^2 : 3^2 = 4 : 9$

즉 $\triangle AOD : 45 = 4 : 9$이므로

$9\triangle AOD = 45 \times 4$ $\therefore \triangle AOD = 20$ (cm²)

3-2 두 원기둥 A, B의 닮음비는 $6 : 9 = 2 : 3$이므로 겉넓이의 비는 $2^2 : 3^2 = 4 : 9$

$24\pi : (원기둥 B의 겉넓이) = 4 : 9$이므로

$4 \times (원기둥 B의 겉넓이) = 24\pi \times 9$

$\therefore (원기둥 B의 겉넓이) = 54\pi$ (cm²)

4-2 두 삼각기둥 A, B의 닮음비는 $4 : 6 = 2 : 3$이므로 부피의 비는 $2^3 : 3^3 = 8 : 27$

$(삼각기둥 A의 부피) : 108 = 8 : 27$이므로

$27 \times (삼각기둥 A의 부피) = 108 \times 8$

$\therefore (삼각기둥 A의 부피) = 32$ (cm³)

5-2 두 원뿔 P, (P+Q)는 닮은 도형이고

닮음비는 $3 : (3+2) = 3 : 5$이므로

부피의 비는 $3^3 : 5^3 = 27 : 125$

따라서 두 입체도형 P, Q의 부피의 비는

$27 : (125 - 27) = 27 : 98$

$27\pi : (원뿔대 Q의 부피) = 27 : 98$이므로

$27 \times (원뿔대 Q의 부피) = 27\pi \times 98$

$\therefore (원뿔대 Q의 부피) = 98\pi$ (cm³)

6-2 물이 들어 있는 부분과 그릇의 닮음비는

$8 : 12 = 2 : 3$이므로 부피의 비는 $2^3 : 3^3 = 8 : 27$

$(물의 부피) : 81\pi = 8 : 27$이므로

$27 \times (물의 부피) = 81\pi \times 8$

$\therefore (물의 부피) = 24\pi$ (cm³)

7-2 $\triangle ABC \backsim \triangle ADE$ (AA 닮음)이므로

$\overline{AC} : \overline{AE} = \overline{BC} : \overline{DE}$

$12 : 1 = \overline{BC} : 1.5$ $\therefore \overline{BC} = 18$ (m)

즉 건물의 높이는 18 m이다.

8-2 축척이 $\dfrac{1}{50000}$이므로 닮음비는 $1:50000$이다.

즉 지도에서의 땅의 넓이와 실제 땅의 넓이의 비는

$1^2:50000^2=1:2500000000$이고

지도에서 땅의 넓이는 $7\times4=28\,(\text{cm}^2)$이므로

$28:(\text{실제 땅의 넓이})=1:2500000000$

$\therefore(\text{실제 땅의 넓이})=28\times2500000000$

$\qquad\qquad\qquad=70000000000\,(\text{cm}^2)$

$\qquad\qquad\qquad=7\,(\text{km}^2)$

다른 풀이 | 축척이 $\dfrac{1}{50000}$이므로 이 땅의 실제 가로의 길이는

$7\div\dfrac{1}{50000}=7\times50000=350000\,(\text{cm})=3.5\,(\text{km})$

이 땅의 실제 세로의 길이는

$4\div\dfrac{1}{50000}=4\times50000=200000\,(\text{cm})=2\,(\text{km})$

$\therefore(\text{실제 땅의 넓이})=3.5\times2=7\,(\text{km}^2)$

STEP ③ 158쪽~159쪽

01. $16\,\text{cm}^2$ **02.** $14\,\text{cm}^2$ **03.** $5\,\text{cm}^2$ **04.** $16\,\text{cm}^2$

05. $128\pi\,\text{cm}^3$ **06.** (1) $1:3$ (2) $324\,\text{cm}^3$ **07.** 125개

08. $\dfrac{7}{8}$배 **09.** ③ **10.** $148\,\text{m}$ **11.** $9.5\,\text{m}$

12. ①

---

01 두 사각형 A, B의 닮음비가 $5:2$이므로 넓이의 비는

$5^2:2^2=25:4$

$100:(\text{사각형 B의 넓이})=25:4$이므로

$25\times(\text{사각형 B의 넓이})=400$

$\therefore(\text{사각형 B의 넓이})=16\,(\text{cm}^2)$

02 $\triangle\text{ADE}\circ\triangle\text{ABC}$ (AA 닮음)이고 닮음비는

$9:(9+3)=9:12=3:4$이므로

$\triangle\text{ADE}:\triangle\text{ABC}=3^2:4^2=9:16$

즉 $18:\triangle\text{ABC}=9:16,\ 9\triangle\text{ABC}=18\times16$

$\therefore\triangle\text{ABC}=32\,(\text{cm}^2)$

$\therefore\square\text{DBCE}=\triangle\text{ABC}-\triangle\text{ADE}$

$\qquad\qquad=32-18=14\,(\text{cm}^2)$

03 점 G가 $\triangle\text{ABC}$의 무게중심이므로

$\triangle\text{GDC}=\dfrac{1}{6}\triangle\text{ABC}=\dfrac{1}{6}\times120=20\,(\text{cm}^2)$

$\triangle\text{GDC}\circ\triangle\text{GHF}$ (AA 닮음)이고 닮음비는 $2:1$이므로

$\triangle\text{GDC}:\triangle\text{GHF}=2^2:1^2=4:1$

즉 $20:\triangle\text{GHF}=4:1$ $\therefore\triangle\text{GHF}=5\,(\text{cm}^2)$

04 $\triangle\text{AOD}\circ\triangle\text{COB}$ (AA 닮음)이고 닮음비는

$\overline{\text{AD}}:\overline{\text{CB}}=3:6=1:2$이므로

$\triangle\text{AOD}:\triangle\text{COB}=1^2:2^2=1:4$

즉 $4:\triangle\text{COB}=1:4$ $\therefore\triangle\text{COB}=16\,(\text{cm}^2)$

05 두 원기둥 A, B의 닮음비는 $8:10=4:5$이므로

부피의 비는 $4^3:5^3=64:125$

$(\text{원기둥 A의 부피}):250\pi=64:125$이므로

$125\times(\text{원기둥 A의 부피})=250\pi\times64$

$\therefore(\text{원기둥 A의 부피})=128\pi\,(\text{cm}^3)$

06 (1) 두 정육면체 A, B의 겉넓이의 비가 $1:9=1^2:3^2$이므로 닮음비는 $1:3$이다.

따라서 두 정육면체 A, B의 한 모서리의 길이의 비는 $1:3$이다.

(2) 두 정육면체 A, B의 닮음비가 $1:3$이므로

부피의 비는 $1^3:3^3=1:27$

$12:(\text{정육면체 B의 부피})=1:27$

$\therefore(\text{정육면체 B의 부피})=324\,(\text{cm}^3)$

07 반지름의 길이가 $10\,\text{cm}$인 쇠구슬과 반지름의 길이가 $2\,\text{cm}$인 쇠구슬의 닮음비가 $10:2=5:1$이므로 부피의 비는 $5^3:1^3=125:1$

따라서 반지름의 길이가 $10\,\text{cm}$인 쇠구슬 1개를 녹이면 반지름의 길이가 $2\,\text{cm}$인 쇠구슬을 125개 만들 수 있다.

08 자르기 전 원뿔과 자른 후 생긴 작은 원뿔의 겉넓이의 비가 $4:1=2^2:1^2$이므로 닮음비는 $2:1$이다. …… [30 %]

따라서 자르기 전 원뿔과 자른 후 생긴 작은 원뿔의 부피의 비는 $2^3:1^3=8:1$이므로 자른 후의 원뿔대의 부피와 자르기 전 원뿔의 부피의 비는 $(8-1):8=7:8$이다.

…… [40 %]

즉 자른 후의 원뿔대의 부피는 자르기 전 원뿔의 부피의 $\dfrac{7}{8}$배이다. …… [30 %]

09 물이 들어 있는 부분과 그릇의 닮음비가 1 : 3이므로 부피의 비는 $1^3 : 3^3 = 1 : 27$

그릇에 물을 가득 채우는 데 걸리는 시간을 x분이라 하면

$3 : x = 1 : 27$ ∴ $x = 81$

따라서 그릇에 물을 가득 채울 때까지 $81 - 3 = 78$(분)이 더 걸린다.

10 $\triangle ABC \varpropto \triangle ADE$ (AA 닮음)이므로

$\overline{AC} : \overline{AE} = \overline{BC} : \overline{DE}$

즉 $2 : 296 = 1 : \overline{DE}$이므로 $2\overline{DE} = 296$

∴ $\overline{DE} = 148$ (m)

따라서 피라미드의 높이는 148 m이다.

11 $\triangle ABC \varpropto \triangle DEF$ (AA 닮음)이고

20 m $= 2000$ cm이므로

$\overline{AC} : \overline{DF} = \overline{BC} : \overline{EF}$

즉 $\overline{AC} : 1.2 = 2000 : 3$이므로 $3\overline{AC} = 2400$

∴ $\overline{AC} = 800$ (cm) $= 8$ (m)

따라서 나무의 실제 높이는 $8 + 1.5 = 9.5$ (m)

12 (실제 거리) $= 20 \div \dfrac{1}{30000} = 20 \times 30000$

$= 600000$ (cm) $= 6$ (km)

따라서 자전거를 타고 A 지점을 출발하여 시속 12 km로 B 지점까지 가는 데 걸리는 시간은

$\dfrac{6}{12} = \dfrac{1}{2}$(시간) $= 30$(분)

8. 피타고라스 정리

1 피타고라스 정리

162쪽~164쪽

개념 확인

1. (1) 25 (2) 11

2. (1) 24 cm^2 (2) 16 cm^2

3. (1) × (2) × (3) ○ (4) × (5) × (6) ○

1 (1) $x^2=4^2+3^2=16+9=25$

(2) $6^2=x^2+5^2$이므로 $x^2=6^2-5^2=11$

2 (1) $\square BFGC=16+8=24\,(\text{cm}^2)$

(2) $\square DEBA=52-36=16\,(\text{cm}^2)$

3 (1) $4^2+6^2\neq7^2$이므로 직각삼각형이 아니다.

(2) $3^2+3^2\neq4^2$이므로 직각삼각형이 아니다.

(3) $3^2+4^2=5^2$이므로 직각삼각형이다.

(4) $5^2+12^2\neq14^2$이므로 직각삼각형이 아니다.

(5) $6^2+15^2\neq17^2$이므로 직각삼각형이 아니다.

(6) $7^2+24^2=25^2$이므로 직각삼각형이다.

STEP 1

165쪽

1-1. (1) 6 (2) 12 연구 c^2

1-2. (1) 20 (2) 8

2-1. (1) 34 (2) 12

2-2. (1) 64 (2) 75

3-1. (1) ≠, 이 아니다 (2) =, 이다 연구 $a^2+b^2=c^2$

3-2. (1) =, 이다 (2) ≠, 이 아니다

1-1 (1) $10^2=8^2+x^2$이므로 $x^2=36$

$\therefore x=6\ (\because x>0)$

(2) $13^2=x^2+5^2$이므로 $x^2=144$

$\therefore x=12\ (\because x>0)$

1-2 (1) $x^2=16^2+12^2=400$

$\therefore x=20\ (\because x>0)$

(2) $17^2=15^2+x^2$이므로 $x^2=64$

$\therefore x=8\ (\because x>0)$

2-1 (1) $\square BFGC=\overline{BC}^2=5^2+3^2=34$

(2) $\square ACHI=\overline{AC}^2=4^2-2^2=12$

2-2 (1) $\square JKGC=\square ACHI=8^2=64$

(2) $\square BFKJ=\square ADEB=10^2-5^2=75$

STEP 2

166쪽~168쪽

1-2. $x=8, y=17$

2-2. (1) 18 (2) 5   **2-3.** 9 cm

3-2. 32 cm^2 **4-2.** 80 cm^2

5-2. (1) 6 (2) 2 (3) 4

6-2. (1) × (2) ○ (3) × (4) ○ (5) ×

1-2 $\triangle ABD$에서 $10^2=6^2+x^2, x^2=64$

$\therefore x=8\ (\because x>0)$

$\triangle ADC$에서 $y^2=8^2+15^2=289$

$\therefore y=17\ (\because y>0)$

2-2 (1) 오른쪽 그림과 같이 $\overline{BD}$를 그
으면 $\triangle ABD$에서

$\overline{BD}^2=3^2+5^2=34$

$\triangle BCD$에서

$34=4^2+x^2$ $\therefore x^2=18$

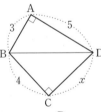

(2) 오른쪽 그림과 같이 $\overline{AC}$를 그
으면 $\triangle ACD$에서

$\overline{AC}^2=4^2+5^2=41$

$\triangle ABC$에서

$41=x^2+6^2$ $\therefore x^2=5$

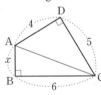

2-3 오른쪽 그림과 같이 꼭짓점
A에서 $\overline{BC}$에 내린 수선의
발을 H라 하면

$\overline{AH}=\overline{DC}=4$ cm,

$\overline{HC}=\overline{AD}=6$ cm

$\triangle ABH$에서

$5^2=\overline{BH}^2+4^2, \overline{BH}^2=9$

$\therefore \overline{BH}=3\,(\text{cm})\,(\because \overline{BH}>0)$

$\therefore \overline{BC}=\overline{BH}+\overline{HC}=3+6=9\,(\text{cm})$

3-2 △ABC에서 $\overline{AB}^2 = 10^2 - 6^2 = 64$

∴ $\overline{AB} = 8$ (cm) ($\because \overline{AB} > 0$)

오른쪽 그림과 같이 $\overline{EA}$를 그
으면

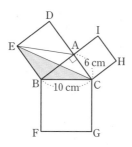

$\triangle EBC = \triangle EBA$

$\qquad = \dfrac{1}{2}\square BADE$

$\qquad = \dfrac{1}{2} \times 8^2 = 32$ (cm²)

4-2 $\overline{AH} = 12 - 8 = 4$ (cm)이므로

△AEH에서 $\overline{EH}^2 = 8^2 + 4^2 = 80$

$\triangle AEH \equiv \triangle BFE \equiv \triangle CGF \equiv \triangle DHG$ (SAS 합동)이
므로 $\square EFGH$는 정사각형이다.

∴ $\square EFGH = \overline{EH}^2 = 80$ (cm²)

5-2 (1) △ABC에서 $\overline{BC}^2 = 10^2 - 8^2 = 36$

$\qquad$ ∴ $\overline{BC} = 6$ ($\because \overline{BC} > 0$)

(2) $\overline{AH} = \overline{BC} = 6$이므로

$\qquad \overline{HC} = \overline{AC} - \overline{AH} = 8 - 6 = 2$

(3) 4개의 직각삼각형이 모두 합동이므로 $\square HCFG$는 정사
각형이다.

$\qquad$ ∴ $\square HCFG = \overline{HC}^2 = 2^2 = 4$

6-2 (1) $6^2 + 6^2 \neq 10^2$이므로 직각삼각형이 아니다.

(2) $\left(\dfrac{5}{2}\right)^2 + 6^2 = \left(\dfrac{13}{2}\right)^2$이므로 직각삼각형이다.

(3) $4^2 + 5^2 \neq 7^2$이므로 직각삼각형이 아니다.

(4) $9^2 + 12^2 = 15^2$이므로 직각삼각형이다.

(5) $8^2 + 15^2 \neq 20^2$이므로 직각삼각형이 아니다.

STEP 3 169쪽~170쪽

01. 30 cm²	**02.** 5	**03.** ①	**04.** 31
05. $\dfrac{14}{5}$ cm	**06.** 20 cm	**07.** 20 cm	**08.** 86 cm²
09. ④	**10.** 100 cm²	**11.** 16	**12.** ②, ④
13. 161, 289			

01 $\overline{AB}^2 = 13^2 - 12^2 = 25$

$\qquad$ ∴ $\overline{AB} = 5$ (cm) ($\because \overline{AB} > 0$)

$\qquad$ ∴ $\triangle ABC = \dfrac{1}{2} \times 12 \times 5 = 30$ (cm²)

02 $\overline{AB} = 4$, $\overline{AC} = 3$이므로

$\overline{BC}^2 = 4^2 + 3^2 = 25$

∴ $\overline{BC} = 5$ ($\because \overline{BC} > 0$)

따라서 두 점 B(2, 1), C(5, 5) 사이의 거리는 5이다.

03 꼭짓점 A에서 $\overline{BC}$에 내린
수선의 발을 H라 하면

$\overline{BH} = \dfrac{1}{2}\overline{BC} = \dfrac{1}{2} \times 16$

$\qquad = 8$ (cm)

△ABH에서 $\overline{AH}^2 = 10^2 - 8^2 = 36$

∴ $\overline{AH} = 6$ (cm) ($\because \overline{AH} > 0$)

∴ $\triangle ABC = \dfrac{1}{2} \times 16 \times 6 = 48$ (cm²)

04 오른쪽 그림과 같이 $\overline{BD}$를 그
으면 △ABD에서

$\overline{BD}^2 = 2^2 + 6^2 = 40$

△BCD에서

$x^2 = 40 - 3^2 = 31$

05 △ABC에서

$\overline{AC}^2 = 6^2 + 8^2 = 100$ $\qquad$ ∴ $\overline{AC} = 10$ (cm) ($\because \overline{AC} > 0$)

이때 $\triangle ABC \circ \triangle AEB$ (AA 닮음)이므로

$\overline{AB} : \overline{AE} = \overline{AC} : \overline{AB}$

즉 $6 : \overline{AE} = 10 : 6$이므로 $10\overline{AE} = 36$

∴ $\overline{AE} = \dfrac{18}{5}$ (cm)

같은 방법으로 $\overline{CF} = \dfrac{18}{5}$ cm이므로

$\overline{EF} = \overline{AC} - (\overline{AE} + \overline{CF}) = 10 - \left(\dfrac{18}{5} + \dfrac{18}{5}\right) = \dfrac{14}{5}$ (cm)

06 정사각형 ABCD의 넓이가 16 cm²이므로

$\overline{BC} = 4$ (cm) ($\because \overline{BC} > 0$) $\qquad$ ······ [20 %]

정사각형 GCEF의 넓이가 144 cm²이므로

$\overline{CE} = 12$ (cm) ($\because \overline{CE} > 0$) $\qquad$ ······ [20 %]

이때 $\overline{BE} = \overline{BC} + \overline{CE} = 4 + 12 = 16$ (cm)이고

$\overline{EF} = 12$ cm이므로 $\qquad$ ······ [20 %]

△FBE에서 $\overline{BF}^2 = 16^2 + 12^2 = 400$

∴ $\overline{BF} = 20$ (cm) ($\because \overline{BF} > 0$) $\qquad$ ······ [40 %]

07 꼭짓점 D에서 $\overline{BC}$에 내린 수
선의 발을 H라 하면

$\overline{BH} = \overline{AD} = 10$ cm,

$\overline{HC} = 22 - 10 = 12$ (cm)

△DHC에서

$\overline{DC}^2 = 16^2 + 12^2 = 400$

$\therefore \overline{DC} = 20 \,(\text{cm}) \;(\because \overline{DC} > 0)$

08 □ADEB=□BFGC+□ACHI이므로

$150 = \square BFGC + 64$

$\therefore \square BFGC = 86 \,(\text{cm}^2)$

09 ④ △AEC와 △JFK의 넓이가 같은지는 알 수 없다.

⑤ $\square ADEB = 2\triangle EBA = 2\triangle EBC$

$\qquad\qquad = 2\triangle ABF = 2\triangle BFJ$

$\qquad\qquad = 2\triangle JFK$

따라서 옳지 않은 것은 ④이다.

10 △AEH≡△BFE≡△CGF≡△DHG (SAS 합동)이
므로 □EFGH는 정사각형이다. ····· [20 %]

□EFGH의 넓이가 52 cm²이므로

$\overline{EH}^2 = 52$ ····· [20 %]

△AEH에서 $\overline{AH}^2 = 52 - 4^2 = 36$

$\therefore \overline{AH} = 6 \,(\text{cm}) \;(\because \overline{AH} > 0)$ ····· [30 %]

따라서 $\overline{AD} = \overline{AH} + \overline{HD} = 6 + 4 = 10 \,(\text{cm})$이므로

$\square ABCD = 10^2 = 100 \,(\text{cm}^2)$ ····· [30 %]

11 $\overline{BQ} = \overline{CR} = 3$이므로 $\overline{QR} = \overline{BR} - \overline{BQ} = 7 - 3 = 4$

4개의 직각삼각형이 모두 합동이므로 □PQRS는 정사각
형이다.

$\therefore (\square PQRS의 둘레의 길이) = 4\overline{QR}$

$\qquad\qquad\qquad\qquad\qquad = 4 \times 4 = 16$

12 ① $3^2 + 6^2 \neq 7^2$이므로 직각삼각형이 아니다.

② $\left(\dfrac{1}{2}\right)^2 + \left(\dfrac{2}{3}\right)^2 = \left(\dfrac{5}{6}\right)^2$이므로 직각삼각형이다.

③ $7^2 + 15^2 \neq 18^2$이므로 직각삼각형이 아니다.

④ $7^2 + 24^2 = 25^2$이므로 직각삼각형이다.

⑤ $9^2 + 20^2 \neq 25^2$이므로 직각삼각형이 아니다.

따라서 직각삼각형인 것은 ②, ④이다.

13 (i) 가장 긴 변의 길이가 a일 때

$a^2 = 8^2 + 15^2 = 289$ ····· [40 %]

(ii) 가장 긴 변의 길이가 15일 때

$15^2 = 8^2 + a^2 \quad \therefore a^2 = 161$ ····· [40 %]

(i), (ii)에서 구하는 a^2의 값은 161, 289이다. ····· [20 %]

---

2 피타고라스 정리를 이용한 성질

171쪽~173쪽

개념 확인

1. (1) 둔 (2) 예 (3) 직 (4) 둔

2. 44

3. 18

4. (1) 30 cm² (2) 48 cm²

1 (1) $4^2 > 2^2 + 3^2$이므로 둔각삼각형이다.

(2) $7^2 < 4^2 + 6^2$이므로 예각삼각형이다.

(3) $10^2 = 6^2 + 8^2$이므로 직각삼각형이다.

(4) $11^2 > 7^2 + 8^2$이므로 둔각삼각형이다.

2 $4^2 + 8^2 = 6^2 + x^2$이므로

$80 = 36 + x^2 \quad \therefore x^2 = 44$

3 $3^2 + 5^2 = 4^2 + x^2$이므로

$34 = 16 + x^2 \quad \therefore x^2 = 18$

4 (1) (색칠한 부분의 넓이)$= 10 + 20 = 30 \,(\text{cm}^2)$

(2) (색칠한 부분의 넓이)$= 30 + 18 = 48 \,(\text{cm}^2)$

STEP 1

174쪽

1-1. (1) ㉡, ㉢ (2) ㉣, ㉧ (3) ㉠, ㉢

연구 예각삼각형, 직각삼각형, 둔각삼각형

1-2. (1) ㉣, ㉢ (2) ㉢, ㉧ (3) ㉠, ㉡

2-1. 65 연구 $\overline{BE}^2$

2-2. 89

3-1. 24 연구 $\overline{BC}^2$

3-2. 84

1-1 ㉠ $8^2 > 5^2 + 6^2$이므로 둔각삼각형이다.

㉡ $12^2 < 7^2 + 10^2$이므로 예각삼각형이다.

㉢ $7^2 > 4^2 + 5^2$이므로 둔각삼각형이다.

㉣ $13^2 = 5^2 + 12^2$이므로 직각삼각형이다.

㉧ $15^2 < 10^2 + 13^2$이므로 예각삼각형이다.

㉧ $25^2 = 7^2 + 24^2$이므로 직각삼각형이다.

1-2 ㉠ $9^2>3^2+7^2$이므로 둔각삼각형이다.

㉡ $10^2>4^2+8^2$이므로 둔각삼각형이다.

㉢ $\left(\dfrac{5}{3}\right)^2=1^2+\left(\dfrac{4}{3}\right)^2$이므로 직각삼각형이다.

㉣ $11^2<7^2+9^2$이므로 예각삼각형이다.

㉤ $9^2<6^2+8^2$이므로 예각삼각형이다.

㉥ $41^2=9^2+40^2$이므로 직각삼각형이다.

2-1 $3^2+x^2=5^2+7^2$ ∴ $x^2=65$

2-2 $7^2+11^2=x^2+9^2$ ∴ $x^2=89$

3-1 $2^2+6^2=x^2+4^2$ ∴ $x^2=24$

3-2 $6^2+8^2=4^2+x^2$ ∴ $x^2=84$

STEP 2 175쪽~176쪽

1-2. ㉠, ㉤ **2-2.** 51

2-3. 54 **3-2.** $\dfrac{25}{2}\pi\ \text{cm}^2$

4-2. 20 cm

1-2 ㉠ $2^2<1^2+2^2$이므로 예각삼각형이다.

㉡ $6^2>2^2+5^2$이므로 둔각삼각형이다.

㉢ $7^2>4^2+5^2$이므로 둔각삼각형이다.

㉣ $10^2>6^2+7^2$이므로 둔각삼각형이다.

㉤ $8^2<5^2+7^2$이므로 예각삼각형이다.

㉥ $15^2=9^2+12^2$이므로 직각삼각형이다.

따라서 예각삼각형인 것은 ㉠, ㉤이다

2-2 △ABC에서

$\overline{AB}^2=8^2+6^2=100$ ∴ $\overline{AB}=10\ (\because \overline{AB}>0)$

$10^2+\overline{DE}^2=7^2+\overline{BD}^2$에서 $\overline{BD}^2-\overline{DE}^2=51$

2-3 △ABO에서

$\overline{AB}^2=5^2+2^2=29$

∴ $\overline{AD}^2+\overline{BC}^2=29+5^2=54$

3-2 색칠한 부분의 넓이는 $\overline{BC}$를 지름으로 하는 반원의 넓이와 같으므로

(색칠한 부분의 넓이)$=\dfrac{1}{2}\times\pi\times5^2=\dfrac{25}{2}\pi\ (\text{cm}^2)$

4-2 색칠한 부분의 넓이는 △ABC의 넓이와 같으므로

$\dfrac{1}{2}\times\overline{AC}\times16=96$ ∴ $\overline{AC}=12\ (\text{cm})$

△ABC에서

$\overline{AB}^2=12^2+16^2=400$

∴ $\overline{AB}=20\ (\text{cm})\ (\because \overline{AB}>0)$

STEP 3 177쪽

01. ④ **02.** ② **03.** 12 **04.** 36

05. ④ **06.** 25 cm²

---

01 ① $4^2>2^2+3^2$이므로 둔각삼각형이다.

② $3^2>2^2+2^2$이므로 둔각삼각형이다.

③ $5^2=3^2+4^2$이므로 직각삼각형이다.

④ $7^2<4^2+6^2$이므로 예각삼각형이다.

⑤ $9^2>4^2+7^2$이므로 둔각삼각형이다.

따라서 예각삼각형인 것은 ④이다.

02 ② $b^2<a^2+c^2$이면 ∠B<90°이지만 △ABC가 예각삼각형인지는 알 수 없다.

03 $\overline{DE}^2+\overline{BC}^2=\overline{BE}^2+\overline{CD}^2$이므로

$x^2+7^2=6^2+5^2$

∴ $x^2=12$

04 $\overline{AB}^2+\overline{CD}^2=\overline{AD}^2+\overline{BC}^2$이므로

$3^2+6^2=5^2+x^2$ ∴ $x^2=20$ ······ [50 %]

△BCO에서 $y^2=20-2^2=16$ ······ [40 %]

∴ $x^2+y^2=20+16=36$ ······ [10 %]

05 $\overline{AC}$를 지름으로 하는 반원의 넓이는

$\dfrac{1}{2}\times\pi\times2^2=2\pi\ (\text{cm}^2)$

∴ (색칠한 부분의 넓이)$=12\pi-2\pi=10\pi\ (\text{cm}^2)$

06 △ABC에서 $\overline{AB}^2+\overline{AC}^2=10^2$

이때 $\overline{AB}=\overline{AC}$이므로

$2\overline{AB}^2=100$ ∴ $\overline{AB}^2=50$

∴ (색칠한 부분의 넓이)$=△ABC=\dfrac{1}{2}\overline{AB}^2$

$=\dfrac{1}{2}\times50=25\ (\text{cm}^2)$

9. 경우의 수

1 경우의 수

180쪽~182쪽

개념 확인

1. (1) 4 (2) 2 (3) 4 (4) 3

2. (1) 3 (2) 2 (3) 3, 2, 5

3. (1)

```
                    바지 1 ➡ (티셔츠 1, 바지 1)
티셔츠 1 ─┬─ 바지 2 ➡ (티셔츠 1, 바지 2)
                    바지 3 ➡ (티셔츠 1, 바지 3)

                    바지 1 ➡ (티셔츠 2, 바지 1)
티셔츠 2 ─┬─ 바지 2 ➡ (티셔츠 2, 바지 2)
                    바지 3 ➡ (티셔츠 2, 바지 3)
```

(2) 2, 3, 2, 3, 6

1 (1) 4 이하의 눈이 나오는 경우는 1, 2, 3, 4의 4가지

(2) 3보다 크고 6보다 작은 수의 눈이 나오는 경우는 4, 5의 2가지

(3) 6의 약수의 눈이 나오는 경우는 1, 2, 3, 6의 4가지

(4) 소수의 눈이 나오는 경우는 2, 3, 5의 3가지

183쪽

STEP ①

1-1. 2 **연구** 4, 5, 6, 7, 8, 9, 10 / 5, 10 / 2

1-2. (1) 3 (2) 2 (3) 6

2-1. 5 **연구** ① 5, 2 ② 4, 6, 3 / 2, 3, 5

2-2. (1) 8 (2) 5

3-1. 12 **연구** ① 3 ② 4 / 3, 4, 12

3-2. 28

1-2 (1) 4 미만의 수가 적힌 카드가 나오는 경우는 1, 2, 3의 3가지

(2) 6의 배수가 적힌 카드가 나오는 경우는 6, 12의 2가지

(3) 12의 약수가 적힌 카드가 나오는 경우는 1, 2, 3, 4, 6, 12의 6가지

2-2 (1) 짝수가 적힌 공이 나오는 경우는 2, 4, 6, 8, 10의 5가지
9의 약수가 적힌 공이 나오는 경우는 1, 3, 9의 3가지
따라서 구하는 경우의 수는
$5+3=8$

(2) 2 이하의 수가 적힌 공이 나오는 경우는 1, 2의 2가지
8 이상의 수가 적힌 공이 나오는 경우는 8, 9, 10의 3가지
따라서 구하는 경우의 수는
$2+3=5$

3-2 샌드위치를 먹는 경우의 수는 4
그 각각에 대하여 김밥을 먹는 경우의 수는 7
따라서 구하는 경우의 수는
$4 \times 7 = 28$

184쪽~187쪽

STEP ②

1-2. (1) 2 (2) 6   **2-2.** 3

3-2. 8   **3-3.** 10

4-2. 12   **4-3.** 7

5-2. 24   **5-3.** 16개

6-2. 12   **6-3.** 8

7-2. 4   **7-3.** 6

8-2. (1) ○ (2) ○ (3) ×

1-2 (1) 나오는 두 눈의 수의 합이 11인 경우는
$(5, 6), (6, 5)$의 2가지

(2) 나오는 두 눈의 수의 차가 3인 경우는
$(1, 4), (2, 5), (3, 6), (4, 1), (5, 2), (6, 3)$의 6가지

2-2 1000원짜리 지폐의 수에 따라 지불하는 방법을 표로 나타내면 다음과 같다.

1000원짜리 지폐(장)	3	2	1
500원짜리 동전(개)	2	4	6

따라서 구하는 방법의 수는 3이다.

3-2 $3+5=8$

3-3 3의 배수가 적힌 공이 나오는 경우는 3, 6, 9, 12, 15, 18의 6가지
4의 배수가 적힌 공이 나오는 경우는 4, 8, 12, 16, 20의 5가지
이때 12가 중복되므로 구하는 경우의 수는
$6+5-1=10$

4-2 두 눈의 수의 차가 1인 경우는
$(1, 2), (2, 3), (3, 4), (4, 5), (5, 6), (2, 1), (3, 2), (4, 3), (5, 4), (6, 5)$의 10가지
두 눈의 수의 차가 5인 경우는
$(1, 6), (6, 1)$의 2가지

따라서 구하는 경우의 수는

10+2=12

4-3 두 눈의 수의 합이 5의 배수인 경우는 두 눈의 수의 합이 5
또는 10인 경우이므로
(i) 두 눈의 수의 합이 5인 경우는
(1, 4), (2, 3), (3, 2), (4, 1)의 4가지
(ii) 두 눈의 수의 합이 10인 경우는
(4, 6), (5, 5), (6, 4)의 3가지
따라서 구하는 경우의 수는
4+3=7

5-2 햄버거를 고르는 경우의 수는 6
음료수를 고르는 경우의 수는 4
따라서 구하는 경우의 수는
6×4=24

5-3 자음 한 개를 선택하는 경우의 수는 4
모음 한 개를 선택하는 경우의 수는 4
따라서 자음 한 개와 모음 한 개를 동시에 선택하여 만들 수
있는 받침 없는 글자는
4×4=16(개)

6-2 3×4=12

6-3 (i) A → B → C로 가는 방법의 수는 2×3=6
(ii) A → C로 직접 가는 방법의 수는 2
따라서 구하는 방법의 수는
6+2=8

7-2 동전 1개를 던질 때, 앞면이 나오는 경우는 1가지
주사위 1개를 던질 때, 6의 약수의 눈이 나오는 경우는 1, 2,
3, 6의 4가지
따라서 구하는 경우의 수는 1×4=4

7-3 주사위 A에서 3의 배수의 눈이 나오는 경우는 3, 6의 2가지
주사위 B에서 짝수의 눈이 나오는 경우는 2, 4, 6의 3가지
따라서 구하는 경우의 수는
2×3=6

8-2 가위바위보를 내는 경우를 순서쌍 (광수, 지효)로 나타내면
(1) 광수가 이기는 경우는
(가위, 보), (바위, 가위), (보, 바위)의 3가지
(2) 서로 같은 것을 내는 경우는
(가위, 가위), (바위, 바위), (보, 보)의 3가지
(3) 승부가 나는 경우는 광수가 이기거나 지효가 이기는 경
우이므로 구하는 경우의 수는
3+3=6

STEP 3

01. ⑤	02. ③	03. 4	04. 11
05. 20	06. (1) 4 (2) 4 (3) 8		07. 6
08. 15	09. 24	10. (1) 12 (2) 2 (3) 14	
11. (1) 48 (2) 9		12. 8가지	

01 한 개의 주사위를 던질 때
① 홀수의 눈이 나오는 경우는 1, 3, 5의 3가지
② 합성수의 눈이 나오는 경우는 4, 6의 2가지
③ 3의 배수의 눈이 나오는 경우는 3, 6의 2가지
④ 5의 약수의 눈이 나오는 경우는 1, 5의 2가지
⑤ 6의 약수의 눈이 나오는 경우는 1, 2, 3, 6의 4가지
따라서 경우의 수가 가장 큰 사건은 ⑤이다.

02 서로 다른 세 개의 동전을 동시에 던질 때, 한 개만 뒷면이
나오는 경우를 순서쌍으로 나타내면
(뒤, 앞, 앞), (앞, 뒤, 앞), (앞, 앞, 뒤)의 3가지
따라서 구하는 경우의 수는 3이다.

03 동전의 개수에 따라 지불하는 방법을 표로 나타내면 다음과
같다.

500원짜리 동전(개)	3	3	3	2
100원짜리 동전(개)	2	1	0	5
50원짜리 동전(개)	1	3	5	5

따라서 지불하는 방법의 수는 4이다.

04 6+5=11

05 홀수가 적힌 카드가 나오는 경우는
1, 3, 5, 7, 9, 11, 13, 15, 17, 19, 21, 23, 25, 27, 29의 15가
지
6의 배수가 적힌 카드가 나오는 경우는
6, 12, 18, 24, 30의 5가지
따라서 구하는 경우의 수는
15+5=20

06 (1) 두 눈의 수의 합이 5인 경우는
(1, 4), (2, 3), (3, 2), (4, 1)의 4가지
이므로 구하는 경우의 수는 4 ⋯⋯ [40 %]
(2) 두 눈의 수의 차가 4인 경우는
(1, 5), (2, 6), (5, 1), (6, 2)의 4가지
이므로 구하는 경우의 수는 4 ⋯⋯ [40 %]
(3) (1), (2)로부터 두 눈의 수의 합이 5이거나 차가 4인 경우
의 수는
4+4=8 ⋯⋯ [20 %]

07 두 눈의 수의 합이 10 이상인 경우는 두 눈의 수의 합이 10 또는 11 또는 12인 경우이다.

(ⅰ) 두 눈의 수의 합이 10인 경우는

$(4, 6), (5, 5), (6, 4)$의 3가지

(ⅱ) 두 눈의 수의 합이 11인 경우는

$(5, 6), (6, 5)$의 2가지

(ⅲ) 두 눈의 수의 합이 12인 경우는

$(6, 6)$의 1가지

따라서 구하는 경우의 수는

$3+2+1=6$

08 $5 \times 3 = 15$

09 $2 \times 4 \times 3 = 24$

10 (1) 서울 → 대전 → 전주로 가는 방법의 수는

$3 \times 4 = 12$ ...... [40 %]

(2) 서울 → 전주로 직접 가는 방법의 수는 2 ...... [30 %]

(3) (1), (2)로부터 서울에서 전주까지 가는 방법의 수는

$12+2=14$ ...... [30 %]

11 (1) 동전 1개를 던질 때, 나오는 경우는

앞, 뒤의 2가지

주사위 1개를 던질 때, 나오는 경우는

1, 2, 3, 4, 5, 6의 6가지

따라서 일어날 수 있는 모든 경우의 수는

$2 \times 2 \times 2 \times 6 = 48$

(2) 서로 다른 동전 3개를 동시에 던질 때, 앞면이 1개 나오는 경우는

(앞, 뒤, 뒤), (뒤, 앞, 뒤), (뒤, 뒤, 앞)의 3가지

주사위 1개를 던질 때, 홀수의 눈이 나오는 경우는

1, 3, 5의 3가지

따라서 구하는 경우의 수는

$3 \times 3 = 9$

12 전구 한 개로 나타낼 수 있는 경우는 켜진 경우와 꺼진 경우의 2가지이므로 전구 3개로 만들 수 있는 신호는

$2 \times 2 \times 2 = 8$(가지)

다른 풀이 | 서로 다른 세 전구를 A, B, C라 할 때, 세 전구 A, B, C가 각각 켜진 경우를 ○, 꺼진 경우를 ×로 표시하여 순서쌍 (A, B, C)로 나타내면 다음과 같다.

$(○, ○, ○), (○, ○, ×), (○, ×, ○), (×, ○, ○),$

$(○, ×, ×), (×, ○, ×), (×, ×, ○), (×, ×, ×)$

따라서 만들 수 있는 신호는 8가지이다.

---

2 여러 가지 경우의 수

190쪽~193쪽

개념 확인

1. 24   **2.** 24   **3.** 4   **4.** (1) 2 (2) 6 (3) 12

5. 24   **6.** 18   **7.** (1) 12 (2) 24 (3) 6

1 $4 \times 3 \times 2 \times 1 = 24$

2 $4 \times 3 \times 2 = 24$

3 A, B를 한 묶음으로 생각하고 2명을 한 줄로 세우는 경우의 수는 $2 \times 1 = 2$

이때 묶음 안에서 A, B가 자리를 바꾸는 경우의 수는

$2 \times 1 = 2$

따라서 구하는 경우의 수는 $2 \times 2 = 4$

4 (1) $2 \times 1 = 2$

(2) 묶음 안에서 자리를 바꾸는 경우의 수는 묶음 안에서 한 줄로 세우는 경우의 수와 같으므로

$3 \times 2 \times 1 = 6$

(3) (1), (2)로부터 구하는 경우의 수는 $2 \times 6 = 12$

5 백의 자리에 올 수 있는 숫자는 4가지

십의 자리에 올 수 있는 숫자는 백의 자리에 온 숫자를 제외한 3가지

일의 자리에 올 수 있는 숫자는 백의 자리와 십의 자리에 온 숫자를 제외한 2가지

따라서 구하는 자연수의 개수는

$4 \times 3 \times 2 = 24$

6 백의 자리에 올 수 있는 숫자는 0을 제외한 3가지

십의 자리에 올 수 있는 숫자는 백의 자리에 온 숫자를 제외한 3가지

일의 자리에 올 수 있는 숫자는 백의 자리와 십의 자리에 온 숫자를 제외한 2가지

따라서 구하는 자연수의 개수는

$3 \times 3 \times 2 = 18$

7 (1) $4 \times 3 = 12$

(2) $4 \times 3 \times 2 = 24$

(3) $\dfrac{4 \times 3}{2 \times 1} = 6$

STEP ➊
194쪽

1-1. (1) 120 (2) 60 **연구** n, n

1-2. (1) 24 (2) 12

2-1. 48 **연구** 3, 2, 1, 24

2-2. (1) 12 (2) 36

3-1. (1) 20 (2) 16 **연구** 0

3-2. (1) 30 (2) 25

4-1. (1) 20 (2) 10 **연구** 다른, 같은

4-2. (1) 24 (2) 6

1-1 (1) $5 \times 4 \times 3 \times 2 \times 1 = 120$

(2) $5 \times 4 \times 3 = 60$

1-2 (1) $4 \times 3 \times 2 \times 1 = 24$

(2) $4 \times 3 = 12$

2-1 B, C를 한 묶음으로 생각하고 4명을 한 줄로 세우는 경우의 수는 $4 \times 3 \times 2 \times 1 = 24$

이때 묶음 안에서 B, C가 자리를 바꾸는 경우의 수는 $2 \times 1 = 2$

따라서 구하는 경우의 수는 $24 \times 2 = 48$

2-2 (1) A, T를 한 묶음으로 생각하고 3개를 일렬로 나열하는 경우의 수는 $3 \times 2 \times 1 = 6$

이때 묶음 안에서 A, T가 자리를 바꾸는 경우의 수는 $2 \times 1 = 2$

따라서 구하는 경우의 수는 $6 \times 2 = 12$

(2) A, B, C를 한 묶음으로 생각하고 3명을 한 줄로 세우는 경우의 수는 $3 \times 2 \times 1 = 6$

이때 묶음 안에서 A, B, C가 자리를 바꾸는 경우의 수는 $3 \times 2 \times 1 = 6$

따라서 구하는 경우의 수는 $6 \times 6 = 36$

3-1 (1) 십의 자리에 올 수 있는 숫자는 5가지

일의 자리에 올 수 있는 숫자는 십의 자리에 온 숫자를 제외한 4가지

따라서 구하는 자연수의 개수는 $5 \times 4 = 20$

(2) 십의 자리에 올 수 있는 숫자는 0을 제외한 4가지

일의 자리에 올 수 있는 숫자는 십의 자리에 온 숫자를 제외한 4가지

따라서 구하는 자연수의 개수는 $4 \times 4 = 16$

3-2 (1) 십의 자리에 올 수 있는 숫자는 6가지

일의 자리에 올 수 있는 숫자는 십의 자리에 온 숫자를 제외한 5가지

따라서 구하는 자연수의 개수는 $6 \times 5 = 30$

(2) 십의 자리에 올 수 있는 숫자는 0을 제외한 5가지

일의 자리에 올 수 있는 숫자는 십의 자리에 온 숫자를 제외한 5가지

따라서 구하는 자연수의 개수는 $5 \times 5 = 25$

4-1 (1) $5 \times 4 = 20$

(2) $\dfrac{5 \times 4}{2 \times 1} = 10$

4-2 (1) $4 \times 3 \times 2 = 24$

(2) $\dfrac{4 \times 3}{2 \times 1} = 6$

STEP ➋
195쪽~199쪽

1-2. 24 **1-3.** 360

2-2. 6 **2-3.** 12

3-2. 48 **3-3.** 6

4-2. 24 **5-2.** (1) 48 (2) 30

6-2. 11 **7-2.** 36

8-2. 20 **8-3.** 6

9-2. 15번 **9-3.** 10번

10-2. (1) 10 (2) 10

1-2 4명을 한 줄로 세우는 경우의 수와 같으므로 $4 \times 3 \times 2 \times 1 = 24$

1-3 6명 중에서 4명을 뽑아 한 줄로 세우는 경우의 수와 같으므로 $6 \times 5 \times 4 \times 3 = 360$

2-2 A를 맨 앞에 고정시키고 나머지 3명을 한 줄로 세우는 경우의 수는 $3 \times 2 \times 1 = 6$

2-3 (ⅰ) A□□□E인 경우의 수는 $3 \times 2 \times 1 = 6$

(ⅱ) E□□□A인 경우의 수는 $3 \times 2 \times 1 = 6$

따라서 구하는 경우의 수는 $6 + 6 = 12$

9. 경우의 수 • 59

3-2 여학생 2명을 1명으로 생각하여 4명을 한 줄로 세우는 경우의 수는

$4 \times 3 \times 2 \times 1 = 24$

이때 여학생끼리 서로 자리를 바꾸는 경우의 수는

$2 \times 1 = 2$

따라서 구하는 경우의 수는

$24 \times 2 = 48$

3-3 보아와 태원이가 서는 순서는 정해져 있으므로 보아와 태원이를 1명으로 생각하여 3명을 한 줄로 세우는 경우의 수는

$3 \times 2 \times 1 = 6$

4-2 A에 칠할 수 있는 색은 4가지

B에 칠할 수 있는 색은 A에 칠한 색을 제외한 3가지

C에 칠할 수 있는 색은 A, B에 칠한 색을 제외한 2가지

따라서 구하는 경우의 수는

$4 \times 3 \times 2 = 24$

5-2 (1) 백의 자리에 올 수 있는 숫자는 0을 제외한 4가지

십의 자리에 올 수 있는 숫자는 백의 자리에 온 숫자를 제외한 4가지

일의 자리에 올 수 있는 숫자는 백의 자리와 십의 자리에 온 숫자를 제외한 3가지

따라서 구하는 자연수의 개수는

$4 \times 4 \times 3 = 48$

(2) 짝수가 되려면 일의 자리 숫자가 0 또는 2 또는 4이어야 한다.

(ⅰ) □□0인 경우: $4 \times 3 = 12$(개)

(ⅱ) □□2인 경우: $3 \times 3 = 9$(개)

(ⅲ) □□4인 경우: $3 \times 3 = 9$(개)

따라서 구하는 짝수의 개수는

$12 + 9 + 9 = 30$

참고 • 짝수가 되려면 일의 자리 숫자가 0, 2, 4, 6, 8 중 하나이어야 한다.

• 홀수가 되려면 일의 자리 숫자가 1, 3, 5, 7, 9 중 하나이어야 한다.

6-2 (ⅰ) 1□인 경우

일의 자리에 올 수 있는 숫자는 1을 제외한 4가지

(ⅱ) 2□인 경우

일의 자리에 올 수 있는 숫자는 2를 제외한 4가지

(ⅲ) 3□인 경우

일의 자리에 올 수 있는 숫자는 0, 1, 2의 3가지

따라서 34보다 작은 두 자리 자연수의 개수는

$4 + 4 + 3 = 11$

7-2 남학생 3명 중에서 대표 1명을 뽑는 경우의 수는 3

여학생 4명 중에서 대표 1명, 부대표 1명을 뽑는 경우의 수는 $4 \times 3 = 12$

따라서 구하는 경우의 수는 $3 \times 12 = 36$

8-2 6명 중에서 자격이 같은 대표 3명을 뽑는 경우의 수와 같으므로 $\dfrac{6 \times 5 \times 4}{3 \times 2 \times 1} = 20$

8-3 명수를 제외한 4명 중에서 자격이 같은 대표 2명을 뽑는 경우의 수와 같으므로

$\dfrac{4 \times 3}{2 \times 1} = 6$

9-2 6명 중에서 자격이 같은 대표 2명을 뽑는 경우의 수와 같으므로

$\dfrac{6 \times 5}{2 \times 1} = 15$(번)

9-3 5명 중에서 자격이 같은 대표 2명을 뽑는 경우의 수와 같으므로

$\dfrac{5 \times 4}{2 \times 1} = 10$(번)

10-2 (1) 5명 중에서 자격이 같은 대표 2명을 뽑는 경우의 수와 같으므로 만들 수 있는 선분의 개수는

$\dfrac{5 \times 4}{2 \times 1} = 10$

(2) 5명 중에서 자격이 같은 대표 3명을 뽑는 경우의 수와 같으므로 만들 수 있는 삼각형의 개수는

$\dfrac{5 \times 4 \times 3}{3 \times 2 \times 1} = 10$

200쪽~201쪽

STEP 3

01. (1) 120 (2) 60 (3) 12   **02.** (1) 24 (2) 6

03. 36   **04.** 6   **05.** 180

06. (1) 120 (2) 40 (3) 60   **07.** (1) 25 (2) 9

08. (1) 30 (2) 15 (3) 5 (4) 10   **09.** 12

10. 6   **11.** 20

01 (1) $5 \times 4 \times 3 \times 2 \times 1 = 120$

(2) $5 \times 4 \times 3 = 60$

(3) 첫 방문지는 경복궁으로 고정되어 있으므로 나머지 4곳 중에서 2곳을 골라 답사하는 순서를 정하는 경우의 수는

$4 \times 3 = 12$

02 (1) 할머니를 한가운데 고정시키고 나머지 4명을 한 줄로 세우는 경우의 수는

$4 \times 3 \times 2 \times 1 = 24$

(2) 아버지를 맨 앞에, 어머니를 맨 뒤에 고정시키고 나머지 3명을 한 줄로 세우는 경우의 수는

$3 \times 2 \times 1 = 6$

03 소설책 3권을 1권으로 생각하여 3권을 책꽂이에 일렬로 꽂는 경우의 수는

$3 \times 2 \times 1 = 6$ ...... [40 %]

이때 소설책끼리 서로 자리를 바꾸는 경우의 수는

$3 \times 2 \times 1 = 6$ ...... [30 %]

따라서 구하는 경우의 수는

$6 \times 6 = 36$ ...... [30 %]

04 수연, 나현, 보라를 1명으로 생각하면 구하는 경우의 수는 3명을 한 줄로 세우는 경우의 수와 같으므로

$3 \times 2 \times 1 = 6$

05 강원도에 칠할 수 있는 색은 5가지
경기도에 칠할 수 있는 색은 강원도에 칠한 색을 제외한 4가지
충청북도에 칠할 수 있는 색은 강원도와 경기도에 칠한 색을 제외한 3가지
경상북도에 칠할 수 있는 색은 강원도와 충청북도에 칠한 색을 제외한 3가지
따라서 구하는 경우의 수는

$5 \times 4 \times 3 \times 3 = 180$

06 (1) 백의 자리에 올 수 있는 숫자는 6가지
십의 자리에 올 수 있는 숫자는 백의 자리에 온 숫자를 제외한 5가지
일의 자리에 올 수 있는 숫자는 백의 자리와 십의 자리에 온 숫자를 제외한 4가지
따라서 만들 수 있는 세 자리 자연수의 개수는

$6 \times 5 \times 4 = 120$

(2) 300보다 작은 자연수가 되려면 백의 자리 숫자가 1 또는 2이어야 한다.

(ⅰ) 1□□인 경우: $5 \times 4 = 20$(개)

(ⅱ) 2□□인 경우: $5 \times 4 = 20$(개)

따라서 300보다 작은 자연수의 개수는

$20 + 20 = 40$

(3) 홀수가 되려면 일의 자리 숫자가 1 또는 3 또는 5이어야 한다.

(ⅰ) □□1인 경우: $5 \times 4 = 20$(개)

(ⅱ) □□3인 경우: $5 \times 4 = 20$(개)

(ⅲ) □□5인 경우: $5 \times 4 = 20$(개)

따라서 홀수의 개수는

$20 + 20 + 20 = 60$

07 (1) 십의 자리에 올 수 있는 숫자는 0을 제외한 5가지
일의 자리에 올 수 있는 숫자는 십의 자리에 온 숫자를 제외한 5가지
따라서 만들 수 있는 두 자리 자연수의 개수는

$5 \times 5 = 25$

(2) (ⅰ) □0인 경우: 10, 20, 30, 40, 50의 5개

(ⅱ) □5인 경우: 15, 25, 35, 45의 4개

따라서 5의 배수의 개수는

$5 + 4 = 9$

08 (1) $6 \times 5 = 30$

(2) $\dfrac{6 \times 5}{2 \times 1} = 15$

(3) B를 제외한 5명 중에서 대표 1명을 뽑는 경우의 수와 같으므로 5

(4) B를 제외한 5명 중에서 대표 2명을 뽑는 경우의 수와 같으므로

$\dfrac{5 \times 4}{2 \times 1} = 10$

09 남학생 4명 중에서 대표 2명을 뽑는 경우의 수는

$\dfrac{4 \times 3}{2 \times 1} = 6$ ...... [40 %]

여학생 2명 중에서 대표 1명을 뽑는 경우의 수는 2 ...... [30 %]

따라서 구하는 경우의 수는

$6 \times 2 = 12$ ...... [30 %]

10 4명 중에서 자격이 같은 대표 2명을 뽑는 경우의 수와 같으므로

$\dfrac{4 \times 3}{2 \times 1} = 6$

11 6명 중에서 자격이 같은 대표 3명을 뽑는 경우의 수와 같으므로

$\dfrac{6 \times 5 \times 4}{3 \times 2 \times 1} = 20$

10. 확률

1 확률의 뜻과 성질

개념 확인

1. (1) 9 (2) 4 (3) $\dfrac{4}{9}$

2. (1) 5 (2) 4 (3) 0, 0 (4) 9, 1

3. $\dfrac{2}{3}$ **4.** (1) $\dfrac{1}{4}$ (2) $\dfrac{3}{4}$

1 (2) 소수가 적힌 공이 나오는 경우는 2, 3, 5, 7의 4가지이므로 구하는 경우의 수는 4

(3) (소수가 적힌 공이 나올 확률)

$$=\dfrac{(\text{소수가 적힌 공이 나오는 경우의 수})}{(\text{모든 경우의 수})}$$

$$=\dfrac{4}{9}$$

3 (성공하지 못할 확률)=1−(성공할 확률)

$$=1-\dfrac{1}{3}=\dfrac{2}{3}$$

4 모든 경우의 수는 2×2=4

(1) 모두 뒷면이 나오는 경우는 (뒤, 뒤)의 1가지이므로 구하는 확률은 $\dfrac{1}{4}$

(2) (적어도 한 개는 앞면이 나올 확률)

=1−(모두 뒷면이 나올 확률)

$$=1-\dfrac{1}{4}=\dfrac{3}{4}$$

STEP 1

1-1. ① 6 ② (3, 3), (4, 4), (5, 5), (6, 6) / 6 ③ 6, $\dfrac{1}{6}$

1-2. $\dfrac{1}{2}$ **1-3.** $\dfrac{1}{4}$

2-1. (1) 1 (2) 0, 0 (3) 5, 1 **2-2.** (1) 0 (2) 1

3-1. $\dfrac{9}{1000}$, $\dfrac{9}{1000}$, $\dfrac{991}{1000}$ **3-2.** $\dfrac{4}{7}$

1-2 모든 경우의 수는 2×2=4

앞면 1개, 뒷면 1개가 나오는 경우는

(앞, 뒤), (뒤, 앞)의 2가지

따라서 구하는 확률은 $\dfrac{2}{4}=\dfrac{1}{2}$

1-3 모든 경우의 수는 20

4의 배수가 적힌 카드가 나오는 경우는

4, 8, 12, 16, 20의 5가지

따라서 구하는 확률은 $\dfrac{5}{20}=\dfrac{1}{4}$

2-2 (1) 두 눈의 수의 합이 1인 경우는 없으므로 구하는 확률은 0이다.

(2) 두 눈의 수의 합은 항상 12 이하이므로 구하는 확률은 1이다.

3-2 (수학 문제를 틀릴 확률)=1−(수학 문제를 맞힐 확률)

$$=1-\dfrac{3}{7}=\dfrac{4}{7}$$

STEP 2

1-2. $\dfrac{1}{9}$ **1-3.** $\dfrac{3}{8}$

2-2. (1) $\dfrac{1}{5}$ (2) $\dfrac{1}{10}$ **3-2.** $\dfrac{5}{9}$

3-3. $\dfrac{2}{5}$ **4-2.** (1) $\dfrac{2}{5}$ (2) $\dfrac{1}{5}$

5-2. $\dfrac{1}{12}$ **5-3.** $\dfrac{5}{36}$

6-2. (1) ○ (2) × (3) ○ (4) ○

7-2. $\dfrac{5}{6}$ **7-3.** $\dfrac{3}{4}$

8-2. $\dfrac{3}{4}$ **8-3.** $\dfrac{5}{7}$

1-2 모든 경우의 수는 6×6=36

두 눈의 수의 합이 5인 경우는

(1, 4), (2, 3), (3, 2), (4, 1)의 4가지

따라서 구하는 확률은 $\dfrac{4}{36}=\dfrac{1}{9}$

1-3 모든 경우의 수는 2×2×2=8

뒷면이 1개만 나오는 경우는

(뒤, 앞, 앞), (앞, 뒤, 앞), (앞, 앞, 뒤)의 3가지

따라서 구하는 확률은 $\dfrac{3}{8}$

2-2 모든 경우의 수는 5×4×3×2×1=120

(1) A가 한가운데 서는 경우의 수는

4×3×2×1=24

따라서 구하는 확률은 $\dfrac{24}{120}=\dfrac{1}{5}$

(2) A와 B가 양 끝에 서는 경우의 수는

$(3 \times 2 \times 1) \times (2 \times 1) = 12$

따라서 구하는 확률은 $\dfrac{12}{120} = \dfrac{1}{10}$

3-2 모든 경우의 수는 $3 \times 3 = 9$

짝수가 되려면 일의 자리 숫자가 0 또는 2이어야 한다.

(i) □0인 경우: 10, 20, 30의 3개

(ii) □2인 경우: 12, 32의 2개

(i), (ii)에서 짝수인 경우의 수는 $3 + 2 = 5$

따라서 구하는 확률은 $\dfrac{5}{9}$

3-3 모든 경우의 수는 $5 \times 4 = 20$

40 이상인 수는 십의 자리 숫자가 4 또는 5이어야 한다.

(i) 4□인 경우: 41, 42, 43, 45의 4개

(ii) 5□인 경우: 51, 52, 53, 54의 4개

(i), (ii)에서 40 이상인 경우의 수는 $4 + 4 = 8$

따라서 구하는 확률은 $\dfrac{8}{20} = \dfrac{2}{5}$

4-2 (1) 모든 경우의 수는 $\dfrac{5 \times 4}{2 \times 1} = 10$

대표 2명을 뽑을 때, A가 뽑히는 경우의 수는 A를 제외한 4명 중에서 대표 1명을 뽑는 경우의 수와 같으므로 4

따라서 구하는 확률은 $\dfrac{4}{10} = \dfrac{2}{5}$

(2) 모든 경우의 수는 $5 \times 4 = 20$

회장 1명, 부회장 1명을 뽑을 때, B가 부회장에 뽑히는 경우의 수는 B를 제외한 4명 중에서 회장 1명을 뽑는 경우의 수와 같으므로 4

따라서 구하는 확률은 $\dfrac{4}{20} = \dfrac{1}{5}$

5-2 모든 경우의 수는 $6 \times 6 = 36$

$2x + y = 10$을 만족하는 순서쌍 (x, y)는

$(2, 6), (3, 4), (4, 2)$의 3가지

따라서 구하는 확률은 $\dfrac{3}{36} = \dfrac{1}{12}$

5-3 모든 경우의 수는 $6 \times 6 = 36$

$x + 3y \leq 7$을 만족하는 순서쌍 (x, y)는

$(1, 1), (1, 2), (2, 1), (3, 1), (4, 1)$의 5가지

따라서 구하는 확률은 $\dfrac{5}{36}$

6-2 (2) 주머니에는 파란 구슬이 들어 있지 않으므로 파란 구슬이 나올 확률은 $\dfrac{0}{5} = 0$

7-2 비기는 경우는 없으므로 B 중학교가 이길 확률은 A 중학교가 질 확률과 같다.

∴ (B 중학교가 이길 확률)

= (A 중학교가 질 확률)

= 1 − (A 중학교가 이길 확률)

$= 1 - \dfrac{1}{6} = \dfrac{5}{6}$

7-3 모든 경우의 수는 $4 \times 3 \times 2 \times 1 = 24$

A가 맨 뒤에 서는 경우의 수는 $3 \times 2 \times 1 = 6$이므로

A가 맨 뒤에 설 확률은 $\dfrac{6}{24} = \dfrac{1}{4}$

∴ (A가 맨 뒤에 서지 않을 확률)

= 1 − (A가 맨 뒤에 설 확률)

$= 1 - \dfrac{1}{4} = \dfrac{3}{4}$

8-2 모든 경우의 수는 $6 \times 6 = 36$

모두 홀수의 눈이 나오는 경우는

$(1, 1), (1, 3), (1, 5), (3, 1), (3, 3), (3, 5), (5, 1),$

$(5, 3), (5, 5)$의 9가지이므로

모두 홀수의 눈이 나올 확률은 $\dfrac{9}{36} = \dfrac{1}{4}$

∴ (적어도 한 개는 짝수의 눈이 나올 확률)

= 1 − (모두 홀수의 눈이 나올 확률)

$= 1 - \dfrac{1}{4} = \dfrac{3}{4}$

8-3 모든 경우의 수는 $\dfrac{7 \times 6}{2 \times 1} = 21$

대표 2명에 모두 남학생이 뽑히는 경우의 수는 $\dfrac{4 \times 3}{2 \times 1} = 6$

이므로 모두 남학생이 뽑힐 확률은 $\dfrac{6}{21} = \dfrac{2}{7}$

∴ (적어도 한 명은 여학생이 뽑힐 확률)

= 1 − (모두 남학생이 뽑힐 확률)

$= 1 - \dfrac{2}{7} = \dfrac{5}{7}$

STEP 3

212쪽~213쪽

01. ⑤	02. $\dfrac{5}{36}$	03. 4	04. $\dfrac{1}{3}$
05. $\dfrac{12}{25}$	06. (1) $\dfrac{1}{4}$ (2) $\dfrac{1}{2}$		07. $\dfrac{1}{18}$
08. ⑤	09. ㉡, ㉢, ㉣	10. $\dfrac{3}{5}$	11. $\dfrac{2}{3}$
12. $\dfrac{5}{6}$	13. (1) 144 (2) $\dfrac{1}{24}$ (3) $\dfrac{23}{24}$		

01 1부터 20까지의 자연수 중

① 짝수는 2, 4, 6, 8, 10, 12, 14, 16, 18, 20의 10가지이므로

그 확률은 $\dfrac{10}{20}=\dfrac{1}{2}$

② 홀수는 1, 3, 5, 7, 9, 11, 13, 15, 17, 19의 10가지이므로

그 확률은 $\dfrac{10}{20}=\dfrac{1}{2}$

③ 소수는 2, 3, 5, 7, 11, 13, 17, 19의 8가지이므로

그 확률은 $\dfrac{8}{20}=\dfrac{2}{5}$

④ 3의 배수는 3, 6, 9, 12, 15, 18의 6가지이므로

그 확률은 $\dfrac{6}{20}=\dfrac{3}{10}$

⑤ 20의 약수는 1, 2, 4, 5, 10, 20의 6가지이므로

그 확률은 $\dfrac{6}{20}=\dfrac{3}{10}$

따라서 옳지 않은 것은 ⑤이다.

02 모든 경우의 수는 $6 \times 6 = 36$

두 눈의 수의 합이 8인 경우는

$(2, 6), (3, 5), (4, 4), (5, 3), (6, 2)$의 5가지

따라서 구하는 확률은 $\dfrac{5}{36}$

03 $\dfrac{3}{8+x}=\dfrac{1}{4}$에서 $8+x=12$ $\therefore x=4$

04 모든 경우의 수는 $6 \times 5 \times 4 \times 3 \times 2 \times 1 = 720$

부모님이 이웃하여 서는 경우의 수는

$(5 \times 4 \times 3 \times 2 \times 1) \times (2 \times 1) = 240$

따라서 구하는 확률은 $\dfrac{240}{720}=\dfrac{1}{3}$

05 모든 경우의 수는 $5 \times 5 = 25$

홀수가 되려면 일의 자리 숫자가 1 또는 3 또는 5이어야 한다.

(i) □1인 경우: 21, 31, 41, 51의 4개

(ii) □3인 경우: 13, 23, 43, 53의 4개

(iii) □5인 경우: 15, 25, 35, 45의 4개

(i)~(iii)에서 홀수인 경우의 수는 $4+4+4=12$

따라서 구하는 확률은 $\dfrac{12}{25}$

06 (1) 모든 경우의 수는 $4 \times 3 = 12$

회장 1명, 부회장 1명을 뽑을 때, 슬기가 회장으로 뽑히는 경우의 수는 슬기를 제외한 3명 중에서 부회장 1명을 뽑는 경우의 수와 같으므로 3

따라서 구하는 확률은 $\dfrac{3}{12}=\dfrac{1}{4}$ ······ [50 %]

(2) 모든 경우의 수는 $\dfrac{4 \times 3}{2 \times 1}=6$

대표 2명에 슬기가 포함되는 경우의 수는 슬기를 제외한 3명 중에서 대표 1명을 뽑는 경우의 수와 같으므로 3

따라서 구하는 확률은 $\dfrac{3}{6}=\dfrac{1}{2}$ ······ [50 %]

07 모든 경우의 수는 $6 \times 6 = 36$

$3x-2y=4$를 만족하는 순서쌍 (x, y)는

$(2, 1), (4, 4)$의 2가지

따라서 구하는 확률은 $\dfrac{2}{36}=\dfrac{1}{18}$

08 ① $p=0$이면 사건 A는 절대로 일어나지 않는다.

② $p=1$이면 사건 A는 반드시 일어난다.

③ $0 \le p \le 1$

09 ㉠ 상자에는 포도 주스가 없으므로 포도 주스를 꺼낼 확률은 0이다.

㉡ 어떤 사건 A가 일어날 확률을 p라 하면 $0 \le p \le 1$이므로 어떤 사건 A가 일어날 확률은 $\dfrac{2}{3}$가 될 수 있다.

㉢ 두 눈의 수의 합은 항상 12 이하이므로 구하는 확률은 1이다.

㉣ (비가 오지 않을 확률) = 1 − (비가 올 확률) = $1-\dfrac{2}{7}=\dfrac{5}{7}$

따라서 옳은 것은 ㉡, ㉢, ㉣이다.

10 비기는 경우는 없으므로 호석이가 이기는 경우는 윤기가 지는 경우와 같다.

∴ (호석이가 이길 확률)

= 1 − (윤기가 이길 확률)

= $1-\dfrac{2}{5}=\dfrac{3}{5}$

11 모든 경우의 수는 $\dfrac{10 \times 9}{2 \times 1}=45$

대표 2명에 모두 여학생이 뽑히는 경우의 수는 $\dfrac{6 \times 5}{2 \times 1}=15$

이므로 대표 2명에 모두 여학생이 뽑힐 확률은 $\dfrac{15}{45}=\dfrac{1}{3}$

∴ (적어도 한 명은 남학생이 뽑힐 확률)

= 1 − (모두 여학생이 뽑힐 확률)

= $1-\dfrac{1}{3}=\dfrac{2}{3}$

12 모든 경우의 수는 $\dfrac{4 \times 3}{2 \times 1} = 6$

선택한 건전지 2개가 모두 새 건전지인 경우의 수는 1이므로

모두 새 건전지가 나올 확률은 $\dfrac{1}{6}$

∴ (사용한 건전지가 적어도 한 개 나올 확률)

　= 1 − (모두 새 건전지가 나올 확률)

　= $1 - \dfrac{1}{6} = \dfrac{5}{6}$

13 (1) 모든 경우의 수는 $12 \times 12 = 144$ ⋯⋯ [20 %]

(2) (i) 두 수의 합이 2인 경우:

　　　$(1, 1)$의 1가지

(ⅱ) 두 수의 합이 3인 경우:

　　　$(1, 2), (2, 1)$의 2가지

(ⅲ) 두 수의 합이 4인 경우:

　　　$(1, 3), (2, 2), (3, 1)$의 3가지

(i)~(ⅲ)에서 두 수의 합이 5 미만인 경우의 수는

$1 + 2 + 3 = 6$

따라서 구하는 확률은 $\dfrac{6}{144} = \dfrac{1}{24}$ ⋯⋯ [50 %]

(3) (두 수의 합이 5 이상일 확률)

　= 1 − (두 수의 합이 5 미만일 확률)

　= $1 - \dfrac{1}{24} = \dfrac{23}{24}$ ⋯⋯ [30 %]

2 확률의 계산

개념 확인

214쪽~217쪽

1. (1) $\dfrac{3}{10}$　(2) $\dfrac{3}{10}$　(3) $\dfrac{3}{5}$

2. (1) $\dfrac{1}{6}$　(2) $\dfrac{1}{6}$　(3) $\dfrac{1}{36}$　(4) $\dfrac{25}{36}$

3. (1) $\dfrac{25}{64}$　(2) $\dfrac{5}{14}$　**4.** $\dfrac{1}{4}$　**5.** $\dfrac{4}{9}$

1 (1) 공에 적힌 숫자가 4보다 작은 경우는 1, 2, 3의 3가지이므로 구하는 확률은 $\dfrac{3}{10}$

(2) 공에 적힌 숫자가 8 이상인 경우는 8, 9, 10의 3가지이므로 구하는 확률은 $\dfrac{3}{10}$

(3) 공에 적힌 숫자가 4보다 작거나 8 이상일 확률은

$\dfrac{3}{10} + \dfrac{3}{10} = \dfrac{6}{10} = \dfrac{3}{5}$

2 (1) 주사위 A에서 2의 배수의 눈이 나오는 경우는 2, 4, 6의 3가지이므로 그 확률은 $\dfrac{3}{6} = \dfrac{1}{2}$

주사위 B에서 3의 배수의 눈이 나오는 경우는 3, 6의 2가지이므로 그 확률은 $\dfrac{2}{6} = \dfrac{1}{3}$

따라서 구하는 확률은 $\dfrac{1}{2} \times \dfrac{1}{3} = \dfrac{1}{6}$

(2) 주사위 A에서 3의 약수의 눈이 나오는 경우는 1, 3의 2가지이므로 그 확률은 $\dfrac{2}{6} = \dfrac{1}{3}$

주사위 B에서 홀수의 눈이 나오는 경우는 1, 3, 5의 3가지이므로 그 확률은 $\dfrac{3}{6} = \dfrac{1}{2}$

따라서 구하는 확률은 $\dfrac{1}{3} \times \dfrac{1}{2} = \dfrac{1}{6}$

(3) 주사위 A에서 4의 눈이 나오는 경우는 4의 1가지이므로 그 확률은 $\dfrac{1}{6}$

주사위 B에서 4의 눈이 나오는 경우는 4의 1가지이므로 그 확률은 $\dfrac{1}{6}$

따라서 구하는 확률은 $\dfrac{1}{6} \times \dfrac{1}{6} = \dfrac{1}{36}$

(4) 주사위 A에서 4의 눈이 나오지 않을 확률은

$1 - \dfrac{1}{6} = \dfrac{5}{6}$

주사위 B에서 4의 눈이 나오지 않을 확률은

$1 - \dfrac{1}{6} = \dfrac{5}{6}$

따라서 구하는 확률은 $\dfrac{5}{6} \times \dfrac{5}{6} = \dfrac{25}{36}$

3 (1) 첫 번째에 흰 구슬을 꺼낼 확률은 $\dfrac{5}{8}$

꺼낸 구슬을 다시 넣으므로 두 번째에 흰 구슬을 꺼낼 확률은 $\dfrac{5}{8}$

따라서 구하는 확률은 $\dfrac{5}{8} \times \dfrac{5}{8} = \dfrac{25}{64}$

(2) 첫 번째에 흰 구슬을 꺼낼 확률은 $\dfrac{5}{8}$

꺼낸 구슬을 다시 넣지 않으므로 두 번째에 흰 구슬을 꺼낼 확률은 $\dfrac{4}{7}$

따라서 구하는 확률은 $\dfrac{5}{8} \times \dfrac{4}{7} = \dfrac{5}{14}$

4 4의 배수는 4, 8이므로 4의 배수가 적힌 부분을 맞힐 확률은

$\dfrac{2}{8} = \dfrac{1}{4}$

5 9등분된 것 중 색칠한 부분이 네 부분이므로 구하는 확률은

$\dfrac{4}{9}$

1-1. $\dfrac{3}{5}$ 연구 ① 15, 3, $\dfrac{1}{5}$ ② 3, 4, 15, $\dfrac{2}{5}$ ③ $\dfrac{1}{5}$, $\dfrac{2}{5}$, $\dfrac{3}{5}$

1-2. (1) $\dfrac{2}{3}$ (2) $\dfrac{2}{3}$

2-1. $\dfrac{1}{4}$ 연구 ① $\dfrac{1}{2}$ ② 3, $\dfrac{1}{2}$ ③ $\dfrac{1}{2}$, $\dfrac{1}{2}$, $\dfrac{1}{4}$

2-2. $\dfrac{1}{3}$

3-1. (1) $\dfrac{2}{3}$, $\dfrac{4}{9}$ (2) $\dfrac{1}{2}$, $\dfrac{1}{3}$

3-2. (1) $\dfrac{16}{49}$ (2) $\dfrac{2}{7}$

1-2. $\dfrac{3}{4}$ **1-3.** $\dfrac{5}{18}$

2-2. (1) $\dfrac{2}{15}$ (2) $\dfrac{2}{5}$ (3) $\dfrac{1}{5}$

3-2. $\dfrac{1}{7}$ **3-3.** $\dfrac{2}{25}$

4-2. $\dfrac{11}{15}$ **4-3.** $\dfrac{17}{20}$

5-2. $\dfrac{7}{15}$ **5-3.** $\dfrac{8}{15}$

6-2. $\dfrac{4}{25}$ **7-2.** (1) $\dfrac{4}{15}$ (2) $\dfrac{1}{15}$

8-2. $\dfrac{1}{10}$

1-2 (1) 나오는 눈의 수가 2 이하인 경우는 1, 2의 2가지이므로

그 확률은 $\dfrac{2}{6}=\dfrac{1}{3}$

나오는 눈의 수가 5 이상인 경우는 5, 6의 2가지이므로

그 확률은 $\dfrac{2}{6}=\dfrac{1}{3}$

따라서 구하는 확률은 $\dfrac{1}{3}+\dfrac{1}{3}=\dfrac{2}{3}$

(2) 나오는 눈의 수가 소수인 경우는 2, 3, 5의 3가지이므로

그 확률은 $\dfrac{3}{6}$

나오는 눈의 수가 4의 배수인 경우는 4의 1가지이므로

그 확률은 $\dfrac{1}{6}$

따라서 구하는 확률은 $\dfrac{3}{6}+\dfrac{1}{6}=\dfrac{4}{6}=\dfrac{2}{3}$

2-2 한 개의 동전을 던질 때 뒷면이 나올 확률은 $\dfrac{1}{2}$

한 개의 주사위를 던질 때 6의 약수의 눈이 나오는 경우는

1, 2, 3, 6의 4가지이므로 그 확률은 $\dfrac{4}{6}=\dfrac{2}{3}$

따라서 구하는 확률은 $\dfrac{1}{2}\times\dfrac{2}{3}=\dfrac{1}{3}$

3-2 (1) 첫 번째에 검은 공을 꺼낼 확률은 $\dfrac{4}{7}$

꺼낸 공을 다시 넣으므로 두 번째에 검은 공을 꺼낼 확률은 $\dfrac{4}{7}$

따라서 구하는 확률은 $\dfrac{4}{7}\times\dfrac{4}{7}=\dfrac{16}{49}$

(2) 첫 번째에 검은 공을 꺼낼 확률은 $\dfrac{4}{7}$

꺼낸 공을 다시 넣지 않으므로 두 번째에 검은 공을 꺼낼 확률은 $\dfrac{3}{6}=\dfrac{1}{2}$

따라서 구하는 확률은 $\dfrac{4}{7}\times\dfrac{1}{2}=\dfrac{2}{7}$

1-2 모든 경우의 수는 $4+5+3=12$

파란 공이 나올 확률은 $\dfrac{4}{12}$

노란 공이 나올 확률은 $\dfrac{5}{12}$

따라서 구하는 확률은 $\dfrac{4}{12}+\dfrac{5}{12}=\dfrac{9}{12}=\dfrac{3}{4}$

1-3 모든 경우의 수는 $6\times6=36$

나오는 두 눈의 수의 차가 4인 경우는 $(1,5)$, $(2,6)$, $(5,1)$, $(6,2)$의 4가지이므로 그 확률은 $\dfrac{4}{36}$

나오는 두 눈의 수의 합이 7인 경우는 $(1,6)$, $(2,5)$, $(3,4)$, $(4,3)$, $(5,2)$, $(6,1)$의 6가지이므로 그 확률은 $\dfrac{6}{36}$

따라서 구하는 확률은 $\dfrac{4}{36}+\dfrac{6}{36}=\dfrac{10}{36}=\dfrac{5}{18}$

2-2 (1) A 주머니에서 흰 공이 나올 확률은 $\dfrac{2}{6}=\dfrac{1}{3}$

B 주머니에서 검은 공이 나올 확률은 $\dfrac{2}{5}$

따라서 구하는 확률은 $\dfrac{1}{3}\times\dfrac{2}{5}=\dfrac{2}{15}$

(2) A 주머니에서 검은 공이 나올 확률은 $\dfrac{4}{6}=\dfrac{2}{3}$

B 주머니에서 흰 공이 나올 확률은 $\dfrac{3}{5}$

따라서 구하는 확률은 $\dfrac{2}{3}\times\dfrac{3}{5}=\dfrac{2}{5}$

(3) A 주머니에서 흰 공이 나올 확률은 $\dfrac{2}{6}=\dfrac{1}{3}$

B 주머니에서 흰 공이 나올 확률은 $\dfrac{3}{5}$

따라서 구하는 확률은 $\dfrac{1}{3}\times\dfrac{3}{5}=\dfrac{1}{5}$

3-2 A 선수는 명중시키지 못하고 B 선수는 명중시킬 확률은
$$\left(1-\frac{3}{4}\right)\times\frac{4}{7}=\frac{1}{4}\times\frac{4}{7}=\frac{1}{7}$$

3-3 A 선수가 자유투를 성공할 확률은 $\dfrac{80}{100}=\dfrac{4}{5}$

B 선수가 자유투를 성공할 확률은 $\dfrac{60}{100}=\dfrac{3}{5}$

따라서 A, B 두 선수가 모두 자유투를 실패할 확률은
$$\left(1-\frac{4}{5}\right)\times\left(1-\frac{3}{5}\right)=\frac{1}{5}\times\frac{2}{5}=\frac{2}{25}$$

4-2 (적어도 한 개는 검은 공일 확률)

=1−(2개 모두 흰 공일 확률)

$$=1-\frac{3}{5}\times\frac{4}{9}=1-\frac{4}{15}=\frac{11}{15}$$

4-3 A 포수가 새를 맞히지 못할 확률은 $1-\dfrac{2}{5}=\dfrac{3}{5}$

B 포수가 새를 맞히지 못할 확률은 $1-\dfrac{3}{4}=\dfrac{1}{4}$

새를 맞히려면 적어도 한 포수는 새를 맞혀야 하므로

(새를 맞힐 확률)

=1−(두 포수 모두 맞히지 못할 확률)

$$=1-\frac{3}{5}\times\frac{1}{4}=1-\frac{3}{20}=\frac{17}{20}$$

5-2 (i) A 주머니에서 빨간 공, B 주머니에서 파란 공을 꺼낼 확률은 $\dfrac{2}{5}\times\dfrac{2}{3}=\dfrac{4}{15}$

(ii) A 주머니에서 파란 공, B 주머니에서 빨간 공을 꺼낼 확률은 $\dfrac{3}{5}\times\dfrac{1}{3}=\dfrac{3}{15}$

(i), (ii)에서 구하는 확률은 $\dfrac{4}{15}+\dfrac{3}{15}=\dfrac{7}{15}$

5-3 (i) 지영이는 합격하고 승봉이는 불합격할 확률은
$$\frac{1}{3}\times\left(1-\frac{3}{5}\right)=\frac{1}{3}\times\frac{2}{5}=\frac{2}{15}$$

(ii) 지영이는 불합격하고 승봉이는 합격할 확률은
$$\left(1-\frac{1}{3}\right)\times\frac{3}{5}=\frac{2}{3}\times\frac{3}{5}=\frac{6}{15}$$

(i), (ii)에서 구하는 확률은 $\dfrac{2}{15}+\dfrac{6}{15}=\dfrac{8}{15}$

6-2 태현이가 당첨 제비를 뽑지 않을 확률은 $\dfrac{8}{10}=\dfrac{4}{5}$

태현이가 뽑은 제비를 다시 넣으므로

인성이가 당첨 제비를 뽑을 확률은 $\dfrac{2}{10}=\dfrac{1}{5}$

따라서 구하는 확률은 $\dfrac{4}{5}\times\dfrac{1}{5}=\dfrac{4}{25}$

7-2 (1) 대영이가 당첨 제비를 뽑을 확률은 $\dfrac{2}{6}=\dfrac{1}{3}$

신희가 당첨 제비를 뽑지 않을 확률은 $\dfrac{4}{5}$

따라서 구하는 확률은 $\dfrac{1}{3}\times\dfrac{4}{5}=\dfrac{4}{15}$

(2) 대영이가 당첨 제비를 뽑을 확률은 $\dfrac{2}{6}=\dfrac{1}{3}$

신희가 당첨 제비를 뽑을 확률은 $\dfrac{1}{5}$

따라서 구하는 확률은 $\dfrac{1}{3}\times\dfrac{1}{5}=\dfrac{1}{15}$

8-2 원판 A에서 숫자 2를 맞힐 확률은 $\dfrac{1}{4}$

원판 B에서 숫자 2를 맞힐 확률은 $\dfrac{2}{5}$

따라서 구하는 확률은 $\dfrac{1}{4}\times\dfrac{2}{5}=\dfrac{1}{10}$

STEP ❸ 223쪽~224쪽

01. ④ **02.** ② **03.** $\dfrac{12}{25}$ **04.** $\dfrac{1}{10}$

05. $\dfrac{2}{5}$ **06.** $\dfrac{3}{4}$ **07.** $\dfrac{7}{20}$ **08.** $\dfrac{23}{35}$

09. (1) $\dfrac{4}{25}$ (2) $\dfrac{1}{10}$ **10.** (1) $\dfrac{1}{11}$ (2) $\dfrac{14}{33}$ (3) $\dfrac{8}{33}$

11. $\dfrac{1}{8}$

01 전체 학생 수는 $13+12+8+2=35$

학생의 혈액형이 A형일 확률은 $\dfrac{13}{35}$

학생의 혈액형이 B형일 확률은 $\dfrac{12}{35}$

따라서 구하는 확률은 $\dfrac{13}{35}+\dfrac{12}{35}=\dfrac{25}{35}=\dfrac{5}{7}$

02 모든 경우의 수는 $6\times6=36$

두 눈의 수의 차가 3인 경우는 $(1,4),(2,5),(3,6),$

$(4,1),(5,2),(6,3)$의 6가지이므로 그 확률은 $\dfrac{6}{36}$

두 눈의 수의 차가 5인 경우는 $(1,6),(6,1)$의 2가지이므로

그 확률은 $\dfrac{2}{36}$

따라서 구하는 확률은 $\dfrac{6}{36}+\dfrac{2}{36}=\dfrac{8}{36}=\dfrac{2}{9}$

03 1부터 50까지의 자연수 중

  (ⅰ) 3의 배수는 3, 6, 9, $\cdots$, 48의 16가지이므로 3의 배수가

     적힌 공이 나올 확률은 $\dfrac{16}{50}=\dfrac{8}{25}$ …… [20 %]

  (ⅱ) 4의 배수는 4, 8, 12, $\cdots$, 48의 12가지이므로 4의 배수가

     적힌 공이 나올 확률은 $\dfrac{12}{50}=\dfrac{6}{25}$ …… [20 %]

  (ⅲ) 3의 배수이면서 4의 배수, 즉 12의 배수는 12, 24, 36, 48

     의 4가지이므로 12의 배수가 나올 확률은 $\dfrac{4}{50}=\dfrac{2}{25}$

                                                 …… [30 %]

  따라서 구하는 확률은

  $\dfrac{8}{25}+\dfrac{6}{25}-\dfrac{2}{25}=\dfrac{12}{25}$ …… [30 %]

04 A, B 두 스위치가 모두 연결되어야 불이 들어오므로

  그 확률은 $\dfrac{3}{5}\times\dfrac{1}{6}=\dfrac{1}{10}$

05 토요일에 비가 오지 않을 확률은 $1-\dfrac{1}{5}=\dfrac{4}{5}$

  일요일에 비가 오지 않을 확률은 $1-\dfrac{1}{4}=\dfrac{3}{4}$

  ∴ (토요일과 일요일 중 적어도 하루는 비가 올 확률)

    =1−(토요일과 일요일 모두 비가 오지 않을 확률)

    $=1-\dfrac{4}{5}\times\dfrac{3}{4}=1-\dfrac{3}{5}=\dfrac{2}{5}$

06 풍선이 터지려면 적어도 한 사람은 풍선을 맞혀야 한다.

  A가 풍선을 맞히지 못할 확률은 $1-\dfrac{1}{3}=\dfrac{2}{3}$

  B가 풍선을 맞히지 못할 확률은 $1-\dfrac{1}{4}=\dfrac{3}{4}$

  C가 풍선을 맞히지 못할 확률은 $1-\dfrac{1}{2}=\dfrac{1}{2}$

  ∴ (풍선을 맞힐 확률)

    =(적어도 한 사람이 맞힐 확률)

    = 1−(세 사람 모두 맞히지 못할 확률)

    $=1-\dfrac{2}{3}\times\dfrac{3}{4}\times\dfrac{1}{2}$

    $=1-\dfrac{1}{4}=\dfrac{3}{4}$

07 (ⅰ) 정건이가 합격하고 승환이는 불합격할 확률은

    $\dfrac{3}{4}\times\left(1-\dfrac{4}{5}\right)=\dfrac{3}{4}\times\dfrac{1}{5}=\dfrac{3}{20}$

  (ⅱ) 정건이는 불합격하고 승환이가 합격할 확률은

    $\left(1-\dfrac{3}{4}\right)\times\dfrac{4}{5}=\dfrac{1}{4}\times\dfrac{4}{5}=\dfrac{4}{20}$

  따라서 구하는 확률은 $\dfrac{3}{20}+\dfrac{4}{20}=\dfrac{7}{20}$

08 (ab가 짝수일 확률)

  =(a, b 중 적어도 하나가 짝수일 확률)

  =1−(a, b 모두 홀수일 확률)

  $=1-\left(1-\dfrac{2}{5}\right)\times\left(1-\dfrac{3}{7}\right)$

  $=1-\dfrac{3}{5}\times\dfrac{4}{7}$

  $=1-\dfrac{12}{35}=\dfrac{23}{35}$

참고 ① (짝수)×(홀수)=(짝수)

    ② (홀수)×(짝수)=(짝수)

    ③ (짝수)×(짝수)=(짝수)

    ④ (홀수)×(홀수)=(홀수)

09 (1) 첫 번째에 빨간 공이 나올 확률은 $\dfrac{2}{5}$

    꺼낸 공을 다시 넣으므로 두 번째에 빨간 공이 나올

    확률은 $\dfrac{2}{5}$

    따라서 구하는 확률은 $\dfrac{2}{5}\times\dfrac{2}{5}=\dfrac{4}{25}$ …… [50 %]

  (2) 첫 번째에 빨간 공이 나올 확률은 $\dfrac{2}{5}$

    꺼낸 공을 다시 넣지 않으므로 두 번째에 빨간 공이 나올

    확률은 $\dfrac{1}{4}$

    따라서 구하는 확률은 $\dfrac{2}{5}\times\dfrac{1}{4}=\dfrac{1}{10}$ …… [50 %]

10 (1) 두 개 모두 깨가 들어 있는 송편일 확률은

    $\dfrac{4}{12}\times\dfrac{3}{11}=\dfrac{1}{11}$

  (2) 두 개 모두 팥이 들어 있는 송편일 확률은

    $\dfrac{8}{12}\times\dfrac{7}{11}=\dfrac{14}{33}$

  (3) 첫 번째에는 깨가 들어 있는 송편, 두 번째에는 팥이 들

    어 있는 송편일 확률은

    $\dfrac{4}{12}\times\dfrac{8}{11}=\dfrac{8}{33}$

11 원판 A에서 3의 배수가 나오는 경우는 3, 6의 2가지이므로

  그 확률은 $\dfrac{2}{6}=\dfrac{1}{3}$

  원판 B에서 4의 약수가 나오는 경우는 1, 2, 4의 3가지이므

  로 그 확률은 $\dfrac{3}{8}$

  따라서 구하는 확률은 $\dfrac{1}{3}\times\dfrac{3}{8}=\dfrac{1}{8}$

단원 종합 문제

1쪽~3쪽

❶ 이등변삼각형 ~ ❷ 삼각형의 외심과 내심

01. ⑤	**02.** 6 cm	**03.** ②	**04.** ②	**05.** 9 cm
06. (1) $\overline{PB}$	(2) $\overline{OP}$	(3) ∠PAO	(4) △BOP	(5) ∠AOP
07. ⑤	**08.** 8 cm²	**09.** 12 cm	**10.** ⑤	**11.** 42 cm
12. 65°	**13.** 64°	**14.** 27°	**15.** ④	
16. (1) 50°	(2) 35°	(3) 15°	**17.** 8 cm	**18.** ④

01 ⑤ ASA

02 삼각형의 세 내각의 크기의 합은 180°이므로
∠B=180°−(80°+50°)=50°
따라서 ∠B=∠C=50°이므로 △ABC는 $\overline{AB}=\overline{AC}$인
이등변삼각형이다.
∴ $\overline{AB}=\overline{AC}$=6 cm

03 △ABC에서 $\overline{AB}=\overline{AC}$이므로
$\angle ABC=\angle ACB=\frac{1}{2}\times(180°-52°)=64°$
∴ $\angle DCE=\frac{1}{2}\angle ACE=\frac{1}{2}\times(180°-64°)=58°$
△CDB에서 $\overline{CD}=\overline{CB}$이므로
∠CBD=∠CDB=∠x
이때 ∠DCE는 △CDB의 한 외각이므로
∠CBD+∠CDB=∠DCE
즉 ∠x+∠x=58°, 2∠x=58° ∴ ∠x=29°

04 △ABC에서 $\overline{AB}=\overline{AC}$이므로
$\angle ABC=\angle C=\frac{1}{2}\times(180°-36°)=72°$
∴ $\angle ABD=\angle DBC=\frac{1}{2}\times72°=36°$
즉 △ABD에서 ∠ABD=∠A=36° (④)이므로
$\overline{BD}=\overline{AD}$ (③)
△DBC에서 ∠BDC=180°−(36°+72°)=72°
즉 ∠C=∠BDC (⑤)이므로 $\overline{BC}=\overline{BD}$ (①)
② ∠ADB=180°−∠BDC=180°−72°=108°

05 ∠AFE=∠EFC (접은 각),
∠AEF=∠EFC (엇각)
이므로 ∠AFE=∠AEF
따라서 △AFE는 $\overline{AF}=\overline{AE}$
인 이등변삼각형이므로
$\overline{AE}=\overline{AF}$=9 cm

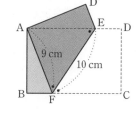

07 ⑤ 빗변의 길이가 6 cm로 같고, 다른 한 변의 길이가 4 cm
로 같으므로 RHS 합동이다.

08 오른쪽 그림과 같이 점 D에서 $\overline{AC}$에
내린 수선의 발을 E라 하면
△ABD와 △AED에서
∠BAD=∠EAD,
$\overline{AD}$는 공통,
∠B=∠AED=90°
∴ △ABD≡△AED (RHA 합동) ······ [40 %]
따라서 $\overline{DE}=\overline{DB}$=2 cm이므로 ······ [30 %]
$\triangle ADC=\frac{1}{2}\times\overline{AC}\times\overline{DE}$
$=\frac{1}{2}\times8\times2$
$=8$ (cm²) ······ [30 %]

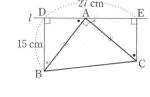

09 △ABD와 △CAE에서
∠ADB=∠CEA=90°,
$\overline{AB}=\overline{CA}$,
∠BAD=90°−∠CAE
  =∠ACE
이므로 △ABD≡△CAE (RHA 합동)
∴ $\overline{AE}=\overline{BD}$=15 cm
∴ $\overline{CE}=\overline{AD}=\overline{DE}-\overline{AE}$
  =27−15=12 (cm)

10 ① 예각삼각형의 외심은 삼각형의 내부에 있고, 직각삼각
형의 외심은 빗변의 중점이고, 둔각삼각형의 외심은 삼
각형의 외부에 있다.
② 삼각형의 내심은 모두 삼각형의 내부에 있다.
③, ④ 삼각형의 외심은 세 변의 수직이등분선이 만나는 점
이고, 삼각형의 내심은 세 내각의 이등분선이 만나는 점
이다.

11 삼각형의 외심은 세 변의 수직이등분선이 만나는 점이므로
$\overline{BD}=\overline{AD}$=7 cm, $\overline{CE}=\overline{BE}$=8 cm, $\overline{CF}=\overline{AF}$=6 cm
∴ (△ABC의 둘레의 길이)=$\overline{AB}+\overline{BC}+\overline{CA}$
  =2×(7+8+6)
  =42 (cm)

12 △OBC에서 $\overline{OB}=\overline{OC}$이므로
∠OCB=∠OBC=25°
∴ ∠BOC=180°−(25°+25°)=130°
∴ $\angle BAC=\frac{1}{2}\angle BOC=\frac{1}{2}\times130°=65°$

13 점 M은 △ABC의 외심이므로

$\overline{MA}=\overline{MB}=\overline{MC}$ ...... [50 %]

△MBC에서 ∠MBC=∠C=32°

∴ ∠AMB=∠MBC+∠C

$=32°+32°=64°$ ...... [50 %]

14 $\angle AIB=90°+\dfrac{1}{2}\angle C=90°+\dfrac{1}{2}\times74°=127°$

△ABI에서 ∠IAB=180°−(26°+127°)=27°

15 점 I가 △ABC의 내심이
므로

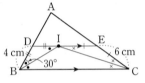

∠IBC=∠DBI=30°

$\overline{DE}/\!/\overline{BC}$이므로

∠DIB=∠IBC=30° (엇각) (①)

즉 ∠DBI=∠DIB이므로 △DBI는 $\overline{DB}=\overline{DI}$인 이등변
삼각형이다. (②)

∴ $\overline{DI}=\overline{DB}$=4 cm (③)

④ 같은 방법으로 하면 △EIC는 $\overline{EI}=\overline{EC}$인 이등변삼각
형이므로

$\overline{DE}=\overline{DI}+\overline{EI}=\overline{DB}+\overline{EC}=4+6=10$ (cm)

⑤ (△ADE의 둘레의 길이)

$=\overline{AD}+\overline{DE}+\overline{AE}$

$=\overline{AD}+(\overline{DI}+\overline{EI})+\overline{AE}$

$=(\overline{AD}+\overline{DB})+(\overline{EC}+\overline{AE})$

$=\overline{AB}+\overline{AC}$

16 (1) 점 O가 △ABC의 외심이므로

∠BOC=2∠A=2×40°=80°

△OBC에서 $\overline{OB}=\overline{OC}$이므로

$\angle OBC=\angle OCB=\dfrac{1}{2}\times(180°-80°)=50°$

...... [40 %]

(2) △ABC에서 $\overline{AB}=\overline{AC}$이므로

$\angle ABC=\angle ACB=\dfrac{1}{2}\times(180°-40°)=70°$

점 I가 △ABC의 내심이므로

$\angle IBC=\dfrac{1}{2}\angle ABC=\dfrac{1}{2}\times70°=35°$ ...... [40 %]

(3) ∠OBI=∠OBC−∠IBC

$=50°-35°=15°$ ...... [20 %]

17 점 I가 △ABC의 내심이므로

$\overline{AF}=\overline{AD}=2$ cm, $\overline{CF}=\overline{CE}=6$ cm

∴ $\overline{AC}=\overline{AF}+\overline{CF}=2+6=8$ (cm)

18 △ABC의 외접원 O의 반지름의 길이를 R라 하면

$R=\dfrac{1}{2}\overline{AB}=\dfrac{1}{2}\times15=\dfrac{15}{2}$ (cm)

△ABC의 내접원 I의 반지름의 길이를 r라 하면

$\dfrac{1}{2}\times9\times12=\dfrac{1}{2}\times r\times(15+9+12)$

$54=18r$ ∴ $r=3$ (cm)

∴ $R+r=\dfrac{15}{2}+3=\dfrac{21}{2}$ (cm)

4쪽~6쪽

❸ 평행사변형 ~ ❹ 여러 가지 사각형

01. 94	**02.** ③	**03.** 126°	**04.** ④
05. 두 대각선이 서로 다른 것을 이등분한다.			**06.** 6 cm²
07. ③	**08.** ②	**09.** ①	**10.** ①	**11.** 25°
12. 105°	**13.** 22 cm	**14.** ④	**15.** 20	**16.** ②
17. 6 cm²	**18.** ③		

01 $\overline{BC}=\overline{AD}$=9 cm이므로 $x=9$

$\overline{OC}=\overline{OA}$=5 cm이므로 $y=5$

∠ADC=∠ABC=80°이므로 $z=80$

∴ $x+y+z=9+5+80=94$

02 $\overline{AB}/\!/\overline{EC}$이므로 ∠BEC=∠ABE (엇각)

∠ABE=∠EBC이므로 ∠BEC=∠EBC

따라서 △EBC는 $\overline{CE}=\overline{CB}$인 이등변삼각형이므로

$\overline{CE}=\overline{CB}$=8 cm

또 $\overline{CD}=\overline{AB}$=5 cm

∴ $\overline{DE}=\overline{CE}-\overline{CD}=8-5=3$ (cm)

03 ∠B+∠C=180°이고 ∠B : ∠C=2 : 3이므로

$\angle BAD=\angle C=180°\times\dfrac{3}{5}=108°$ ...... [40 %]

∴ $\angle DAE=\dfrac{1}{2}\angle BAD=\dfrac{1}{2}\times108°=54°$ ...... [20 %]

따라서 ∠AEB=∠DAE=54° (엇각)이므로

∠AEC=180°−∠AEB

$=180°-54°=126°$ ...... [40 %]

04 ④ ∠B+∠C=180°이므로 $\overline{AB}/\!/\overline{DC}$이지만
$\overline{AD}/\!/\overline{BC}$인지는 알 수 없다.

06 $\triangle ABO=\dfrac{1}{4}\Box ABCD$

$=\dfrac{1}{4}\times24=6$ (cm²)

07 $\square ABCD = 7 \times 4 = 28$ (cm^2)

$\triangle PDA + \triangle PBC = \dfrac{1}{2}\square ABCD$ 이므로

$\triangle PDA + 6 = \dfrac{1}{2} \times 28 = 14$

$\therefore \triangle PDA = 8$ (cm^2)

08 $\angle AOD = \angle BOC = 115°$ (맞꼭지각)

$\triangle ODA$에서 $\overline{OA} = \overline{OD}$이므로

$\angle x = \angle OAD = \dfrac{1}{2} \times (180° - 115°) = 32.5°$

$\angle BAD = 90°$이므로

$\angle y = 90° - \angle OAD$

$\quad = 90° - 32.5° = 57.5°$

$\therefore \angle y - \angle x = 57.5° - 32.5° = 25°$

09 $\overline{AB} = \overline{AD}$이므로

$\angle x = \dfrac{1}{2} \times (180° - 120°) = 30°$

$\overline{AB} /\!/ \overline{DC}$이므로

$\angle y = \angle x = 30°$ (엇각)

$\therefore \angle x + \angle y = 30° + 30° = 60°$

10 평행사변형 ABCD에서 $\overline{AB} = \overline{BC}$이면 $\square ABCD$는 마름모이다.

① $\angle C = 90°$, 즉 한 내각의 크기가 $90°$이면 마름모 ABCD는 정사각형이 된다.

11 $\triangle ABP$와 $\triangle ADP$에서

$\overline{AB} = \overline{AD}$,

$\angle BAP = \angle DAP = 45°$,

$\overline{AP}$는 공통

이므로 $\triangle ABP \equiv \triangle ADP$

(SAS 합동)

$\therefore \angle ABP = \angle ADP = \angle x$

$\triangle ABP$에서 $45° + \angle x = 70°$이므로 $\angle x = 25°$

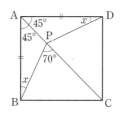

12 $\overline{AD} /\!/ \overline{BC}$이므로

$\angle ADB = \angle DBC = 25°$ (엇각) ······ [25 %]

$\triangle ABD$에서 $\overline{AB} = \overline{AD}$이므로

$\angle ABD = \angle ADB = 25°$ ······ [25 %]

$\therefore \angle C = \angle ABC = 25° + 25° = 50°$ ······ [25 %]

따라서 $\triangle DBC$에서

$\angle BDC = 180° - (25° + 50°) = 105°$ ······ [25 %]

13 오른쪽 그림과 같이 점 D를 지나고 $\overline{AB}$에 평행한 직선이 $\overline{BC}$와 만나는 점을 E라 하면 $\square ABED$는 평행사변형이므로

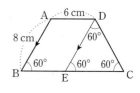

$\overline{BE} = \overline{AD} = 6$ cm

$\square ABCD$는 등변사다리꼴이므로 $\angle B = \angle C = 60°$이고 $\angle DEC = \angle B = 60°$ (동위각)이므로 $\triangle DEC$는 정삼각형이다.

즉 $\overline{EC} = \overline{DC} = \overline{AB} = 8$ cm

$\therefore \overline{BC} + \overline{CD} = \overline{BE} + \overline{EC} + \overline{CD}$

$\quad = 6 + 8 + 8 = 22$ (cm)

14 ④ '이웃하는 두 변의 길이가 같다.' 또는 '두 대각선이 수직으로 만난다.'가 들어가야 한다.

⑤ 이웃하는 두 내각의 크기의 합은 $180°$이므로 이웃하는 두 내각의 크기가 같으면 한 내각의 크기가 $90°$이다.

15 두 대각선이 서로 다른 것을 이등분하는 사각형은 평행사변형, 마름모, 직사각형, 정사각형의 4개이므로 $a = 4$

······ [30 %]

두 대각선의 길이가 같은 사각형은 등변사다리꼴, 직사각형, 정사각형의 3개이므로 $b = 3$ ······ [30 %]

두 대각선이 내각을 이등분하는 사각형은 마름모, 정사각형의 2개이므로 $c = 2$ ······ [30 %]

$\therefore 3a + 2b + c = 3 \times 4 + 2 \times 3 + 2$

$\quad = 20$ ······ [10 %]

16 ④ $\triangle AOD = \triangle ACD - \triangle ACO$

$\quad = \triangle ACE - \triangle ACO$

$\quad = \triangle COE$

⑤ $\triangle ABE = \triangle ABC + \triangle ACE$

$\quad = \triangle ABC + \triangle ACD$

$\quad = \square ABCD$

17 $\triangle ABC$에서 $\overline{BD} : \overline{DC} = 3 : 1$이므로

$\triangle ADC = \dfrac{1}{4}\triangle ABC$

$\quad = \dfrac{1}{4} \times 60 = 15$ (cm^2)

$\triangle ADC$에서 $\overline{AE} : \overline{EC} = 3 : 2$이므로

$\triangle EDC = \dfrac{2}{5}\triangle ADC$

$\quad = \dfrac{2}{5} \times 15 = 6$ (cm^2)

18 $\overline{AB}/\!/\overline{DC}$이므로 $\triangle AFD=\triangle BFD$

$\overline{BD}/\!/\overline{EF}$이므로 $\triangle BFD=\triangle BED$

$\overline{AD}/\!/\overline{BC}$이므로 $\triangle BED=\triangle ABE$

$\therefore \triangle AFD=\triangle BFD=\triangle BED=\triangle ABE$

따라서 $\triangle AFD$와 넓이가 같은 삼각형은 $\triangle AFD$를 제외하고 3개이다.

7쪽~9쪽

❺ 도형의 닮음 ~ ❻ 평행선과 선분의 길이의 비

01. ④	**02.** 24 cm	**03.** ⑤

04. (1) $\triangle ABC \oborder \triangle ADB$ (AA 닮음) (2) 5 cm

05. ②	**06.** ⑤	**07.** $\dfrac{23}{4}$ cm	**08.** ①
09. 16	**10.** ⑤	**11.** 36 cm^2	**12.** ②
13. ④	**14.** 9 cm	**15.** $x=\dfrac{16}{3}, y=4$	**16.** 11 cm

17. 6 cm **18.** (1) 6 cm (2) 8 cm (3) 60 cm^2

01 ④ 두 부채꼴이 항상 닮음이려면 중심각의 크기가 같아야 한다.

02 $\overline{AB}:\overline{DE}=2:3$, 즉 $4:\overline{DE}=2:3$이므로

$2\overline{DE}=12$ $\therefore \overline{DE}=6$ (cm) ...... [40 %]

$\overline{BC}:\overline{EF}=2:3$, 즉 $6:\overline{EF}=2:3$이므로

$2\overline{EF}=18$ $\therefore \overline{EF}=9$ (cm) ...... [40 %]

$\therefore (\triangle DEF$의 둘레의 길이$)=\overline{DE}+\overline{EF}+\overline{DF}$

$=6+9+9$

$=24$ (cm) ...... [20 %]

03 ① 면 ABED에 대응하는 면은 면 A′B′E′D′이다.

② 두 삼각기둥의 닮음비는

$\overline{AB}:\overline{A'B'}=8:4=2:1$

③ $\overline{AC}:\overline{A'C'}=2:1$이므로 $x:3=2:1$

$\therefore x=6$

④ $\overline{CF}:\overline{C'F'}=2:1$이므로 $10:y=2:1$

$2y=10$ $\therefore y=5$

⑤ $\overline{BC}:\overline{B'C'}=2:1$이므로 $\overline{BC}:5=2:1$

$\therefore \overline{BC}=10$

따라서 $\overline{EF}=\overline{BC}=10$이므로

$\overline{BC}+\overline{EF}=10+10=20$

04 (1) $\triangle ABC$와 $\triangle ADB$에서

$\angle A$는 공통, $\angle C=\angle ABD$

$\therefore \triangle ABC \oborder \triangle ADB$ (AA 닮음)

(2) $\triangle ABC$와 $\triangle ADB$의 닮음비는

$\overline{AB}:\overline{AD}=6:4=3:2$

따라서 $\overline{AC}:\overline{AB}=3:2$, 즉 $\overline{AC}:6=3:2$이므로

$2\overline{AC}=18$ $\therefore \overline{AC}=9$ (cm)

$\therefore \overline{CD}=\overline{AC}-\overline{AD}=9-4=5$ (cm)

05 $\triangle ABC$와 $\triangle DBA$에서

$\angle B$는 공통, $\overline{AB}:\overline{DB}=\overline{BC}:\overline{BA}=3:2$

$\therefore \triangle ABC \oborder \triangle DBA$ (SAS 닮음)

따라서 $\overline{AC}:\overline{DA}=3:2$, 즉 $x:3=3:2$이므로

$2x=9$ $\therefore x=\dfrac{9}{2}$

06 $\overline{AD}^2=\overline{BD}\times\overline{CD}$이므로 $8^2=\overline{BD}\times6$

$6\overline{BD}=64$ $\therefore \overline{BD}=\dfrac{32}{3}$ (cm)

$\overline{AB}\times\overline{AC}=\overline{AD}\times\overline{BC}$이므로

$\overline{AB}\times10=8\times\left(\dfrac{32}{3}+6\right), 10\overline{AB}=\dfrac{400}{3}$

$\therefore \overline{AB}=\dfrac{40}{3}$ (cm)

07 $\overline{BD}:\overline{DC}=2:1$이므로

$\overline{DC}=\dfrac{1}{3}\overline{BC}=\dfrac{1}{3}\times15=5$ (cm)

$\triangle ADC$와 $\triangle BEC$에서

$\angle ADC=\angle BEC=90°$, $\angle C$는 공통

$\therefore \triangle ADC \oborder \triangle BEC$ (AA 닮음)

따라서 $\overline{AC}:\overline{BC}=\overline{DC}:\overline{EC}$에서

$12:15=5:\overline{EC}$

$12\overline{EC}=75$ $\therefore \overline{EC}=\dfrac{25}{4}$ (cm)

$\therefore \overline{AE}=\overline{AC}-\overline{EC}=12-\dfrac{25}{4}=\dfrac{23}{4}$ (cm)

08 $\triangle DBE$에서 $\angle B=60°$이므로

$\angle BED+\angle BDE=120°$

$\angle DEF=60°$이므로

$\angle BED+\angle CEF=120°$

$\therefore \angle BDE=\angle CEF$

또 $\angle B=\angle C=60°$

$\therefore \triangle DBE \oborder \triangle ECF$ (AA 닮음)

따라서 $\overline{DE}:\overline{EF}=\overline{BE}:\overline{CF}$에서 $\overline{DE}:7=4:(12-7)$

$5\overline{DE}=28$ $\therefore \overline{DE}=\dfrac{28}{5}$ (cm)

$\therefore \overline{AD}=\overline{DE}=\dfrac{28}{5}$ (cm)

09 $\overline{DP}:\overline{BQ}=\overline{AP}:\overline{AQ}=\overline{PE}:\overline{QC}$이므로

$x:5=6:10,\ 10x=30 \quad \therefore x=3$ ······ [40 %]

$\overline{AE}:\overline{AC}=\overline{PE}:\overline{QC}$이므로

$8:(8+y)=6:10,\ 6y+48=80$

$6y=32 \quad \therefore y=\dfrac{16}{3}$ ······ [40 %]

$\therefore xy=3\times\dfrac{16}{3}=16$ ······ [20 %]

10 ① $\overline{AD}:\overline{DB}=4:3,\ \overline{AE}:\overline{EC}=5:4$

즉 $\overline{AD}:\overline{DB}\ne\overline{AE}:\overline{EC}$이므로 $\overline{BC}$와 $\overline{DE}$는 평행하지 않다.

② $\overline{AB}:\overline{AD}=5:8,\ \overline{AC}:\overline{AE}=4:7$

즉 $\overline{AB}:\overline{AD}\ne\overline{AC}:\overline{AE}$이므로 $\overline{BC}$와 $\overline{DE}$는 평행하지 않다.

③ $\overline{AB}:\overline{AD}=6:5,\ \overline{AC}:\overline{AE}=4:3$

즉 $\overline{AB}:\overline{AD}\ne\overline{AC}:\overline{AE}$이므로 $\overline{BC}$와 $\overline{DE}$는 평행하지 않다.

④ $\overline{AB}:\overline{BD}=3:8,\ \overline{AC}:\overline{CE}=4:9$

즉 $\overline{AB}:\overline{BD}\ne\overline{AC}:\overline{CE}$이므로 $\overline{BC}$와 $\overline{DE}$는 평행하지 않다.

⑤ $\overline{AD}:\overline{DB}=9:3=3:1,\ \overline{AE}:\overline{EC}=6:2=3:1$

즉 $\overline{AD}:\overline{DB}=\overline{AE}:\overline{EC}$이므로 $\overline{BC}\,/\!/\,\overline{DE}$

11 $\overline{AD}$는 $\angle A$의 이등분선이므로

$\overline{BD}:\overline{CD}=\overline{AB}:\overline{AC}=10:15=2:3$

따라서 $\triangle ABD:\triangle ACD=\overline{BD}:\overline{CD}=2:3$이므로

$24:\triangle ACD=2:3,\ 2\triangle ACD=72$

$\therefore \triangle ACD=36\ (\text{cm}^2)$

12 ② $\overline{AD}:\overline{AB}=\overline{DE}:\overline{BC}$

13 $\overline{AB}=2\overline{FE}=2\times4=8\ (\text{cm})$

$\overline{BC}=2\overline{DF}=2\times3=6\ (\text{cm})$

$\overline{AC}=2\overline{DE}=2\times4=8\ (\text{cm})$

$\therefore (\triangle ABC$의 둘레의 길이$)=\overline{AB}+\overline{BC}+\overline{CA}$

$=8+6+8=22\ (\text{cm})$

14 $\triangle ABF$에서 $\overline{AD}=\overline{DB},\ \overline{AE}=\overline{EF}$이므로

$\overline{DE}\,/\!/\,\overline{BF},\ \overline{BF}=2\overline{DE}=2\times6=12\ (\text{cm})$

$\triangle CED$에서 $\overline{CF}=\overline{FE},\ \overline{PF}\,/\!/\,\overline{DE}$이므로

$\overline{PF}=\dfrac{1}{2}\overline{DE}=\dfrac{1}{2}\times6=3\ (\text{cm})$

$\therefore \overline{BP}=\overline{BF}-\overline{PF}=12-3=9\ (\text{cm})$

15 $5:10=x:(16-x)$이므로 $10x=5(16-x)$

$15x=80 \quad \therefore x=\dfrac{16}{3}$ ······ [50 %]

$5:10=y:8$이므로 $10y=40 \quad \therefore y=4$ ······ [50 %]

16 오른쪽 그림과 같이 점 A에서 $\overline{DC}$에 평행한 $\overline{AF}$를 그어 $\overline{PQ}$와 만나는 점을 E라 하자. $\overline{EQ}=\overline{FC}=\overline{AD}=5\ \text{cm}$이므로

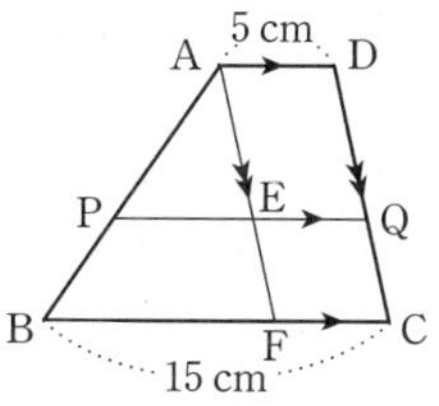

$\overline{BF}=\overline{BC}-\overline{FC}$

$=15-5=10\ (\text{cm})$

$\triangle ABF$에서 $\overline{AP}:\overline{AB}=\overline{PE}:\overline{BF}$이므로

$3:5=\overline{PE}:10,\ 5\overline{PE}=30 \quad \therefore \overline{PE}=6\ (\text{cm})$

$\therefore \overline{PQ}=\overline{PE}+\overline{EQ}=6+5=11\ (\text{cm})$

17 $\overline{AM}=\overline{MB},\ \overline{DN}=\overline{NC}$이므로 $\overline{AD}\,/\!/\,\overline{MN}\,/\!/\,\overline{BC}$

$\triangle ABC$에서 $\overline{AM}=\overline{MB},\ \overline{MQ}\,/\!/\,\overline{BC}$이므로

$\overline{MQ}=\dfrac{1}{2}\overline{BC}=\dfrac{1}{2}\times24=12\ (\text{cm})$

$\triangle BDA$에서 $\overline{BM}=\overline{MA},\ \overline{MP}\,/\!/\,\overline{AD}$이므로

$\overline{MP}=\dfrac{1}{2}\overline{AD}=\dfrac{1}{2}\times12=6\ (\text{cm})$

$\therefore \overline{PQ}=\overline{MQ}-\overline{MP}=12-6=6\ (\text{cm})$

18 (1) $\triangle ABE\backsim\triangle CDE$ (AA 닮음)이므로

$\overline{BE}:\overline{DE}=\overline{AB}:\overline{CD}=10:15=2:3$

이때 $\triangle BCD$에서 $\overline{EF}\,/\!/\,\overline{DC}$이므로

$\overline{BE}:\overline{BD}=\overline{EF}:\overline{DC}$, 즉 $2:(2+3)=\overline{EF}:15$

$5\overline{EF}=30 \quad \therefore \overline{EF}=6\ (\text{cm})$ ······ [50 %]

(2) $\triangle BCD$에서 $\overline{EF}\,/\!/\,\overline{DC}$이므로

$\overline{BE}:\overline{ED}=\overline{BF}:\overline{FC}$, 즉 $2:3=\overline{BF}:12$

$3\overline{BF}=24 \quad \therefore \overline{BF}=8\ (\text{cm})$ ······ [30 %]

(3) $\triangle EBC=\dfrac{1}{2}\times\overline{BC}\times\overline{EF}$

$=\dfrac{1}{2}\times(\overline{BF}+\overline{FC})\times\overline{EF}$

$=\dfrac{1}{2}\times(8+12)\times6$

$=60\ (\text{cm}^2)$ ······ [20 %]

10쪽~12쪽

❼ 닮음의 활용 ~ ❽ 피타고라스 정리

01. ③	**02.** 6 cm	**03.** ①	**04.** 4 cm
05. (1) 3 : 2 (2) $\dfrac{64}{3}$ cm (3) 16 cm²			**06.** 32 cm²
07. 96π cm³	**08.** 52분	**09.** 60 m	**10.** 23
11. 75	**12.** 12 cm²	**13.** 25	**14.** ② **15.** 196 cm²
16. ③	**17.** 21	**18.** 24	**19.** 8π cm²

01 ③ $\overline{AG}=\overline{BG}=\overline{CG}$인지는 알 수 없다.

02 직각삼각형 ABC에서 점 M은 빗변 AC의 중점이므로 △ABC의 외심이다.

$$\overline{AM}=\overline{BM}=\overline{CM}=\frac{1}{2}\overline{AC}$$
$$=\frac{1}{2}\times18=9\ (\text{cm}) \qquad \cdots\cdots [50\%]$$

이때 점 G가 △ABC의 무게중심이므로

$$\overline{BG}:\overline{GM}=2:1$$
$$\therefore \overline{BG}=\frac{2}{3}\overline{BM}=\frac{2}{3}\times9=6\ (\text{cm}) \qquad \cdots\cdots [50\%]$$

03 점 G가 △ABC의 무게중심이므로

$$\overline{EC}=\frac{1}{2}\overline{AC}=\frac{1}{2}\times10=5\ (\text{cm})$$

△BCE에서 $\overline{BD}=\overline{DC}$, $\overline{BE}/\!/\overline{DF}$이므로

$$\overline{EF}=\overline{FC}$$
$$\therefore \overline{FC}=\frac{1}{2}\overline{EC}=\frac{1}{2}\times5=\frac{5}{2}\ (\text{cm})$$

04 오른쪽 그림과 같이 대각선 BD를 그으면 두 점 P, Q는 각각 △ABD, △BCD의 무게중심이다.

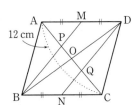

$$\overline{AO}=\overline{CO}=\frac{1}{2}\overline{AC}$$
$$=\frac{1}{2}\times12=6\ (\text{cm})$$

△ABD에서 $\overline{PO}=\dfrac{1}{3}\overline{AO}=\dfrac{1}{3}\times6=2\ (\text{cm})$

△BCD에서 $\overline{QO}=\dfrac{1}{3}\overline{CO}=\dfrac{1}{3}\times6=2\ (\text{cm})$

$$\therefore \overline{PQ}=\overline{PO}+\overline{QO}=2+2=4\ (\text{cm})$$

05 (1) $\overline{BC}:\overline{DE}=12:8=3:2$ $\qquad\cdots\cdots[20\%]$

(2) △ABC와 △ADE의 둘레의 길이의 비는 닮음비와 같으므로 3 : 2이다.

$$32:(\triangle ADE의 둘레의 길이)=3:2$$
$$\therefore (\triangle ADE의 둘레의 길이)=\frac{64}{3}\ (\text{cm})$$
$$\qquad\cdots\cdots[40\%]$$

(3) △ABC와 △ADE의 넓이의 비는 $3^2:2^2=9:4$이므로

$$36:\triangle ADE=9:4$$
$$\therefore \triangle ADE=16\ (\text{cm}^2) \qquad\cdots\cdots[40\%]$$

06 △ABE∽△FCE (AA 닮음)이므로 닮음비는

$$\overline{AB}:\overline{FC}=8:(10-8)=4:1$$

따라서 △ABE와 △FCE의 넓이의 비는

$$4^2:1^2=16:1이므로$$
$$\triangle ABE:2=16:1 \qquad \therefore \triangle ABE=32\ (\text{cm}^2)$$

07 두 원뿔 A, B의 닮음비는 $6:9=2:3$이므로

부피의 비는 $2^3:3^3=8:27$

따라서 (A의 부피) : $324\pi=8:27$이므로

$$27\times(A의 부피)=324\pi\times8$$
$$\therefore (A의 부피)=96\pi\ (\text{cm}^3)$$

08 물이 들어 있는 부분과 그릇의 닮음비는 $\dfrac{1}{3}:1=1:3$이므

로 부피의 비는 $1^3:3^3=1:27$

물을 가득 채울 때까지 더 걸리는 시간을 x분이라 하면

$$1:(27-1)=2:x \qquad \therefore x=52$$

09 △ABC∽△A′B′C′이므로

$$\overline{AB}:\overline{A'B'}=\overline{BC}:\overline{B'C'}$$

이때 80 m = 8000 cm이므로

$$\overline{AB}:3=8000:4 \qquad \therefore \overline{AB}=6000\ (\text{cm})$$

따라서 실제 강의 폭은 6000 cm, 즉 60 m이다.

10 △ABH에서 $x^2=25^2-20^2=225$

$$\therefore x=15\ (\because x>0)$$

△AHC에서 $y^2=17^2-15^2=64$

$$\therefore y=8\ (\because y>0)$$
$$\therefore x+y=15+8=23$$

11 오른쪽 그림과 같이 $\overline{BD}$를 그으면

△ABD에서

$$\overline{BD}^2=6^2+8^2=100$$
$$\therefore \overline{BD}=10\ (\because \overline{BD}>0)$$

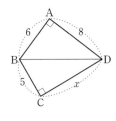

따라서 △BCD에서

$$x^2=10^2-5^2=75$$

12 오른쪽 그림과 같이 꼭짓점 A에서 $\overline{BC}$에 내린 수선의 발을 H라 하면

$$\overline{BH}=\frac{1}{2}\overline{BC}=\frac{1}{2}\times8$$
$$=4\ (\text{cm})$$

△ABH에서

$$\overline{AH}^2=5^2-4^2=9 \qquad \therefore \overline{AH}=3\ (\text{cm})\ (\because \overline{AH}>0)$$
$$\therefore \triangle ABC=\frac{1}{2}\times8\times3=12\ (\text{cm}^2)$$

13 오른쪽 그림과 같이 꼭짓점 A에서 $\overline{BC}$에 내린 수선의 발을 H라 하면

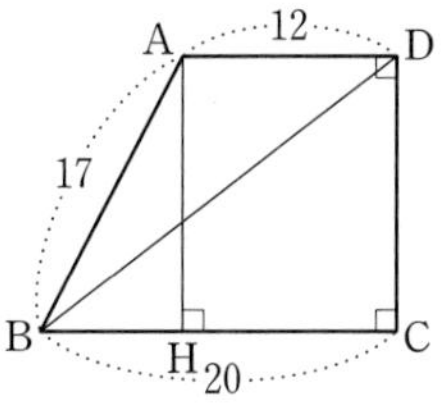

$\overline{HC}=\overline{AD}=12$

$\therefore \overline{BH}=20-12=8$

△ABH에서

$\overline{AH}^2=17^2-8^2=225$

$\therefore \overline{AH}=15 \ (\because \overline{AH}>0)$

이때 $\overline{DC}=\overline{AH}=15$이므로 △DBC에서

$\overline{BD}^2=20^2+15^2=625 \qquad \therefore \overline{BD}=25 \ (\because \overline{BD}>0)$

14 ①, ②, ③ △EBC와 △ABF에서

$\overline{EB}=\overline{AB}$, $\overline{BC}=\overline{BF}$, $\angle EBC=\angle ABF$이므로

△EBC ≡ △ABF (SAS 합동)

$\therefore \overline{EC}=\overline{AF}$, $\angle ECB=\angle AFB$

④ $\overline{EB} /\!/ \overline{DC}$이므로 △AEB = △EBC

$\overline{BF} /\!/ \overline{AM}$이므로 △ABF = △NBF

$\therefore$ △AEB = △EBC = △ABF = △NBF = △NFM

⑤ △AEB = △NBF이므로

□ADEB = 2△AEB = 2△NBF = □BFMN

15 △AEH ≡ △BFE ≡ △CGF ≡ △DHG (SAS 합동)이므로 □EFGH는 정사각형이다.

이때 □EFGH = 100 cm²이므로

$\overline{EH}=10$ cm $(\because \overline{EH}>0)$

△AEH에서

$\overline{AE}^2=10^2-6^2=64 \qquad \therefore \overline{AE}=8 \ (cm) \ (\because \overline{AE}>0)$

따라서 $\overline{AB}=8+6=14$ (cm)이므로

□ABCD = 14×14 = 196 (cm²)

16 ① $5^2=3^2+4^2$이므로 직각삼각형이다.

② $13^2=5^2+12^2$이므로 직각삼각형이다.

③ $12^2 \neq 6^2+10^2$이므로 직각삼각형이 아니다.

④ $25^2=7^2+24^2$이므로 직각삼각형이다.

⑤ $17^2=8^2+15^2$이므로 직각삼각형이다.

17 $\overline{DE}^2+\overline{BC}^2=\overline{BE}^2+\overline{CD}^2$이므로

$2^2+x^2=4^2+3^2 \qquad \therefore x^2=21$

18 $\overline{AB}^2+\overline{CD}^2=\overline{AD}^2+\overline{BC}^2$이므로

$7^2+y^2=5^2+x^2$

$\therefore x^2-y^2=7^2-5^2=24$

19 $S_1+S_2=S_3=\dfrac{1}{2}\times\pi\times4^2=8\pi \ (cm^2)$

---

❾ 경우의 수 ~ ❿ 확률

01. ④	**02.** ③	**03.** ②	**04.** 5	**05.** ④
06. ③	**07.** 16가지	**08.** 6	**09.** (1) 12 (2) 60	
10. ③	**11.** ②	**12.** ③	**13.** ②	**14.** $\dfrac{5}{8}$
15. ①	**16.** ③	**17.** ①	**18.** ③	**19.** ⑤
20. ⑤	**21.** ②	**22.** (1) $\dfrac{8}{49}$ (2) $\dfrac{26}{49}$	**23.** $\dfrac{1}{15}$	
24. $\dfrac{5}{9}$				

01 ① 소수는 2, 3, 5, 7이므로 구하는 경우의 수는 4

② 홀수는 1, 3, 5, 7, 9이므로 구하는 경우의 수는 5

③ 9의 약수는 1, 3, 9이므로 구하는 경우의 수는 3

④ 4의 배수는 4, 8이므로 구하는 경우의 수는 2

⑤ 3 이하의 수는 1, 2, 3이므로 구하는 경우의 수는 3

따라서 경우의 수가 가장 작은 사건은 ④이다.

02 지불할 수 있는 금액을 표로 나타내면 다음과 같다.

500원(개) \ 100원(개)	1	2
1	600	700
2	1100	1200
3	1600	1700

따라서 지불할 수 있는 금액은 6가지이다.

03 3의 배수인 경우는 3, 6, 9, 12의 4가지

5의 배수인 경우는 5, 10의 2가지

따라서 구하는 경우의 수는 4+2=6

04 서로 다른 두 개의 주사위에서 나오는 두 눈의 수를 순서쌍으로 나타내면

(i) 두 눈의 수의 합이 3인 경우는

(1, 2), (2, 1)의 2가지 ······ [40 %]

(ii) 두 눈의 수의 합이 10인 경우는

(4, 6), (5, 5), (6, 4)의 3가지 ······ [40 %]

따라서 구하는 경우의 수는 2+3=5 ······ [20 %]

05 3×5=15(일)

06 (i) A → B → C로 가는 방법의 수는 2×2=4

(ii) A → C로 바로 가는 방법의 수는 2

따라서 구하는 방법의 수는 4+2=6

07 한 개의 연기 구멍으로 나타낼 수 있는 신호는 연기를 피운 경우와 연기를 피우지 않은 경우의 2가지이다. 따라서 4개의 연기 구멍이 있는 봉화대에서 표현할 수 있는 신호는
$2 \times 2 \times 2 \times 2 = 16$(가지)

08 라영이가 A 초콜릿을 먼저 골랐으므로 나머지 친구들은 B, C, D 초콜릿을 고르면 된다.
따라서 구하는 경우의 수는 $3 \times 2 \times 1 = 6$

09 (1) 6명을 한 줄로 세울 때, 성진이와 정태가 반드시 이웃하므로 성진이와 정태를 1명으로 생각하여 5명을 한 줄로 세우는 경우를 생각한다.
이때 연조가 맨 앞에, 신희가 맨 뒤에 서므로
연조□□□신희인 경우의 수는
$3 \times 2 \times 1 = 6$
성진이와 정태가 자리를 바꾸는 경우의 수는
$2 \times 1 = 2$
따라서 구하는 경우의 수는 $6 \times 2 = 12$ ······ [60 %]
(2) 6명 중에서 대표 1명을 뽑는 경우의 수는 6
대표에 뽑힌 사람을 제외한 나머지 5명 중에서 부대표 2명을 뽑는 경우의 수는 $\dfrac{5 \times 4}{2 \times 1} = 10$
따라서 구하는 경우의 수는 $6 \times 10 = 60$ ······ [40 %]

10 홀수가 되려면 일의 자리 숫자가 1 또는 3 또는 5이어야 한다.
(ⅰ) □1인 경우: 21, 31, 41, 51의 4개
(ⅱ) □3인 경우: 13, 23, 43, 53의 4개
(ⅲ) □5인 경우: 15, 25, 35, 45의 4개
따라서 구하는 홀수의 개수는 $4 + 4 + 4 = 12$

11 5명 중에서 자격이 같은 대표 2명을 뽑는 경우의 수와 같으므로 $\dfrac{5 \times 4}{2 \times 1} = 10$(번)

12 A에 칠할 수 있는 색은 5가지
B에 칠할 수 있는 색은 A에 칠한 색을 제외한 4가지
C에 칠할 수 있는 색은 A, B에 칠한 색을 제외한 3가지
D에 칠할 수 있는 색은 B, C에 칠한 색을 제외한 3가지
따라서 구하는 경우의 수는 $5 \times 4 \times 3 \times 3 = 180$

13 ① $\dfrac{3}{3+4+5} = \dfrac{3}{12} = \dfrac{1}{4}$
② 모든 경우의 수는 $2 \times 2 = 4$
같은 면이 나오는 경우는 (앞, 앞), (뒤, 뒤)의 2가지
이므로 구하는 확률은 $\dfrac{2}{4} = \dfrac{1}{2}$
③ 모든 경우의 수는 $6 \times 6 = 36$
나오는 눈의 수가 같은 경우는
$(1, 1), (2, 2), (3, 3), (4, 4), (5, 5), (6, 6)$의 6가지
이므로 구하는 확률은 $\dfrac{6}{36} = \dfrac{1}{6}$
④ 모든 경우의 수는 $4 \times 3 \times 2 \times 1 = 24$
A가 맨 앞에 서는 경우의 수는 $3 \times 2 \times 1 = 6$
이므로 구하는 확률은 $\dfrac{6}{24} = \dfrac{1}{4}$
⑤ 모든 경우의 수는 $\dfrac{5 \times 4}{2 \times 1} = 10$
대표 2명이 모두 여학생인 경우의 수는 1
이므로 구하는 확률은 $\dfrac{1}{10}$
따라서 확률이 가장 큰 것은 ②이다.

14 모든 경우의 수는 $4 \times 4 = 16$ ······ [30 %]
(ⅰ) 2□인 경우: 23, 24의 2개
(ⅱ) 3□인 경우: 30, 31, 32, 34의 4개
(ⅲ) 4□인 경우: 40, 41, 42, 43의 4개
(ⅰ)~(ⅲ)에서 23 이상인 경우의 수는
$2 + 4 + 4 = 10$ ······ [50 %]
따라서 구하는 확률은 $\dfrac{10}{16} = \dfrac{5}{8}$ ······ [20 %]

15 모든 경우의 수는 $6 \times 6 = 36$
$x + 2y \leq 6$을 만족하는 순서쌍 (x, y)는
$(1, 1), (1, 2), (2, 1), (2, 2), (3, 1), (4, 1)$의 6가지
따라서 구하는 확률은 $\dfrac{6}{36} = \dfrac{1}{6}$

16 학생이 토론 논술부일 확률은 $\dfrac{5}{36}$
학생이 합창부일 확률은 $\dfrac{4}{36}$
따라서 구하는 확률은 $\dfrac{5}{36} + \dfrac{4}{36} = \dfrac{9}{36} = \dfrac{1}{4}$

17 4의 배수가 적힌 카드가 나오는 경우는 4, 8, 12, 16, 20, 24, 28의 7가지이므로 그 확률은 $\dfrac{7}{30}$
7의 배수가 적힌 카드가 나오는 경우는 7, 14, 21, 28의 4가지이므로 그 확률은 $\dfrac{4}{30}$
이때 4의 배수이면서 7의 배수인 수가 적힌 카드가 나오는 경우는 28의 1가지이므로 그 확률은 $\dfrac{1}{30}$
따라서 구하는 확률은 $\dfrac{7}{30} + \dfrac{4}{30} - \dfrac{1}{30} = \dfrac{10}{30} = \dfrac{1}{3}$

18 ③ $0 \le p \le 1$

19 A만 합격할 확률은

$$\frac{2}{5} \times \left(1-\frac{3}{4}\right) \times \left(1-\frac{1}{3}\right) = \frac{2}{5} \times \frac{1}{4} \times \frac{2}{3} = \frac{1}{15}$$

B만 합격할 확률은

$$\left(1-\frac{2}{5}\right) \times \frac{3}{4} \times \left(1-\frac{1}{3}\right) = \frac{3}{5} \times \frac{3}{4} \times \frac{2}{3} = \frac{3}{10}$$

C만 합격할 확률은

$$\left(1-\frac{2}{5}\right) \times \left(1-\frac{3}{4}\right) \times \frac{1}{3} = \frac{3}{5} \times \frac{1}{4} \times \frac{1}{3} = \frac{1}{20}$$

따라서 한 사람만 합격할 확률은

$$\frac{1}{15} + \frac{3}{10} + \frac{1}{20} = \frac{25}{60} = \frac{5}{12}$$

20 (수요일과 목요일 중 적어도 하루는 비가 올 확률)

=1-(수요일과 목요일 모두 비가 오지 않을 확률)

$$=1-\left(1-\frac{80}{100}\right) \times \left(1-\frac{70}{100}\right)$$

$$=1-\frac{1}{5} \times \frac{3}{10}$$

$$=1-\frac{3}{50} = \frac{47}{50}$$

따라서 구하는 확률은 $\frac{47}{50} \times 100 = 94\,(\%)$

21 $a+b$가 짝수이려면 (홀수)+(홀수) 또는 (짝수)+(짝수)이어야 한다.

(i) a, b가 모두 홀수일 확률은

$$\frac{1}{4} \times \frac{2}{3} = \frac{1}{6}$$

(ii) a, b가 모두 짝수일 확률은

$$\left(1-\frac{1}{4}\right) \times \left(1-\frac{2}{3}\right) = \frac{3}{4} \times \frac{1}{3} = \frac{1}{4}$$

따라서 구하는 확률은 $\frac{1}{6} + \frac{1}{4} = \frac{5}{12}$

22 (1) A 주머니에서 파란 공, B 주머니에서 파란 공을 꺼낼 확률은 $\frac{4}{7} \times \frac{2}{7} = \frac{8}{49}$ ······ [30 %]

(2) (i) A 주머니에서 빨간 공, B 주머니에서 파란 공을 꺼낼 확률은 $\frac{3}{7} \times \frac{2}{7} = \frac{6}{49}$

(ii) A 주머니에서 파란 공, B 주머니에서 빨간 공을 꺼낼 확률은 $\frac{4}{7} \times \frac{5}{7} = \frac{20}{49}$

따라서 구하는 확률은 $\frac{6}{49} + \frac{20}{49} = \frac{26}{49}$ ······ [70 %]

23 첫 번째에 당첨 제비를 뽑을 확률은 $\frac{3}{10}$

뽑은 제비는 다시 넣지 않으므로 두 번째에 당첨 제비를 뽑을 확률은 $\frac{2}{9}$

따라서 구하는 확률은 $\frac{3}{10} \times \frac{2}{9} = \frac{1}{15}$

24 원판 전체의 넓이는 $\pi \times 3^2 = 9\pi$

어두운 부분의 넓이는

$\pi \times 3^2 - \pi \times 2^2 = 9\pi - 4\pi = 5\pi$

따라서 구하는 확률은

$$\frac{5\pi}{9\pi} = \frac{5}{9}$$

개념 해결의 법칙
me
mo

에듀테크로 미래를 디자인하는
천재교육

AI가 추천하는 나를 위한 맞춤 학습!
빅데이터에 기반한 학습 트렌드 분석!
에듀테크가 펼치는 학습 현장은
놀라움의 연속입니다.

천재교육은 기술로 미래를 만들어 갑니다.

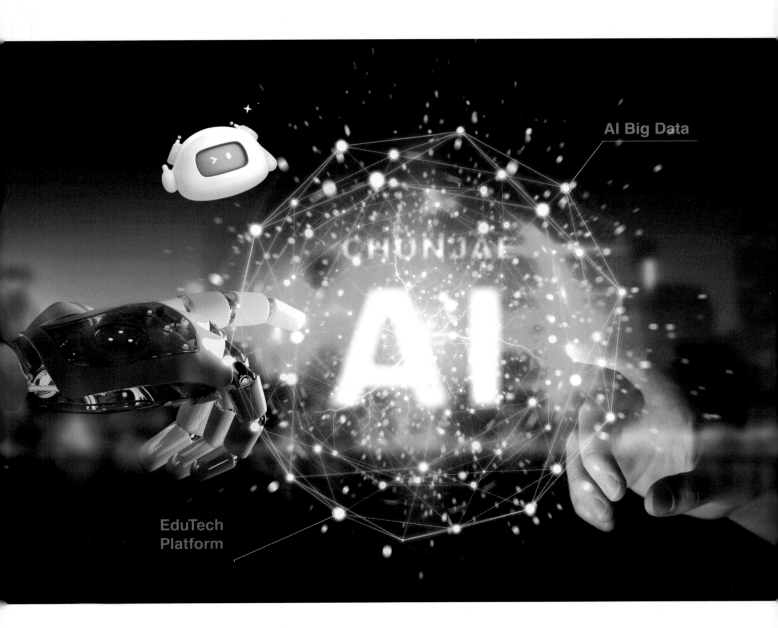